KB177518

새뮤얼 스마일스(1812~1904) 초상화

에든버러 대학교 의과대학 스마일스는 에든버러 대학교 의대를 졸업하고 수년간 외과의사를 지내기도 했다.

리즈 시티 박물관 영국 웨스트요크셔 주 리즈 시 소재
스마일스는 1838~58년까지 리즈 시에서 신문편집자, 의사, 철도국 직원으로 일했다.

스마일스가 살았던 집 런던 그랜빌 파크

SELF-HELP, &c.

CHAPTER I.

SELF-HELP—NATIONAL AND INDIVIDUAL.

"The worth of a State, in the long run, is the worth of the individuals composing it."—J. S. MILL.

"We put too much faith in systems, and look too little to men."—B. DISRAELI.

"HEAVEN helps those who help themselves" is a well-worn maxim, embodying in a small compass the results of vast human experience. The spirit of self-help is the root of all genuine growth in the individual; and, exhibited in the lives of many, it constitutes the true source of national vigour and strength. Help from without is often enfeebling in its effects, but help from within invariably invigorates. Whatever is done *for* men or classes, to a certain extent takes away the stimulus and necessity of doing for themselves; and where men are subjected to over-guidance and over-government, the inevitable tendency is to render them comparatively helpless.

Even the best institutions can give a man no active aid. Perhaps the utmost they can do is, to leave him *free* to develop himself and improve his individual condition. But in all times men have been prone to believe that their happiness and well-being were to be secured by means of institutions rather than by their own conduct. Hence the value of legislation as an agent in human

B

《자조론》 본문 페이지

SELF-HELP;

WITH ILLUSTRATIONS OF

CONDUCT AND PERSEVERANCE.

BY SAMUEL SMILES,

AUTHOR OF "LIVES OF THE ENGINEERS."

"This above all,—To thine own self be true;
And it must follow, as the night the day,
Thou canst not then be false to any man."
SHAKSPEARE.

"Might I give counsel to any young man, I would say to him, try to frequent the company of your betters. In books and in life, that is the most wholesome society; learn to admire rightly; the great pleasure of life is that. Note what great men admired; they admired great things; narrow spirits admire basely, and worship meanly."—W. M. THACKERAY.

NEW EDITION.

LONDON:
JOHN MURRAY, ALBEMARLE STREET.
1890.

《자조론》 표지 런던판. 1890.

"SELF-HELP,"
BY SMILES.

〈펀치〉 잡지에 실린 스마일스 풍자 만화

OXFORD WORLD'S CLASSICS

SAMUEL SMILES
SELF-HELP

《자조론》(초판, 1859) 표지 옥스퍼드 월드클래식판

존 스튜어트 밀(1806~1873)

윌리엄 다간(1799~1867)

프랜시스 베이컨(1561~1626)

윌리엄 셰익스피어(1564~1616)

이솝(BC 620?~560?) "하늘은 스스로 돕는 자를 돕는다." 이 격언 속에는 오랜 인생 경험의 진리가 함축되어 있다. 이솝 또한 그의 우화 〈헤라클레스와 마부〉에서 "신은 스스로 돕는 자를 돕는다"고 말하고 있다(《자조론》 본문 첫머리에서).

스마일스 초상화 조지 레이드. 1891.

세계사상전집073
Samuel Smiles
SELF HELP

자조론

새뮤얼 스마일스 지음/장만기 옮김

동서문화사

디자인 : 동서랑 미술팀

자조론
차례

1 자조—국가와 개인
자기 스스로 돕는 것만이 성공으로 가는 길…27

자조 정신/국민은 법도의 근본/국정은 국민의 반영/국가의 성쇠/제왕주의와 자조론은 서로 다른 것/윌리엄, 자립에 대하여/책보다는 인생, 독서보다는 노동/인간은 자조 정신이 있어야 한다/실사구시(實事求是)의 학문/전기문학이 인간에게 유익한 점/위인과 호걸은 빈부귀천에 구애되지 않는다/셰익스피어는 누구인가/개천에서 용 난다/유명한 천문학자/성직자 집안에서 이름을 드러낸 사람/법률가들, 그 밖에 비천한 집안의 아들로 태어나 이름을 알린 사람들/비천한 신분에서 몸을 일으켜 크게 이름을 떨친 외국인들/화학자 보클랭/프랑스에서 병사 출신으로 등용된 사람/비천한 신분에서 하원의원이 된 브라더턴/폭스와 린지/윌리엄 잭슨/리처드 콥덴/근면하지 않으면 결코 뛰어날 수 없다/부귀한 사람에게도 자조의 힘은 필요하다/부귀하게 태어났으나 전쟁터에서 고생을 마다하지 않은 사람/부귀하게 태어나 유명한 학자가 된 사람/명문귀족으로 태어나 정치와 문학에서 두각을 드러낸 로버트 필/브루엄/리턴/디즈레일리/워즈워스의 말과 토크빌/토크빌, 남의 도움 얻은 것을 인정하다/사람은 스스로 자신의 최고 후원자가 되어야 한다

2 산업지도자 발명가 생산자
역경은 부와 행복을 위한 축복…53

영국 국민의 근로정신/노고(勞苦)의 공장은 '가장 좋은 학교'이다/휴 밀러, 근로의 장점에 대하여/영국을 부강하게 만든 것은 비천한 사람들의 힘이다/기계를 창조한 사람들이 국가에 기여하다/증기기관의 창조/제임스 와트의 근면과 집중력/와트, 증기기관을 만들다/

증기기관, 모든 분야에서 유용하게 쓰이다/리처드 아크라이트와 방적기/필과 날염기/윌리엄 리와 양말 편직기/존 히스코트와 레이스 직조기/자카르와 직조기/하일만과 소모기이비 경/패러데이, 우연한 일에서 화학을 지망/데이비의 수첩에 적혀 있는 말/우연한 계기로 동물학을 연구한 퀴비에/기회를 놓치지 말고 학문에 힘쓸 것/시간의 조각들을 모아서 극대의 가치를 창조하라/명사, 흩어지는 시간을 모아서 대업을 이룬 예/시간을 소중히 하라/저술에 노고를 겪은 옛사람들/기록 및 초고의 이점/존 헌터/헌터, 물질의 정해진 정형을 흔들지 않고, 이것을 숙찰하다/파레/피의 운행을 밝혀낸 하비/종두를 발명한 제너/신경을 연구한 벨/신경의 연동운동을 밝혀낸 홀/신행성(新行星)을 처음으로 발견한 허셜/지질학에 뛰어났던 윌리엄 스미스/관찰의 재능이 있던 휴 밀러

9 사업가
살아가는 모든 것이 비지니스이다…270

10 돈의 올바른 사용과 남용
돈을 하나의 인격체로 다루어라…298

다/술을 끊은 휴 밀러/높은 수준에 눈을 두고 악습을 고쳐야 한다/고상한 뜻을 품고 근
검을 실천해야 한다/죄인을 교화한 토머스 라이트/정당한 직업은 비천하다 해도 부끄러
워할 것이 없다/구두쇠가 되어서는 안 된다/인색에 대하여/덕이 없는 부자/욕심이 화를
부른다/빈부에 구속되지 않은 브라더튼/진정한 체면/진실로 존경을 받는 사람

을 가진다/말이 아니라 실천이 사람을 바꾼다/구두를 수선하면서 대가 없이 빈민아동을 가르친 파운즈/좋은 친구를 사귀어라/인격자와의 교제가 주는 이익/자기를 능가하는 자를 흠모하는 예술가들/용감한 사람의 본보기/전기를 읽고 분발한 사람의 예/프랭클린, 드루, 더들리/알피에리, 로욜라, 루터, 울프, 케어리/호너를 감명시킨 책/즐거운 신사의 모습/사람들을 감화시킨 아놀드 박사의 덕행/존 싱클레어

인격은 사람이 가질 수 있는 가장 고귀한 것/캐닝, 러셀, 호너/프랭클린과 몽테뉴/인격은 힘이다/어스킨 경의 행동원칙/사람의 목표는 인격의 도야/이름의 가치/진실은 인격의 핵심/언행일치/진실한 인격/습관은 제2의 천성/습관은 처음을 조심해야 한다/좋은 습관은 어릴 때부터 길러라/행복도 습관을 통해 얻을 수 있다/남을 대할 때는 온화하고 예의 바르게/로버트슨의 편지/삶을 변화시키는 친절/세련된 예의범절/타인의 의견을 경청해야 한다—괴물 이야기/진실한 마음/집안을 일으킨 그랜트 형제/묵은 원한을 버리고 은혜를 베푼 그랜트 형제/신사의 참뜻/신사는 자기도 존경하고 남도 존경한다/10만 파운드의 뇌물을 거절한 웰링턴/10만 파운드의 뇌물을 거절한 웰슬리 후작/인도에서 토후들의 뇌물을 거절한 찰스 네이피어 경/외면의 부귀는 진정한 신사의 미덕과 상관없다/목숨을 아끼지 않고 남을 구한 선원/콜레라로 죽은 빈민을 장사지내 준 오스트리아 황제/파리에서 빈민의 장의차를 따라가 준 영국 노동자/신사의 기본은 진실성/용맹한 사람의 유연한 마음과 너그러운 행위/오늘에도 많이 볼 수 있는 영웅적인 행위/온유한 병사들/영국배가 아프리카 해안에서 침몰했을 때 보여준 영국군인의 정신/신사는 자기보다 약한 자를 괴롭히지 않는다/신사는 남에게 은혜를 베풀어도 생색을 내지 않는다/신사는 자기를 돌보기에 앞서 남을 먼저 생각한다/드레이크의 인격

《자조론》 머리글
새뮤얼 스마일스

이 책을 쓰게 된 동기를 간략하게 말하자면 다음과 같다.

어느 북부지방의 소도시에서 뜻있는 학생 여러 명이 모인 야학모임으로부터 초빙 연사로 초대받은 일이 있었다. 이 야학모임은 어려운 환경에서 고학하는 두세 명의 소년들이 어느 해 겨울 밤 서로의 지식을 주고받으며 자기 계발을 도모하고자 하는 취지에서 비롯되었다. 처음에는 한 학생이 살던 초라한 집에서 모였는데, 학생이 늘어나면서 자리가 비좁게 되었다.

더운 여름에는 집 밖에 있는 넓은 뜰에 모여, 하늘을 지붕삼아 뜰의 작은 정자에 둘러앉아 수업을 들었다. 강사는 정자에서 수학 문제를 내어가며 야간 수업을 지도했다. 맑은 날 저녁에는 밤 늦게까지 이렇게 학업을 계속했지만, 어떤 날은 쏟아지는 소나기로 돌판에 써놓은 수학 문제가 빗물에 씻겨나가, 그날은 아쉬움을 남긴 채 해산해야만 했다.

이윽고 겨울이 되자, 어디서 수업을 해야 할지 막막했다. 학생들은 계속 늘어나 평범한 민가로는 그 많은 인원을 수용할 수가 없게 되었다. 학생들은 벌이가 신통치는 않았지만, 매주 모은 푼돈으로 좀더 넓은 집을 빌리기로 했다. 여기저기 수소문한 끝에 누추하긴 해도 큰 집 한채를 얻게 되었는데, 이 집은 콜레라가 유행할 때 병원으로 사용했던 곳이라 사람들이 꺼려했다. 하지만 학생들은 이에 아랑곳하지 않고, 책걸상을 가져다가 겨울 수업을 시작했다.

그러자 이곳은 즐거움이 가득한 배움터로 변했고, 수업내용은 알차지 못했지만 굳은 의지력으로 이를 극복해 나갔다. 조금이라도 더 아는 학생이 그보다 못한 친구를 가르쳐 주는 등 서로의 인격을 수양하는 본보기를 실천하였다. 이렇게 해서 소년들은 독서나 작문, 수학, 지리 등을 가르치고 배우며, 수리화학과 외국어를 배우기에 이르렀다. 지원자는 점점 늘어나 뜻을 같이하는 소년 수십 명이 모이게 되자, 교사를 초빙하고, 또 강연을 기획하게 되면서 내가 강연 요청을 받게 된 것이다.

강연 요청을 위해 찾아온 한 학생은 자신들이 모임을 만들었을 당시의 취지는 물론, 앞으로 하고자 하는 일들에 대해 조목조목 설명했는데 그 당당한 태도가 매우 진솔해 보였다.

강연하는 것은 그다지 내키지 않았지만 그들의 자조 정신에 감동받아 흔쾌히 응했다. 기왕이면 그들에게 통속적인 말보다는 근면, 충직, 성실한 마음이 담긴 강연을 한다면, 더 좋은 결실을 맺을 것이라고 여겼다.

나는 이러한 생각을 기본으로 자수성가한 선인들의 본보기를 예로 들면서, 누구라도 자기 자신을 믿고 실천할 것을 강조하며 다음과 같이 말했다.

"미래의 성공을 바란다면 오직 자신만을 의지해야 한다. 자신의 근면한 수양 능력이나 스스로 정한 법규를 지키고, 각자 직분을 다하며 정직하고 성실해야 한다. 이것이 결실을 맺을 때 인격자로서의 영광을 얻을 것이다."

이러한 말들은 그다지 특별한 것은 아니었지만, 나의 진부한 설교에도 불구하고 소년들은 열렬한 환영으로 보답해 주었다.

이 소년들은 각자 굳은 의지력을 가지고 사회의 다방면으로 진출해 대부분 유능한 인물이 되었다.

그로부터 몇 년이 지나 까마득히 잊어버리고 있던 어느 날 밤, 갑자기 방문한 어떤 손님으로 인해 그날의 일을 기억해낼 수 있었다. 그는 나에게 이렇게 말했다.

"저는 지금 사업체를 경영하고 있습니다. 옛날 선생님이 친절하게 우리들에게 말씀해 주신 것에 대한 감은(感恩)의 정을 잊을 수가 없습니다. 제가 인생을 살아가는 데 있어 좋은 운을 얻고 있는 것은 다름아닌 선생님의 교훈이 있었기 때문입니다. 선생님께서 우리 친구들을 격려해 주신 그 정신을 항상 생각한 덕분에, 이렇게 출세할 수 있었습니다."

그날 이후 나는 이른바 자조(自助)에 대해 깊은 관심을 가지게 되었다. 그리고 그날그날의 강연 내용을 메모해 두었다가, 저녁에 짬을 내어 책에서 읽은 자료나 경험 등을 예전 강연 초고와 함께 정리해 두었다.

예전에 야학 모임에서 학생들에게 강연한 내용 중에서 가장 특별했던 사례는 기술자 조지 스티븐슨의 일화였다. 유난히 그에게 관심이 많았던 나는 그의 생애를 조명해 보고 싶었던 차에, 마침 기회가 생겨 그의 전기를 출간한 적이 있다. 이 책을 쓰게 된 동기도 그 때와 비슷하다고 할 수 있다. 하지만 여기에서 소개하는 여러 인물들의 일화는 되도록 간략하게 소개하고자 하였다. 마치 부분적으로 생략된 토르소(torso)상처럼, 빛나는 업적과 흥미로운 사건 중심으로 각 나라의 흥망성쇠와 인물의 생애를 간략하게 서술했다.

이 책에 담긴 교훈이 열심히 살아가는 이들에게 인생의 유익한 길잡이가 되길 바란다.

1859년 9월, 런던에서

《자조론》 2판 머리글

이 책은 이미 영국을 비롯한 많은 나라에서 상당한 인기를 모은 《자조론》의 개정판이다. 미국에서도 여러 종류로 출간되었고, 네덜란드·프랑스·독일·덴마크어로도 번역되었다. 이 책은 여러 사람들의 생애와 행적을 기록한 것으로, 그들의 노력과 실험, 시련, 성취 때문에 이처럼 여러 나라에서 사랑을 받을 수 있었던 것이다.

이미 "셀프 헬프"《자조론》으로 세상에 나왔기에, 지금 새삼 그 이름을 바꾸지는 않겠다. 하지만 독자의 오해를 사지 않기 위해 한마디 덧붙인다. 어떤 사람들은 이 책의 제목만 보고 이기심을 부추기는 책이라고 생각한다. 하지만 그것은 작가의 의도와는 전혀 다르다. 이 책의 목적은 인내와 수고와 고생을 꺼리지 말고 올바른 일을 하도록 노력하여 이 세상에 자립해야지, 다른 사람에게 기대어서는 안 된다는 점을 주로 젊은이들에게 권하는 것이다. 또 문인, 학자, 발명가, 교육자, 자선가, 순교자, 순례자들의 본보기에서 볼 수 있듯이, 자기 '스스로를 돕는다'는 뜻인 '자조'에는 자연스럽게 다른 사람을 돕는 일도 포함된다는 사실을 깨닫게 된다.

이 책은 자조의 노력으로 성공을 거둔 사람들의 예만 많이 들고, 실패한 사람들은 다루지 않았다고 비판하는 사람도 있다. 하지만 그저 실패담만 얘기한다면 교훈보다는 좌절감만 안겨줄 뿐이다. 그러나 이 책을 읽다보면 실패가 참된 공부를 하는 사람에게 가장 좋은 교훈이 된다는 것도 알게 될 것이다. 끝없이 시도하여 수없이 실패하면 아마도 그때마다 자기 내면의 힘을 모두 끌어내고, 자기 관리와 자기 수양을 하여 지혜는 더욱 알차게 성장하게 될 것이다. 이렇게 보면 실패는(무슨 일이 있어도 견디어낼 수 있다는 마음가짐), 자신에게 이익이 되고 교훈이 된다. 그래서 나는 되도록 많은 실례를 들려고 애썼다.

사람은 가끔 좋은 동기를 가지고도 실패하는 경우가 있다. 그렇지만 좋은 일을 계획했다가 실패한 사람이 좋은 사람이라는 사실은 변함이 없다. 실패를 해도 존중해야 한다. 좋지 않은 동기로 일을 하면, 어쩌다 한때 성공했다 해도 오명만 떨치게 될 뿐이다. 그러니 일할 때는 좋고 나쁨을 먼저 생각해야 한다. 나중의 성패만을 보아서는 안 된다. 한 걸음 더 나아가, 좋은 일에 뜻을 두어 성취하는 것은 실패하는 것보다 훨씬 낫다. 그러나 일을 성취하려는 목표, 노력, 인내, 용기가 결과보다 훨씬 더 중요하다. 옛사람들은 말한다.

"사람은 자기 마음대로 성공을 거둘 수 없다. 하지만 노력하면 하늘이 상으로 성공할 자격을 준다."

이 책의 목적을 간단하게 말하면, 선인들의 좋은 가르침을 젊은이들에게 들려주는 것이다.

"젊을 때 고생하면 만년에는 편안하다."

"어려운 일에 직면했을 때, 가르쳐 주는 사람이 없다고 해서, 그 목표가 꺾여서는 안 된다. 인내심을 가지고 이를 이겨나가야 한다."

이것은 가장 중요한 가르침이다.

"사람에게는 고상한 품위가 있어야 한다. 그것이 없으면 재능이 있어도 소용없고, 아무리 세속적으로 성공해도 존경받지 못한다."

이 가르침들을 세상의 젊은이들에게 알려주기 위해 이 책을 썼다. 당신이 이 책을 읽고도 노력하지 않는다면 이 책은 실패했다고 해야 할 것이다.

1866년 5월, 런던에서

새뮤얼 스마일스
《자조론》을 읽는 젊은이들에게
장만기

자기를 살리기 위해서는 세 가지가 필요하다. 자기가 무엇을 믿어야 하는가 알아야 하고, 자기가 무엇을 원해야 하는가 알아야 하며, 자기가 무엇을 행해야 하는가를 알아야 한다.

내가 궁지에 빠졌을 때 내 일은 나 자신에게 의탁하는 것이 가장 상책이라고 생각해야 한다. 사람은 무슨 일에 있어서나 남의 도움을 바랄 뿐이지 자기 스스로의 도움에 의탁할 마음은 적다. 그러나 남의 도움이라는 것은 늘 확실치 못한 것이다. 작은 대로, 부족한 대로 가장 확실한 것은 나 자신 속에서 찾는 힘이다. 그러면 나는 내 몸을 나의 마음에 맡기는 것이 무엇보다도 가장 확실하고 안전한 것임을 깨닫게 되는 것이다.

역사에서 하나의 업적을 이룩한 인물들을 살펴보면, 모두 자신을 믿는 백절불굴(百折不屈)의 뜻에 초지일관(初志一貫)했음을 알 수 있다. 그런 삶을 사는 사람은 용기있게 전진하여 어떠한 난관에도 굴하지 않고 수없이 되풀이되는 실패에도 꺾이지 않으며 자기가 목적한 바를 성취해 내고야 만다.

온갖 사람들의 기예(技藝)는 물론, 성인이 되거나 현인이 되는 것까지 모두 자신의 마음에 달렸다. 왕후장상의 씨가 따로 없다고 하지만 그래도 이들이 배출되는 까닭은 여기에 있는 것이다. 포용력이 큰 사람일수록 인망이 높다. 이 세상에는 아주 낙천적이고, 무엇이든 긍정적으로 보려는 사람이 있다. 이런 사람에게 좌절은 존재하지 않고, 불행이 닥친다 하더라도 이들은 즉시 재앙을 복으로 바꾸어 성취감을 얻는다.

이런 인망 높은 사람은 누구에게나 선망의 대상이 되는 행복한 사람이다. 이들의 눈동자는 기쁨, 만족감, 쾌활함, 신념, 지혜로움으로 빛난다. 무거운 짐도 기꺼이 어깨에 짊어지고, 불평하거나 사소한 일을 고민하지 않고 용감하게 이겨 나간다. 그들의 삶은 목적이 뚜렷하다.

인격은 최상의 인간성이며 구체화된 도덕질서이다. 개인의 인격이 바로 사회의 양심이고 국가의 원동력이다. 법과 제도는 인격을 도와 사회질서를 유지하는 보조수단일 뿐이다. 개인의 운명을 결정하는 것은 스스로의 결의와 결단이다. 어려운 환경을 벗어나 성공하는 사람들은 '자조정신'을 늘 마음에 새겼다. 자조정신은 한 개인이 자신을 발전시킬 수 있는 힘이 되고, 그것이 모이면 한 나라의 국력이 된다.

인생에는 생각하기에 따라 항상 밝음과 어두움의 두 가지 면이 있다. 우리는 의지력을 발휘해 행복하게 될지 불행을 감수할지 둘 중 하나를 선택하여, 어느 한쪽의 습관을 몸에 익혀가는 것이다. 따라서 노력하여 세상일의 어두운 면이 아닌 밝은 면만 보려는 성격을 신장시키는 일도 가능하다. 밝은 사고는 사람을 키우는 토양이다. 밝게 사고하면 힘도 희망도 다시 솟아오른다. 반대로 고민과 불만은 키우면 키울수록 희망과 가능성은 사라져가고 심신이 소진될 뿐이다.

누구든 자신의 미래를 바라는 대로 만들 수 있다. 자신을 이끄는 건 오직 자기 자신뿐임을 알고 꾸준히 노력한다면 원하는 바를 이룰 수 있다. 나약하고 게으르며 소망도 없는 사람들은 아무것도 붙잡지 못한다. 그들은 자신의 옆에 있는 행운이나 행복도 발견하지 못하고 그대로 지나쳐 버린다.

성공적 삶의 기초가 되는 것은 사랑과 희망, 인내이다. 사랑은 사랑을 상기시키고 자비를 낳는다. 희망은 미래로 나아가는 힘찬 발걸음이고 성취를 잉태한 마음의 재산이다. 인내는 성실한 인생을 예약하고, 오늘과 내일의 아름다운 생활을 보장한다. 이 모든 것을 아우른 사랑은 세상의 온갖 일을 밝게 비추고 항상 행복을 추구한다. 사랑은 밝은 사고를 키우고 명랑한 분위기 속에 깃든다.

새뮤얼 스마일스는 말한다.

"나라의 강약은 국민들의 품행과 관계가 있다. 그 나라 사람들의 진실되고 용감하고 선량한 품행은 곧 그 나라 품격의 근본이 된다."

국가란 국민들의 만남이요, 총화라 할 수 있다. 그러므로 사람들의 품행이 바르면 곧 풍속이 아름답다. 풍속이 아름다우면 곧 한 나라는 협동하고 뭉쳐서 한몸이 된다. 나라가 강하다는 것은 곧 국민의 힘이 모인 것이다. 만일 국민의 품행이 바르지 못하고 풍속이 아름답지 못하면 어찌 나라가 강한 힘을 발휘할 수 있겠는가!

어느 시대이건 새로운 시대를 여는 것은 자조·자율의 정신과 함께 사람들에 대한 배려와 높은 뜻을 가진 청년들이다. 이 청년들이야말로 개혁의 원동력이다. 새뮤얼 스마일스는 이렇게 외친다.

"젊은이들이여, 야망을 품어라! 이 세상에 '불가능'한 것은 아무것도 없다! 하늘은 스스로 돕는 자를 돕는다. 나날이 자신을 단련하는 것이다. 성실함에 감동하고 감동하여 강해져라! 끊임없는 자기 단련과 인내는 그대에게 반드시 '성공'이라는 이름을 가진 승리의 월계관을 씌워 줄 것이다. 자기가 생각한 대로 자기 인생을 창조하라!"

평범한 돌멩이로 끝날 것인가, 아니면 아름다운 옥석이 될 것인가. 성공하는 인생의 에너지는 어디에서 생겨나는가. 행복한 인생은 '의지'의 힘으로 잡을 수 있다. '희망'은 가장 큰 재산이다. 자기 행동의 '흑과 백'은 스스로 판단하라. 식을 줄 모르는 정열은 모든 것을 가능케 한다. 어려움에 부딪침으로써 사람은 더욱 단련되어 강해지고 또한 감동하고 감동하여 크게 성장한다.

새뮤얼 스마일스는 《자조(自助) Self Help(1859)》를 발표하고, 이어서 《인격 Character(1871)》《절약 Thrift(1875)》《의무 Duty(1880)》를 펴냈다. 이 책들은 빅토리아 시대의 기본적인 가치관을 담은 글이다. 11명의 자녀 중 하나였던 스마일스는 아버지를 일찍 여의고 어린 시절부터 자조의 의미를 배워갔다. 1832년 그는 에든버러에서 의사자격을 얻었으나, 언론인이 되기 위해 개업을 포기하고 리즈로 갔다. 그곳에서 1838~42년 진보적·개혁지 〈리즈 타임스 Leeds Times〉를 편집했다. 그의 자조사상은 공리주의 철학자 제러미 벤담과 제임스 밀의 원칙을 실생활에 적용한 것이다. 그는 사기업과 자유무역에 바탕을 둔 물질적 진보, 즉 시장경제를 열렬히 옹호했다. 1845~66년 철도행정에 종사했고, 1857년 철도의 발명자이자 창시자인 조지 스티븐슨의 전기를 펴냈다. 그 뒤 자아발전이라는 주제로 리즈의 젊은이들에게 행한 강의 내용을 엮은 《자조 Self Help, with Illustrations of Character and Conduct》를 출판했다. 이 책은 수많은 언어로 번역되었다. 그 밖에 경제사 분야의 선구적 연구서 《엔지니어들의 생애 Lives of the Engineers(1861~62, 1874년 전5권으로 증판)》와 《자서전 Autobiography(1905)》을 썼다.

《자조론》이 처음 세상에 나왔을 때는 찰스 다윈의 《종의 기원》과 존 스튜어트 밀의 《자유론》이 출판되었으며, 제임스 와트가 증기기관을 발명하고, 마이클 패러데이와 클라크 맥스웰이 전자기학의 원리를 확립한 시대였다. 런던의 큐 왕립식물원이나 대영박물관이 만들어진 것도 이 무렵이다. 이처럼 해가 지지 않는 나라 영국의 번영을 이룬 주인공들은 이 책에 수록된, 평범한 가운데 고매한 인격을 지닌 그즈음 영국인들로, 오늘날 젠틀맨이라 전해지는 영국 신사도를 가진 사람들이다. 젠틀맨십을 가진 영국인들은 이렇게 얻은 자유와 번영을 능숙하게 활용했다.

오늘날 우리 한국은 식민지와 한국전쟁의 소용돌이에서 벗어나 짧은 기간에 이룬 경제 기적으로 세계 역사에 일찍이 없었던 풍요를 누리고 있다. 그러나 선구들이 쌓아 올린 피와 땀 그리고 눈물의 정신을 잊는다면, 우리는 반대로 쇠퇴의 나락으로 떨어질지도 모른다. 경제학자 아담 스미스는 이를 '보이지 않는 신의 손'이라고 말하지 않았던가!

근면·자조·협동 표어의 상징이며 우리나라 경제 발전의 주역인 박정희 대통령은 영국 젊은이들에게 인생의 가치를 불어넣어 준 새뮤얼 스마일스의 《자조론》과, 실의에 빠진 덴마크를 부흥시켜 국부로 추앙받은 국민운동가 그룬트비의 애국혼이 가득한 유달영의 《새 역사를 위하여》를 읽고 큰 감동을 받았다. 그는 새마을운동을 일으키면서 이렇게 말했다.

"농민들 스스로의 자조적인 노력, 그리고 자기 스스로 노력해서 자립해야겠다는 왕성한 자조정신, 이런 모든 것이 합쳐져야만 소기의 성과를 얻을 수 있다. 우리도 한번 잘 살아보자. 하면 된다!"

박정희는 농민들에게 근면·자조·협동 정신을 각성시키고 이를 실천하는 새마을운동을 일으켜 한국부흥의 결정적 요인을 만들어 세계 국가들의 부러움을 샀다. 그의 가난으로 점철된 어린 시절 체험이 박정희의 자조사상 국가경영 철학을 형성하게 된다. 그는 정부가 도와주지 않아 못산다고 책임을 미루는 자조력이 없는 국민은 절대 일어설 수 없으며, 국가도 그처럼 게으른 사람은 도울 수 없다고 했다. 꿈을 이루기 위해 열심히 살려고 노력한다면 그때 비로소 하늘은 도와줄 것이라고 확신했다. 자조자립의 인생철학이야말로 자아실현의 지름길이자 비결이며, 나아가 사회와 나라를 번영시키는 요소라고 그는 굳게 믿었다.

자조주의 인생기본 사상은 몇천 년이라는 인간역사의 시련을 견디고 살아남은 것이다. 시간을 초월해 변하지 않는 성실한 생활 방법의 진리를 담고 있다. 그 변함 없는 진리를 이 책의 곳곳에서 발견할 수 있을 것이다.

더불어 오늘의 시대는 재능만으로 자아 실현의 꿈을 이룰 수 없다. 바로 그 재능을 잘 발휘할 수 있게 도와주는 인망(人望)이 필요하다. 그럼 어떻게 하면 그런 덕(德)을 갖춘 사람이 될 수 있을까. 새뮤얼 스마일스는 끊임 없는 자기 단련, 인내, 성실 그리고 자신을 향상시키려는 자세가 중요하다고 강조하고 있다. 이 책 속에는 '인망'을 얻기 위한 구체적인 방법이 들어 있으며, 수많은 인물들이 저마다의 의지·노력·성공을 이야기하고 있다.

자조론의 주된 가르침은 젊은이들을 올바르게 인생에 전념할 수 있도록 자극함으로써, 먼저 자신을 믿고 자신의 노력에 의존하라는 것이다. 노력하면 성공할 자격을 갖출 수 있다. 새뮤얼 스마일스는 자조론의 메시지로서 끈기가 없으면 사회적 성공은 불가능하며, 신사다운 인격을 지닌 사람만이 삶을 책임 있게 관리할 수 있다고 말한다. 또한 젊은이들은 즐거운 마음으로 일해야 하며 성실한 자세를 갖추지 못하면 위대한 업적을 달성할 수 없다, 난관에 빠졌을 때 두려워 말고 인내와 끈기로 극복해야 한다, 그리고 언제나 인격 연마를 게을리해서는 안 된다, 고결한 인격을 쌓지 못하면 능력도 소용없으며 성공은 아무런 의미가 없다고 강조한다.

결국 나는 나 자신이며 나의 상황을 책임져야 한다. 만일 내가 나의 상황을 구해 낼 수 없다면 나 자신 또한 구해 낼 수 없는 것이다.

이 책의 텍스트는 미국 보스턴 인디퍼블리시닷컴 발행 새뮤얼 스마일스 《자조론(Self Help)》을 사용했으며, 일본 고단샤 학술문고 나카무라 마사나오 옮김 《서국입지편(Self Help)》을 참조했음을 밝힌다.

훌륭한 한국어판 《자조론》을 펴내기 위해 기획 번역 편집에 힘써주신 추영현 김성숙 우진주 김춘백 김영련 윤옥일 김미양 선생께 감사를 드린다.

2006년 1월 봄을 기다리며
한국인간개발연구원에서 장만기

자기 스스로 돕는 것만이 성공으로 가는 길

한 나라의 가치는 그 나라를 구성하는 사람 저마다의 가치이다.　　J.S. 밀

국가제도에 대한 지나친 믿음은 인간 개개인을 소홀히 할 수 있다.
　　　　　　　　　　　　　　　　　　　　　　　　　　B. 디즈레일리

자조 정신

"하늘은 스스로 돕는 자를 돕는다."(Heaven helps those who help themselves.) 이 격언 속에 오랜 인생 경험에서 검증된 하나의 진리가 함축되어 있다. 그리스의 이솝 또한 그의 우화 《헤라클레스와 마부》에서 "신은 스스로 돕는 자를 돕는다" 말한다.

다른 사람의 힘에 의지하지 않는 이 자조 정신은 올바른 개인 성장의 기초이며, 그 정신이 수많은 사람들의 생활에 뿌리내리면 활력이 넘치는 강한 국력이 된다. 남에게 받는 도움은 인간을 나약하게 만들 뿐이다. 자립심과 자조력은 한결같이 사람에게 힘을 불어넣는다. 남을 의지하여 도움의 손길을 내미는 것은 오히려 스스로 해내려는 의지를 잃어버리게 하며 자립의 필요성을 느끼지 못하게 할 수도 있다. 보호와 억제 또한 지나치면 쓸모없는 무력한 사람으로 만들기 쉽다.

국민은 법도의 근본

아무리 훌륭한 제도라도 국민에게 실제로 도움을 주지는 못한다. 사회 제도가 할 수 있는 최상의 일은, 인간을 속박하지 않으며 자유롭게 발달하고 향상할 수 있게 하는 것이다. 예나 지금이나 인간은 자기 행동의 힘보다는 국가와 사회의 힘으로 행복과 안녕을 얻을 수 있다고 믿고 싶어한다. 그러다보니 법률

을 만드는 것이 마치 인류 발전의 견인차로 과대평가되어 왔다. 몇 년마다 한 번씩 한두 사람을 선출하기 위해 투표하는 것이 입법부의 근간이 되지만, 저마다의 인생과 인격에 실제적 영향을 주지는 않는다. 그들이 의무를 아무리 충실히 이행한다 해도 그렇다. 정부의 기능은 생활, 자유, 재산을 보호할 뿐이며, 적극적이거나 활동적이지 않고 소극적이며 제한적이라는 사실이 요즘에 와서 점점 더 명확해지고 있다. 법이 잘 운용되면 정신적으로나 육체적으로 사람들에게 비교적 적은 희생으로 노력에 대한 보답을 보장해 준다. 그러나 법이 아무리 엄중하다 해도 게으름뱅이를 부지런하게, 사치꾼을 검소하게, 주정뱅이가 술을 끊게 만들 수는 없다. 이와 같은 부분의 개선은 권력이 더 확대되어야 이루어지는 것이 아니라, 저마다의 행동, 절약, 극기, 그리고 향상된 습관을 통해서만 성취되는 것이다.

국정은 국민의 반영

한 나라의 정치는 그 자체가 나라를 구성하고 있는 사람들의 반영에 지나지 않는다. 국민을 앞선 훌륭한 정부는 국민과 같은 수준으로 내려갈 것이요, 국민보다 뒤처진 정부는 국민의 수준과 동등하게 올라갈 것이다. 본디 국가는 국민에 의해 성립되는 것이므로, 국민의 성향과 행동이 모여서 법률이 되고 정치가 된다. 그렇기 때문에, 국민과 정치는 그 선과 악의 수준이 동등하여 우열이 따로 없다. 국민의 집합적 성격과 나라의 법률 및 정부는 정비례하는 것으로, 이것은 자연의 법칙이어서 마치 물이 저절로 수평을 이루는 것과 같다. 고귀한 국민은 고귀하게 다스려지고, 무지하고 부패한 국민은 치욕적인 통치를 받게 된다.

동서고금의 사례를 보면, 한 나라의 가치와 힘은 국가 제도보다는 국민의 품성에 따라 훨씬 더 좌우된다. 왜냐하면, 국가란 한사람 한사람의 총합체에 지나지 않으며, 문명 그 자체도 사회를 구성하고 있는 모든 남녀노소의 인간성 향상의 총화이기 때문이다.

국가의 성쇠

국가의 진보는 개인의 근면, 정력, 덕행의 총화요, 국가의 쇠퇴는 사람들의 나태, 사심, 악덕의 결과이다. 우리가 큰 사회적 악덕이라고 인정하는 것은 대부분 인간생활의 그릇된 결과에 지나지 않음을 알 수 있다. 그러므로 비록 우리가 법률의 힘으로 사회악을 제거하려 해도 개인의 생활과 성품이 근본적으로 개선되지 않는 한, 그 사회악은 또다시 새로운 형태로 왕성하게 자라날 것이다. 이러한 견해가 옳다면, 결국 최고의 애국과 자선은 법률을 개정하고 제도를 바꾸는 데 있다기보다, 사람들을 지도하고 격려하여 저마다 자유롭고 독립적인 행동으로 인격을 높이고 인성을 향상시키는 데 있다고 할 수 있을 것이다.

존 스튜어트 밀

사람이 어떻게 외부의 지배를 받느냐 하는 것은 그리 중요한 문제가 아니다. 모든 것은 자기 자신을 어떻게 다스리느냐에 달려 있다. 가장 비참한 노예는 극악한 폭군에 의해 지배되는 자가 아니라, 자신의 도덕적 무지, 사심, 악덕의 노예가 되는 사람이다. 이와 같이 근본이 노예 상태에 있는 나라는 군주나 제도만 바꾼다고 해서 자유로워질 수 있는 것이 아니다.

자유는 오직 정부에 달려 있다고 하는 잘못된 환상이 지속되는 한, 아무리 애써서 군주나 제도를 바꾸어도 실제적이고 영속적인 효과가 없으며, 그것은 마치 환등(幻燈) 속의 영상이 변하는 것과 같다. 자유의 견고한 기초는 개인 저마다의 인격이어야 하며, 그것이 또한 사회 안정과 국가 번영의 유일한 보장이기도 하다.

존 스튜어트 밀은 이렇게 말했다.

"사람은 전제 지배 하에서도 그 개성이 살아 있는 한, 최악의 사태에 빠지는 일은 없다. 반대로 개성을 말살해버리는 정치는 그것이 어떤 이름으로 불리든 바로 전제 지배와 다를 바가 없다."

제왕주의와 자조론은 서로 다른 것

예로부터 인간이 진보하는 근거가 어디에 있는가 하는 문제에 대해 여러 가지 잘못된 견해가 있었다. 어떤 이는 그것이 제왕에 근거한다 하고, 어떤 이는 국민에 근거한다 하며, 또 어떤 이는 의회가 정하는 법안에 근거한다고도 한다. 그러나 자립의 근원을 논하지 않는다면 모두 오류를 면하기 어렵다.

"우리는 제왕을 기다려야 한다. 제왕이 나타났을 때, 그 제왕을 인정하고 따르는 국민은 행복하다."

이것은, 모든 일은 민중을 위해 존재하지만 민중의 손에 의해 이루어지는 일은 하나도 없다는 뜻으로, 이에 따르게 되면 국민의 자유 의지는 소멸되고 당장 압제 정치를 초래하고 말 것이다. 제왕 숭배는 우상 숭배 최악의 형태로 한낱 권력을 숭배하는 것이나 다름없으므로, 결국은 배금주의처럼 인간을 타락시키게 된다. 국민에게 널리 펼쳐야 할 가르침은 자조 정신이며, 그것을 완전히 이해하고 실천에 옮기면 제왕 숭배주의는 사라질 것이다. 이 두 가지 설은 서로 상반되는 것으로, 빅토르 위고가 "문(文)은 무(武)보다 강하다"고 말한 것처럼 자조주의가 제왕주의보다 강하다고 할 수 있다.

윌리엄, 자립에 대하여

애국심에 근거한다는 것이나 의회법안에 근거한다는 것도 널리 퍼져 있는 미신이다. 자립의 근원을 논하지 않으면, 모두 진정한 정치라고 할 수 없다. 아일랜드의 진정한 애국자의 한 사람인 윌리엄 다간은 제1회 더블린 산업박람회 폐회식 때 다음과 같은 말을 했다.

"나는 독립이라는 말을 들을 때마다 우리나라와 우리 동포를 생각하지 않을 수 없습니다. 나는 우리의 독립을 이곳저곳 또는 다른 곳에서 얻을 수 있을 거라는 말과, 우리를 찾아오는 다른 나라 사람들에게 큰 기대를 걸고 있다는 말을 여러 번 들었습니다. 나도 그렇게 외부 교섭을 통해 많은 이익을 얻을 수 있다는 것은 인정하지만, 우리 산업의 독립은 우리 자신의 손에 달려 있다고 굳게 믿습니다. 오직 근면하게 일하며 우리의 힘을 효율적으로 이용하면, 오늘의 이 시간이야말로 우리의 더 밝은 미래를 위한 가장 좋은 기회라고 믿습니다. 우리는 한 걸음 발전했지만, 인내는 모든 성공의 근본이니, 우리가 열심히 계속 일한다면 머지않아 다른 나라 사람들처럼 편안하고 행복하게 자립할 수 있는 국민이 될 거라고 확신합니다."

책보다는 인생, 독서보다는 노동

많은 나라들이 오늘날과 같이 부강해진 것은 몇 세대에 걸쳐 국민들이 고생하며 열심히 일한 덕분이다. 여러 계층의 사람들이 다양한 환경 속에서 끈기 있게 노력한 것이 빛나는 결과를 가져왔다. 그 중에는 토지를 경작한 사람도 있고, 광산을 개발한 사람도 있으며, 발명가와 새로운 진리를 발견한 사람, 제조가, 기계공과 장인, 시인, 철학가, 정치가도 있었다. 한 세대가 전 세대의 수고 위에 새로운 것을 쌓아올려 더 높은 수준으로 끌어올린 것이다. 이와 같이 계승되는 고귀한 역군들, 즉 문명의 건설자들이 산업, 과학, 예술의 혼돈된 무질서를 바로잡는 역할을 했다. 그 덕택에 현재 살아 있는 사람들은 선조들이 기술과 근면으로 이룩한 풍요로운 시대를 이어받게 되었다. 그것은 다시 우리 손으로 개발되어—아무런 손상도 주지 않고 오히려 더 좋게 개량하여—우리 후손들에게 전달되어야 한다.

인간은 자조 정신이 있어야 한다

저마다의 열정적인 활동에서 나타나는 자조 정신은 예로부터 영국 사람들의 특유한 기질이었으며, 이것은 곧 한 나라로서 영국의 힘을 재는 진정한 척도가 되고 있다. 일반 서민층에서 태어나 분발한 끝에 대중에게 널리 존경받고 귀감이 된 사람이 많았다. 그러나 우리의 진보는 또한 이름 없는 많은 평범한 사람들에게서 힘입은 바가 크다.

대규모 전쟁의 역사에는 오직 장군의 이름만 기록되지만, 그 승리 뒤에는 수많은 병사들의 영웅적 행위가 있었다. 국민의 생애도 '병사의 전투'와 같다. 위대한 일꾼 속에는 언제나 일반 국민들도 들어 있었다. 역사에 기록되지 않은 수많은 사람들의 생애가 문명과 진보에 큰 영향을 끼쳤으며, 그들의 공헌은 전기에 등장하는 영웅호걸에 못지않다. 아무리 미천한 사람이라도 근면, 착실, 정직으로 타인의 모범이 되면, 그 시대뿐만 아니라 후세에까지 나라의 복지에 영향을 끼친다. 그의 선행과 인격이 저절로 남의 생활 속에 스며들어가, 다음 세대에 이르기까지 좋은 모범이 되기 때문이다.

실사구시(實事求是)의 학문

무릇 정성을 다해 직무에 힘쓰는 것은 가장 좋은 실사구시의 학문이다. 개

베이컨

인의 분투가, 다른 사람들의 생활과 행동에 강한 영향을 주는 최선의 실제적인 교육이라는 것을 일상 경험이 증명해 주고 있다. 이에 비하면 교육 기관은 교육의 첫 단추를 끼워 줄 뿐이다.

인생 교육이 훨씬 더 감화가 크다고 할 수 있는데, 그것은 가정과 거리, 계산대 뒤, 작업장, 베틀과 쟁기 뒤, 사무실, 제조 공장, 그 밖에 사람들이 많이 모이는 곳이면 어디서나 얻을 수 있다. 이것은 실러가 명명한 이른바 '인류의 교육'이라는 것으로, 이 교육은 일상의 품행과 행위에서 스스로 수양하며 자기를 극복하는 데 힘을 쓰는 것이다. 이와 같이 참되게 배우면, 사람들은 일생 동안 각자의 의무와 할 일을 완수할 수 있게 된다. 그것은 책에서 습득하거나 다소의 학문 수양으로 얻는 것과는 말할 수 없을 정도로 많은 차이가 난다.

베이컨은 "책에서 배우는 학문은 실제적인 응용을 가르쳐 주지 않으며, 정말로 유용한 배움은 실제 관찰을 통해서 얻을 수 있다. 그것은 책을 이용하는 것보다 더 큰 지혜이다"라고 말했다. 실제 생활의 요령뿐만 아니라 마음을 수양하는 길도 실제 관찰에 의해 가능하다는 것이다. 그러므로 다음과 같이 자신 있게 말할 수 있을 것이다.

"인간이 자기를 완성하는 데 필요한 것은 독서보다 일이요, 학문보다 생활이요, 공부보다 행동이요, 언행보다 그 인품이다."

전기문학이 인간에게 유익한 점

위인의 전기, 특히 훌륭한 사람들의 전기는 사람들에게 도움을 주고 참고가 되며, 또한 자극제로서 유용한 교훈이 된다. 그 중에서도 가장 훌륭한 사람의 전기는 거의 복음에 비할 만하다. 그 고매한 생애와 고결한 사상, 그리고 자기를 개선하고 세상을 개선하고자 분투한 행적은 한결같이 세상에 가르침을 주고 있다.

이러한 전기는 자조의 힘, 인내하는 힘, 결단성 있는 실행과 꾸준한 성실성이 나중에는 고상하고 위대한 인격을 만들어 준다는 것을 가르쳐 주면서, 이에 대한 가치 있는 예증을 보여 준다. 그러한 예증은 자기를 완성하는 길이 각 개인의 힘임을 분명히 보여 주고 있으며, 자기 존중과 자기 신뢰는 극히 미천한 사람도 고귀한 능력과 영광스러운 명성을 얻을 수 있게 하는 효력이 있음을 증명해 주기도 한다.

셰익스피어

위인과 호걸은 빈부귀천에 구애되지 않는다

과학, 문학, 예술의 대가들—위대한 사상의 주창자들과 위대한 마음의 왕들—은 반드시 특정한 지위나 계층에서만 나오는 것이 아니다. 그들 중에는 학교, 공장, 농가 출신도 있고, 가난한 집안 출신이 있는가 하면 부유한 집안 출신도 있다. 하느님의 위대한 사도들 중에는 병졸 출신들도 있다. 때로는 극빈자에서 최고 지위에 오른 이도 있으며, 그들에게는 지극한 고난도 그다지 장애가 되지는 않았다. 오히려 고난은 그들에게 도움이 되었다. 그것을 통해 노력과 인내심을 북돋았고, 고난이 없었더라면 그대로 위축되어버렸을 재능을 자극하여 성장시켰기 때문이다. 이와 같이 예로부터 장애를 극복하여 마침내 승리의 문에 이른 예가 많다. 그러니 "의지만 있으면 무슨 일이든 할 수 있다"는 격언은 언제나 유효하다.

주목할 만한 예를 들면, 이발사 집안 출신 가운데 성공한 인물로, 시인이자 신학자인 제레미 테일러가 있고, 제니 방적기의 발명자이자 제면(製綿) 공장의 창설자인 리처드 아크라이트가 있으며, 대법관으로 유명한 텐터든, 풍경화의 대가인 터너가 있다.

셰익스피어는 누구인가

영국의 문호 셰익스피어의 출생에 대해 정확하게 아는 사람은 아무도 없다. 그러나 그가 미천한 집안 출신이라는 데에는 의문의 여지가 없다. 그의 아버지는 백정이요, 목축업자였다. 셰익스피어도 어린 시절에 양털을 빗겨 주는 일을 했다고 한다. 그는 처음에 학교에서 사환 일을 하다가 나중에 대금업자의 서기가 되었다고 주장하는 사람도 있다.

벤 존슨

그는 실제로 한 개인의 인격뿐만 아니라, 모든 인간의 축도를 그 인간성 속에 모두 지니고 있었던 것 같다. 그의 작품 속에 나오는 선원들의 용어가 너무도 생생하여, 항해에 대해 잘 아는 한 작가는 그가 뱃사람이었을 거라고 주장했고, 한 성직자는 성경에 정통한 그의 글을 보고 그가 어느 목사의 서기였을 거라고 추측했으며, 말 감정사는 말의 부위에 대한 그의 자세한 묘사를 보고 그가 말 장수였을 것이라고 단정했다.

그런 의미에서 셰익스피어는 확실히 명배우였다. 그리하여 인생행로에서 '다양한 역할'을 연기하다가 얻은 폭넓은 경험과 관찰에서 터득한 지식으로 그 훌륭한 희곡들을 쓴 것이다. 아무튼 그는 치밀한 연구자인 동시에 열심히 노력한 작가였음에 틀림없으니, 오늘날까지 그의 작품은 영국인의 인격 형성에 강력한 영향을 미치고 있는 것이다.

개천에서 용 난다

일용직으로 고용되어 일하던 서민층에서 기사 브린들리, 항해사 쿡, 시인 번즈가 배출되었다. 석공과 벽돌 쌓는 일꾼들은 벤 존슨을 자랑스럽게 생각했다. 벤 존슨은 링컨 여관을 건축할 때 항상 손에는 흙손을 쥐고 주머니에는 책을 넣고 일했다. 그 밖에 기사 에드워즈와 텔퍼드, 지질학자 휴 밀러, 작가이자 조각가인 앨런 커닝엄도 그런 사람들이었다.

목수 출신으로는 건축 기사 이니고 존스, 천문학용 정밀시계 기술자 해리슨, 생리학자 존 헌터, 화가인 롬니와 오피, 동양학자 리, 조각가 존 깁슨 등이 있다.

직조공 출신으로는 수학자 심슨, 조각가 베이컨, 궁정목사 밀너 형제, 애덤 워커, 궁정목사 존 포스터, 조류학자 윌슨, 선교사 리빙스턴 박사와 시인 태너힐이 있다. 제화공 출신으로는 위대한 해군 제독 클라우드슬리 셔벨, 전기(電氣)학자 스터전, 수필가 새뮤얼 드루, 《쿼털리 리뷰》의 편집자 기퍼드, 시인 블룸필드, 선교사 윌리엄 캐어리가 있다.

또 하나의 노력가인 선교사 모리슨은 제화용 골을 만드는 사람이었다. 스코틀랜드의 제화공 토머스 에드워즈는 심오한 박물학자로 알려져 있는데, 그 또한 제화공으로 생계를 유지하면서 여가 시간을 박물학 각 분야의 연구에 바쳐, 마침내 소형 갑각류의 신종을 발견하는 데 성공했다. 박물학자들은 그 기념으로 이 신종 갑각류에 '프라니자 에드워드시'라는 이름을 지어 주었다.

양복 재단사들 중에서도 출세한 사람이 많다. 역사학자 존 스토는 한때 양복 재단사 일을 했고, 화가 잭슨도 성인이 될 때까지 양복 짓는 일을 했다. 푸아티에 전투에서 공을 세움으로써 에드워드 3세가 그 용기를 가상히 여겨 작위를 내린 용장 존 혹스우드는, 소년 시절 런던의 한 양복 재단사의 견습생 노릇을 했다.

1702년 에스파냐, 비고 해전에서 수문을 파괴한 홉슨 제독 또한 같은 직업에 종사한 적이 있었다. 그는 와이트 섬 본처치 근처에서 양복 재단사의 견습생으로 일하고 있었는데, 어느 날 섬 근처에 함대가 통과하고 있다는 애기를 듣자 일손을 멈추고 벌떡 일어나 친구들과 함께 바닷가로 뛰어나가서 그 웅장한 모습을 바라보았다고 한다. 이때 소년은 갑자기 해군이 되고 싶다는 희망이 불타올라 조그마한 배를 타고 그 함대를 따라갔다.

그리고 제독이 타고 있는 기함에 올라가 함장에게 간청하여 의용병으로 들어갔다. 몇 년 뒤 그는 수많은 공을 세우고 고향으로 돌아와, 전에 견습생으로 일했던 집에서 음식을 대접받으며 마냥 즐거워했다고 한다.

양복 재단사 출신으로 가장 성공한 사람은 미국의 17대 대통령 앤드루 존슨이다. 그는 훌륭한 인격과 탁월한 지성을 겸비한 인물이었다. 그가 워싱턴에서 한 유명한 연설 중에, 자기는 시의원에서 시작하여 입법부의 각 부서를 거쳐 오늘의 지위에 이르렀다고 말한 적이 있다. 그러자 청중 속의 어떤 사람이 "저 자는 양복쟁이 출신이오!" 하고 큰 소리로 외쳤다.

존슨은 그 악의에 찬 조롱에도 기가 꺾이지 않았을 뿐 아니라, 다음과 같이 응수하여 오히려 그것을 자기에게 유리하게 돌려놓았다.

"어떤 분은 제가 양복 재단사 출신이라고 말씀하시는데, 그 말을 들어도 저는 조금도 부끄럽지 않습니다. 제가 양복 재단사 일을 한 건 사실입니다만, 저는 솜씨 좋은 재단사라는 이름을 얻었고, 늘 손님의 몸에 딱 맞는 옷을 지어

코페르니쿠스

드렸습니다. 손님들과의 약속을 어긴 적도 없었고, 언제나 최선을 다해 일했습니다."

울지 추기경, 다니엘 디포, 아켄사이드 및 커크 화이트는 모두 푸줏간의 아들이었다. 버니언은 땜장이였고, 조지프 랭카스터는 광주리를 만드는 사람이었다. 뉴커먼, 와트, 스티븐슨은 모두 증기기관을 발명한 사람으로, 뉴커먼은 대장장이, 와트는 계산기구 제조자, 스티븐슨은 증기기관차 화부였다. 목사 헌팅턴은 원래 석탄 광부였고, 목판화의 창시자인 뷰익도 광부였다. 도즐리는 보병 출신이었고, 홀크로프트는 마부였다. 항해의 대가 배핀은 돛대 파수꾼, 클라우드슬리 셔벨은 선실 사환으로 각각 첫출발을 했다. 허셜은 군악대에서 목관악기 오보에를 연주했고, 챈트리는 떠돌이 조각가, 에티는 떠돌이 인쇄공, 토머스 로렌스는 술집 아들이었다.

대장장이의 아들 마이클 패러디는 22살이 될 때까지 제본 공장에서 일했다. 그런 그가 나중에는 대학자로서 스승 험프리 데이비를 능가하는 대가가 되어, 가장 어렵고 심오한 자연과학 문제를 자세히 밝혀 주었던 것이다.

유명한 천문학자

차원 높은 천문학에 큰 공헌을 한 사람 중에는 폴란드의 빵 장수 아들인 코페르니쿠스가 있다. 케플러는 독일 어느 술집의 아들이었고 그 자신도 술집 심부름꾼으로 일했으며, 달랑베르는 어릴 적 어느 추운 겨울 밤에 파리의 생장르롱 교회 돌계단에 버려졌는데, 지나가던 유리 장수의 아내가 데려다 길러 주었다. 뉴턴은 그랜섬 근처 가난한 자작농의 아들이었으며, 라플라스는 옹플러 부근의 작은 마을에 사는 빈민의 아들이었다.

소년 시절의 역경에도 불구하고 이 훌륭한 사람들은 영재로서 각고의 노력을 한 끝에 세상의 어떤 재물로도 살 수 없는 불후의 명성을 얻었다. 만일 그들이 부잣집에 태어났더라면, 오히려 가난하게 태어났을 때보다 더 큰 장애를 겪었을지도 모른다.

천문학자이자 수학자인 라그랑주의 아버지는 이탈리아 토리노에서 관리로 지냈는데, 투기를 하다가 재산을 탕진해 버리자 가족은 밑바닥 생활을 해야 했다. 그러나 라그랑주는 자기가 뒷날 명성과 행복을 얻은 것은 그 때문이기 도 하다고 자주 말했다.

"만일 내가 부유하게 자랐더라면 아마 수학자가 되지 못했을 것이다."

성직자 집안에서 이름을 드러낸 사람

영국 역사를 보면 대체로 성직자 집안에서 특히 출중한 사람들이 많이 배 출되었음을 알 수 있다. 해군에서 공을 세워 유명해진 드레이크와 넬슨, 과학 자 월러스턴, 영, 플레이페어 및 벨, 미술계의 렌, 레이놀즈, 윌슨과 월키, 법조 계의 딜로와 캠벨, 문학의 애디슨, 톰슨, 골드스미스, 콜리지와 테니슨 같은 사 람들은 모두 성직자 집안에서 태어났다.

인도 전쟁에서 명성이 높았던 하딩 경, 에드워즈 대령, 그리고 호드슨 소령 도 성직자의 아들이다. 사실 영국령 인도를 획득하고 확보했던 사람들은 주로 중류 계급 출신이었는데, 클라이브, 워렌 헤이스팅스 및 그들의 후계자들이 모 두 그랬으며, 이들은 대부분 공장에서 어린 시절을 보내고 직장에서 훈련을 받은 사람들이었다.

법률가들, 그 밖에 비천한 집안의 아들로 태어나 이름을 알린 사람들

변호사 집안에서 유명해진 사람들 중에는 에드먼드 버크, 기술자 스미턴, 스 콧과 워즈워스, 그리고 소머즈, 하드윅, 더닝 경 등이 있다. 윌리엄 블랙스턴 경 은 비단 장수의 유복자였다. 기퍼드 경의 아버지는 도버에서 잡화상을 했고, 데먼 경의 아버지는 의사, 탤퍼드 판사의 아버지는 시골 양조장 주인, 고등 법 원장 폴록의 아버지는 안장 기술자였다. 니네베 유적 탐사가 레이어드의 아버 지는 런던의 법률 사무실에서 서기 생활을 했다.

수력 기계와 암스트롱포(砲)의 발명가인 윌리엄 암스트롱 경도 법률을 공부 하여 얼마 동안 변호사 일을 한 적이 있었다. 밀턴은 런던 대서사의 아들이었 고, 포프와 사우디는 마사(麻絲) 상인의 아들이었다. 윌슨 교수는 페이즐리에 사는 모직물 제조공의 아들이고, 매컬리 경은 아프리카 교역 상인의 아들이었 다. 키츠의 아버지는 약제사였다.

험프리 데이비 경은 시골 약재상의 견습공으로 있었는데 그는 자서전에서 이렇게 말했다.

"내가 오늘의 지위를 얻은 것은 내가 스스로 만들어낸 결과이다. 이것은 자만심에서 하는 말이 아니라, 마음속에 있는 진실을 그대로 말하는 것일 뿐이다."

'박물학의 뉴턴'으로 불리는 리처드 오웬은 해군 소위 후보생으로 인생 경력을 시작했으며, 과학 분야에서 유명해지는 것은 훨씬 뒤의 일이었다. 그는 약 10년 동안 의과학교에서 존 헌터가 애써 모은 박물 목록을 분류 정리하다가 그 방대한 지식의 기초를 얻게 된다.

비천한 신분에서 몸을 일으켜 크게 이름을 떨친 외국인들

자신의 노력과 재능으로 타고난 빈곤을 극복하고 대성한 외국인도 영국인 못지않게 많다. 화가 클라우드는 제과점 아들이고, 기프스는 빵가게, 레오폴드 로버트는 시계포, 하이든은 수레 제조공의 아들이었으며, 다게르는 오페라 악극단에서 무대 배경 그림을 그리는 화가였다.

교황 그레고리우스 7세의 아버지는 목수였고, 그리스의 이학자 섹스투스 5세의 아버지는 목동, 로마 교황 아드리안 4세의 아버지는 네덜란드의 가난한 사공이었다. 아드리안은 소년 시절에 불을 켜고 공부할 기름이 없어 가로등 불이나 교회 대문 앞의 등불 밑에서 공부를 하였으니, 이와 같은 그의 인내심과 근면은 나중에 출중한 사람이 될 수 있는 바탕이 되었다.

이 밖에도 광물학자 아위는 생 주스트 직조공의 아들이었고, 기계학자 오토 피유는 오를레앙의 빵집 아들이었으며, 수학자 조지프 푸리에는 오제르의 재단사 아들이었다. 건축가 뒤랑은 파리의 제화공 아들이었고, 박물학자 게스네르는 취리히 피혁공의 아들이었다. 게스네르는 학업에 종사하는 동안 빈곤과 질병, 집안의 불행에 따르는 여러 가지 불운이 있었지만, 그것을 모두 극복하고 용기를 굽히거나 전진을 멈추지 않았다. "할 일이 많고 기꺼이 일하려는 사람 앞에는 언제나 많은 시간이 있는 법이다"라는 옛 속담이 있다. 게스네르의 일생을 보면 이 말이 진리라는 것을 알 수 있다.

피에르 라무스도 비슷한 성격의 인물로, 피카르디에 사는 가난한 부모 사이에서 태어나 소년 시절에는 양치기를 했다. 그러나 그 일이 마음에 들지 않아 파리로 도망쳤는데, 파리에서 갖은 고생을 겪은 뒤 나바르 대학의 급사로 들어갔다. 이리하여 그는 공부할 수 있는 기회를 얻었고, 곧 당대 저명 인물의 한 사람이 된 것이다.

보클랭

화학자 보클랭

화학자 보클랭은 칼바도스에 사는 농부의 아들로 태어났다. 소년 시절 학교에 다닐 때는 비록 옷은 남루했지만 영특한 예지로 가득 차 있었다. 그에게 읽기와 쓰기를 가르쳐 준 교사는 그의 근면함을 칭찬하면서 이렇게 말하곤 했다.

"공부를 계속 열심히 해야 한다. 그러면 멋 뒷날 너도 교회의 교구 위원처럼 좋은 옷을 입게 될 거야."

어느 날 한 시골 약재상이 이 학교를 방문하여 소년의 건강한 신체를 칭찬하고는, 자기 집 제약장에서 약을 빻는 일을 해줄 수 없겠느냐고 제의해 왔다. 보클랭은 돈을 벌어 공부를 계속할 생각으로 이를 승낙했다.

그러나 그 집으로 옮긴 뒤, 이 주인은 좀처럼 공부할 시간을 허용치 않았다. 보클랭은 즉시 이 집을 뛰쳐나오기로 마음먹었다. 그리하여 그는 보따리를 등에 지고 파리로 갔다. 파리로 간 그는 일할 만한 약국을 찾았으나 찾지 못하고, 피로와 배고픔에 지쳐 병이 들고 말았다. 그는 병원으로 옮겨졌다. 하마터면 목숨을 잃을 뻔했던 것이다.

그러나 다행히 병이 나아서 다시 일터를 찾아 한 약국에서 일하게 되었다. 얼마 뒤 유명한 화학자 푸르크루아를 알게 되었는데, 푸르크루아는 이 소년이 몹시 마음에 들어 자신의 제자로 삼았다. 많은 세월이 흐른 뒤 이 대학자가 세상을 떠나자 보클랭은 그의 자리를 물려받아 화학 교수가 되었다. 1829년, 칼바도 주민들이 그를 지역구 대표 의원으로 선출하자, 보클랭은 그 옛날 이름도 없이 가난한 소년으로 떠났던 고향으로 금의환향했다.

프랑스에서 병사 출신으로 등용된 사람

군대의 병사로 시작하여 큰 인물이 된 예는 영국보다 프랑스에 더 많다. 특히 프랑스 제1혁명 이후에 많았는데, "재능 있는 자에게 출세길이 열린다"는 격언이 프랑스에서 많이 실증되었다. 영국에서도 등용의 길이 열려 있었다면, 틀림없이 그 같은 예를 많이 볼 수 있었을 것이다.

오슈, 웜베르, 피슈그뤼 등은 병졸로 입신한 사람들이다. 오슈는 친위군에 있으면서 옷에 수를 놓는 부업으로 돈을 벌어 군사학에 대한 책을 사 볼 수 있었다. 웜베르는 예전부터 건달 청년이었다. 그는 16세에 집을 뛰쳐나와 낭시에서 상점 점원을, 리옹에서는 직공의 심부름꾼으로 일했으며, 토끼 가죽을 벗기는 일도 했다. 그러다가 1792년, 지원병으로 입대하여 1년 뒤에는 여단장이 되었다.

클레베르, 레페브로, 쉬셰, 빅토르, 란, 술트, 마세나, 생 시르, 데를롱, 뮈라, 오제로, 베시에르, 네이 등과 같은 장군들도 병졸 출신이었다. 그 중에는 승진이 빠른 사람도 있었고 느린 사람도 있었다. 톨르의 무두장이의 아들인 생 시르는 처음에는 배우 노릇을 하다가 경기병으로 입대하여 1년도 안되어 대위로 승진했다. 벨루노 후작 빅토르는 1781년 포병대에 입대했다. 그는 혁명 전에 일단 군대에서 나왔다가 전쟁이 일어나자 다시 입대하여 뛰어난 용기와 지략으로 불과 몇 달 만에 소령으로 진급하여 대대장이 되었다.

뮈라는 페리고르의 여인숙집 아들로 초년에는 말을 돌보며 지냈다. 군대에 들어가 처음에는 경기병이 되어 명령 불복종으로 제대를 당하기도 했지만, 다시 입대하여 얼마 뒤 대령으로 진급했다. 네이는 18세에 경기병 연대에 입대하여 차근차근 올라가 진급했다. 클레베르는 곧 네이의 공을 인정하여 '불굴의 장군'이라는 별명을 붙여 주고, 22세인 이 청년을 고급 부관으로 승진시켰다.

술트는 군대에 들어간 지 6년 뒤에야 중사가 되었지만, 마세나의 진급에 비하면 오히려 빠른 편이었다. 마세나는 14년의 군 생활 뒤에야 겨우 상사가 되었다. 그 뒤 그는 점차 진급하여 대령, 사단장, 원수까지 됐지만, 그의 회고담에 의하면 상사로 진급할 때가 가장 힘들었다고 한다.

프랑스 군대에서는 이렇게 병졸에서 장군으로 승진하는 예가 오늘날까지 계속되고 있다. 샹가르니에는 1815년 이등병으로서 왕의 호위병으로 들어갔고, 부조 원수는 일찍이 4년 동안 병졸 생활을 한 뒤 장교가 되었다. 프랑스의 육군장관 랑동 원수는 군악대 고수로 군대 생활을 시작했다. 베르사유의 미술전 시관에 가 보면 그가 북을 치고 있는 그림이 있는데, 그것은 그가 요청해서 그린 그림이다. 이와 같은 예가 있으므로 프랑스 군대 병졸들은 열심히 군무를 다하는 것이며, 누구나 '성심껏 하면 나도 배낭에 원수장(元帥杖)을 넣고 다닐 수 있다'고 생각하게 되는 것이다.

비천한 신분에서 하원의원이 된 브라더턴

보잘것없는 집안에서 태어나 지칠 줄 모르고 전심전력을 다해 사회에 유용하고 영향력 있는 높은 자리로 올라간 예는 국내외에 얼마든지 있다. 그러므로 그런 것은 이미 오래 전부터 특별한 얘깃거리가 되지 못한다. 몇몇 뛰어난 사람들을 살펴보면, 어린 시절에 고난과 고초를 겪은 것이 나중에 입신출세하는 데 절대적으로 필요한 조건이 되었다고 해도 지나친 말이 아닐 것이다.

영국 하원에는 그렇게 자수성가한 사람들이 많았으니, 이들은 모두 영국인의 근면한 성격을 그대로 대표하는 인물들이다. 이들이 하원에서 환영과 존경을 받은 것은 의회의 명예이기도 하다.

샐퍼드를 대표한 조지프 브라더턴 의원은 '10시간 노동법안'을 토의하던 중, 무척 감개무량한 표정으로 소년 시절에 면직공장에서 직공으로 일할 때 겪은 고초와 노력에 대해 자세히 이야기하였다. 그러면서 만일 뒷날 기회가 생긴다면 자기 힘으로 그 직공들의 생활조건을 개선해 주기로 굳게 결심했다고 털어놓았다. 그가 말을 마치자 제임스 그레이엄 의원이 벌떡 일어서더니, 온 의원들의 박수갈채 속에서 다음과 같이 말했다.

"나는 브라더턴 의원이 그런 미천한 집안 출신인 줄 전혀 몰랐습니다. 그런 미천한 집안에서 자라나 출세한 사람도, 대대로 내려온 귀족 가문 출신의 신사들과 나란히 한 자리에 앉을 수 있다는 점을 생각하면, 나는 우리 입법부가 전보다 더욱 자랑스럽게 느껴집니다."

폭스와 린지

올덤 지구 의원인 폭스는 옛일을 회상할 때면 늘 이렇게 말머리를 꺼내곤 했다.

"내가 노위크의 직조 공장에서 직공으로 일했을 때……"

이 밖에도 미천한 가문 출신의 의원들이 많았다. 선더랜드 지구 출신 의원으로 선박주로 유명했던 린지는, 정적이 그를 비방한 데 응수하여 웨이머스

폭스

선거 구민들에게 자신의 인생 역정을 고백했다.

린지는 14세에 고아가 되어, 힘껏 노력하여 출세하고자 글래스고를 떠나 리버풀로 가기로 결심했다. 그러나 리버풀로 갈 뱃삯이 없어 대신 일을 해주기로 하고 석탄창고에서 석탄을 정리하는 일을 했다. 리버풀에 도착해서는 7주일 동안이나 일자리를 얻지 못하여 오두막집에서 지내며 먹을 것도 제대로 먹지 못하다가, 마침내 서인도 항해선의 일자리를 얻게 되었다. 린지는 모범적으로 꾸준히 근무한 끝에 19세가 되기 전에 한 배를 지휘하는 자리에 올랐다.

23세 때 린지는 바다생활을 그만두고 뭍으로 돌아왔는데, 그때부터 그는 눈부시게 빠른 속도로 발전했다. 그는 근면하게 일하고 노력하면서 '남들이 자기에게 해주기를 원하는 것처럼 남들에게 행하라'라는 인생 대원칙을 지키며 살았다.

윌리엄 잭슨

노스더비셔 출신 의원인 윌리엄 잭슨도 경력이 린지와 비슷하다. 랭카스터에서 외과의사로 지내던 그의 아버지는 11명의 아이들을 남겨 놓고 세상을 떠났다. 그는 그 가운데 7번째 아들이었다. 이미 다 큰 형들은 아버지가 살아 있을 때 좋은 교육을 받았으나, 아버지가 죽자 그 아래로는 모든 것을 자기 스스로 해결해야 했다.

12세가 채 안 된 윌리엄은 학교를 그만두고, 아침 6시부터 밤 9시까지 선박에서 중노동을 했다. 그러다 배 주인이 병으로 눕게 되자 그는 사무실 일을 보

기 시작했고, 시간 여유가 조금씩 생기게 되었다. 그 덕분에 그는 책을 읽을 기회를 얻었으나, 낮에는 읽을 시간이 부족해서 밤이 되면 대백과사전을 A에서 Z까지 샅샅이 통독했다. 나중에 무역업으로 전환한 윌리엄은 불철주야 근면하게 일한 결과 대성공을 거두었다. 한때 세계의 바다 어디에서나 그의 선박을 볼 수 있었던 것처럼, 그는 지상의 모든 나라를 상대로 무역 거래를 했던 것이다.

리처드 콥덴

리처드 콥덴

리처드 콥덴도 비천한 집안에서 태어나 출세하였으니, 이와 같은 부류에 들어갈 것이다. 그는 서섹스 지방 미드허스트에서 소농의 아들로 태어나, 어려서 런던에 있는 한 창고업자의 심부름꾼으로 고용되었는데, 부지런하고 품행이 방정한 데다 지식에 대한 욕망이 대단했다. 완고한 그의 주인은 책을 많이 읽지 말라고 주의를 주었으나, 리처드 콥덴은 공부를 계속하여 책에서 얻은 지식으로 마음을 풍요롭게 길러 갔다.

이리하여 그는 차츰 신임받는 높은 지위로 올라가 주문을 받기 위해 대외 교섭을 담당하는 자리를 맡게 되고, 그 덕분에 많은 사람들을 알게 되어 마침내는 맨체스터에 직접 날염 공장을 차렸다. 콥덴은 공공 문제에 관심을 가졌고 그 중에서도 대중 교육에 더욱 특별한 관심을 기울였다. 그리고 옛날부터 내려오는 영국의 곡물세가 잘못 된 것을 알고 그 조례를 폐지하는 데 그의 일생과 전 재산을 바쳤다.

그런 그도 대중 앞에서 행한 첫 번째 연설은 완전히 실패로 끝났다. 그러나, 실망하지 않고 더욱 성심과 정력을 기울여 꾸준히 연습한 끝에 가장 설득력 있는 연설가가 되었다. 그리하여 로버트 필도 그의 연설을 아낌없이 칭찬하기에 이르렀다.

프랑스 대사 드루앵 드뤼는 다음과 같이 콥덴을 격찬했다.

"그는 인내와 근면이, 확실한 성공의 길임을 보여 주는 살아 있는 증거이다.

자신의 능력과 노력으로 가장 미천한 계급에서 가장 높은 지위로 올라간 사람들 중에서도 특히 모범적인 사람이요, 영국 고유의 옹골찬 자질을 가장 완벽하게 갖춘, 극히 보기 드문 사람이다."

근면하지 않으면 결코 뛰어날 수 없다

이 모든 예를 보건대, 사람이 출중해지려면 불굴의 의지로 노력하고 분투해야 하며, 어느 분야에서든 게을러서는 결코 뛰어날 수 없다는 것을 알 수 있다. 사람을 부귀하게 해주는 것은 따로 있는 것이 아니다. 부지런한 손과 마음을 지닌 사람만이 수양과 지혜와 사업에서 발전을 이룩할 수 있다.

아무리 돈이 많고 지체가 높은 집안에 태어난 사람이라도, 흔들리지 않는 명성만큼은 자신의 정력적인 노력 없이는 얻을 수 없다. 토지와 재산은 자손에게 물려 줄 수 있으나, 지식과 지혜는 그렇지 않기 때문이다. 돈이 있으면 돈을 주고 자기 일을 남에게 시킬 수는 있다. 그러나 생각까지 남에게 시킬 수는 없고, 금전으로 남의 교양을 살 수는 더더욱 없다.

그러므로 "어떤 일에서 뛰어날 수 있는 길은 오직 하나, 즉 수고하고 노력하는 것뿐이다"라는 격언은 가난한 사람에게나 부자에게나 다 같이 통하는 경구이다. 드루와 기퍼드에게는 구두 고치는 가게가 학교를 대신했고, 휴 밀러는 크로마티 채석장을 학교로 삼았다.

부귀한 사람에게도 자조의 힘은 필요하다

부귀와 안락이 인간의 재지(才智)와 덕행 수양에 반드시 필요한 것은 아니라는 점은 매우 명백한 사실이다. 만약 그렇지 않다면 이 사회가 미천한 집안에서 태어나 출세한 사람들에게 그와 같이 큰 신세를 지지는 않았을 것이다. 편안하고 사치스러운 생활을 하는 사람은 어려움에 직면했을 때 노력하고자 하는 힘이 생기지 않으며, 정력적이고 능률적인 인생 활동에 필요한 자신감도 생기지 않는다. 사실 빈곤이란 불행이라기보다는 오히려 정력적인 자립을 통해 삶을 행복으로 전환시켜주고, 세상을 살아가는 데 분투 정신을 솟아나게 해주는 근원이라 할 수 있다. 그러나 안일과 지덕은 양립하지 않는다. 그래서 세상에는 안일을 좇다가 타락의 길로 떨어지는 자들이 있고, 힘과 자신감을 얻어 끝내 승리를 쟁취하는 정직하고 진실한 마음을 지닌 사람들도 있다.

베이컨은 이렇게 말했다.

"사람들은 부와 힘을 이해하지 못하는 것 같다. 그들은 부를 과신하지만 힘을 믿지는 않는다. 자신의 힘을 믿고 극기하는 사람은, 자기의 물통에서 물을 떠 마시고 자기가 번 돈으로 맛있는 빵을 사먹으며, 참된 생활을 위해 배우고 일하며, 자기 손에 들어온 좋은 것들을 소중하게 쓰는 법을 배울 것이다."

부귀하게 태어났으나 전쟁터에서 고생을 마다하지 않은 사람

안일과 자기 탐닉에 빠지기 쉬운 것이 인간의 천성이지만, 부유한 사람은 더더욱 그러하다. 그러므로 부유한 집안에서 태어나 적극적으로 사회 활동에 참여하며, 이른바 '향락을 비웃고 근면하게 나날을 보내는' 사람들은 특히 더 영광스러운 법이다. 영국의 부자들이 게으름뱅이가 아니라는 사실은, 부유한 계급의 명예라고 할 수 있다. 그것은 그들이 공정하게 국사에 참여할 뿐 아니라, 국가가 위급할 때에 대체로 일반 국민보다 더 많은 수고를 하기 때문이다.

반도 전쟁 때 한 중위가 그의 연대를 따라 진흙 수렁길을 묵묵히 걸어가는 것을 보고 누군가가 감동하여 말했다.

"연수입이 1만 5천 파운드나 되는 양반이!"

오늘날에도 세바스토폴의 추운 비탈길과 인도의 무더운 땅에서 우리의 상류계급 인사들이 그와 같은 고귀한 극기와 헌신을 입증한다. 부유한 귀족 집안의 용감한 사람들이 여러 싸움터에서 나라를 위해 위험한 일을 떠맡고 싸우다가 목숨을 바친 것이다.

부귀하게 태어나 유명한 학자가 된 사람

부유한 가문 출신으로 철학과 과학 같은 분야에서 출중하게 이름을 날린 사람은 적지 않다. 예를 들면 현대 철학의 시조인 베이컨이 그랬고, 과학의 우스터, 보일, 캐번디시, 토버트, 로스 등도 그런 인물이다. 이 가운데 로스는 귀족 중에서 가장 유명한 기계학자이다. 만약 그가 귀족 집안에서 태어나지 않았더라면 최고의 발명가가 되었을지도 모른다.

로스가 공업 지식에 어찌나 통달했던지, 한 번은 그의 내력을 모르는 한 사업가가 그에게 큰 공장을 맡아 달라고 청한 일도 있었다고 한다. 그가 만든 로스 망원경은 확실히 그때까지 제작된 것들 중에서 가장 뛰어난 것이었다.

명문귀족으로 태어나 정치와 문학에서 두각을 드러낸 로버트 필

정치와 문학 분야에서도 상류 계급 출신의 정력적 활동가들을 많이 볼 수 있다. 다른 분야와 마찬가지로 이 분야에서도 근면, 실천, 연구를 통해서만 성공할 수 있다. 그 중에서도 위대한 장관이나 의회 지도자의 자리에 있는 자는 더욱 노력을 기울여야 한다. 파머스턴이 그랬고, 더비와 러셀, 디즈레일리와 글래드스턴 등도 그랬다. 이들은 '10시간 노동법안'의 혜택을 누리지 못한 채, 국회가 한창 바쁠 때는 밤낮없이 남보다 두 배나 일을 했다.

이와 같이 열심히 일한 사람들 가운데 가장 유명한 예는 로버트 필이다. 그는 몸을 아끼지 않고 쉬지도 않고 정신노동을 감당해냈다. 로버트 필의 일생을 볼 때, 우리는 그리 대단치 않은 정력의 소유자라도, 열심히 일하고 지칠 줄 모르는 정신을 갖추면 큰일을 할 수 있음을 알 수 있다. 필은 40년 동안 의원 생활을 하면서 온몸을 바쳐 일했다. 그는 지극히 양심적인 사람으로 무엇이든 하겠다고 마음먹으면 끝까지 해내고야 말았다. 그가 한 모든 연설에는, 그 문제에 대해 말할 것이나 문서로 된 것을 모두 미리 세심하게 연구한 흔적이 엿보인다.

필은 지나치리만큼 세밀한 성격이어서, 자기의 말을 듣는 상대방의 제각각 다른 능력에 맞춰 말의 수준을 선택하는 수고를 아끼지 않았다. 더욱이 실제 일에 임하는 지혜, 목적을 향해 나아가는 추진력, 꾸준히 자기를 절제하는 힘이 남달랐다.

그가 남달리 훌륭했던 것은, 그의 식견이 나이와 더불어 더욱 심화되고 확대되었다는 점이다. 나이를 먹어도 그의 기상은 위축되지 않았을 뿐 아니라 갈수록 무르익어 점점 더 원만한 인격을 갖추어갔다.

로버트 필은 죽는 날까지 계속 새로운 것을 받아들였다. 그를 지나치게 세심한 사람이라고 생각하는 사람들도 있었지만, 그는 결코 과거에 대해 아집에 빠지는 일이 없었다. 자기의 지난날을 과장하는 것이 흔히 교육을 잘 받은 사람들의 병폐인데, 그렇게 되면 그 사람은 더 이상 발전이 없는 불쌍한 사람이 되고 마는 것이다.

브루엄

브루엄의 지칠 줄 모르는 근면은 세상 사람들이 다 아는 바이다. 그의 60여 년에 걸친 사회생활은 아주 다양하다. 그는 법률, 문학, 정치, 과학 등에 관여했는데, 그 모든 분야에서 탁월한 능력을 발휘했다. 그가 어떻게 그 모든 것을 다 해낼 수 있었는지, 그 비결은 사람들에게는 하나의 수수께끼였다.

한때, 새뮤얼 로밀리는 어떤 새로운 일을 맡아 달라는 요청을 받고 이렇게 사양했다고 한다.

"나는 시간이 없으니 브루엄에게 부탁해 보시오. 그는 무엇이든 하고도 남는 시간이 있는 사람이니."

그 비결인즉, 그는 단 1분도 허비하는 일이 없고, 게다가 그에게는 강철 같은 신체가 있었다.

다른 사람들은 보통 그 나이에 현역에서 물러나면 평생 일한 대가로 여가를 즐기고, 안락의자에 기대앉아 졸면서 시간을 보낼 터인데, 브루엄은 '광선의 법칙'에 대해 연이어 면밀한 연구를 하여 그 결과를 파리와 런던의 수많은 과학 연구자들 앞에서 발표했다. 한편 그는 《조지 3세 시대의 과학자와 문학가》라는 훌륭한 저서를 출판했으며, 법률사무도 계속 보면서 상원에 나가 훌륭히 정치 토론에 참여하기도 했다.

시드니 스미스가 그에게, 너무 힘에 넘치는 일을 하고 있으니 세 사람이 할 수 있는 분량으로 일을 제한하는 것이 어떻겠느냐고 말한 적이 있다. 그러나 일에 대한 브루엄의 애착은 이미 오랜 습성이 되어 있어서, 그는 아무리 성의와 노력이 드는 일이라도 힘들게 느끼지 않았다. 또한 그는 무엇이든 철저하고 완벽하게 하는 것이 의무라고 생각하는 사람이었기 때문에, 사람들은 그가 만약 한낱 구두닦이였다 해도 영국 최고의 구두닦이가 되기 전에는 만족하지 않았을 거라고 말했다.

리턴

E. 불워 리턴 경

열심히 일한 귀족들 중에는 E. 불워 리턴 경도 있다. 작가들 가운데 다양한 방면에서 리턴 경보다 더 많은 일을 하고 더 큰 명성을 얻은 사람은 아마 없을 것이다. 그는 소설가, 시인, 극작가,역사가, 수필가, 웅변가 및 정치가로서 이름을 날렸다. 그는 안락함을 거부하고 오로지 향상을 위한 일념으로 한걸음 한걸음 전진의 길을 걸었다. 근면한 점으로만 본다면, 그만큼 많은 글을 쓰고 그만큼 수준 높은 작품을 내놓은 작가는 아마 없을 것이다.

리턴 경의 근면은 누가 시킨 것이 아니라 전적으로 자발적이었다는 것이 더욱 더 찬양할 만한 일이다. 사냥이나 하면서 안일에 탐닉하고—클럽에 출입하거나 연극을 구경하고, 행락철에는 런던에 가서 유람을 즐기거나 시골 별장에 가서 자연을 즐기고—파리나 빈, 또는 로마로 여행을 하는 것이 쾌락을 일삼는 부자들이 좋아하는 일이니, 그런 일을 할 수 있는 처지에 있는 사람이 누가 힘들게 일을 하려 하겠는가? 그러나 충분히 그런 쾌락을 즐길 수 있는 능력이 있으면서도, 리턴은 다른 부자들과는 달리 이를 물리치고 문학가로서의 지위를 굳히면서 왕성하게 작가 활동을 했다.

바이런과 마찬가지로 그의 처녀 시집인 《잡초와 들꽃》은 실패했다. 두 번째로 발표한 소설 《포클랜드》 또한 실패작이었다. 의지가 약한 사람이라면 여기서 붓을 꺾고 작품 쓰기를 포기하련만, 리턴은 더욱 용기를 내어 인내하며 정진했다. 끊임없이 독서와 습작을 거듭하며 실패를 성공으로 돌리기 위해 노력했던 것이다. 그리하여 《포클랜드》를 발표한 지 1년 만에 《펠엄》을 냈으며, 그 뒤 30년에 걸친 그의 문필생활은 성공의 연속이었다.

디즈레일리

디즈레일리의 일생도 근면과 노력으로 탁월한 사회적 성공을 이룬 좋은 예이다. 그는 리턴처럼 문학 분야에서 최초로 성공을 거두었으나, 그도 여러 번 실패를 거듭한 뒤에야 빛을 볼 수 있었다. 그의 작품 《알로이의 신기한 이야기》와 《혁명의 서사시》는 세상 사람들의 조롱을 받았고, 사람들은 그를 문학의 미치광이라고 생각했다. 그러나 그는 여러모로 노력을 계속하여 《코닝스비》, 《시빌》 및 《탱크레드》 등을 써서 그의 절묘한 재주를 입증했다.

또 디즈레일리는 웅변에 뛰어난 사람이었다. 그러나 웅변가로서 하원에서의 첫 번째 연설은 실패했다. 사람들은 그의 연설을 가리켜 아델피에서 상연하는 코미디보다 못한, 그저 목청만 높여 고함을 지르는 것이라고 말했다. 웅장하고 야심만만한 어조로 목소리를 높였지만, 한마디 한마디가 대중에게는 웃음거리만 되었다. 그러나 그 연설의 마지막 말에는 앞날을 예언해 주는 듯한 무언가가 있었다. 그는 괴로운 마음으로 청중의 조소를 참아가면서 이렇게 외쳤다.

"저는 많은 일들을 끝내 모두 성공시켰습니다. 지금은 이 연단에서 물러가지만, 언젠가는 여러분이 제 말에 귀를 기울이게 될 날이 반드시 올 겁니다."

과연 그런 날이 와서 세계 제일의 신사 모임이라는 영국 의회에서 청중의 귀를 기울이게 했으니, 그것은 정력과 결심의 열매가 위대함을 입증해 주는 것이었다. 디즈레일리가 그런 지위를 얻은 것은 오로지 인내와 근면의 힘 때문이었다.

대부분의 평범한 젊은이들은 한 번 실패하면 기가 꺾여 용기를 잃고, 구석으로 물러나 우는 소리나 하는 게 보통이다. 하지만 디즈레일리는 실패에 굴하지 않고 더욱 힘을 내고 노력을 기울였다. 연설에서 한 번 실패했다고 실망에 빠지지 않고, 청중의 심리를 연구하며 변론 기술을 연습하고, 의회에 대한 선례들을 열심히 익혀 머리 속에 넣어 두었다.

이와 같이 그는 성공을 향해 참을성 있게 노력하여 많은 시간이 걸렸지만 결국 성공을 거두었다. 이렇게 되니 의원들은 그를 비웃는 것이 아니라 그와 더불어 웃게 되었다. 초년의 실패했던 흔적은 깨끗이 사라지고, 마침내 가장 세련되고 효과적인 연설을 하는 웅변가로 인정받게 된 것이다.

워즈워스의 말과 토크빌
인간의 업적과 명성은 그 사람 자신의 활력과 근면에 좌우되는 바가 크다. 그러나 동시에, 인생이라는 여행에서는 다른 사람의 도움도 매우 중요한 의미

워즈워스

를 가진다.

영국의 시인 워즈워스는 그 점을 탁월하게 표현했다.

"의존심과 자립심, 즉 남에게 의지하는것과 자신에게 의지하는 것—이 두 가지는 얼핏 상반되는 것처럼 생각되지만, 양자는 손을 잡고 함께 나아가지 않으면 안 된다."

우리는 모두 젖먹이 때부터 노인이 되기까지 어떤 형태로든 다른 사람에 의해 양육되며 타인의 덕을 입지 않을 수 없다. 그러므로 훌륭하고 유능한 사람일수록 다른 사람에게서 도움받은 것을 인정하는 데 인색하지 않다.

예를 들어 알렉시스 드 토크빌의 이력이 그것을 잘 증명하고 있다.

프랑스의 정치가 알렉시스 드 토크빌은 부유한 가정에서 태어났다. 아버지는 명문귀족이었고, 어머니도 유명한 정치가 말제르브의 손녀였다. 이와 같은 집안을 배경으로, 토크빌은 21살의 젊은 나이에 베르사유의 배석판사에 임명되었다.

그러나 토크빌은 그 자리가 자신의 능력에 따라 정당하게 주어진 것이 아니라고 느꼈다. 그는 당장 그 지위에서 물러나 혼자 힘으로 자신의 미래를 개척하기로 결심한다. '어리석은 결심'이라고 비난하는 자도 있었지만 그는 자신의 뜻을 꺾지 않았다.

토크빌은 자리에서 물러난 뒤, 프랑스를 떠나 미국을 여행한다. 뒷날 그때의 견문이 명저 《미국의 민주주의》로 간행되었다.

미국 여행의 길동무였던 그의 절친한 친구 귀스타브 드 보몽은, 여행 중에도 토크빌의 지칠 줄 모르는 향학열에 대해 다음과 같이 말했다.

"토크빌은 게으름을 극도로 싫어하는 성격이었다. 여행을 하는 동안에도, 휴식 시간에도 마음은 늘 연구에 몰두해 있었다. ……그에게는 가장 유익한 대화가 가장 즐거운 대화였다. 요컨대 헛되이 보낸 하루는 최악의 하루라 했고,

시간을 1초라도 낭비하면 몹시 언짢아했다."

토크빌 자신도 친구에게 보낸 편지에 이렇게
썼다.

"인생에는 발걸음을 쉬고 있을 시간이 없습니다.
그리고 타인의 도움과 자신의 더욱 용맹한 정진이
함께 나아가야 합니다. 그것은 젊을 때는 말할 것
도 없고, 성장한 사람에게도 마찬가지입니다. 인간
은 추운 극지를 향해 쉬지 않고 나아가는 나그네와
같습니다. 목적지에 가까워지면 가까워질수록 나그

토크빌

네는 걸음을 더욱 빨리 하지 않으면 안 됩니다. 거기서는 추위가 나그네의 정
신에 가장 큰 병마가 됩니다. 이 무서운 적으로부터 자신을 지키기 위해서는,
정신을 쉬지 않고 활동하는 동시에 늘 친구와의 접촉을 유지하는 것이 필요합
니다."

토크빌, 남의 도움을 인정하다

토크빌은 자신의 힘을 믿고 정력적으로 일하는 것, 그것이 인간에게 가장
필요하다는 확신을 가지고 있었다. 또 한편으로는 타인의 도움과 지지가 얼마
나 귀중한지도 누구보다 깊이 인정하고 있었다. 인간은 많든 적든 타인의 도움
과 지지가 없이는 살아갈 수가 없다.

그래서 그는 친구인 케르골레이와 스토펠한테서 받은 도움에 대해 깊이 감
사하고 있었다. 케르골레이한테서는 지식 면에서 도움을 받았고, 스토펠한테
서는 정신적인 후원과 공감을 얻었다.

토크빌은 케르골레이에게 보낸 편지에서 이렇게 썼다.

"나는 자네를 진심으로 신뢰하고 있으며, 자네는 진정한 의미의 감화를 내
정신에 주고 있네. 일상의 자잘한 문제에는 여러 사람들의 도움을 받고 있는
것이 사실이지만, 내 생각의 근본과 행동 지침에 자네만큼 큰 영향을 준 사람
은 앞으로도 없을 걸세."

또 토크빌은 아내 마리아에 대해서도 감사의 마음을 결코 잊지 않았다. 그녀의 인내와 배려가 있었기 때문에, 자신의 연구를 성공적으로 추진할 수 있었던 것이다. 인격이 고결한 아내는 알게 모르게 남편의 품성을 높여 주지만, 마음이 비천한 아내는 반드시 남편을 타락시킨다고 토크빌은 믿고 있었다.

사람은 자기 자신의 최고 후원자가 되어야 한다

결국 인간의 성품은 눈에 보이지 않는 무수한 것들에 의해 형성되어 간다. 조상들의 지혜나 고금(古今)의 격언, 인생에서의 직접적인 경험과 책, 친구와 이웃, 오늘날의 사회—이 모든 것들을 우리는 이어받았고, 의심할 여지없이 거기서 큰 영향을 받고 있다.

그러나 또 한 가지 명백한 사실이 있다. 그것은 자신의 행복과 성공에 대해서는 어디까지나 자기 스스로 책임을 져야 한다는 점이다.

아무리 훌륭하고 현명한 인간이라도 반드시 타인에게서 큰 도움을 받지 않을 수 없다. 그러나 가장 이상적인 것은 스스로 자기에게 가장 좋은 후원자가 되는 것이다.

2 산업지도자 발명가 생산자
역경은 부와 행복을 위한 축복

근로와 지식이 결국 세계를 정복한다.　　　　　　　　드 살방디

　발명의 분야에서 하층 계급이 영국을 위해 공헌한 바를 생각해 보라. 만약 그들이 없었다면 영국의 오늘이 어떠했을지 생각해 보라.　　아서 헬프스

영국 국민의 근로정신
　영국 사람들의 가장 두드러진 특징 중의 하나는 근로정신이다. 이것은 지나간 역사에도 뚜렷이 나타나 있지만 오늘날에도 현저한 특징을 이루고 있다. 영국의 서민층이 보여준 이 정신이 나라의 기초를 세우고 위대한 산업을 일으킨 원동력이었다.
　오늘날 영국의 세력이 날로 커가는 것은 국민들이 저마다 정열을 마음껏 발휘한 결과이다. 토지를 개척하고, 유용한 물품을 만들며, 새 기계와 기구를 고안하고, 저술과 예술 등에 꾸준히 몸과 마음을 바쳐 일한 것이 옛날부터 지금까지 축적되어 국가의 성대한 힘을 이루게 된 것이다. 이 활동적인 근로정신은 영국민의 근본 원칙으로, 우리 법률의 잘못된 점을 개정하고 정치의 미비점을 보완하여 국민을 구제하고 향상시켰다.

노고(勞苦)의 공장은 '가장 좋은 학교'이다
　영국이 오늘날까지 실천해 온 근면은 영국민을 교육하는 최선의 방법이기도 했다. 견실하게 일에 전념하는 것은, 개인의 훈련에 가장 건전한 방법인 동시에 국가를 단련하는 최선의 방법이다.
　충실한 근면은 의무와 병행하는 것으로, 하느님은 이 두 가지를 행복과 밀접한 관계에 있도록 만들어 주었다.

"모든 신은 낙원으로 가는 길에 노동과 수고를 자리잡게 하셨노라"고 시인은 말했다. 육체적이건 정신적이건 확실히 자신의 힘으로 번 빵이 가장 맛있는 법이다.

처음에 인간은 근로와 노력으로 토지를 개척하여 야만 상태에서 벗어났다. 근로와 노력 없이는 개화와 문명은 한 걸음의 진보도 없었다. 근로는 인간에게 필요한 것이고 인간의 의무일 뿐만 아니라 인간이 즐길 수 있는 축복이다. 그런데도 게으른 사람들은 그것을 고통으로 생각한다. 노동에 종사하는 사람들을 한번 바라보라. 우리에게 사지의 근육과 팔 다리, 그리고 두뇌에 신경이 있다는 것은 바로 우리에게 근로의 의무가 있다는 것을 증명하는 것이고, 이러한 모든 기관의 건전한 활동이 있어야만 만족과 기쁨이 있을 수 있다.

근로를 통해 인간은 가장 훌륭하고 실용적인 지혜를 얻을 수 있다. 다음에서 보는 바와 같이 수공(手工)의 근로 또한 고상한 정신 수양에 못지않은 것이다.

휴 밀러, 근로의 장점에 대하여

근로의 장단점에 대해 휴 밀러보다 잘 아는 사람은 드물었는데, 그는 경험으로 얻은 바를 이렇게 말했다.

"근로는 아무리 힘든 것이라 할지라도, 그 속에는 한없는 즐거움이 넘치고 심신을 수양할 수 있는 재료들로 가득 차 있다."

또 그는 정직한 노동은 최고의 교사이며, 노고(勞苦)라는 학교는 기독교적 수양을 제외한 나머지 중 가장 고귀한 수양을 제공하는—유능한 능력을 부여하고, 독립 정신을 배우게 하며, 참고 노력하는 습관을 갖게 하는—학교라고 했다. 그는 심지어 기계를 조작하고 연습하는 것을 중시하여 다음과 같은 의견을 피력하기도 했다.

"기계공의 훈련은 매일 실제적인 일을 처리할 수 있게 하고, 또 인생의 실제 경험을 얻게 하여 관찰력을 키워주며, 인생행로를 헤쳐 나갈 수 있는 힘을 준다. 나아가 다른 어떤 훈련보다 지각의 발달에 더 큰 도움을 준다고 강조하는 바이다."

영국을 부강하게 만든 것은 비천한 사람들의 힘이다

근로계급 출신으로 과학, 상업, 문학, 예술 등 여러 분야에서 탁월한 명성을 올린 사람들은 이미 제1장에서 말했다. 이러한 사실들을 보면 이 세상에 극복하지 못할 고난은 없다는 것을 알 수 있다. 어떤 자는 극빈에 시달리고 또 어떤 자는 극심한 고통에 허덕이면서도 결코 진로에 방해받는 일은 없다.

영국이 부를 얻고 국력을 얻는 데 크게 기여한 훌륭한 고안과 위대한 발명들은, 흔히 미천한 집안에서 태어난 사람들의 손으로 이루어진 것이다. 이 분야에서 그들이 한 일을 제외하면, 그 밖의 다른 사람들이 이루어 놓은 일은 사실 얼마 되지 않는다고 할 수 있다.

기계를 창조한 사람들이 국가에 기여하다

발명가들은 세계 최대의 산업을 창시하였으니, 이들의 덕택으로 세상 사람들은 필수품을 얻고 편안하고 안락한 생활을 누릴 수 있다. 이들의 재능과 노력으로 일상생활의 모든 면이 즐겁고 간편해진 것이다.

음식과 의복, 집에서 쓰는 가구, 추위를 막아주고 집안에 햇빛을 들이는 유리, 거리를 밝혀 주는 가스등, 육지와 바다의 운송 수단들, 필수품과 사치품을 만들 수 있게 하는 도구들—이 모든 것들은 수많은 발명가들의 노력과 재주의 결과이다. 이런 발명품 덕분에 사람들은 더욱 행복한 생활을 누릴 수 있고, 일상생활에서 사회의 즐거움과 개인의 복지가 증진되는 것이다.

증기기관의 창조

기계의 왕이라고 할 수 있는 증기기관이 발명된 것은 그리 오래지 않지만, 그 발명의 기본사상은 이미 수백 년 전부터 잉태되어 있었다. 다른 고안이나 발명처럼 이것도 오랜 세월 단계를 밟아 이루어진 것이다. 한 사람이, 아무런 쓸모도 없어 보이는 자신이 노력한 결과를 후계자에게 전하고, 후계자는 그것을 이어받아 조금씩 개선한 다음 또 다음 후계자에게 전달하면서, 몇 세대를 거쳐 연구를 거듭한 끝에 성취한 것이다.

기원전 120년 무렵, 알렉산드리아 시대에 혜론이라는 수학자가 처음으로 증기의 힘을 시험하는 기구를 만들었다. 그의 착상은, 이집트 미라의 손 안에 감추어 두었던 보리 낱알에서 다시 싹이 나는 것처럼, 생명을 잃지 않고 있다가 근대 학술이 창성할 때 옛 사람이 살짝 열어둔 그 틈새로 빛을 받아 마침내 싹이 터 성장하게 된 것이다.

그러나 증기 기관은 이론적인 가정의 상태에서는 아무것도 아니었으며, 실제로 기계공의 손에 들어온 뒤에야 그 실현에 진척을 보이기 시작했다. 그 거대하고 놀라운 기계를 보면, 그것을 창조한 사람들이 수많은 어려움 속에서도 용기를 잃거나 마음이 약해지지 않고, 수고를 마다하지 않으며, 마치 강력한 적과 맞서 싸우듯이 영웅적인 근면으로 고난을 이겨낸 흔적을 볼 수 있다.

그것은 바로 '인간에게 존재하는 자조정신의 기념비'라고 할 수 있다. 이 기념비 주변에 모여 있는 사람들을 보면, 육군 기사 세이버리, 다트머스의 대장장이 뉴커먼, 유리기술자 콜리, 기관실 인부 포터, 토목기사 스미턴 등이 있다. 그 중에서도 가장 본받을 만한 사람은 수학 기구를 제작하는 제임스 와트였다.

제임스 와트의 근면과 집중력

와트는 매우 근면한 사람이었다. 그의 일생을 보면, 최고의 결과를 얻는 사람은 반드시 천부적인 재주와 능력을 가진 사람이 아니며, 가장 주의 깊게 훈련된 기술, 노력과 정성과 경험을 통해 숙련된 기술로 근면하게 자기의 힘을 발휘하는 사람이라는 것을 알 수 있다. 그것은 바로 우리의 경험이 확증해 준다.

그 당시에도 와트보다 지식이 더 풍부한 사람이 많았지만, 와트처럼 근면하게 자신이 알고 있는 것을 실용할 수 있도록 전환시키고자 노력한 사람은 없었다.

무엇보다 그는 끊임없이 실습을 거듭했다. 그는 차원 높은 인간 두뇌의 기초가 되는 철저한 집중의 습성을 세심하게 계발했다. 그것에 대해 에지워스는 이런 말을 했다.

"인간의 재능과 지력이 저마다 다 다른 것은 흔히 어려서부터 집중력을 개발했는지 그 여부에 달려 있다."

와트, 증기기관을 만들다

와트는 어린 시절에도 장난감을 갖고 놀면서 과학을 찾아냈다. 아버지가 목수여서 집에 사분의가 있었기 때문에 그는 자연스럽게 광학과 천문학을 연구하게 되었다. 몸이 건강하지 못해 생리학에 파고들기 시작했고, 시골길을 혼자 산책하며 식물학과 역사학에도 취미를 붙였다. 수학 기구를 만들던 중 오르간을 한 대 만들어 달라는 요청을 받고, 그는 음악을 잘 모르면서도 화성학을 공부하여 결국 오르간을 훌륭하

제임스 와트

게 만들어냈다. 글래스고 대학에 소장된 뉴커먼식 증기기관의 모형을 수리해 달라는 부탁을 받았을 때도 그의 노력은 변함없었다. 그 당시 알려졌던 열의 작용과 증기의 증발 및 수축에 대한 지식을 모조리 섭렵한 뒤, 기계학과 구조학도 연구하며 고생한 끝에 축밀(縮密) 증기기관을 발명한 것이다.

그는 10년 동안, 위안이 되는 희망도 없고 격려해 주는 친구도 없이 고안과 발명의 길을 묵묵히 걸었다. 생계를 위해 사분의를 만들어 팔거나 바이올린, 피리 같은 악기를 제작 수리해 주고, 석공들에게 치수를 재어 주거나 도로공사에서 측량을 해 주고 운하 공사를 감독했으며, 그 밖에도 정당하게 돈을 벌 수 있는 일이면 어떤 일이든 가리지 않고 하면서도 연구를 계속했다.

마침내 와트는 협력자 매튜 볼턴을 만나게 되었다. 버밍엄 출신인 볼턴은 숙련된 기술과 지칠 줄 모르는 정력에 식견이 넓은 또 하나의 산업 지도자로, 와트의 축밀 증기기관을 인력을 대신하여 여러 공사에 쓸 수 있도록 했다. 이 두 사람의 성공은 이제 역사적 사실이 되어 있다.

증기기관, 모든 분야에서 유용하게 쓰이다

그 뒤 많은 숙련된 기술자들이 증기기관을 더욱 더 좋게 개량했다. 미비된 많은 부분을 보완하여 여러 가지 작업에서 없어서는 안 될 유용한 것으로 만들어 기계를 부리고, 선박을 추진하고, 곡식을 빻고, 책을 인쇄하고, 화폐를 주조했다. 그 밖의 철공일, 대패질, 철의 변조 등, 동력이 필요한 모든 일에도 증기기관을 이용했다.

그 중에서도 가장 훌륭한 개량은 트레비딕이 창안해서 조지 스티븐슨 부자가 완성한 증기기관차의 발명이다. 이로 인해 사회의 모습이 크게 변하고 인류의 문명 진보에 큰 영향을 준 것을 생각하면, 이 단계의 발전이 와트의 증기기관 발명보다 더 중요하다고 할 수 있을 것이다.

리처드 아크라이트와 방적기

와트의 증기기관 발명을 계기로 생산업은 거의 무제한의 동력을 얻게 되었는데, 그 중에서 가장 먼저 큰 결과로 나타난 것이 방적공장의 건설이었다. 이 위대한 공업 분야의 기초를 이룬 사람은 리처드 아크라이트이다. 그는 기계를 발명하는 재능도 비상했지만 범인(凡人)을 초월한 실천력과 지식은 더욱 놀라웠다. 그가 방적기 발명의 창시자인지의 여부에 대해서는 와트와 스티븐슨의 경우처럼 논란이 있지만, 그와 방적기의 관계는 와트와 증기기관, 스티븐슨과 증기기관차의 관계와 같다. 말하자면 그는 앞선 사람들이 남긴 천재의 실마리를 주워 모아, 그것을 자기 방식대로 하나하나 짜 올려서 하나의 새로운 천으로 만들어 낸 것이다.

버밍엄의 루이스 폴이 아크라이트보다 30년 전에 롤러식으로 된 방적기를 만들어 특허를 받은 적이 있었으나, 이 기계는 세부적으로 너무나 불완전하고 수익성이 없어서 사실상 실패로 돌아갔다. 별로 알려지지 않은 레이 지방의 토머스 하이스라는 사람 또한 수력 방적기와 보통 방적기를 발명하였지만, 이것도 성공하지 못했다.

무릇 공업계에서 발명가의 머리가 요구될 때는, 같은 아이디어가 많은 사람들의 머리에 떠오르는 법이다. 증기기관과 안전등의 발명이 그랬고, 전보와 그밖의 발명품들도 그랬다. 재주 있는 많은 사람들이 발명의 목적을 위해 분투하는 가운데, 특출하고 강건하고 실천력 있는 한 사람이 나타나 원리를 실제에 응용하여 완성한다. 그러면 경쟁에 처진 다른 이름 없는 발명가들이 아우성을 치며 일어난다. 이리하여 와트, 스티븐슨 및 아크라이트 같은 사람들은 실제적이고 성공적인 발명가로서 자신들의 명성과 권리를 지켜야 하는 것이다.

리처드 아크라이트는 다른 위대한 기술자들처럼 미천한 집안 출신이었다. 그는 1732년 프레스턴에서 태어났는데, 가난한 집의 13명 아이들 중 막내였다. 학교에 다닌 적도 없이 독학을 한 까닭에, 세상을 떠나는 날까지 간신히 자기 이름만 쓸 줄 알았다. 소년 시절에 이발사의 견습생이 되어 이발 일을 배운 뒤, 볼턴의 한 건물 지하실에 직접 이발소를 차려 놓고 밖에 이런 간판을 써 붙였다.

"지하 이발소로 오십시오. 1페니에 면도를 해드립니다."

이리하여 손님들이 모두 이 집으로 몰리니 다른 이발소도 면도 요금을 1페니로 내리지 않을 수 없었다. 그러자 아크라이트는 다시 결단을 내렸다.

"깨끗한 면도 값은 반 페니."

몇 년 뒤 그는 이 지하 이발소를 그만두고 가발 행상을 시작했다. 당시에는 너도 나도 가발을 쓰던 시대라 가발 제작이 이발업의 중요한 부분을 차지하고 있었다. 아크라이트는 사방으로 다니면서 가발에 쓸 긴 머리카락을 사들였는데, 특히 젊은 여자들이 많이 모여드는 직업소개소를 자주 찾아다녔다. 그곳에서의 그의 장사 수완은 대단했다고 한다. 그는 또 화학제품 염색약 장사를 하는 한편, 그 약으로 손님들에게 머리 염색도 해주면서 많은 수익을 올렸다. 그러나 무척 활동적인 그였지만, 생활에 필요한 돈 이상으로 이익을 탐내지는 않았던 것으로 보인다.

가발을 쓰는 유행이 시들해짐에 따라 가발 제작자들은 불경기에 빠졌다. 그러자 기계에 대해 재주가 있는 아크라이트는 기계 발명가, 그 당시 사람들 말로 하면 요술쟁이로 방향을 바꾸었다. 당시에는 많은 사람들이 방적기를 만들려고 애쓰고 있었는데, 아크라이트도 그 속에 조그마한 배를 띄워 다른 사람들과 함께 발명의 바다를 향해 출범한 것이다.

독학, 독습한 사람들이 대부분 그렇듯, 그도 이미 여가를 이용하여 영속발동기를 만들어 보았기 때문에, 방적기의 발명으로 방향을 돌리는 것은 어려운 일이 아니었다. 그러나 실험에 너무 열중한 나머지 돈 버는 일을 소홀히 했기 때문에, 근근이 모아 놓았던 돈을 다 써버려 형편이 몹시 어려워졌다. 그의 아내—이때는 이미 기혼이었다—는 남편이 하는 일을 괜히 시간과 돈만 낭비하는 것이라 생각하고, 하루는 그가 만든 모형을 부숴버렸다. 물론 그렇게 해서

아크라이트

라도 가난에서 벗어나야겠다는 절박한 생각에 서였을 것이다.

그러나 고집이 세고 일단 마음먹은 일에는 정신없이 열중하는 성격인 아크라이트는, 아내의 그러한 소행에 격분하여 즉시 그녀와 헤어지고 말았다.

행상을 하면서 사방으로 돌아다닐 때, 아크라이트는 케이라는 사람을 알게 되었다. 이 사람은 워링턴에 사는 시계 기술자로, 아크라이트가 전에 영속발동기를 만들 때 그 중 몇몇 부품 제작에 협력해 준 사람이었다. 아크라이트는 원목으로 방적하는 이치를 이 사람을 통해서 배웠다고도 하고, 또 빨갛게 단 쇳조각이 우연히 두 원목 사이를 통과하는 것을 보고 깨달았다고도 한다. 어느 쪽이 맞는 이야기인지는 모르지만, 아크라이트는 이 아이디어에 끌려 그 이치에 따라 방적기를 만들어 보려 노력했고, 케이는 그 점에 대해서는 더 이상 조언할 것이 없었다.

아크라이트는 지금까지 해오던 모발 매매업을 그만두고 모든 정력을 방적기 제작에 바치기 시작했다. 이때 케이가 아크라이트의 지시에 따라 만든 모형을 프레스턴의 초등학교 복도에 전시해 놓았다. 아크라이트는 이 도시의 선거권이 있는 공민이었으므로, 그도 버고인 장군이 선출된 선거에 투표를 하지 않을 수 없었다. 그런데 어찌나 가난한지 의복이 남루하여 투표장에 입고 갈 만한 옷이 없는 것을 알고, 많은 사람들이 돈을 모아 옷을 사 입힐 정도였다.

프레스턴에는 수공(手工)으로 생계를 유지하는 사람들이 많아, 아크라이트의 방적기가 완성되면 그들은 생업을 빼앗기게 될 형편이었다. 그래서 아크라이트가 방적기 모형을 학교에 전시하자 일감을 잃을 것을 두려워한 군중들이 학교 부근에 모여 아우성을 치며 시위를 벌였다. 케이도 예전에 플라잉 셔틀(직조기계)이라는 것을 만들었다가 군중이 폭동을 일으켜 랭커셔에서 쫓겨난 적이 있었고, 블랙번의 군중들이 얼마 전 가난한 하그리브스가 만든 제니방적기를 산산이 부숴버린 적도 있었다. 아크라이트는 이러한 일들을 생각한 끝에 그의 모형을 비교적 안전한 고장인 노팅엄으로 옮겨놓았다.

그곳에서 그는 몇몇 지방 은행가들에게 재정지원을 요청하였는데, 다행하게도 라이크라는 사람이 나중에 이익이 생기면 같이 나눈다는 조건으로 그에게 약간의 돈을 빌려 주었다. 그러나 기계가 완성되는 데는 예상보다 많은 시간이 걸려서, 은행가들은 스트럿과 니드 두 사람에게 도움을 청해 보라 권했다. 이 가운데 스트럿은 그 자신도 재주 있는 발명가로서 양말직조기의 특허권을 가진 사람이었다. 이 스트럿이 아크라이트의 발명품이 유용한 것을 인정하고 같이 동업하기로 하여, 아크라이트의 앞날은 비로소 트이게 되었다.

마침내 1769년에 '노팅엄의 시계기술자 리처드 아크라이트'의 명의로 특허권을 얻었다. 그해가 바로 와트가 증기기관의 특허권을 얻은 해인 것은 주목할 만한 일이다. 처음에는 노팅엄에 방적공장을 설립하고 말의 힘을 이용하여 기계를 부리다가, 얼마 뒤 더비서 지방 크롬포드에 더 큰 규모의 공장을 지어 수차(水車)로 운전했다. 그때부터 그의 방적기는 수력방적기라고 불리게 되었다.

그러나 아크라이트의 고생은 사실상 그때부터 시작되었다. 기계의 대강 구조는 만들어졌지만 세부를 완성해야 했다. 꾸준히 개량하고 변조해서 더욱 만족스럽게 실용할 수 있고 이득이 생기도록 하는 것이 그의 의무였다. 처음 몇년 동안은 실망 속에서 결실은 없고 돈만 낭비하는 형편이었다. 그러나 성공이 눈앞에 다가오는 듯하자 랭커셔의 제조업자들은, 코니시의 광업자들이 볼턴과 와트에게서 증기기관의 이득을 빼앗아 가려고 했던 것처럼, 아크라이트의 전매특허권을 나눠 갖기 위해 기를 쓰고 덤벼들었다. 심지어 노동자들은 아크라이트를 자신들의 적이라고 매도했고, 엄연히 경찰과 군대가 주둔해 있는데도 폭도들이 몰려와 그가 콜리 근처에 세운 공장을 파괴하기도 했다.

그뿐만 아니라 랭커셔 주민들은 아크라이트의 공장에서 나온 상품이 최고 품이라는 것을 인정하면서도 그 물건을 사려고 하지 않았다. 그리고 그의 기계를 쓰면서도 특허 요금을 지불하지 않은 채 법정에 소송까지 내어 마침내 그의 특허권을 박탈하기까지 했다. 그것을 보고 뜻있는 사람들은 모두 애석해 했다. 재판이 끝난 뒤 아크라이트가 폭도들이 묵고 있는 호텔 옆을 지나가자, 그 중 한 사람이 아크라이트에게 들으라는 듯 큰 소리로 외쳤다.

"결국 우리는 노망한 이발장이를 쓰러뜨렸다!"

그러자 아크라이트는 침착하게 다음과 같이 응수했다.

"염려 마라! 나에겐 아직도 너희들을 깨끗이 밀어버릴 수 있는 면도칼이 남아 있으니까."

아크라이트는 랭커셔, 더비셔 그리고 스코틀랜드의 뉴라나크에 새로운 공장을 세웠다. 크롬포드의 공장들도 스트럿과의 동업 계약 기한이 끝나 그의 손에 들어왔다. 이리하여 수량이 많고 품질 좋은 그의 생산품은 얼마 뒤에 면직업계를 완전히 평정하게 되었고, 상품 가격도 그가 정함으로써 다른 방적업자들의 사업까지 지배하게 되었다.

아크라이트에게는 천성적으로 강인한 불굴의 용기가 있었다. 더욱이 시세의 흐름에 대한 판단이 빨라 거의 천재에 가까운 사업 재능을 발휘했다. 한때는 많은 공장을 건설하고 운용하느라 새벽 4시부터 밤 9시까지 뛰어다닐 정도로 과로하기도 했다. 그는 나이 50에 문법을 배우고 정서법을 배우는 등 글공부를 했다.

모든 장애를 극복한 끝에 아크라이트는 마침내 사업에서 대성공을 거두었다. 그는 처음 기계를 만든 지 18년 만에 더비셔에서 유지가 되어 그 지방의 최고치안관으로 임명되었고, 조지 3세에게 작위도 받았다. 아크라이트는 1792년에 세상을 떠났다. 그의 사업에 대한 평가야 어떻든, 그는 근대적 공장 제도를 최초로 확립한 사람이었다. 그것이 그 이후의 각 개인과 국가에 많은 부를 가져다 준 원천이 된 것은 틀림없는 사실이다.

그 밖에도 영국에서는 모든 산업 분야에서 의지가 굳고 정력이 왕성한 사람들이 많이 나왔다. 그들의 노력으로 인해 주변 사람들이 많은 이익을 얻었으며, 사회도 그 힘을 키울 수 있었다. 그 중에 특기할 만한 집안들을 살펴보면 벨퍼의 스트럿 집안, 글래스고의 테넌츠 집안, 리즈의 마셜 일가와 거트 집안, 남 랭커셔의 필 집안, 애시워스 집안, 벌리 집안, 필든 집안, 새시턴 집안, 헤이우드 집안, 에인스워스 집안 등이 있다. 이 여러 집안의 후손들은 영국 정치사에서 모두 훌륭한 역할을 해냈으며, 특히 남 랭커셔의 필 집안의 업적이 매우뛰어났다.

필과 날염기
필 집안의 시조는 18세기 중엽 블랙번 근처에서 논밭을 경작하는 소지주로,

나중에 피시 레인에 있는 집으로 이사를 했다. 로버트 필은 차츰 많은 자녀를 갖게 되어 대가족을 형성했는데, 블랙번의 땅이 메말라 농업으로는 도저히 가솔을 이끌고 살아갈 수 있을 것 같지 않았다. 그 고장은 가내공업으로 만드는 '블랙번 그레이스'라는 천의 원산지인데, 이 천은 삼 씨실과 무명 날실로 짰으며 그 고장과 인근 지방에서만 생산되고 있었다. 그래서 근대적인 공장 제도가 수립되기 전에는, 근면한 농가에서 여가를 이용하여 이 천을 짜는 것이 일반적이었다. 이에 따라 로버트 필의 집에서도 옥양목을 짜기 시작했다.

로버트 필은 정직하게 정밀한 물건을 만들어 팔았고, 검소하고 근면했기 때문에 장사는 날로 번창해갔다. 특히 남다르게 모험심이 강했던 그는 당시 발명된 지 얼마 안 된 소면 원통기(梳綿圓筒器)를 맨 먼저 사들여 사용했다.

그러나 로버트 필이 가장 하고 싶었던 일은 옥양목에 꽃무늬를 인쇄하는 것이었는데, 이것은 그 당시 별로 알려지지 않은 기술이었다. 얼마 동안 그는 기계로 꽃무늬를 인쇄해 보려고 잇따라 실험을 해보았다. 이 실험은 남몰래 그의 집에서 이루어졌으며, 항상 집안 여자들 중 한 사람이 그 실험을 위해 천에 다림질을 해야만 했다. 그 당시에는 양재기를 식기로 쓰는 것이 보통이었다. 어느 날 로버트 필은, 이 양재기의 무늬에 물감을 칠해 그것을 뒤집어 찍으면 옥양목에도 무늬를 넣을 수 있지 않을까 하는 생각이 떠올랐다.

마침 이웃 농가에 압착기가 있어 그 집에 가서 양재기의 무늬가 있는 부분에 색깔을 칠한 다음, 그 위에 옥양목을 대고 기계에 넣었더니 정말 무늬가 깨끗하게 새겨져 나오는 것이었다. 이것이 롤러 날염의 시작이었다.

로버트 필은 더욱 더 연구하여 이 날염법을 완성하였다. 처음 나온 무늬가 파슬리 잎사귀였기 때문에 블랙번 지방에서는 오늘날까지 필을 '파슬리 필'이라 부르고 있다.

무늬를 양각한 나무 원통과 음각한 구리 원통으로 된 '뮬 정방기(精紡機)'라는 것으로 꽃무늬를 인쇄하는 방법은, 처치 지방의 필 회사 사장인 그의 아들이 완성했다. 이 사업이 성공하자 로버트 필은 곧 농사를 그만두고, 블랙번에서 약 2마일 떨어진 브룩사이드로 이사하여 날염 사업에 매달렸다. 그곳에서 그는 자신처럼 열정적인 아들들과 함께 이 사업을 계속했다. 아이들이 자라서 어른이 됨에 따라 이 회사는 여러 지점을 갖게 되었고, 각 지점들은 그 지방 산업 활동의 중심이 되어 많은 사람들에게 일자리를 제공하는 일터가 되었다.

가문을 처음 세우고 아무 작위도 없었던 로버트 필의 인품에 대해 지금까지 알려진 바를 종합하면, 그는 기민하고 현명하며 선견지명이 있는 뛰어난 사람이었음에 틀림없다. 그러나 몇 가지 전해 내려오는 이야기 외에는 별로 알려진 것이 없다. 그의 아들 로버트는 아버지에 대해 다음과 같이 겸손한 말을 했다.

"저희 아버지는 우리 집안의 창시자라고 할 수 있습니다. 그분은 국가적인 차원에서 상업적 부의 중요성을 꿰뚫어보셨죠. 그래서 개인적 이득은 무역을 통해 얻는 국가의 이익에 비하면 아무것도 아니라고 늘 말씀하셨습니다."

처음으로 준남작이 되고 아버지를 계승하여 생산업자가 된 로버트 필은, 아버지의 기업과 재능과 근면을 그대로 이어받은 사람이었다. 그가 사회생활을 시작했을 때, 그의 상황은 다른 일반 기계공보다 별로 나을 것이 없었다. 왜냐하면, 그의 아버지는 앞으로 번창할 사업의 기초를 세우기는 했으나 아직 자본이 충분치 못해 많은 어려움을 겪고 있었기 때문이다. 로버트는 불과 20살 무렵부터, 우연히 터득하게 된 아버지의 날염 사업을 자기 손으로 경영해 볼 결심을 했다.

로버트의 삼촌 제임스 하워드와 블랙번의 윌리엄 예이츠가 출자하여 총 자본금이 겨우 500파운드 정도였는데, 그 대부분이 예이츠가 댄 돈이었다. 블랙번의 유지였던 예이츠의 아버지는 명망 있는 사람이었으며 사업에 성공하여 모은 돈이 꽤 있어서, 아직 시작 단계에 있지만 앞으로 전망이 좋을 것 같은 날염 사업을 시작해 보려는 아들에게 넉넉히 자본금을 대준 것이었다.

아직 어리다 할 수 있는 로버트 필은 이 사업에 대한 실제적인 지식을 제공했다. 그는 '청년의 어깨 위에 노인의 머리를 올려놓은 사람'이라는 말을 들을 정도로 신중하게 사업을 전담했다고 하며, 실제로 그런 말을 들을 정도로 일을 잘 처리했다.

그 당시에는 별로 알려지지 않던 베리라는 지역 근처에 있는 폐업한 방앗간 한 채와 거리 쪽에 난 빈터를 비교적 싼 값에 사들여 목조 헛간을 몇 채 짓고, 1770년에 아주 보잘것없는 규모로 날염 공장을 차렸다. 그러다가 몇 년 뒤에는 방적업까지 겸하게 되었는데, 그 뒤 오랫동안 사람들은 그곳을 '그라운드(공장 지역이라는 뜻)'라고 불렀다. 이 동업자들이 이때 얼마나 검소하게 살았는지, 초창기에 있었던 다음과 같은 일화를 들으면 짐작이 갈 것이다.

윌리엄 예이츠는 가정을 가지고 있었기 때문에 조금이라도 필을 도와 주려는 뜻에서 자기 집에 하숙을 허락했다. 이때 필이 낸 하숙비는 주당 겨우 8실링이었는데, 이게 너무 적다고 생각한 예이츠가 1실링만 올려 받으려고 했다. 그러자 필이 그렇게 못 하겠다고 거절해서 두 사람 사이가 잠시 서먹했다가, 마침내 필이 주당 6페니를 더 내겠다고 하여 타협을 보았다.

윌리엄 예이츠에게는 엘렌이라는 딸이 있었는데, 이 아이가 곧 젊은 필의 귀여움을 독차지하게 되었다. '그라운드'에서 하루 종일 일하고 돌아오면, 그는 이 조그만 소녀를 무릎 위에 앉혀 놓고 이렇게 말하곤 했다.

"귀여운 꼬마 아가씨, 넬리. 너 장차 커서 나에게 시집오지 않겠니?"

그러면 꼬마는 그맘때 아이들이 흔히 그렇듯이 "네, 아저씨!" 하고 선뜻 대답하는 것이었다.

"그럼 너를 기다리도록 하마, 넬리. 지금부터 다른 사람은 쳐다보지도 않고 너하고만 결혼하겠다."

이 말대로 필은 그때가 오기를 기다렸다. 그 뒤 소녀가 차츰 자라 성인이 되고 아름다운 처녀가 되자 그의 결심은 더욱 굳어졌다. 그렇게 사업에 전념하는 동안 사업이 급속히 번창하면서 10년이 흐른 뒤, 필은 만 17살이 된 엘렌 예이츠를 아내로 맞아들였다. 그리하여 어머니의 하숙 손님이자 아버지의 동업자인 필의 무릎에 올라가 놀던 예쁜 여자 아이가 세월이 흘러 그의 아내가 된 것이다. 그녀가 바로 미래의 영국 수상의 어머니가 된 필 여사이다.

필 여사는 어떤 처지에서도 정숙하고 고상하고 아름다운 부인이었다. 보기 드물게 의지가 굳은 여성이어서, 어려운 일에 처했을 때는 언제나 남편의 고매하고 충실한 조언자가 되었다. 결혼한 뒤 그녀는 오랫동안 남편의 비서 노릇을 하며 상업 통신의 대부분을 도맡아 처리하였는데, 그것은 필이 문서에 대해 무관심한 데다 그의 글씨가 사람들이 알아보기 힘들 정도였기 때문이다.

1803년, 그녀는 남편이 준남작의 작위를 받은 지 겨우 3년 뒤에 세상을 떠났다. 그것은 그녀에게 너무나 익숙했던 가정생활과는 너무 다른 런던의 사교생활로 인해 건강이 나빠졌기 때문이라고 한다. 뒷날 예이츠는 다음과 같이 말하곤 했다.

"만약 우리 넬리가 로버트의 아내가 되지 않았더라면 아직도 살아 있을지 모르는데……"

예이츠와 필이 경영하는 회사는 날이 갈수록 번창했다. 로버트 필은 의지가 굳건한 사나이로, 정력적이고 근면한데다 실제적인 지혜를 겸비했을 뿐만 아니라 뛰어난 상업적 재능까지 갖추고 있었다. 그것은 바로 초창기의 많은 방적업자들에게서는 볼 수 없었던 자질이었다. 강철 같은 의지와 신체를 가진 그는 쉬지 않고 일했다. 요컨대 날염 업계에서의 그의 위치는 방적업계에서의 아크라이트의 위치와 같았고, 아크라이트와 동등한 성공을 거두었던 것이다. 그 회사에서 만든 제품이 시장을 휩쓸자, 그의 회사는 랭커셔에서 단연 두각을 드러냈다. 이 사업은 베리 마을을 윤택하게 해주었을 뿐 아니라, 이웃 지방인 어웰과 로치에까지 그 이익이 미치게 했다. 그리고 이들은 가장 훌륭한 제품을 만들려고 애쓰는 동시에, 사업이 다소 부진해도 후한 보수를 주려고 애쓰는 등, 노동자의 복지를 위해 다방면으로 노력을 기울여 사회로부터 찬사를 듣고 명예도 얻었다.

로버트 필은 모든 새로운 방법과 발명을 재빨리 받아들였다. 그 한 예로 그가 날염에 채택한 방염법(防染法)을 들어 보자. 그것은 염색하지 않고 그대로 두려는 부분에 방염제를 써서 염색되지 않게 하는 방법으로, 그 방염제는 런던의 어느 상점에 고용되어 물건을 팔러 다니는 사람이 발명한 것이었다. 필은 상당히 많은 돈을 주고 이 약을 사들였다. 그것을 완전히 실용화하여 유용하게 사용하는 데 1~2년이 걸렸으나, 그 결과가 좋아 방직물에 나타나는 무늬의 윤곽이 몹시 아름답고 선명하였기 때문에, 베리의 공장은 국내에서 제일가는 날염 공장이 되었다. 필의 가족으로서 이와 같은 정신으로 여러 지방에 공장을 세운 사람들이 많았는데, 랭커셔 지방의 번리, 폭스힐뱅크, 앨덤과 요크셔 지방의 아베이 등이 그들이었다. 나중에는 스태퍼드셔의 버튼 온 트렌트에 공장을 세운 사람도 있어, 이 공장들로 인해 공장 주인들이 부유해진 것은 물론, 온 방적업계가 이를 모범으로 삼았고, 랭커셔의 성공한 날염업자들과 생산업자들은 대부분 이곳에서 훈련을 받았다.

그 밖의 다른 유명한 산업 창시자들 가운데 목사로서 양말 편직기(編織機)를 발명한 윌리엄 리와 보빈 레이스 직조기의 발명가 존 히스코트가 있다. 이들은 기계에 익숙했고 또 인내심이 강한 인물들이었다. 이들이 수고한 덕택으로 노팅엄과 그 주변에 보수를 많이 주는 일자리가 생겼다. 양말 편직기가 발명된 계기에 대해서는 여러 가지 엇갈리는 설이 있으나, 발명자의 이름에 있어서만은 추호의 의문도 없다.

윌리엄 리와 양말 편직기

윌리엄 리는 1563년쯤 노팅엄에서 약 7마일 떨어진 우드보로라는 마을에서 태어났다. 그는 소지주의 상속자였다는 이야기가 있는가 하면, 가난한 학생으로서 어린 시절부터 빈곤과 싸워야 했다는 이야기도 있다. 그는 1579년 케임브리지대학 신학과에 장학생으로 들어가 다시 세인트조지 대학으로 옮긴 뒤, 1582년에서 1583년 사이에 학사 학위를 받았는데, 그가 1586년에 석사학위를 받았다고 얘기하는 사람들도 있다. 그러나 이 점은 대학 기록에는 확실하게 나타나 있지 않다. 그가 학교 규칙을 어기고 결혼한 까닭에 유니버시티 칼리지에서 퇴학을 당했다는 이야기는 잘못 전해진 것으로, 그가 이 대학의 학생이 아니었으니 이런 그릇된 추측은 있을 수 없는 일이다.

리가 양말 편직기를 발명했을 때, 그는 노팅엄 근처 캘버턴에서 부목사직을 맡고 있었다. 몇몇 전기 작가에 따르면, 이 발명에는 이루지 못한 러브스토리가 관련되어 있다고 한다. 이 부목사가 마을의 한 젊은 여인을 몹시 사랑하게 되었는데, 그 여인으로부터 아무런 사랑의 응답을 받지 못했다. 그가 여인을 방문하면 여인은 자기를 좋아하는 남자는 아랑곳하지 않고, 양말 짜는 일과 학생들에게 편직 기술을 가르치는 데에만 정신을 쏟고 있었다.

그래서 그는 수공으로 양말 짜는 일을 증오하게 되었고, 그것을 대신할 만한 기계를 발명하여 수공으로 일하는 사람들이 돈을 벌지 못하게 하리라 마음먹었다. 그런 뒤 그는 3년 동안 모든 것을 희생하면서 이 기계의 발명에 온 정열을 쏟았다. 성공의 전망이 보이자 그는 아예 부목사직을 그만두고 양말 짜는 기계의 제작에만 전념했다.

이것은 헨슨이 그의 저서 《기계 직조의 역사》 속에, 어떤 늙은 양말 직조공에게서 들은 이야기라면서 기록한 것으로, 이 노인은 앤 여왕 시대에 견습공 생활을 시작하여 92살에 노팅엄의 콜린스 병원에서 세상을 떠났다. 디어링과 블래크너도 이 이야기가 그 지방에 전해 내려온다고 했다. 또한 런던 편직기 회사의 휘장을 보면, 목세공 부분이 없는 양말 편직기 모양으로 되어 있는데, 한쪽에 목사의 모습이 그려져 있고 그 반대쪽에는 목사를 도와주는 여인의 모습이 그려져 있다. 이것을 보아도 어느 정도 사실임을 알 수 있다.

양말 편직기 발명의 실제 계기야 어쨌든, 그 발명가가 보여 준 비상한 재능에 대해서는 일말의 의문도 있을 수 없다. 책하고만 씨름하며 살던 외딴 마을의 한 부목사가 그처럼 섬세하고도 복잡한 기계를 발명하여, 부인들이 3개의 꼬챙이로 실을 얽고 짜던 지루한 수공예를 기계로 빠르고 아름답게 직조하는 공업으로 발전시켰으니, 정말 놀라운 일이 아닐 수 없었다. 그것은 기계 발명 역사상 거의 유례가 없는 일이라고 할 수 있었다. 당시에는 수공업 기술도 초기 단계에 있었고, 제조 공업을 위해 기계를 만들려고 연구하는 것은 생각조차 못하던 시절의 일이었으므로 그의 공적은 더욱더 대단하고 큰 것이었다.

윌리엄 리는 기계의 각 부품을 필요에 따라 그때그때 만들어내야 했고, 장애물이 생길 때마다 그것을 극복해 가야 했다. 도구는 미비하고 재료는 불완전했으며 도와줄 숙련된 직공들도 없었다. 전하는 바에 따르면, 그가 처음 만든 기계는 12간(竿)으로 구성되었는데 연추(鉛錘)도 없이 모두 나무로 되어 있었으며, 바늘까지 나뭇조각으로 만들었다고 한다. 바늘에 구멍이 없어서 실이 지나가는 통로를 만들어 주는 것이 가장 어려운 문제였는데, 나중에 삼각형 줄로 바늘구멍을 뚫어 이 난관을 해결했고, 많은 어려움을 차례로 극복하여 3년 동안 고생한 끝에 실용할 수 있는 기계를 만들어낸 것이다. 부목사였던 리는 이제 직조 기술에 온 열정을 쏟아 켈버턴 마을에서 양말 직조를 시작했다. 그리고 그의 동생 제임스와 몇몇 친척들에게 기술을 가르쳐 주면서 몇 년 동안 이 사업을 계속했다.

기계가 거의 완성되어갈 즈음에, 그는 비단실로 짠 양말을 무척 좋아하는 엘리자베스 여왕의 특별한 후원을 얻고자 이 기계를 여왕에게 보여 주어야겠다고 생각했다. 그리하여 먼저 궁정의 몇몇 대신들에게 기계를 보여 주었는데,

특히 윌리엄 헌스던은 기계의 사용법까지 배우게 되었다. 이들의 주선으로 리는 마침내 여왕을 접견하게 되어, 어전에서 기계의 뛰어난 성능을 시험했다. 그러나 여왕은 그가 기대하던 칭찬의 말은 없이, 이 기계 때문에 수많은 가난한 사람들이 수공 편직의 일을 빼앗기게 되는 것이 아니냐며 거부 반응을 표시했다고 한다.

리는 다방면으로 후원을 청했으나 마찬가지로 허사였다. 그는 자신의 발명이 박대를 당하자, 당시 프랑스의 가장 중요한 산업 지구 가운데 하나인 루앙으로 갔다. 마침 프랑스 국왕 앙리 4세의 현명한 대신 쉴리 공작이 양말 편직기를 제작하고 사용하는 방법을 가르쳐 달라고 요청했고, 그는 그것을 감지덕지 받아들였다.

리는 1605년에 기계를 가지고 동생과 직공 7명과 함께 프랑스로 건너갔다. 그는 정중한 영접을 받으며 루앙으로 가서, 기계 9대를 전부 가동시키면서 대규모로 양말을 짰다. 그러나 이때 뜻하지 않은 불운이 그의 발목을 잡았다. 그를 보호해 주던 앙리 4세가 라벨락이란 괴한에게 살해당한 것이다. 일이 이렇게 되자 왕이 약속했던 모든 보수와 명예, 특권은 물거품처럼 사라지고 말았다. 더욱이 그러한 약속 때문에 프랑스에 이주할 결심까지 했던 것인데, 이제는 자기를 보호해 줄 사람도 격려해 줄 사람도 없게 된 것이었다. 이 사정을 법정에 호소하려고 파리로 갔으나 그가 외국인인데다 신교도였기 때문에 그의 진술은 먹혀들지 않았고, 이 탁월한 발명가는 상심하던 끝에 극도의 빈곤과 비탄 속에서 곧 세상을 떠나고 말았다.

그러자 리의 동생 제임스 리는 기계 2대만 남겨 놓고, 일곱 명의 직공들과 함께 나머지 기계를 가지고 프랑스에서 탈출하는 데 성공했다. 제임스 리는 노팅엄셔로 다시 돌아오자 도로턴에서 양말 편직사업을 시작하여 상당한 성공을 거두었다. 이곳에서 성공할 수 있었던 이유는 목축하는 양들이 있는 서우드 부근 지방이어서 재료인 긴 양털을 쉽게 구할 수 있는 좋은 위치에 있었기 때문이다.

이어서 애시턴이 연추가 달린 편직기를 발명했는데, 그것은 기계의 큰 발전이었다. 이 편직기가 영국의 여러 지방으로 점점 퍼져 나가자, 양말 편직기 제조는 영국 산업의 중요한 분야를 차지하게 되었다.

양말 편직기를 개량하여 만든 기계 중에서 가장 중요한 것의 하나가 레이스를 대규모로 생산할 수 있는 기계였다. 1777년에 프로스트와 홈스라는 두 직공이 양말 편직기를 약간 개조해서 만든 기계로 포인트넷 레이스를 생산했다. 그 뒤 약 30년의 세월이 흐르는 동안 이 제조업은 급속히 발전하여, 마침내 1,500대의 기계에 15,000명이나 되는 사람들이 이 일에 종사하게 되었다. 그러나 유행의 변천과 그 밖의 사정으로 노팅엄의 레이스 생산은 빠르게 쇠퇴하는 듯하다가, 티버턴 지구의 국회의원이었던 존 히스코트가 레이스 직기를 발명하여 사업은 다시 견고한 기초 위에 재건을 보게 되었다.

존 히스코트와 레이스 직조기

존 히스코트는 1783년 더비셔 지방의 더필드라는 마을에서 소농의 아들로 태어났다. 마을 학교에서 읽기와 쓰기를 배우다 곧 이웃 마을에 있는 기계공장의 견습공으로 들어갔다. 소년은 금방 솜씨 있게 기계를 다루는 방법을 배워, 양말 편직기의 각 부분에 대해 자세한 지식을 습득했고, 그보다 더 복잡한 날실 기계에 대해서도 상세히 알게 되었다. 그는 틈만 있으면 그 기계들을 개량할 방법을 연구했다.

그의 친구였던 국회의원 바즐리에 따르면, 이 소년은 16살 때, 그 당시 모두 수공으로만 만들던 버킹엄 또는 프랑스의 레이스와 비슷한 레이스를 생산할 수 있는 기계에 대한 아이디어를 가지고 있었다고 한다. 그의 실제적 개량의 첫 번째 성공은 날실 기계였는데, 교묘한 장치로 레이스 모양을 한 '미츠'라는 것을 짜 낸 것이었다.

이 성공에 힘입어 그는 기계로 레이스를 짜낼 연구를 계속하게 되었다. 이미 여러 사람들이 그에 앞서 양말 편직기를 개조하여 포인트넷 레이스를 만들어 보았으나, 양말처럼 코가 많은 데다 품질이 떨어져 만족할 만한 성과를 얻지 못했다. 노팅엄의 수많은 기계기술자들이 실이 서로 엇갈리는 레이스를 직조하는 기계를 발명해 보려고 오랫동안 고생했지만, 어떤 이는 가난에 허덕이다 도중에 세상을 떠나고, 어떤 이는 정신이상이 일어나 추방되기도 하여 모두 목적을 이루지 못하였으므로, 할 수 없이 구식 날실기계를 사용하고 있었다.

20세가 조금 넘자 결혼을 한 히스코트는 일을 찾아 노팅엄으로 갔다. 그곳에서 그는 속옷과 날실 기계의 직공이며 기술자로 일하게 되었다. 히스코트는 전부터 생각하고 있었던 실을 엇갈리게 짜는 레이스의 제조 방법을 고안하는

데 심혈을 기울였다. 그는 먼저 수공으로 버킹엄 레이스, 즉 베개 레이스를 짜는 방법을 연구하여 손의 움직임을 모방해서 기계를 만들어 보려고 생각했다. 그것은 참으로 많은 시간이 걸리고 힘든 일이어서 강한 인내력과 적지 않은 재능이 필요했다. 그의 고용주 엘리엇은 이때의 그에 대해, 노력하고 인내하는 성품에 과묵한 성격으로 실패와 실수가 있어도 결코 용기를 잃지 않았을 뿐만 아니라, 재주와 아이디어가 풍부하여 자신의 기계 원리를 적용하면 반드시 성공할 수 있다는 확신을 가지고 있었다고 말했다.

존 히스코트

그동안 히스코트의 아내도 남편과 함께 고생하면서 남편의 노력과 어려움을 이해해 주었으나, 집안 형편은 점점 궁핍해져 갔다. 남편이 발명에 열중한 나머지 주급을 받는 일조차 소홀히 했기 때문이다.

"존, 이젠 기계가 돌아가요?"

아내가 남편의 얼굴을 바라보며 걱정스레 물었다.

"돌아가지 않아, 앤. 그래, 다시 모두 뜯어내야 할 것 같아."

남편은 그래도 희망을 버리지 않고 유쾌하게 말했지만, 아내는 감정을 억제하지 못하고 주저앉아 흐느껴 울었다.

그러나 불과 몇 주 뒤에 그토록 고대했던 성공이 찾아왔다. 자신의 기계로 짠 첫 번째 레이스를 집으로 가져와 아내의 손에 쥐어 주었을 때, 존 히스코트는 참으로 자랑스럽고 행복했다. 레이스 직조기 같은 복잡한 기계를 몇 마디로 설명하기는 어려운 일이다. 사실 그것은 베개처럼생긴, 레이스를 짜는 기계로 베개 위에서 레이스를 교묘하게 짜는 부인들의 손동작을 모방한 것이다. 수공으로 만든 레이스의 구조를 분석한 결과, 히스코트는 그 속의 실을 날실과 씨실로 분류할 수 있었다. 이어서 방안을 가로질러 일반 노끈을 걸어 놓고 보통 집게로 그 사이에 씨줄을 지나가게 하여 반대편 집게에 이르게 한 다음, 실이 비스듬히 움직이면서 꼬이게 하여 옆의 끈 사이로 되돌아오게 하면 그 그물코가 베개 위에 수공으로 짠 것과 같은 모양이 되는 것이었다. 이와 같은 섬세한 운동을 하는 기계를 만들면 되는데, 그것을 만들자니 정신적 노고가 보통이 아니었다.

오랜 세월이 흐른 뒤 히스코트는 이렇게 말했다.

"날실을 엇갈리게 해서 일정한 장소에 짜 넣는 일이 가장 힘들었다. 지금 그걸 해야 한다면 솔직히 엄두가 나지 않는다(펠킨의 회고록에서)."

다음으로 그가 해야 할 일은 씨실을 날실 사이로 왕복하게 하는 실패로 쓸 평면 철판을 제작하는 일이었다. 그 평면 철판은 날실 양면의 이동 부분에 배열해 놓고 적절한 기계로 움직여서 실을 좌우로 이동하게 하여 레이스를 짜도록 하는 것이다. 마침내 그는 비상하게 숙련된 기술과 노력으로 자기의 원리를 실현하여, 스물네 살에 발명을 완성하고 전매 특허권을 얻었다.

이익이 많은 발명이 흔히 그렇듯이, 히스코트의 전매 특허권에도 말썽이 생겨 자신이 발명자라고 하는 그의 주장이 의심을 받게 되었다. 레이스 제조업자들은 이 특허권을 무효라 여기고 멋대로 그 기계를 써서 발명자의 권리를 무시했다. 이 기계의 개량 보수로 특허권을 얻은 자들도 있었다. 이러한 새 특허권자들이 사업에 실패하고, 자기네들끼리 서로 특허권을 침해했다고 재판을 하는 와중에 히스코트의 전매 특허권이 확정되었다.

한 사람이 자기 특허권을 침해했다고 다른 사람을 고소하자 배심원들은 피고에게 유죄판결을 내렸고, 판사는 양쪽의 기계가 모두 히스코트의 특허권을 침해한 것이라는 이유로 이에 동의한 것이다. 나중에 히스코트의 변호인이 된 존 코플리는 이 재판, 즉 '보빌과 무어와의 재판'으로 인해 이 기계의 사용법까지 습득하게 되었는데, 그것은 이 발명의 자세한 내용을 알아야 했기 때문이었다. 히스코트가 관련된 소송 사건의 적요서를 읽은 코플리는 히스코트에게 이렇게 말했다.

"이대로는 이 사건의 잘잘못을 도무지 따질 수가 없겠군요. 그러나 어쨌든 매우 중요한 사건으로 생각되니, 내가 직접 노팅엄에 가서 기계를 조사해 보고 내용을 알 수 있을 때까지 배워야겠습니다. 그러고 나서 힘껏 귀하를 변호해 드리지요."

이리하여 코플리는 자기가 맡은 사건에 대한 전례 없는 준비를 위해 야간 우편물 수송차를 타고 노팅엄으로 갔다. 이튿날 아침, 학식 있고 명망 높은 이 변호사는 공장에 가서 손수 편직기를 다루며, 자기 손으로 레이스를 만들어 낼 때까지 자리를 뜨지 않았고, 마침내 기계의 상세한 내부뿐만 아니라 그 원리까지 터득하게 되었다. 재판이 시작되자 이 박식한 변호사가 책상 위에 기계를 올려놓고 능란하게 기계를 돌리면서 발명품의 정확한 성질을 극히 명료한 논조로 설명하니, 판사도 배심원들도 그리고 방청객들까지도 모두 경탄해 마지않았다. 문제의 기계에 대한 그의 이와 같은 정확한 지식과 숙달은 말할 것도 없이 법정의 판결에 영향을 주었다.

재판이 끝난 뒤 히스코트가 알아본 결과, 자기가 특허권을 얻은 뒤 약 500대의 기계가 가동되고 있었다. 이들에게서 모두 전매 특허료를 받으니 거액의 돈이 되었다. 그러나 레이스 생산에서 얻는 수입이 괜찮았기 때문에 너도 나도 이 사업에 뛰어들어 기계의 사용이 빠르게 퍼진 결과, 물건 값은 1평방야드 당 5파운드 하던 것이 25년 사이에 5페니로 떨어지게 되었다. 그 기간 동안 레이스 산업의 1년 평균 수익은 적어도 400만 파운드였으며, 이로 인해 약 15만 명의 직공들이 돈을 벌어 생계를 유지할 수 있었다.

다시 히스코트의 이야기로 돌아오면, 1809년에 그는 레이스터셔 지방 러프버러에 레이스 제조공장을 차렸다. 사업은 몇 년 동안 무서운 속도로 번창했다. 그동안 이 사업으로 인해 수많은 직공들이 일자리를 얻어 주당 5~10파운드의 임금을 받았다. 새로운 기계의 발명으로 거기에 고용되는 사람의 수가 나날이 크게 증가했지만, 노동자들 중에는 이 기계 때문에 일하는 사람들이 일자리를 뺏겼다고 생각하는 자들도 있어서, 보는 대로 기계를 파괴할 것을 목적으로 하는 폭력단체가 형성되었다.

1811년, 마침내 노팅엄서 서남부와 더비 부근의 양말 공장과 레이스 공장에서 경영주와 노동자 사이에 분쟁이 일어났고, 애시필드의 서턴에서는 폭도들이 대낮에 공공연히 공장의 양말 편직기와 레이스 직조기를 때려 부수었다.

몇몇 주동자들이 붙잡혀 처벌을 받자 폭동이 조금은 수그러들었지만, 경찰의 눈을 피할 수만 있으면 은근히 파괴행위를 계속했다. 기계가 워낙 섬세하게 되어 있어서 망치로 한 번만 때려도 못 쓰게 망가졌고, 공장이 대부분 시내에서 멀리 떨어진 곳에 있었으므로 파괴의 기회는 얼마든지 있었다.

이들은 폭동의 본거지인 노팅엄 부근에서 조직적으로 단체를 만들어 밤마다 모여 파괴 공작을 모의했다. 민중의 신임을 얻을 생각에서인지 그들은 자기네 우두머리를 네드 러드 또는 러드 장군이라 부르며, 자기네들을 러다이트(러드의 사람)라고 공언했다. 이러한 단체를 조직하여 1811년 겨울에 멋대로 파괴행위를 자행하자, 사회에 불안감이 고조되고 수많은 사람들이 일자리를 잃었다. 사정이 이쯤 되자 기계 소유주들은 시골 외딴 곳에서 도시의 창고로 기계를 옮겨 보호하기 시작했다.

러다이트들을 잡아 재판을 해도 처벌이 가볍기 때문인지, 폭동이 다시 일어나 북부와 중부의 생산 공업지대로 빠르게 번져갔다. 그 폭도들은 전보다 더욱 비밀을 지켜 우두머리에게 절대 복종한다는 맹세를 하고, 비밀을 누설한 자는 사형에 처한다는 규칙까지 정했다. 옷과 포목, 또는 레이스 중 어떤 것을 만들든 기계란 기계는 모조리 파괴하는 공포의 시기가 몇 년 동안 계속되었다. 요크셔와 랭커셔에서는 무장한 폭도들이 대담하게 공장을 습격하여 대부분 파괴하고 불태웠으므로, 군인과 민병들이 보초를 서서 지켜야만 했다. 이렇게 되자 그들은 사업주들을 죽여야 한다면서 많은 사람들을 습격하고 살해했다. 마침내 정부에서는 단호한 법령을 제정하여 러다이트의 수많은 폭도들을 체포하고 그 중 몇 명을 사형에 처하니, 그제서야 몇 년 동안 계속되던 기계 파괴의 폭동이 가까스로 진압되었다.

러다이트의 습격을 받은 수많은 제조업자들 중에는 보빈네트를 발명한 히스코트도 끼어 있었다. 1816년의 여름 어느 청명한 날, 한 무리의 폭도들이 횃불을 들고 러프버러에 있는 그의 공장을 습격했다. 그들은 공장에 불을 지르고 37대의 기계를 파괴하여 1만 파운드가 넘는 손해를 끼쳤다. 그 중 10명이 중죄로 체포되고 8명이 처형당했다. 히스코트는 지방 당국에 손해배상을 청구했다가 즉시 거절당했으나, 고등법원에서는 이 청구 이유를 인정하고 지방 정부에서 마땅히 1만 파운드의 손해를 배상해야 한다고 판결했다.

이 때 지방 관리들은 손해 배상을 할 때, 히스코트가 그 돈을 레이스터셔 지방에서 사용해야 한다는 조건을 붙이려 했으나, 히스코트는 이미 다른 지방으로 공장을 옮길 생각을 하고 있었으므로 거기에 동의하지 않았다. 그는 데번셔의 티버턴에서 전에 양모 공장으로 쓰이던 큰 건물을 하나 점찍어 두었다. 티버턴의 섬유 사업이 쇠퇴하면서 건물이 비어 있었던 것인데, 도시 자체도 심한 불경기에 빠져 있었다.

히스코트는 이 낡은 공장을 사서 수리하고 크게 늘리기도 하여 전보다 더 큰 규모로 레이스 제조업을 시작했다. 300대나 되는 기계를 전부 가동시키며 높은 임금을 주고 수많은 사람들을 고용했다. 레이스뿐만 아니라 이와 관련된 여러 가지 분야—즉 중방사(重紡絲), 견직, 그물도 생산하고 가공까지 했다.

히스코트는 또 티버턴에 주철소와 철공장을 차려 놓고 농기구를 생산하여 그 지방에 많은 기여를 하였다. 사람 손으로 하는 모든 힘든 일에 증기의 힘을 이용할 수 있을 것이라는 평소의 생각대로, 증기로 움직이는 쟁기를 발명하기 위해 여러 해 동안 노력을 기울인 결과, 1832년 마침내 그것을 발명하여 특허권을 얻었다. 히스코트의 이 증기력 쟁기는 나중에 파울러가 만든 더 좋은 쟁기로 대체되지만, 그 당시까지 제조된 것 중에서는 가장 우수한 것으로 평가되었다.

히스코트는 천부적인 재능의 소유자로 건전한 분별력과 빠른 이해력, 그리고 천재적인 사업수완을 지니고 있었다. 그와 아울러 그에게는 높은 의지와 정직성 그리고 성실성이 있었으니 참으로 고귀한 인격의 소유자라 할 수 있을 것이다. 그리고 스스로 연구하는 근면한 사람이었기 때문에, 자기가 데리고 있는 직공들 중에서 유망한 젊은이들을 격려하여 그들의 재능과 힘을 키워주는 데 인색하지 않았다. 바쁜 가운데서도 틈틈이 시간을 쪼개어 프랑스어와 라틴어를 배우고 정확한 문법 지식까지 얻었다. 또 학자와 문인들이 쓴 오묘한 작품을 열심히 읽고 마음에 축적하여, 세상사에 대한 폭넓고 정확한 식견을 닦았다.

공장에서 일하는 2천여 명의 고용인들은 히스코트를 거의 아버지처럼 존경했고, 그는 언제나 그들의 복지와 생활의 향상을 위해 마음을 썼다. 그는 부자였지만 졸부 행세를 하지 않았다. 가난하고 고생하는 사람들의 요구에 귀를 막지 않았기 때문에, 빈곤한 사람들은 언제나 그의 배려와 지원을 믿고 있었다. 히스코트는 고용인들의 자녀가 공부할 수 있도록 약 6,000파운드의 돈을 들여 학교를 세웠다. 성격이 무척 밝고 쾌활하여 모든 계층의 사람들이 그를 좋아했고, 특히 그를 잘 알고 있는 사람들에게는 남다른 사랑과 찬사를 받았다.

1831년, 티버턴의 선거민들은 오랫동안 진심으로 베풀어 준 은혜에 보답하여 히스코트를 국회로 보냈다. 그 뒤 거의 30년 동안 그는 국회의원 생활을 했다. 그 사이 히스코트는 오랫동안 파머스턴과 교우 관계를 맺었는데, 고결한 파머스턴은 공식 석상에서 여러 차례 이 훌륭한 친구에 대한 높은 존경의 뜻을 표시했다. 1859년, 그가 고령과 노쇠로 의원직을 사퇴하고 고향에 돌아오자 1300명의 그의 고용인들은 은으로 만든 잉크스탠드와 황금펜을 선물로 주면서 존경의 뜻을 표시했다.

히스코트는 한가한 은퇴 생활 속에 겨우 2년을 더 살다가 1861년 1월에 77세의 나이로 세상을 떠났다. 그가 세상에 남긴 것은 성실, 미덕, 용기로 요약되는 인격과 기계에 대한 천재성이니, 그의 자손들은 이를 긍지로 여겨야 마땅할 것이다.

자카르와 직조기

다음은 매우 이색적인 인물, 즉 유명하지만 경력이 기구했던 자카르의 일생을 살펴보기로 하자. 이 이야기 또한 비록 미천한 집안에서 태어났더라도 천재적인 사람들이 국가의 산업에 얼마나 큰 영향을 끼칠 수 있는지를 명백하게 예증해 준다. 자카르는 리옹 시에 사는 노동자 부부의 아들로, 아버지는 직조공이고 어머니는 옷감의 무늬를 검사하는 직공이었다. 너무 가난해서 아들에게 보잘것없는 교육밖에 시킬 수 없었던 그의 부모는, 아들이 일을 배울 만한 나이가 되자 제본 공장으로 보냈다. 그곳에서 회계 일을 맡아보는 한 늙은 서기가 자카르에게 수학을 가르쳐 주었다. 늙은 서기는 자카르의 수학에 대한 소질과, 몇 가지 물건을 만들어내는 뛰어난 손재주를 보고 감탄해 마지않았다.

그리하여 이 늙은 서기는 자카르의 아버지에게 이 아이는 뛰어난 능력이 있으니, 제본 분야 외의 다른 일터로 가서 더 나은 일을 하는 것이 더 좋을 거라고 충고했다. 그래서 자카르는 도공(刀工)의 견습생으로 들어갔다. 그런데 주인이 어찌나 가혹하게 부리는지 그곳을 그만두고 다음에는 활자 주조공의 견습생이 되었다.

부모가 세상을 떠나자, 그는 아버지가 남긴 두 대의 직조기를 물려받았다. 그는 즉시 직조기를 개량하는 일에 착수했지만 돈벌이는 아랑곳하지 않고 그 일에만 너무 몰두한 나머지 결국 동전 한 푼 없는 처지가 되고 말았다. 그제야 기계를 팔아 빚을 갚고 직업을 얻어 아내를 먹여 살리려 마음먹었지만, 갈수록 더 가난해져서 나머지 빚을 갚기 위해 집마저 팔아야 했다.

자카르는 남의 집에 들어가서 일을 해주려 했으나, 사람들은 모두 그를 허무맹랑한 발명의 꿈에 빠진 게으름뱅이로 여겼기 때문에 써주려는 사람이 아무도 없었다. 결국 그는 브레스의 노끈 공장에 일자리를 얻어 브레스로 갔고, 아내는 리옹에 남아 밀짚모자를 만들면서 간신히 연명했다. 그 뒤 몇 년 동안 자카르가 무슨 일을 했는지 자세히 알 수는 없으나, 아마 손으로 돌리는 직기를 개량했을 것으로 추정하고 있다.

1790년에 그는 날실을 가려내는 새로운 고안—즉 그것을 직조기에 장치하면 직조공들이 손으로 하는 일을 대신할 수 있는 고안—을 세상에 내놓았기 때문이다. 이 기계는 사람들에게 서서히 보급되기 시작했고, 세상에 내놓은 지 10년 안에 리옹 시의 여러 공장에서 4,000대가 가동되었다.

그러나 때마침 프랑스에 혁명이 일어나 자카르의 사업은 아깝게도 중단되었다. 1792년, 그는 리옹 의용군에 들어가 뒤브와 크랑세가 지휘하는 국민의회 군대와 싸우게 되었다. 리옹 시가 점령되자 자카르는 달아나서 라인 군에 들어가 상사가 되었다. 아무 일도 없었더라면 그는 계속 군대생활을 했을지도 모르지만, 그의 외아들이 자기 옆에서 총에 맞아 숨지는 것을 보고 군대에서 나와 리옹으로 돌아가서 백방으로 아내를 찾아다녔다. 아내는 남의 집 다락방을 빌려 살며 여전히 밀짚모자를 만들고 있었다.

이리하여 아내와 숨어 살면서도, 그는 전부터 오랫동안 해왔던 발명에 대해 다시 생각하기 시작했다. 하지만 그것을 실천할 방법이 없었다. 자카르는 은신생활을 청산하고 무엇이든 직업을 찾아야겠다고 생각했다. 그러다가 한 지각 있는 제조업자에게 고용되어 낮에는 거기서 일을 하고 밤에는 발명 연구를 계속할 수 있게 되었다. 그러던 어느 날, 직기에 아직도 개량의 여지가 많이 남아 있다는 생각과 돈이 없어서 그런 아이디어를 실천에 옮기지 못하는 게 한이 된다는 얘기를 주인에게 털어놓게 되었다. 다행히도 주인이 그 뜻을 귀하게 여겨 하고 싶은 연구에 마음대로 쓰라며 약간의 돈을 주었다.

석 달 뒤 자카르는 직공들의 힘든 일을 대신해줄 수 있는 직조기를 만들어냈다. 그는 이 기계를 1801년 파리에서 열린 산업 박람회에 출품하여 동상을 탔다. 그러나 그보다 더 큰 명예는 카르노 장관이 직접 리옹으로 내려와 그의 발명을 치하해 준 일이었다. 이듬해 그는 런던의 기술협회가 상금을 걸고 새로운 어망과 선박용 안전그물을 제조하는 기계를 공모한다는 소식을 들었다. 그는 평소의 습관대로 들을 거닐면서 궁리하고 또 궁리한 끝에 마침내 아이디어가 떠올랐다. 3주 후에 그 발명품이 완성되었다.

지방 장관은 발명이 성공했다는 소식을 듣고 자카르를 불러 기계 사용에 대한 설명을 들은 뒤, 나폴레옹에게 그 소식을 보고했다. 자카르가 기계를 가지고 파리로 가서 나폴레옹 앞에 나아가자, 나폴레옹은 이 천재를 반갑게 맞아주었다. 2시간에 걸친 접견에서, 그는 황제의 특별한 배려로 엄격한 예법을 떠나 자유로운 분위기에서 직조기의 개량 내용을 상세히 설명했다.

그 결과, 그는 기술공예 박물관의 방을 몇 개 제공받았고 그곳에 머무는 동안 그 시설을 쓸 수 있는 권리와 생활비조로 하사금까지 받았다. 기술공예 박물관에서 자카르는 그의 개량 직조기를 세부적으로 완성하는 데 전념했다. 박물관에서 그는, 인간의 창의력의 대보고(大寶庫)에 들어 있는 온갖 기계들을 자세히 관찰할 수 있었다. 그 중에서 가장 관심을 끈 것은 자동기계의 제조자 보캉송이 만든 비단 문직기였다. 그것은 결국 그의 발명 사업에 큰 도움을 주었다.

기계 제조에서 보캉송은 탁월한 천재였다. 그는 발명의 재능이 대단히 뛰어났고, 발명에 대해 거의 정욕과도 같은 열정을 지니고 있었다.

"시인은 타고 나는 것이지 되고자 한다고 해서 되는 것이 아니다."

이 격언은 발명가에게도 적용되는데, 발명가들은 대부분 당대의 문화가 개선될 시기에 그 시류를 타고 발명을 이루기도 하지만, 그보다는 주로 자신의 본능을 만족시키기 위해 기계를 고안하고 만든다고 할 수 있다. 보캉송의 경우가 꼭 그랬으니, 그가 만든 대부분의 정교한 기계는 그 유용성보다는 절묘한 천재의 발로로서 더욱 훌륭한 것이었다.

어린 시절에 어머니와 함께 일요강론회에 참석했을 때도, 그는 칸막이벽 틈을 통해 옆방에 걸려 있는 시계의 움직임을 유심히 지켜보며 좋아했다. 그는 시계의 원리를 이해하려고 노력하면서 몇 달 동안 그 문제에 대해 곰곰이 생각한 끝에 톱니바퀴가 돌아가는 시계의 속도 장치의 원리를 알아낸 것이다.

이때부터 그는 오로지 기계를 발명하는 일에만 전념했다. 자기 손으로 만든 엉성한 도구를 가지고 잘 작동하는 나무 시계를 만들었다. 또 교회의 모형을 하나 만들어 그 속에 여러 명의 천사와 신부의 모습을 만들어 넣었는데, 천사

나폴레옹

는 날개를 흔들고 신부는 예배의식의 동작을 하는 것이었다. 이와 같은 자동 기계를 만들 목적으로 그는 몇 년 동안 해부학과 음악, 기계학의 원리를 연구했다.

튀를리의 화원에서 피리 부는 사람을 보고는, 같은 동작을 하는 모양의 기계를 만들어 볼 생각으로 몇 년 동안 질병과 싸워 가며 연구하고 노력한 끝에 목적을 이루기도 했다. 다음에 그는 오리 흉내를 내는 자동인형을 만들었다. 그것은 그의 발명품 중에서도 매우 정밀하여, 꼭 오리처럼 헤엄치고 잠수하고 물마시고 울기까지 하는 것이었다. 그의 다음 발명품인 독사는 연극 '클레오파트라'의 소품으로 사용되었는데, 진짜 뱀처럼 쉿 소리를 내며 여배우의 가슴에 덤벼들었다고 한다.

그러나 보캉송은 자동기계를 만드는 것으로만 그치지 않았다. 그의 재주를 인정한 법무장관이 그를 프랑스의 견직물 제조업 감독관으로 임명했다. 그는 그 자리에 앉자마자 발명 본능을 억제하지 못하고 견직물 기계의 개량을 시도했다. 그것을 위해 견사를 꼬는 공장을 세웠는데, 이 공장 때문에 일자리를 잃을까봐 두려워한 리옹 시의 노동자들이 격분한 나머지 그에게 돌을 던져 죽을 뻔한 적도 있었다. 그래도 그는 발명을 계속하여 꽃무늬 견직물을 짜는 기계들을 만들었다. 이 기계는 실을 가다듬어 보빈과 스케인의 각 실을 같은 굵기로 만드는 것이다. 그는 오랫동안 병마에 시달리다가 1782년에 세상을 떠날 때, 자기가 만든 모든 기계를 황후에게 헌납했다.

그러나 황후는 그 기계들의 가치를 대단치 않게 여겼기 때문에, 얼마 뒤 기

계들은 여기저기 흩어지고 말았다. 다행히 그 꽃무늬 견직기만은 박물관에 보관되어 있었고, 수많은 진기한 물건들 중에서 자카르의 눈에 들어오게 된 것이다. 자카르는 그 가치를 대번에 알아보고, 그것을 본떠 개량 직조기의 중요한 점을 개선하게 되었다.

보캉송이 만든 기계의 중요한 특징 가운데 하나는 구멍이 뚫려 있는 실린더였다. 이 실린더는 회전할 때 노출되는 구멍에 따라 바늘의 움직임을 조절하고, 날실의 진로를 바꿔 원하는 무늬를 만들 수 있게 하는 것이었다. 다만 흠이라면 간단한 무늬만 만들 수 있다는 것이었다. 그것을 안 자카르는 진정한 발명가의 천재성을 마음껏 발휘하여 즉시 개선에 착수했다. 그리하여 한 달 뒤 개량 직기가 완성되었다. 그는 보캉송의 실린더에 구멍이 조금 있는 긴 판지를 첨가하여, 그 구멍을 통해 날실이 직조공 앞으로 가게 했고, 또한 자기가 다루고 있는 실의 빛깔을 알 수 있게 했다.

이 기계가 나오면서 실을 끄는 아이도, 무늬를 검사하는 직공도 필요 없게 되었다. 자카르가 이 새 기계를 발명하고 맨 먼저 한 일은, 고급 천을 짜서 황후 조세핀에게 바친 것이었다. 나폴레옹은 이 발명가의 노고와 그 성과에 대단히 흡족해하며, 최고의 기술자들을 시켜서 자카르의 모형에 따라 여러 대의 직조기를 만들어 그에게 주었다. 그 뒤 자카르는 리옹으로 돌아갔다.

그러나 자카르는 그곳에서 수많은 발명가들이 겪어야 하는 운명에 부딪쳐야만 했다. 공장 사람들은 그를 적대시하여, 일찍이 케이와 하그리브스와 아크라이트가 랭커셔에서 당한 것과 같은 곤욕을 안겨 주었다. 그들은 이 새 기계가 자기들의 일거리를 빼앗아가서 당장 굶어 죽게 될 거라고 두려워했다. 그들은 테룩스에서 소란스런 모임을 열고 그 기계를 파괴하기로 결정했지만 군대가 그것을 막았다.

그러나 그들은 자카르를 죄인이라 하여 그의 모형을 만들어 교수형에 처했다. 보안위원회에서 이를 진압하려 했으나 도리어 그들이 폭도들로부터 유죄선고를 받았다. 보안위원회도 회원들이 대부분 직공이어서 그들에게 동정적이었기 때문에, 결국 군중의 선동에 따라 자카르의 기계를 한 대 끌어내어 완전히 부수어 버렸다. 난동은 계속되었고, 어느 날 격분한 폭도들이 자카르를 부두로 끌어내어 물에 빠뜨려 죽이려 하였으나 죽기 직전에 아슬아슬하게 구조되기도 했다.

그러나 자카르 직조기의 위대한 가치는 부인할 수 없어서, 성공은 오로지 시간 문제였다. 영국의 몇몇 업자들은 자카르에게 바다 건너 영국으로 와서 자리를 잡으라고 권했다. 그러나 자기 고장 사람들이 자기를 그토록 잔인하고 가혹하게 대했는데도, 그의 강한 애국심은 그 제안을 받아들이지 않았다. 영국의 제조업자들이 자카르의 직조기를 채택하자, 그제야 리옹 사람들도 그 분야에서 이익을 빼앗길까 봐 두려워 이 기계를 열심히 쓰기 시작했다. 그리하여 자카르의 기계는 얼마 안 가 거의 모든 방직 분야에서 사용되었고, 그 결과를 본 직공들은 자신들의 우려가 전혀 쓸데없는 것이었음을 알게 되었다. 일터를 잃기는커녕 그 기계로 인해 적어도 10갑절이나 많은 일터가 새로 생긴 것이다.

레옹 포셔의 조사에 따르면, 1833년 리옹에서 견직물 공업에 종사한 사람의 수가 8만 명에 이르렀고, 그 뒤에도 꾸준히 증가했다고 한다.

그때부터 자카르는 평화로운 여생을 보냈다. 전에 물에 빠뜨려 죽이려고 그를 부두로 끌고 갔던 직공들이, 얼마 안 있어 그의 생일을 축하하는 뜻에서 그와 함께 바로 그 길로 승리의 행진을 하고 싶다고 제안했다. 그러나 원래 겸허한 사람이었던 그는 그 행진에 참여하지 않았다. 리옹 시의회가 지방 산업의 이익을 위해 이 기계를 개량하는 데 헌신해 달라고 제의하자, 그는 연금을 받는 조건으로 이 제의를 받아들였고 연금의 액수도 자기 스스로 정했다. 이에 따라 자신의 발명을 완성한 뒤, 그는 60세에 아버지의 고향인 울랑으로 은퇴했다.

1820년, 자카르는 레종 도뇌르 훈장을 받았고, 1834년에 세상을 떠났다. 그를 기념하여 조각상도 세워졌지만, 친척들은 여전히 가난 속에서 힘겹게 살았다. 그가 세상을 떠난 지 20년 뒤, 그의 두 조카딸은 일찍이 루이 18세가 숙부에게 하사한 금괴를 팔지 않으면 안 되었다.

어느 프랑스 문인은 이렇게 탄식했다.

"리옹의 변화를 가져온 생산 공업의 이득이 대부분 자카르의 덕이거늘, 그의 친척들에 대한 보답이 어찌 이럴 수가 있단 말인가!"

자기를 희생하며 당대의 산업 발전에 크게 공헌하고서도 정작 자신은 아무런 이익을 얻지 못한 발명가들의 이름을 대는 것은 그다지 어려운 일이 아니다. 하지만 천재가 나무를 심으면 참을성 있는 우둔한 자가 열매를 거두는 법이다. 다음에 애기할 비교적 근대의 발명가 한 사람의 경우가, 기계의 천재는 곤란과 고통을 이겨 나가지 않으면 안 되는 운명이라는 것을 예증해 줄 것이다. 그 사람은 바로 소모기(梳毛機)의 발명가 조슈아 하일만이다.

하일만과 소모기

하일만은 1796년에 알자스 면직 산업의 중심지인 뮐루즈에서 태어났는데, 아버지가 이 사업을 하고 있어 15살 때부터 아버지의 사무실에서 일했다. 그곳에서 2년 동안 일하면서 시간이 있을 때는 기계 제도를 하다가, 나중에 파리로 가서 큰아버지의 은행에서 일하며 밤에는 수학을 공부했다.

친척들 중 몇몇이 뮐루즈에서 조그마한 방직공장을 하고 있어서, 어린 하일만은 일을 배우기 위해 그곳으로 옮겨 그 공장의 견습생이 되었다. 동시에 그는 기술공예 박물관의 학생이 되어 강의를 들으며 기계에 대해 공부했고, 또한 완구 제조업자한테서는 실제적인 선반 세공에 대해 배웠다. 이렇게 얼마 동안 열심히 연구한 뒤, 알자스로 돌아가 비외탕의 새 공장 건설에 기계를 설치하는 일을 감독했고, 곧 공장이 완성되자 작업을 시작했다. 그러나 때마침 일어난 상업 공황 때문에 공장이 남의 손에 넘어가자, 하일만은 다시 뮐루즈에 있는 집으로 돌아갔다. 그동안 그는 여가의 대부분을 주로 방적(紡績)과 방적사(紡績絲)의 준비와 관계되는 발명연구에 소비했다.

그가 맨 처음 발명한 것은 20개의 바늘이 동시에 움직이는 자수 기계로, 6개월 동안 애쓰고 노력한 끝에 만들어낸 것이었다. 그것을 1834년 산업박람회에 출품하여 금상을 탔고, 레지옹 도뇌르 훈장도 받았다. 그 뒤에도 계속 발명품을 내었으며 그 중의 하나가 개량직조기로, 영국 사람들이 쓰던 보빈과 플라이프레임 기계를 개량하여 직물을 측정하고 접을 수 있도록 한 기계였다. 또 하나는 씨실을 자동으로 감는 기계로 비단이나 포목을 준비하고 방적하는 기계를 여러 형태로 개량한 것이었다. 그의 발명품 가운데 가장 신기한 것은 벨벳 또는 모직물의 양쪽 끝을 동시에 짜는 기계였다. 양쪽이 같은 실로 이어졌다가 직조되면 그것을 둘로 끊어 내는 칼과 양쪽으로 횡단하는 장치가 있었다. 그러나 그보다 더 훌륭한 발명은 소모기(梳毛機)로, 그 간단한 내력은 다음과 같다.

일반 소모기는 포목 원료를 방적하기에 불완전할 뿐만 아니라 원료를 많이 낭비한다. 그것은 섬세한 실일수록 더욱 심해서 하일만은 더 좋은 기계를 발명하기 위해 여러 해 동안 열심히 연구에 전념했다. 종래의 기계가 이와 같이 불완전했기 때문에 알자스의 면직물 업자들은 5,000프랑의 상금을 걸고 개량 소모기를 공모했다. 하일만은 그 상을 타기 위해 즉시 경쟁에 참가했다. 그는 돈이 탐나서 분발한 것은 아니었다. 그는 아내에게 상당한 재산이 있어서 가산이 비교적 넉넉했다. 그는 늘 이렇게 말하곤 했다.

"이 일을 하면 돈이 얼마나 생길까를 생각하면서 일하는 사람은 결코 일을 성취할 수 없다."

그에게 강한 동기를 부여한 것은 억제할 수 없는 타고 난 발명가의 본능이었고, 발명가란 어떤 기계적인 문제에 부딪치면 꼭 그것을 해결해 보고자 하는 충동을 느끼게 마련이다. 그러나 이번에 그가 해결해야 할 문제는 예상했던 것보다 훨씬 어려운 일이었다. 몇 년에 걸쳐 심혈을 기울여 연구하는 동안 너무 많은 비용이 들어, 그는 아내의 재산을 모두 탕진해 버렸다. 그리하여 그는 기계도 완성하지 못한 채 빈곤에 빠지고 말았다. 그래서 발명을 위해 친구들의 도움에 의존하지 않을 수 없었다.

빈곤과 어려움 속에 허덕이는 동안, 하일만의 아내는 남편의 성공을 보지 못한 채 세상을 떠나고 말았다. 그 뒤 하일만은 영국으로 건너가, 맨체스터에 얼마 동안 머물면서 여전히 기계를 완성하는 데 노력을 기울였다. 유명한 기계 제작자인 샤프 로버트 회사에 의뢰하여 모형을 만들었으나 만족하게 돌릴 수 있는 물건이 못 되었다. 마침내 거의 절망하기 직전까지 간 그는, 프랑스의 고향으로 돌아와서도 자신의 마음을 사로잡고 있던 기계에 대한 생각만은 버리지 않았다.

그러던 어느 날, 그는 난롯가에 앉아서 발명가들의 기구한 운명과 그것 때문에 그의 가족들이 겪어야 했던 불행에 대해 곰곰이 생각하고 있던 중, 우연히 자기 딸이 손가락으로 긴 머리를 빗어 내리는 것을 보게 되었다. 이때 문득, 긴 머리는 빗어 내리고 짧은 머리는 빗을 되돌려 보낼 때 뒤로 넘기는 방법을 기계에 적용하면 어려움에서 벗어날 수 있을 거라는 생각이 떠올랐다. 왕실

미술원 회원이던 엘모어는, 바로 이때의 하일만의 심경을 그림으로 그려 1862년 왕립미술전람회에 출품하기도 했다.

이 생각을 기초로, 보기에는 간단하지만 참으로 복잡하기 짝이 없는 방법을 소모기에 도입하면서 온갖 고생을 다한 끝에, 하일만은 마침내 발명품을 완성하기에 이르렀다. 실제로 이 기계가 움직이는 것을 보면 그 운동의 절묘한 아름다움을 확인할 수 있으며, 이 발명에 아이디어를 제공한 머리 빗는 방식과 같다는 것을 분명히 알 수 있을 것이다. 사람들은 이 기계의 움직임을 가리켜 '거의 사람 손가락의 움직임과 다름없는 정교한 작품'이라고 말했다.

이 기계는 양쪽에서 면화 타래를 빗질하여 섬유를 서로 평행하게 당기면서 긴 것과 짧은 것을 구분한 뒤, 긴 섬유와 짧은 섬유를 따로따로 결합하는 것이다. 요컨대 이 기계는 사람의 손가락처럼 섬세하고 정교하게 움직일 뿐 아니라, 거기에는 실로 미묘한 인간의 지성이 반영되어 있다. 이것으로 질이 좋지 않은 면화도 정교하게 방적할 수 있게 되었으니, 이 발명의 상업적 가치는 바로 거기에 있었다. 생산업자들은 고급 직물을 만드는 데 가장 적합한 섬유를 선택할 수 있고, 더욱 질이 좋은 직물을 더 많이 만들 수 있게 되었다. 1파운드의 면화로 334마일의 실을 만들어 낼 수 있었다 하니 그 실의 정교함을 짐작할 수 있다. 또 1실링의 면화 원료로 레이스를 만들면, 소비자의 손에 들어갈 때는 300~400파운드로 비싼 값이 되었다.

영국의 방적업자들은 하일만이 완성한 이 발명품의 아름다움과 유용성을 즉각 인식하고, 랭커셔의 6개 회사가 모두 3만 파운드의 값으로 특허권을 사서 이 기계를 영국에서 쓸 수 있게 했다. 양모 방적업자들도 같은 값을 주고 이 기계를 양모방적에 사용할 수 있는 권리를 샀다. 리즈의 마셜 회사도 2만 파운드를 내고 아마(亞麻)의 방적에 이것을 쓸 권리를 얻었다. 그리하여 가난했던 하일만은 갑자기 거부가 되었으나, 그는 이 부(富)를 그리 오래 누리지 못했다.

오랜 노력 끝에 성공의 영광을 얻자 그는 세상을 떠났고, 그와 고생을 함께했던 아들도 곧 아버지를 뒤따라 죽고 말았다. 문명의 경이는 이와 같이 생명의 대가로 이루어지는 것이다.

3 위대한 도공들―팔리시, 뵈트거, 웨지우드
실패는 절반의 성공이다

인내는 모든 덕 중에서 가장 훌륭하고 가장 가치 있는 부분이며 또한 가장 귀한 것이다.…… 그것은 모든 즐거움과 힘의 원천이다. 인내가 따르지 않으면 희망도 더 이상 행복이 될 수 없다.

존 러스킨

25년 전까지는 이토록 빛깔이 아름다운 유약을 입힌 도기가 없었다. 진흙에 대해 아무런 지식도 없었던 내가 에나멜을 조사하고 연구하기 시작한 것은 마치 암흑 속을 더듬어 뭔가를 찾으려는 시도나 다름없었다.

베르나르 팔리시

어떤 위인의 전기에서도 끈기와 인내의 실례를 볼 수 있지만, 도기 제조의 역사에서도 그 두드러진 몇몇 예를 볼 수 있다. 그 중에서 가장 뛰어난 세 사람, 프랑스의 베르나르 팔리시, 독일의 요한 프리드리히 뵈트거, 영국의 조시아 웨지우드의 일생을 살펴보자.

루카

진흙으로 그릇을 만드는 기술은 고대 민족들도 알고 있었으나 유약을 칠한 도기의 제조 기술은 많이 알려지지 않았다. 그러나 고대 에트루리아인들은 이 기술을 알고 토기를 만들었으니, 고고학적 유물들 속에서 아직도 그 표본을 볼 수 있다. 하지만 그 기술은 오랜 시간동안 잊혔다가 비교적 최근에 와서 다시 복원되었다.

고대에는 에트루리아인들이 만든 기물이 매우 귀해서, 아우구스투스 시대에는 꽃병 하나의 값이 같은 무게의 금값과 맞먹었다고 한다. 일찍이 무어인들이 이 도기 기술을 보존했던 것으로 보인다. 1115년에 피사인들이 마조르카 섬을 점령하고 보니, 그곳 무어인들이 이 기술로 토기를 만들고 있었다. 피사인들이 얻은 전리품 속에 무어인들이 만든 이런 토기가 많았으며, 승전을 기념하여 그들이 피사에 있는 몇몇 성당의 벽에 붙여 놓은 것을 오늘날에도 볼 수 있다. 약 2세기가 지난 뒤, 이탈리아인들이 이를 모방해 유약을 입힌 토기를 만들기 시작했고, 거기에 마졸리카라는 이름을 붙였다. 그것은 옛날 무어인들이 토기를 빚었던 섬의 이름에서 유래한 것이다.

성공은 어떻게 단련되는가

이탈리아에서 유약을 입히는 기술을 부활시킨 사람, 즉 재발견한 사람은 플로렌스의 조각가 루카 델라 로비아였다. 이탈리아의 건축가 바사리는 이 사람을 가리켜, 낮에는 온종일 끌을 가지고 조각을 하고 밤에는 거의 대부분 그림을 그리는 데 시간을 보내는, 지치지 않는 불굴의 인물이라고 소개했다. 그 중에서도 그림을 그리는 일에 어찌나 열심이었던지, 밤늦도록 그림을 그릴 때는 발이 얼지 않도록 광주리에 대팻밥을 준비하여 거기에 발을 넣고 일했다고 한다.

바사리는 이렇게 말했다.

"나는 이 사실에 대해서 조금도 놀라지 않는다. 왜냐하면 더위, 추위, 배고픔, 목마름, 그리고 기타 불편을 견뎌낼 수 있는 힘이 없는 사람은 무슨 일에서도 탁월해질 수 없기 때문이다. 안일을 일삼고 세상의 모든 향락을 누리면서도 영광스러운 자리에 오를 수 있다고 생각하는 사람들은 완전히 자기를 기만하는 것이다. 사실 사람이 편하게 잠이나 자면서 그 분야에 달인이 되어 명성을 얻기를 바랄 수는 없는 일이고, 그것은 오로지 꾸준히 각성하고 관찰하고 노력해야 이룰 수 있는 것이다."

그러나 루카는 아무리 근면하게 노력해도 조각으로는 먹고 살 만한 돈을 벌 수가 없었다. 그러자 대리석보다 구하기 쉽고 값도 싼 재료로 모형을 만드는 일을 계속할 수 없을지도 모른다는 생각이 떠올랐다. 그리하여 그는, 진흙으로 모형을 만들어 유약을 칠한 뒤 불에 구워서 모형을 더 오래 보존할 수 있게 하는 방법을 실험해 보았다. 많은 실험을 거친 뒤 그는 마침내 뜨거운 열을 가할 때 어떤 재료를 진흙에 바르면 거의 영구적인 법랑(琺瑯) 그릇이 된다는 것을 발견하고, 한걸음 더 나아가 유약에 빛깔을 더하며 더욱 아름답게 하는 방법도 궁리해 냈다.

루카의 도기 제조의 명성이 유럽에 널리 퍼지면서, 그가 만든 도자기 작품도 널리 알려지게 되었다. 특히 그의 작품은 프랑스와 에스파냐로 많이 건너갔는데, 그곳에서는 굉장히 비싼 귀중품으로 취급받았다. 그 당시 프랑스에서 제조되는 도자기라고는 기껏해야 조잡한 갈색 단지와 작은 옹기들뿐이었다. 나중에 조금씩 개량은 되었지만 팔리시가 등장하기 전까지는 계속 그런 상태에 있었다. 팔리시는 강한 인내력으로 그 극심한 난관을 헤쳐 나간 사람으로, 그 영웅적인 인내력은 다채롭고 파란만장했던 그의 생애에 낭만적인 광채를 부여했다.

베르나르 팔리시

베르나르 팔리시는 1510년경 프랑스 남부에서 태어났다. 아버지는 유리공이었던 것으로 추측되며, 그도 아버지한테서 그 일을 배우면서 성장한 것으로 짐작된다. 그는 집안이 너무 가난하여 교육이라고는 전혀 받지 못했다. 이에 대해 팔리시는 뒷날 이런 말을 했다.

"나에게는 누구나 볼 수 있는 하늘과 땅 외에 아무런 책도 없었다."

팔리시는 유리에 색을 칠하는 기술을 습득한 뒤에야 그림과 읽기, 쓰기를 배울 수 있었다. 그가 18세 가량 되었을 때 유리산업이 점점 쇠퇴하자, 팔리시는 다른 일자리를 구해 볼 요량으로 보따리를 싸 집을 떠났다. 먼저 가스코니를 향해 가다가 도중에 유리업을 하는 데가 있으면 일을 도와주기도 하고 또 닥치는 대로 토지측량에도 참여했다. 그는 계속해서 프랑스 플랑드르, 남부 독일의 여러 고장을 지나면서 내키는 대로 잠깐씩 체류하며 계속 북쪽으로 나아갔다.

이러한 생활을 10여 년 계속하다가, 팔리시는 결혼을 계기로 유랑 생활을 끝내고 남 샤랑트 지방의 생트라는 작은 도시에 정착하여 유리에 칠을 하는 일과 토지 측량 일을 했다. 그러는 사이 세 아이가 태어나자 가장으로서 책임이 무거워지고 생활비도 많이 들었다. 그러나 아무리 애를 써도 그는 늘 가난에 쪼들렸다.

어느 날 그는 자기가 하고 있는 일과 비슷한 일인, 토기에 그림을 그리고 유약을 입히는 기술에 관심을 가지게 되었다. 유리에 칠을 하는 안정되지 못한 일보다 나은 일이라고 생각했던 것이다. 그러나 일찍이 흙을 굽는 것을 본 적이 없던 그는 이 일에 대해 전혀 아는 바가 없었다. 그래서 아무도 도와 주는 사람 없이 모든 것을 혼자서 배워야 했지만, 그래도 그는 희망에 부풀어 끝없는 참을성으로 그것을 배우는 데 모든 열성을 기울였다.

실패 속에 희망이 있다

팔리시가 새로운 도자기 제조 기술을 익혀야겠다고 결심하게 된 것은 이탈리아에서 만든 우아한 잔—아마 루카 델라 로비아가 만든 것인 듯—을 보았을 때였다.

보통 사람, 또는 심지어 팔리시의 경우라도 보통 때 같았으면 틀림없이 대단치도 않은 그런 일로 그토록 마음에 큰 변화를 일으키지는 않았을 테지만, 때마침 그는 직업을 바꿔 보겠다는 생각을 하고 있을 때였으므로, 한번 그것을 발명해 보리라는 열망에 사로잡히게 되었다. 그 잔을 보고 온몸과 마음이 흔들리는 것을 느낀 그는 그때부터 잔 위에 입히는 유약을 자기 손으로 발명하겠다는 열정의 포로가 되었다. 결혼하지 않은 몸이라면 이탈리아로 가서 그 비결을 배우겠지만, 처자를 거느리고 있는 처지여서 그들의 곁을 떠나지 못한 채, 토기를 만들고 유약을 입히는 기술을 알아내려고 어둠 속을 더듬기 시작했다.

처음에는 유약의 재료를 그저 추측만 하면서 과연 그 본질이 무엇인지 알아내려고 여러 가지 실험을 했다. 무엇이든 유약이 될 만한 물질을 가루로 빻아 보통 토기 항아리를 사다가 산산조각으로 부순 다음, 그 위에 가루를 덮어 자기가 만든 가마 속의 뜨거운 불에 넣어서 구워 보았다. 실험은 실패였고, 결과는 땔나무와 숯, 약재, 그리고 시간과 노력의 낭비뿐이었다. 여자들은 대부분 아이들 의복과 음식을 살 돈을 날려 버릴 것이 뻔한 이런 실험에 선뜻 찬성하지 않는 법이다. 팔리시의 아내도 비록 모든 면에서 남편에게 충실했지만, 더 이상 토기를 사들이는 일에는 동의할 수 없었다. 하지만 유약의 비결을 알아내고야 말겠다는 남편의 굳은 결심을 말리지는 못했다.

달이 가고 해가 바뀌어도 팔리시는 실험을 끈질기게 계속했다. 처음에 만든 가마는 실패했으므로, 이번에는 집 밖에다 가마를 다시 하나 만들었다. 그러자 나무와 약재, 항아리가 더 많이 소비되고 시간도 더 많이 걸려, 그의 집안은 극심한 가난에 직면하게 되었다. 이때의 사정을 그는 이렇게 말했다.

"도무지 목적을 이루지 못한 채 나는 슬픔과 한숨 속에서 몇 년을 허송했지요."

실험을 계속하면서 한편으로 그 전에 하던 일, 즉 유리에 칠을 하거나 초상화를 그리고, 토지 측량을 하는 따위의 일을 간간이 했으나, 거기서 나오는 수입은 형편없었다. 마침내 그는 땔나무와 숯값 때문에 도저히 자신의 가마에서는 실험을 할 수 없었다. 할 수 없이 깨진 도기를 많이 사다가 전처럼 조각조각 부수어 그 위에 화학약품을 입힌 다음, 생트에서 10여 리 떨어진 곳에 있는 기와 공장으로 실어가 그 공장의 가마에 구워 보았다. 다 구워진 조각을 꺼내 보니 기가 막히게도 모든 실험은 실패였다. 그는 실망했지만 여전히 포기하지는 않고, 그 자리에서 모든 것을 처음부터 다시 시작해 볼 결심을 했다.

어떤 고난도 정복하라

토지 측량을 하느라고 때때로 실험에서 손을 놓을 때도 있었다. 지방 행정령에 따라 땅세를 매길 자료를 얻기 위해 생트 지방 부근에 있는 바닷물이 드나드는 소택지를 측량할 필요가 있었다. 그때 마침 팔리시는 그것을 측량하고 필요한 지도를 만드는 일에 고용되었다. 그 일에 종사하는 얼마 동안은 분명히 벌이도 좋았으나, 그는 그 일이 끝나자마자 다시 힘을 내어 자기가 하던 유약 연구를 계속했다. 이번에는 약 30개의 새 토기 항아리를 부수어 그 위에 자기가 혼합한 여러 종류의 재료를 입혀서 이웃 유리공장의 가마에 구워 보았다.

유리공장 가마의 열이 좋아서 자기가 만든 혼합 물질이 어느 정도 녹았기 때문에, 이번에는 희미하나마 약간의 희망이 보이는 것 같았다. 그러나 하얀 유약을 만들어 보려고 아무리 애를 쓰고 노력해도 도무지 안 되었다. 2년 동안 아무런 성과도 없이 실험만 하다 보니, 소택지 측량에서 번 돈을 거의 다

써버려 그는 다시 가난에 빠지게 되었다.

그러나 그는 마지막으로 큰 용기를 내어, 이번에는 더 많은 항아리를 부수어 실험을 했다. 300여 개의 도자기 조각에 자기가 만든 혼합물을 입혀 유리 공장으로 가지고 갔다. 그리고 자기가 직접 구운 결과를 지켜보며 몇 시간이 지난 뒤 가마를 열어 보았다. 300여 개의 도자기 조각 중 하나에 입힌 혼합물이 녹은 것을 보고 급히 꺼내어 식혔더니, 그것이 하얗게 굳으면서 반들반들 윤이 나는 것이 아닌가! 도자기 조각 표면에, 팔리시의 말을 빌리면 '비상하게 아름다운' 하얀 빛깔의 유약이 입혀진 것이었다.

하기는 그토록 고생을 했으니 아름답게 보일 수밖에 없었을 것이다. 팔리시는 그것을 손에 들고 그의 말마따나 완전히 새로 태어난 기분으로 아내가 있는 집으로 달려갔다.

그러나 그것으로 성공의 영광을 얻은 것은 아니었고 그 길은 아직도 멀었으니, 굳은 결심과 노력을 통해 얻은 이 조그마한 성공은 다만 앞으로 계속될 그의 실험과 실패로의 유혹에 지나지 않았다.

이제는 성공의 문 앞까지 다가간 것이라고 믿은 그는 발명을 완성하기 위해, 혼자서 은밀히 작업을 계속할 생각으로 자기 집 근처에 가마를 짓기로 결심했다. 이리하여 벽돌 공장에서 벽돌을 짊어지고 와서 자기 손으로 가마를 짓기 시작했다. 벽돌 쌓는 일과 그 밖의 모든 일을 혼자 하는 가운데, 7, 8개월이 지난 뒤 마침내 가마가 완성되어 사용할 수 있게 되었다. 그런 한편, 팔리시는 진흙 그릇을 많이 만들어 유약을 입힐 수 있게 해 놓았다. 초벌구이를 끝낸 뒤 그 위에 유약 혼합물을 입히고 다시 가마에 넣는, 가장 결정적인 실험을 했다.

가산은 거의 다 써 버렸지만, 팔리시는 그동안 최종 실험을 위해 땔감은 많이 준비해 두었기 때문에 그만하면 충분할 거라고 생각했다. 마침내 가마에 불을 붙여 작업을 계속하면서, 그는 온종일 가마 앞에 앉아 연료가 타는 것을 지켜보았다. 밤에도 이 일을 계속했으나 유약은 녹지 않았다.

어느새 해가 떠서 아침이 되자, 간간이 땔감을 넣으면서 가마 앞을 떠날 줄 모르는 남편에게 그의 아내가 초라한 아침식사를 가져왔다. 그 다음날이 지나도 결과는 나오지 않았고, 또 하룻밤이 지나갔다. 얼굴은 창백하고 눈은 쑥 들어가고 수염이 텁수룩해진 팔리시는, 마음의 동요는 있었지만 여전히 가마 앞에 앉아 끈기 있게 유약이 녹기를 기다렸다. 사흘째 낮과 밤이 지나고 나흘,

닷새, 그리고 엿새째 낮과 밤도 그렇게 흘러갔다. 불굴의 사나이 팔리시는 엿새 밤낮동안 좌절감과 맞서 싸우면서 심혈을 기울였지만, 그래도 유약은 용해되지 않았다.

이때 그의 머릿속에 '에나멜 재료에 뭔가 결함이 있는지도 모른다. 아마 용매제에 뭔가 모자라는 것이 있을 거야'라는 생각이 문득 떠올랐다. 그리하여 그는 새로운 실험을 하기 위해 새 재료를 빻아 혼합하기 시작했다. 그렇게 2, 3주일이 더 지나갔다. 그러나 어떻게 항아리를 더 사들일 수 있단 말인가? 처음에 자기 손으로 만든 항아리는 너무 오래 구워서 실험에 쓸 수가 없었다. 돈도 다 떨어졌고, 그의 아내와 이웃 사람들은 소용없는 실험에 어리석게도 가산을 다 낭비한다고 생각했다. 그런데 다행스럽게 그의 선량한 인품 덕분에 남의 돈을 꾸어 쓸 수 있었다. 한 친구로부터 용케 돈을 꾸어서 더 많은 땔감과 항아리를 사들일 수 있었던 것이다. 그는 항아리에다 새 혼합약을 입히고 가마에 불을 피웠다. 이것은 마지막 실험이자 성패를 가름하는 실험이었다.

불이 활활 타오르면서 고열이 나기 시작했으나 그래도 유약은 녹지 않았다. 그러고 보니 어느새 땔감이 떨어져 가고 있었다. 어떻게 불을 계속 땔 것인가? 마침 정원에 나무 울타리가 있어서 그는 그것을 때기로 했다. 실험을 못 하느니 차라리 울타리가 없는 게 나았다. 정원의 울타리를 뜯어내 가마에 던져 넣었으나 허사였다. 유약은 아직도 녹지 않고 있었다. 10분만 열이 더 지속되면 되는데…… 무슨 수를 써서라도 땔감을 구해야만 했다. 집안에는 식탁과 선반이 남아 있었다.

집안에서 와지끈 하며 뭔가 부서지는 소리가 나자, 팔리시가 미쳐 버린 줄 알고 아내와 아이들이 비명을 질렀다. 그는 식탁을 부수어 가마에 던져 넣은 것이다. 그래도 유약은 녹지 않았다. 이제 남은 것은 선반이었다. 다시 한 번 집안에서 나무를 부수는 소리가 나고, 이번에는 선반이 가마 속에 들어갔다. 아내와 아이들은 집안에서 뛰쳐나와 미친 듯이 거리를 뛰어다니면서, 가엾은 팔리시가 이젠 아주 미쳐 버려서 가구까지 부수어 땔감으로 쓴다고 소리쳤다.

절망은 없다

그는 꼬박 한 달 동안 옷도 벗지 못한 채, 과로와 노심초사 그리고 쉬지 않고 가마를 지켜보는 긴장과 영양 부족으로 완전히 기진맥진한 상태였다. 게다가 빚 때문에 거의 파산할 지경이었다.

그러나 마침내 그는 그 비결을 알아냈다. 그 마지막 큰 불길이 유약을 녹인 것이다. 열이 다 식었을 때 그 갈색 보통 단지를 가마에서 꺼내어 들고 보니, 반짝반짝 윤이 나는 하얀 유약이 덮여 있지 않은가! 오직 이것 때문에 그는 갖은 비난과 모욕과 비웃음을 다 받아왔다. 자기가 발명한 것을 실천에 옮길 이 순간을 기다려 왔던 것이다.

다음으로 팔리시는 도공 한 사람을 고용하여 자신의 방법대로 토기를 만들게 했다. 또 자기가 직접 진흙으로 커다란 메달을 만들어 그 위에 유약을 입혀 보려고 했다. 그러나 이 도기를 완성하여 그것이 판매될 때까지 어떻게 살림을 꾸려 갈 것인가? 다행히 아직도 팔리시의 성실성을 믿어 주는—그의 판단력까지 믿는 것은 아니지만—생트의 어느 여인숙 주인이 있어서, 팔리시가 일을 계속한 6개월 동안 숙식을 제공해 주었다. 그러나 팔리시는 고용한 도공에게 약속한 임금을 줄 수가 없었다. 집도 다 없앤 지금 남은 것이라곤 옷가지밖에 없었다. 그래서 그는 임금의 일부로 그에게 자기의 옷을 몇 벌 주었다.

그 다음 팔리시는 개량 가마를 만들었으나 운 나쁘게도 그 내부를 부싯돌로 마감했기 때문에 열이 가해지자 돌이 갈라지고 터져서 그 조각이 떨어져 내려 도자기에 부착되고 말았다. 유약은 잘 녹았지만 제품이 모두 손상되어 6개월 동안의 모든 수고가 헛되이 돌아간 것이다. 조금 흠이 있기는 했지만 사람들은 그를 돕기 위해 싼 값에 이 물건들을 사려고 했다. 그러나 팔리시는 자기의 명예가 훼손되는 일이라 하여 팔지 않고 모두 산산조각내고 말았다.

팔리시는 이때의 상황을 다음과 같이 말했다.

"하지만 나는 여전히 희망을 버리지 않고 기운을 냈다. 때때로 누가 찾아오면 나는 무척 괴로웠지만 겉으로는 즐겁게 대해주었다.……가장 견디기 힘들었던 것은 집안 사람들의 조소와 냉대였다. 그들에게는 동전 한 푼도 없었고, 내가 성공하기만을 기다리고 있었다. 여러 해 동안 나의 가마에는 덮개도 없었고 아무런 보호물도 없었다. 그래서 나는 비바람을 맞으며 한밤중에 일했고, 고양이 울음 소리와 개 짖는 소리 외에는 아무도 나를 도와 주고 격려해 주지 않았다. 이따금 비바람이 심하게 몰아치면, 나는 어쩔 수 없이 가마 앞을 떠나 집 안으로 피해야 했다. 온몸이 비에 흠뻑 젖어 진흙투성이가 된 채, 밤중이나 새벽에 등불도 없이 집 안으로 들어갈 때면 꼭 술에 취한 사람처럼 더듬거리고 비틀거렸다. 그러나 실은 밤새도록 화덕을 지켜보느라 피곤하기도 했고, 그토록 오랫동안 애를 쓰고도 아무런 성과가 없어서 슬프기도 했다. 집 안에 들어가도 그곳은 내가 편히 쉴 수 있는 곳이 못 되었다. 온통 비에 젖은 초라한 나를 기다리고 있는 것은 오직 전보다 더 심한 구박이었기 때문이다. 그토록 비참한 꼴을 당하면서도 그것을 용케도 견뎌낸 것이 오히려 이상할 정도다."

그즈음 팔리시는 완전히 우울증에 빠져 거의 좌절한 것처럼 보였다. 남루한 옷을 걸치고 해골 같은 모습으로 수심에 싸여 생트 근교의 들판을 방황하며 다녔다.

그는 자서전 중 한 구절 속에서, 그때 장딴지가 너무 야위어 길을 걸으면 양말이 자꾸 흘러내리는 통에 아무리 대님을 매도 소용이 없었다고 묘사했다. 그의 가족은 수 없이 그의 무모함을 원망했고, 동네 사람들은 어리석은 고집쟁이라고 욕했다. 그래서 그는 전에 하던 직업으로 다시 돌아가 약 1년 동안 열심히 일한 결과, 집안 식구들을 먹여 살릴 양식도 사들이고 동네 사람들 사이에서도 조금이나마 위신을 회복했다.

얼마 뒤 그는 또다시 대담한 실험을 시작했다. 유약 연구에 바친 세월이 벌써 10년이건만, 그는 그 발명을 완성하기 위해 다시 8년 동안 심혈을 기울인 실험을 반복해야만 했다. 그는 차츰 묘법을 터득하면서, 많은 실패에서 얻은 실제적인 지식을 모아 실험을 통해 얻은 결과의 확실성을 확인했다. 모든 실패가 그에게는 새로운 교훈이었으니, 그는 실패를 통해 유약과 진흙의 성질을 알게 되었고, 가마의 건조와 관리에 대해 새로운 것을 배웠다.

오직 최고를 추구하다

약 16년 동안 고생하고 노력한 뒤, 팔리시는 마침내 자신감을 얻어 도공을 직업으로 삼게 되었다. 그 16년 동안 그는 도기 제조술의 수습생 노릇을 하면서, 아무도 가르쳐 주는 사람 없이 첫걸음부터 혼자 배웠던 것이다. 이제 그는 자기가 만든 도기를 판매할 수 있게 되었고, 따라서 가족들을 편안하게 부양할 수 있었다.

그러나 그는 거기에서 만족하지 않고, 언제나 한 걸음 더 나아가 인간으로서 할 수 있는 최고와 완벽을 목표로 했다. 도기에 아름다운 무늬를 넣으려고 동식물을 연구했는데, 그 연구가 어찌나 훌륭했던지 위대한 박물학자 뷔퐁도 그를 가리켜 '자연만이 만들어 낼 수 있는 위대한 박물학자'라고 격찬했다. 그가 무늬를 넣어 만든 도자기는 이제 소중한 희귀품으로서 미술품 애호가들이 장식장에 넣어 두고 아끼는 것이 되었고, 엄청난 값에 거래되었다. 무늬와 장식은 흔히 생트 주변의 자연에서 볼 수 있는 들짐승과 도마뱀, 그리고 식물에서 정확하게 본뜬 것이고, 그것을 접시나 꽃병에 교묘하게 배치해 넣은 것이었다. 팔리시의 기술이 최고조에 달했을 때, 그는 자기 자신을 '자연과 풍경의 도공이자 발명가'라고 일컬었다.

그러나 팔리시의 고생은 아직 끝난 것이 아니었다. 프랑스 남부 지방에서 심한 종교박해가 일어났을 때, 신교도인 그는 아무런 두려움 없이 자신의 견해를 털어 놓았다가 위험한 이단자로 낙인찍혔다. 그를 시기하는 자들이 당국에 고발하는 바람에 생트에 있는 그의 집은 경찰의 수색을 받고, 폭도들이 작업장으로 몰려와 도자기를 모두 때려 부수었으며, 그는 밤중에 보르도의 지하 감옥으로 끌려가 화형을 당하거나 교수대에 서야 할 처지가 되었다.

화형을 선고받은 그를 구해준 것은, 당시 세력을 떨치고 있던 몽모랑시 원수였다. 그것은 그가 팔리시나 팔리시의 신앙을 특별히 존중해서가 아니라, 파리에서 약 50리 떨어진 에켄에 건축 중인 자신의 웅장한 저택의 포장석에 에나멜 처리를 해줄 수 있는 사람이 팔리시밖에 없었기 때문이었다. 원수의 힘으로 그는 '국왕과 원수를 위한 자연과 풍경 도자기의 발명가'로 임명되었고, 그에 따라 보르도 지하 감옥에서 풀려나게 되었다. 그리하여 생트에 있는 집에 돌아가 보니, 집은 파괴되어 폐허가 되어 있었고 작업장은 지붕이 사라져 버려 하늘이 보였으며, 만들어 놓은 도자기는 모두 깨져 있었다. 처량한 생각이 든 그는 생트를 영영 떠나기로 결심하고, 파리로 가 튀를리에 머물면서 원수와 황태후가 내린 임무를 수행했다.

만년에 팔리시는 두 아들을 데리고 도자기 제조를 계속하는 한편, 도자기 제조 기술에 대해 몇 권의 책을 출판했다. 그것은 자기가 거쳐야 했던 수많은 실수를 되풀이하지 않도록 후세 사람들에게 올바른 방법을 가르쳐 주기 위해서였다.

그는 또 농업과 축성술, 그리고 박물학에 대한 책도 써냈으며, 박물학에 대해서는 사람들을 모아 놓고 강연을 하기도 했다. 그는 점성술, 연금술, 미신, 그리고 이와 비슷한 협잡술에 대해 정면으로 공격을 가한 까닭에 많은 적을 만들었고, 그들이 그를 이단자로 몰아 또다시 신앙 때문에 바스티유 감옥에 들어가게 되었다.

그는 이미 78세의 나이로 앞날이 얼마 남지 않았지만 그의 정신은 여전히 뜨겁게 살아 있었다. 그가 한 말을 철회하지 않으면 사형에 처하겠다고 해도, 그는 지난날 온갖 역경 속에서도 꿋꿋이 유약의 비결을 포기하지 않은 것처럼 자신의 소신을 굽히지 않았다.

심지어 국왕 헨리8세가 친히 감옥까지 왕림하여 그에게 생각을 바꾸라고 다음과 같이 권유했다.

"선량한 짐의 신하여, 그대는 짐의 모후와 짐을 위해 45년 동안이나 수고해왔다. 우리는 그대가 화염과 살육 속에서 그대의 신앙을 고집하는 것을 용납했다. 그러나 이제는 백성들의 간청이 성화와 같아서, 그대가 신앙을 바꾸지 않으면 어쩔 수 없이 그대를 그대의 적들에게 맡길 수밖에 없고 내일 화형에 처할 수밖에 없노라."

그러자 그 불굴의 노인은 이렇게 대답했다.

"저는 하느님의 영광을 위해 기꺼이 한 목숨을 바칠 준비가 되어 있습니다. 폐하께서는 여러 번 저를 가엾이 여긴다고 말씀하셨습니다. 그러나 이젠 '백성들의 간청으로 '어쩔 수 없이'라고 말씀하시는 폐하를 제가 가엾게 여길 수밖에 없습니다. 그것은 왕으로서 하실 말씀이 아니옵니다. 백성들은 폐하께 그런 말씀을 하시도록 강요할 수 있을지 모르지만 저에게는 결코 강요할 수 없을 겁니다. 저는 죽음의 도리를 알고 있으니까요."

과연 팔리시는 얼마 뒤, 비록 화형은 아니지만 순교자로서 세상을 떠났다. 그는 약 1년 동안 혹독한 감옥 생활을 한 뒤 바스티유 지하 감옥에서 숨을 거두었다. 영웅적인 노력과 비범한 인내, 정직한 성품, 그리고 다른 수많은 고귀한 덕성으로 인해 탁월한 생애를 평화롭게 마친 것이다.

뵈트거

경질 자기의 발명가 존 프리드리히 뵈트거의 생애는 팔리시의 생애와 크게 다르지만, 비범하고 드라마틱한 점에서는 같다고 할 수 있다. 뵈트거는 1685년에 포틀란트의 슈라이츠에서 태어나, 열두 살 때 베를린의 한 약재상에 수습생으로 들어갔다.

어린 시절부터 화학을 좋아하여 여가만 있으면 실험을 한 것으로 보인다. 그의 실험은 거의 한 가지 방향으로 흘렀다. 그것은 보통 금속을 황금으로 바꾸는 연금술이었다. 몇 년이 지난 뒤, 뵈트거는 보통의 금속을 황금으로 바꾸는 절대적인 비법을 발견했다고 거짓으로 공언했다. 그리고 약재상 주인 죄른과 그 밖의 몇몇 사람들 앞에서 속임수를 써서 실제로 구리가 황금으로 바뀐 것으로 믿게 만들었다.

약재상의 조수가 놀라운 비결을 발견했다는 소문이 파다하게 퍼지자, 황금을 만들어 내는 신기한 젊은이를 보려고 약재상 문 앞에 사람들이 모여들었다. 국왕까지 친히 젊은이를 만나보고 얘기를 해보고 싶다는 뜻을 표시했다. 프리드리히 1세는 구리로 만들었다는 황금을 받아 보자—그 당시 프로이센의 재정이 몹시 궁색했던 터라—황금을 얼마든지 만들어낼 수 있다는 생각에 사로잡혀, 뵈트거를 불러들여 견고한 요새에서 살면서 금을 만들게 하였다.

그러나 약재상의 이 젊은 조수는 국왕에게 사기라는 것이 들통날까 봐 두려워 달아나기로 결심하고 국경을 넘어 색스니(saxny)로 들어갔다.

뵈트거를 체포하는 자에게는 1,000탈러[*1]를 주겠다는 현상금까지 걸었으나 소용이 없었다. 뵈트거는 비텐베르크에 도착하여 '강자'라는 별명이 붙은 색스니의 선거후(選擧侯) 프리드리히 아우구스투스(즉 폴란드 왕)에게 보호를 간청했다. 프리드리히도 이때 재정이 궁하여 돈이 필요했으므로, 젊은 연금술사를 시켜 황금을 많이 만들 수 있다는 생각에 어지간히 정신을 빼앗기고 있었다. 이리하여 뵈트거는 친위병의 호위를 받으며 은밀히 드레스덴으로 호송되었다. 그가 비텐베르크를 떠나기가 무섭게 프로이센의 3개 보병 대대가 성문 앞에 당도하여 황금술사를 내놓으라고 요구했으나 때는 너무 늦은 뒤였다. 비록 엄중한 감시 속이기는 하지만, 뵈트거는 이미 드레스덴에 도착하여 황금궁에

[*1] 독일의 옛 은화로 1탈러는 약 3마르크.

서 극진한 대접을 받고 있었기 때문이다.

하늘이 무너져도 솟아날 구멍은 있다

아우구스투스

그러나 프리드리히는 거의 무정부 상태가 된 폴란드로 떠나지 않으면 안 되었고, 뵈트거는 당분간 그곳에 둘 수밖에 없었다. 하지만 그는 속히 황금을 만들어 내고 싶어서 바르샤바에서 뵈트거에게 친서를 보내, 그 자신이 직접 황금을 만들 수 있도록 연금술의 비법을 알려 달라고 독촉했다. 이와 같은 독촉을 받은 젊은 연금술사는 프리드리히에게 불그스름한 약물이 든 작은 병 하나를 보내면서, 그것을 쓰면 모든 금속을 용해 상태에서 황금으로 만들 수 있노라고 장담했다.

퓌르스텐베르크의 퓌르스트 공작이 이 중요한 약병을 맡아 1개 연대의 호위를 받으며 부랴부랴 바르샤바로 가져갔다. 도착하자마자 즉시 그 약물을 실험하기로 했다. 왕과 공작은 궁성 안의 밀실로 들어가 가죽 앞치마를 두르고 마치 연금술사처럼 실험을 시작했다. 도가니에 구리를 넣어 녹인 다음 뵈트거가 보낸 불그스름한 약물을 타 보았으나, 결과는 만족스럽지 않았다. 그들은 할 수 있는 모든 것을 다 해보았으나 구리는 전혀 변하지 않고 그대로 있었다.

뵈트거에게 문의해 보니 이에 성공하려면 '지성을 들여서' 약물을 써야 한다는 회답이 왔다. 왕은 간밤에 불량스러운 자들과 어울렸던 탓에 실패했다고 생각하고 다시 한 번 실험을 했으나 결과는 마찬가지였다. 왕은 몹시 노했다. 이번에는 실험을 하기 전에 틀림없이 고해성사도 하고 참회도 했기 때문이었다.

프리드리히 아우구스투스는 궁색한 재정을 타개할 수 있는 방법은 오로지 뵈트거를 닦달하여 연금술의 비결을 알아내는 수밖에 없다고 생각했다. 그러자 연금술사는 왕의 의도를 알아차리고 또다시 달아나기로 결심했다. 경비병의 눈을 피해 용케 빠져나온 뒤 사흘 동안 헤맨 끝에 오스트리아의 엔스에 도착하였다. 이제 여기서는 안전할 것이라고 생각했다. 그러나 그의 뒤를 밟은 선거후의 부하들이 거처를 알아내어 그 집을 포위하고 잠자리에 든 그를 붙잡았다. 그는 완강히 반항하며 한편으로 오스트리아 관헌에게 구조를 청하려 했지만, 결국 강제로 드레스덴으로 끌려가고 말았다. 이때부터 그는 더욱 엄중한 감시 속에서 쾨닝스테인 요새로 압송되었다. 그리고 국고가 바닥이 나서 폴란드 10개 사단 장병들이 봉급을 받지 못하고 있다는 딱한 사정을 듣게 되었다. 국왕이 친히 왕림하여 당장에 황금을 만들어 내지 않으면 교수형에 처하겠다고 으름장을 놓았다.

몇 년이 흘렀으나 뵈트거는 여전히 황금을 만들지 못했다. 그러나 그는 교수형을 당하지는 않았다. 구리를 황금으로 만드는 것보다 더 중요한 일, 즉 진흙으로 자기를 만드는 일이 아직 남아 있었기 때문이었다. 당시에는 포르투갈 사람들이 중국에서 들여온 극소수의 도자기가 같은 무게의 금값에 팔리고 있었다. 뵈트거는 처음에 취른하우스 때문에 그 문제에 관심을 갖게 되었는데, 취른하우스는 안경과 안경 부속품 제작자이자 연금술사로, 교양과 덕망이 높아 선거후와 퓌르스트 공작에게 후한 대접을 받고 있었다. 그는 교수형을 당할까 두려워하고 있는 뵈트거에게 이런 고마운 충고를 해주었다.

"황금이 안 되거든 다른 일을 해 보게. 자기를 한번 만들어 보는 게 어떻겠나?"

연금술사는 이 조언을 받아들여 밤낮으로 열심히 실험을 해 보았다. 오랫동안 연구하고 실험했으나 아무런 성과도 얻지 못했다. 그러던 어느 날 도가니를 만들려고 붉은 진흙을 구해 왔는데, 그것으로 인하여 그는 성공의 길로 들어서게 된다. 그 진흙에 고열을 가하니 원형을 유지한 채 유리처럼 되어, 빛깔과 투명도만 다를 뿐 표면 구조는 도자기와 똑같았다. 이렇게 해서 그는 사실상 우연히 붉은 도자기의 제조법을 발견하여, 그것을 계속 자기라고 하면서 판매했다.

기회를 놓치지 않는다
그러나 뵈트거는 진짜 자기는 빛깔이 순백이어야 한다는 것을 이미 알고 있었다. 그리하여 그는 그 비결을 알아내려는 희망을 품고 실험을 계속했다. 그러나 몇 년이 지나도 아무런 성과가 없더니, 또다시 우연한 일이 일어나 백색 자기를 만드는 기술을 알게 되었다. 1707년의 어느 날, 그는 자신의 가발이 평소보다 더 무겁게 느껴져 시종에게 그 까닭을 물어 보았다. 그랬더니, 가발을 다듬는 데 사용하는 하얀 가루 때문에 무거운 것이며, 모발분으로 쓰는 이 가루는 일종의 흙으로 만든 것이라고 대답하는 것이었다. 이때 뵈트거의 머리에 한 가지 생각이 번개처럼 떠올랐다. 이 하얀 흙가루가 바로 내가 찾고 있던 물질인지도 모른다! 그는 즉시 실험을 하여 이 물질의 성분을 조사했다. 마침내 근면과 관찰의 보답이 있었다. 실험을 한 결과 그 모발분의 주성분이 '카올린(고령토)'이라는 것을 알아냈는데, 그때까지 오랫동안 고심한 것은 바로 이것을 찾지 못했기 때문이었던 것이다. 뵈트거의 총명한 재주가 이 같은 큰 성과를 가져왔으니, 그것은 구리를 금으로 바꾸는 약물을 발견하는 것보다 훨씬 더 중요한 가치가 있었다.

1707년 7월, 그는 자신이 제일 처음 만든 자기를 선거후에게 선사했다. 선거후는 몹시 기뻐하면서 뵈트거에게 발명을 완성하는 데 필요한 자재를 아낌없이 하사하기로 약속했다. 그는 델프트에서 숙련공 한 사람을 데려와 성공리에 백자를 만들기 시작했다. 이제는 연금술은 완전히 잊어버리고 도공이 되어, 작업장 문 앞에 다음과 같은 문구를 새겨 놓았다.

전능하신 하느님, 위대하신 창조주께서 연금술사를 도공으로 만드셨노라.

그러나 뵈트거는 전보다 더 엄한 감시를 받았으니, 그 까닭은 혹시나 그가 비결을 누설하거나 도주할까 염려해서였다. 그를 위해 선거후가 지어준 작업장과 가마 주변에는 밤낮으로 감시병이 서 있었고, 6명의 장교가 이 도공의 안전을 책임졌다. 새로운 가마를 써서 실험한 것이 대성공을 거두고, 그가 빚은 도자기가 엄청난 값에 팔리기 시작하자, 왕립도자기제작소를 세우기로 했다. 네덜란드는 델프트 자기[*2]로 말미암아 매우 부유한 나라가 되었다고 하는데, 선거후도 자기를 만들어 부유해질 수 있을 거라고 생각했다. 그리하여 1710년 1월 23일자로 칙령을 내려, 마이센의 알브레히트부르크에 대규모 도자기 제작소를 세우게 하였다. 이 칙령을 라틴어, 프랑스어, 네덜란드어로 번역하여 유

[*2] 네덜란드의 델프트라는 곳에서 만든 오지 그릇.

럽 각국에 주재하고 있는 대사를 통해 각국에 배부하니, 그 내용은 다음과 같
았다.

"스웨덴 사람들의 침입으로 많은 수난을 겪은 바 있는 색스니의 복지를 증진
하기 위해, 짐이 실험을 해본 결과 모발분의 주성분인 '카올린'을 밝혀냈으니,
여태까지 짐이 오랫동안 고심해온 것은 바로 이것을 찾지 못했기 때문이었다.
인도의 도자기와 다름없이 반짝반짝 윤이 나는 백자의 견본을 이미 만들었으
며, 곧 이런 좋은 제품을 다량으로 생산하려 하노라."

그리고 마지막에, 외국의 미술가와 공예인들이 이 공장에 와서 일을 도와주
면 국왕의 보호 아래 많은 보수를 받게 될 것이니 많이 와 달라는 말을 덧붙
였다. 이 칙령의 내용을 보면 뵈트거의 발명이 그 당시 어떤 평가를 받았는지
잘 알 수 있다. 독일의 출판물에 따르면, 선거후와 색스니에 공헌한 공로로 그
들이 뵈트거를 왕립도자기제작소의 소장으로 임명하고, 나중에는 남작의 작
위까지 내렸다고 한다.

틀림없이 그는 이러한 명예를 얻을 만한 공헌을 했지만, 실제로는 그것과 완
전히 반대되는 대우를 받았으니, 그가 받은 대우는 잔인하고도 비인간적인 것
이었다. 마디우와 네미츠라 하는 두 궁정 관리가 그보다 윗자리에 앉아 실권
을 쥔 채 소장 노릇을 했으며, 그는 고작 왕의 포로로서 도자기 제작의 감독
관에 지나지 않았다. 마이센에 공장을 세울 때도 뵈트거의 역할이 중요했는
데도, 그는 군인들의 감시를 받으며 작업장과 드레스덴 사이를 왕래해야 했고,
하루가 끝나 밤이 되면 밀실에 감금되었다. 이러한 대우를 몹시 불쾌히 여긴
뵈트거는 여러 번 왕에게 탄원서를 보내 관대한 처우를 간청했다. 그 탄원서
에는 다음과 같은 감동적인 말이 들어 있었다.

"저는 도자기 제작을 위해 저의 모든 열정을 바치겠나이다."

또 어떤 서신에는 이런 말도 있었다.

"그 어떤 발명가보다 더 많은 일을 하겠사오니, 대신 저에게는 오직 자유, 자

유만을 주옵소서!"

그러나 왕은 이 호소에 귀를 기울이지 않았다. 금전을 주고 호의를 베푸는 데에는 인색하지 않았으나 자유만은 허락하지 않았다. 왕은 뵈트거를 노예로 취급했던 것이다. 이렇게 박해를 받으면서 몇 년 동안 일하던 뵈트거는 점점 일을 게을리하게 되었다. 세상과 자신이 싫어져서 술을 마시기 시작한 것이다. 윗물이 흐리면 아랫물도 흐려지게 마련, 뵈트거가 좋지 않은 습관에 빠지자 마이센 공장의 대부분의 도공들도 주정뱅이가 되고 말았다. 매일같이 술을 마시고 자기네들끼리 치고받고 싸움질을 했으므로 번번이 군대를 동원하여 진압해야만 했다. 얼마 뒤 300여 명이나 되는 도공들을 모두 알브레히트부르크에 가두어 국사범 죄수로 다루게 되었다.

중병에 걸린 뵈트거는 1713년 5월이 되자 임종은 시간문제인 듯했다. 왕은 소중한 노예를 잃을까 두려워하여 그제야 감시병의 호위 아래 마차를 타고 외출하는 것을 허락했다. 다소 건강이 회복되자 그는 이따금 드레스덴에도 갈 수 있었다. 1714년 4월에 왕이 내린 친서로 뵈트거는 완전한 자유를 얻게 되었다. 그러나 때는 이미 늦어 버렸다. 고된 일과 음주로 말미암아 심신이 극도로 피폐해진 것이다. 이따금 고상한 의지의 빛이 번뜩이기도 했지만 오랜 감금생활과 질병으로 신음하면서 몇 년을 더 살다가, 1719년 3월 13일 35세의 나이로 세상을 떠나 고통에서 영원히 해방되었다. 마치 죽은 개가 버려지듯, 그는 밤중에 마이센의 공동묘지에 묻혔다. 색스니의 가장 큰 은인이 이러한 대우 속에 가련한 최후를 마친 것이다.

그 뒤로도 도자기 제작에서 나오는 수입은 국고의 가장 큰 원천이 되었으며, 색스니의 선거후가 이것으로 큰 재미를 보자, 유럽의 여러 군주들이 곧 이를 모방했다. 뵈르거의 발명이 있기 14년 전에 세인트클라우드에서 이미 연질자기가 제조되었지만, 이보다는 경질자기의 우수성이 널리 인정을 받게 되었다.

이 연질자기는 1770년 세브르에서 제작되기 시작했지만, 그 뒤에는 거의 모습이 사라지게 되었다. 오늘날 경질자기는 프랑스의 산업에서 가장 번성하는 분야가 되었으며, 그 품질이 널리 알려져 있다.

웨지우드

웨지우드

영국의 도공 조시아 웨지우드의 일생은 팔리시나 뵈트거의 일생보다 순탄하고 행복했으니, 이는 그가 더 좋은 시절에 태어난 덕분이었다. 18세기 중엽에 이르기까지 영국은 기술공업 분야에서 유럽의 다른 나라들보다 뒤떨어져 있었다. 스태포드셔에 많은 도공들이 있었지만—웨지우드도 이 지방 도공에 속한다—그들의 제품은 대부분 극히 질이 떨어지는 보통의 갈색 토기로, 무늬도 진흙이 마르기 전에 대충 새겨 넣은 것이었다. 그보다 질이 좋은 토기는 주로 네덜란드의 델프트에서 들여왔고, 자기 잔은 쾰른에서 들여왔다. 뉘른베르크에서 온 에일러스러 형제가 잠시 스태포드셔에 머물며 개량된 제조 기술을 전했으나, 이들은 곧 첼시로 옮겨 주로 무늬를 장식한 제품만 만들었다. 당시 영국에서 만든 도자기는 모두 뾰족한 것으로 긁으면 긁혀지는 것뿐이었다. 또 스태포드셔에서 제조되는 소위 백자라는 것도 빛깔이 순백이 아니라 거무스름한 유백색이었으며, 오랫동안 이러한 미숙한 기술 수준에서 벗어나지 못하고 있었다.

조시아 웨지우드가 1730년 버즐렘에서 태어났을 때, 도자기 제조 상황은 한마디로 이런 실정이었다. 그러나 64년 뒤, 그가 세상을 떠날 때는 이런 상황이 완전히 달라졌다. 그는 정력과 기술, 그리고 천재로서 이 분야의 산업을 새롭고도 견고한 기초 위에 세워 놓았으니, 그의 비문에 적혀 있는 것처럼 '조잡하고 보잘것없는 제품을 우아한 기술로 향상시켜 중요한 국가 산업의 하나로 발전시킨' 것이다.

오직 최고만을 꿈꾸라

조시아 웨지우드는 평민 계급에서 출생하여 열정적으로 일하면서 사람들에게 근면한 정신을 가르쳐 주었다. 뿐만 아니라 근면과 인내의 모범으로 모든 방면에서 일반 대중에게 큰 영향을 끼치며 국민의 기질을 형성하는 데 기여한, 불굴의 훌륭한 사람들 가운데 한 사람이었다.

아크라이트처럼 그는 13명의 형제 중 막내였다. 그의 조부와 증조부, 아버지 모두 도공이었는데, 아버지는 20파운드의 유산을 남기고 그가 어렸을 때 세상을 떠났다. 그는 마을 학교에서 글을 배우다가 아버지가 사망하자 학교를 그만두고 형이 하는 조그마한 도기 제조공장에서 돌림판을 돌리는 일을 하게 된 것이 그의 생애, 즉 일하는 생애의 첫출발이었다. 그의 말을 빌리면, 겨우 11세 때 '인생 사다리의 맨 아래 계단'에 발을 디딘 것이다. 그 뒤 얼마 지나지 않아 악성 천연두에 걸렸는데, 그 후유증은 평생 그를 괴롭혔다. 후유증 때문에 몇 년 뒤 다리를 절단하고야 말았던 것이다.

글래드스턴

글래드스턴은 버즐렘에서의 웨지우드 추도 연설에서, 그가 뒷날 위업을 이룬 것은 아마도 병과 고통 때문이었을 것이라고 말했다. 정말 맞는 말이었다.

"그는 병 때문에 사지를 다 갖추어 잘 쓰는 활동적이고 정력적인 영국의 노동자가 되지는 못했습니다. 그러나 그것으로 인해 그는 뭔가 다른 일, 더 위대한 일을 할 수 있을지 모른다는 생각을 하게 된 것입니다. 그는 마음을 내면으로 돌려 기술의 법칙과 비결을 연구했습니다. 그리하여 그는 그 법칙과 비결을 알아내고 파악하게 되었으니, 아테네의 도공도 그것을 보면 부러워해 마지않았을 것입니다."

조시아는 형의 공장에서 하던 수습생활을 마치고, 다른 기술자 한 사람과 동업으로 칼자루, 궤짝, 기타 가정용품을 만들기 시작했다. 이어서 또 다른 사람과 동업으로 식탁, 접시, 촛대, 코담뱃갑 등을 만들었다. 그러나 1759년 버즐렘에서 자기 사업을 시작하기 전까지는 이렇다 할 진보가 없었다. 그곳에서 그는 부지런히 일하여 새로운 물건도 만들며 차츰 사업을 확장해 나갔다. 그가 주목표로 삼은 것은 모양, 색채, 윤기, 그리고 내구성 면에서 당시 스태포드셔에서 만든 것보다 더 나은 유백색 도자기를 만드는 것이었다. 이 과제를 철저히 해결하기 위해 그는 틈만 나면 화학을 연구하며, 용매제와 유약, 그리고 여러 종류의 진흙을 실험했다.

철저한 탐구자이자 정확한 관찰자인 조시아 웨지우드는 마침내 무수규산이 함유된 어떤 흙을 발견했는데, 이 흙은 원래 검은색이지만 가마 속에서 열을 받으면 흰색으로 변하는 것이었다. 이 사실을 확인하고 나서 그는 더욱 자세히 연구하여, 도자기 재료인 붉은 가루에 무수규산을 섞어 불에 구우면 흰색이 된다는 것을 알아냈다. 이제 남은 일은 도자기 업계의 가장 귀한 제품을 만들기 위해 거기에 투명한 유약을 유리처럼 입히는 것뿐이었다. 그것이 성공하면 영국 도자기라는 이름으로 최대의 상업적 가치를 얻게 되어, 가장 널리 사용하는 제품이 될 수 있었다.

보다 더 나은 것을 만든다

웨지우드도 오랫동안 가마 때문에 고심했다. 비록 팔리시만큼 고생을 하지는 않았지만, 그도 불굴의 인내심으로 실험을 반복하여 여러 난관을 극복했다. 식탁용 자기를 만들려던 그의 첫 번째 시도는 불행히도 실패에 실패를 거듭했는데, 여러 달 동안 애쓴 노력이 하루아침에 허사로 돌아간 경우도 많았다. 시간과 금전과 노력을 바쳐 수없이 실험을 거듭한 뒤에야 제대로 된 유약을 개발했으니, 그것은 그가 끝까지 포기하지 않고 참고 또 참아낸 결과였다. 그는 도자기를 개량하려는 열정에 사로잡혀 한시도 그 생각에서 떠난 적이 없었다.

수많은 고난을 극복하면서 내수용과 수출용 백자와 유백색 자기를 만들어 상당히 번창한 뒤에도, 그는 제품을 더욱 향상시키려는 노력을 그만두지 않았다. 마침내 그의 제품은 사방으로 퍼져서 온 지방에 활기를 띠게 되었다. 그리고 영국 산업의 한 분야로서 견고한 기초를 쌓게 된 것이다. 그는 언제나 최고 수준의 제품을 만드는 것을 목표로 삼고, 다음과 같은 말로 그 의지를 표명했다.

"무슨 물건이든 만들 것이다. 물건의 질을 떨어뜨리지 않고 전보다 더 나은 것을 만들 것이다."

웨지우드는 지위와 권력이 있는 많은 사람들의 도움을 받았다. 본디 모든 일에 최선을 다했으므로 그는 진정한 노동자로서의 도움과 격려를 얻을 수 있었다. 그는 샬롯 여왕을 위해 처음으로 식기를 만들어 바쳤는데, 그 식기를 '여왕 식기'라 불렀다. 그는 이 일로 해서 왕실 도공으로 임명되었다. 그 직함을 그는 남작 작위를 받은 것보다 더 소중히 여겼다.

각종 도자기를 그에게 주며 모방하여 만들라고 하면, 그는 그것을 모두 훌륭하게 만들어내어 찬사를 받았다. 윌리엄 해밀턴이 헤르쿨라니움에서 나온 고대 예술품의 표본을 빌려 주었을 때도, 똑같은 물건을 정확하고 아름답게 만들어냈다. 포틀랜드의 후작 부인이 바르베리니 화병을 팔려고 내놓았을 때, 그가 1,700기니를 내겠다고 하니까 1,800기니가 아니면 팔지 않겠다고 하였다. 그러나 부인은 웨지우드의 목적이 이 화병을 모방하여 물건을 만들려는 데 있다는 것을 알고 너그러이 빌려 주었다. 그리하여 그는 약 2,500파운드를 들여 50개의 화병을 만들었으나, 그것을 팔아 제작하는 데 들인 비용을 회수하지는 못했다.

웨지우드는 한 가지 목적을 달성했으니, 다름 아닌 영국인의 기술과 열정으로 무엇이든 만들어낼 수 있다는 확신이었다. 웨지우드는 화학자의 시련과 골동품 연구가의 지식, 그리고 미술가의 재능을 합쳐 자기의 일을 완성시켰다. 그는 젊은 조각가 플랙스먼을 발굴하여 그 천재성을 키워내 그에게서 도자기에 쓸 많은 원형들을 얻었으며, 고상하고 품격 높은 물건을 만들어 사람들 사이에 고전적인 예술을 퍼뜨리는 역할을 하였다. 또 그는 꼼꼼한 실험과 연구로 자기와 도기 또는 그와 비슷한 물건에 그림을 그려 넣는 기술을 다시 발견했다. 그것은 옛날 에트루리아인들의 기술로서 플리니 시대 이후 자취가 사라졌던 것이었다.

웨지우드는 과학에 기여한 것으로도 유명하며, 오늘날까지 고온계의 발명가로 알려져 있다. 또한 그는 공익사업에도 발 벗고 나섰다. 예를 들면 트렌트와 머르지의 운하를 개설하여 이 섬에 동서로 흐르는 수운을 완성한 것 따위이다. 그것은 그의 공익 정신과 브린들리의 토목 기술을 합쳐 이룩한 일이었다. 이 지방은 본디 도로가 험악하였으므로, 웨지우드는 도자기 제작소를 관통하는 10마일의 유료 도로를 계획하고 마침내 이를 개통하였다.

그리하여 그의 명성이 차츰 높아지자, 그가 세운 버즐렘과 에트루리아의 제작소에는 유럽 곳곳에서 명사들이 몰려들었다.

영국 주요 산업으로 큰 요업

웨지우드가 노력한 결과로, 영국의 도자기 제작은 보잘것없는 상태에서 발돋움하여 국가의 주요 생산품의 하나가 되었다. 전에는 국내에서 필요한 것을 외국에서 수입해 왔으나, 이제는 많은 나라들이 영국 상품을 수입해 가게 되었다.

웨지우드가 일을 시작한 지 30년이 지난 1785년에 국회에 나가 자신의 사업에 대해 증언한 것을 보면, 단순히 생산성이 낮은 대신 임금이 싼 노동자를 고용한 정도가 아니라, 무려 2만 명이나 되는 사람을 도자기 제조업으로 생계를 세우게 해주었고, 그 밖에도 많은 사람들을 탄광과 육해(陸海) 운수업에 고용하여 국내 곳곳에 있는 여러 사업에서도 고용이 창출되었다.

이렇게 사업이 발전하는 가운데서도, 웨지우드는 이 사업이 아직도 초기 단계에 있으며 자기가 이룬 개량은 보잘것없는 것일 뿐이니, 앞으로도 계속 부지런히 일하여 제작기술을 향상시키고 대영제국이 누리는 자연의 혜택과 정치적 이점을 살리면 더욱 발전할 수 있을 거라고 생각했다. 그 뒤로 이 중요한 산업은 더욱 진보하여 그의 생각이 옳았음이 입증되었다. 1852년에는 8,400만 점의 도자기를 외국에 수출하였고, 이 밖에도 국내용으로 많은 도자기를 생산했다.

그러나 주목할 만한 것은 이 제품의 수량과 가치뿐만 아니라, 이 도자기 산업이 국민 생활에 미친 영향이다. 웨지우드가 맨 처음 이 사업을 시작했을 때, 스태포드셔 지방은 시골 오지에 지나지 않았다. 가난하고 투박한 주민들이 대부분이었고, 인구도 그리 많지 않았다. 그러나 웨지우드의 산업이 확고하게 자리를 잡게 되자, 본디 인구의 3배나 되는 사람들이 일자리를 얻어 많은 보수를 받게 되었고, 물질적인 생활수준이 높아짐에 따라 도덕적 수준도 향상되었다. 우리는 이러한 사람들을 문명사회의 산업 영웅이라고 불러 마땅할 것이다. 시련과 어려움 속에서도 참을성 있게 스스로를 의지하며 가치 있는 목표를 추구하는 근면과 인내, 자부심을 가진 군인들의 용기와 헌신에 못지않게 영웅적인 것이다.

4 근면과 인내
시간과 인내는 뽕잎을 비단으로 만들어 준다

시간은 대자연의 자본이다. 그러므로 시간을 잘 이용하는 사람이 반드시 부를 이룰 수 있고, 근면한 사람이 밤하늘의 별과 바닷가의 모래알도 모두 그러모을 수 있다.　　　　　　　　　　　　　　　　데버넌트

매진하라, 그러면 믿음을 얻을 것이다.　　　　　　　　　달랑베르

위업은 꾸준한 근면을 통해 이룰 수 있다

한 사람의 인생에서 가장 위대한 업적은 단순한 수단과 평범한 자질을 통해 이루어지는 것이다. 일상생활 속에 성찰과 필요와 의무가 있고, 그 속에 최선의 경험을 얻을 수 있는 풍부한 기회가 있다. 진정으로 노력하는 자라면 아무리 큰 실패를 경험해도 거기서 자기 향상을 위한 노력의 여지를 얼마든지 발견할 수 있다. 인생에서 행복의 길은 근면이라는 오래된 도로를 따라 뻗어 있다. 성실하고 끈기 있게 일하는 사람들은 늘 최고의 성공을 거두게 마련이다.

행운은 근면한 사람을 따른다

행운의 여신은 눈이 멀었다는 비난을 가끔 받고 있지만, 인간처럼 눈이 멀지는 않았다. 실제 생활을 자세히 관찰해 보면, 유능한 뱃사람에게 순풍과 온화한 파도가 따르는 것처럼, 행운의 여신도 언제나 부지런한 사람 편에 선다는 것을 알게 될 것이다. 가장 고상한 학문을 연구할 때도 상식과 주의력, 전심, 그리고 굳은 인내와 같은 평범한 자질이 필요하다.

반드시 천재가 필요한 것은 아니며, 오히려 뛰어난 천재는 이런 평범한 자질의 가치를 경시하지 않는다. 가장 위대한 사람들은 천재의 힘을 믿지 않았고, 성공한 일반인들처럼 세상일에 밝고 끈기를 지니고 있었다.

뉴턴

천재를 무시하고 상식만을 강조한 사람이 있었다. 한 대학의 총장이던 어느 이름난 교육자는 천재를 가리켜 '노력하는 힘'이라고 했다. 존 포스터는 천재를 '자신의 마음속에 열정의 불을 붙이는 힘'이라 했고, 뷔퐁은 '천재는 바로 인내'라고 말했다.

뉴턴과 케플러

뉴턴은 의심할 여지 없이 최고의 재능을 타고난 인물이었다. 그는 그 수많은 발견의 비결에 대해 질문받으면 이렇게 겸손하게 대답했다고 한다.

"늘 그 문제에 대해 깊이 생각했기 때문입니다."

또 그는 자신의 연구 방법에 대해 이렇게 말했다.

"나는 연구 중인 테마를 언제나 내 눈 앞에 펼쳐 놓고 지긋이 바라봅니다. 그러면 어둠 속에 한 줄기 빛이 스며들기 시작하여 점점 새벽이 밝아오는 것처럼, 문제의 본질이 선명하게 떠오릅니다."

뉴턴의 경우와 마찬가지로 다른 모든 사람들의 경우에도 위대한 명성을 얻은 그 이면에는 오직 전심과 굳은 의지만이 있었다. 뉴턴은 하던 일에 권태를 느끼면 연구 내용을 바꿔 정신을 새롭게 하면서 휴식을 취했다.

그는 영국의 고전학자 벤트리 박사에게 이런 말을 한 적이 있다.

"만일 내가 공익을 위해 뭔가 한 일이 있다면 그것은 오직 근면과 인내 속에서 생각하고 연구한 덕분일 겁니다."

뉴턴과 같은 위대한 학자인 케플러는 자신의 연구와 학문 진보에 대해 다음과 같이 말했다.

"베르길리우스의 시에도 있는 것처럼, 어떤 한 가지 일을 집중해서 생각하다 보면 점점 더 파고들고 싶은 생각이 들어, 어느새 온 정신을 기울여 그 문제를 연구하게 된다."

사람의 천성에는 큰 차이가 없다

근면과 인내로 훌륭한 업적을 이루는 것을 보고, 수많은 뛰어난 인사들은 천재란 일반인들이 생각하는 것처럼 그렇게 특수한 것이 아니라는 것을 알게 되었다. 그래서 볼테르는 '천재와 보통 사람은 종이 한 장 차이'라고 말했다. 이탈리아의 법학자 베카리아는 '사람은 누구나 시를 쓰고 웅변을 잘 할 수 있다'고 했으며, 화가 레이놀스는 '어떤 사람이라도 화가와 조각가가 될 수 있다'고 말했다.

만일 그게 사실이라면, 이탈리아의 화가 카노바가 세상을 떠났을 때, 그의 형에게 "동생의 일을 맡아서 하실 생각입니까?"라고 물었던 아둔한 영국인도 결국 그다지 잘못 말한 것이 아닐지도 모른다. 로크, 엘베시우스, 디드로는 모든 사람에게는 천재가 될 자질이 있다고 생각했으며, 어떤 사람이 할 수 있는 일이라면 같은 환경에서 같은 목적에 따라 전념하는 다른 사람들도 할 수 있다고 믿었다. 그러나 노력의 놀라운 성과를 모두 인정하고, 가장 뛰어난 천재는 언제나 지치지 않는 노력가라는 것을 시인한다 해도, 타고난 비범한 재능과 능력이 없으면 아무리 노력에 노력을 거듭해도 셰익스피어 같은 위대한 문학자, 뉴턴 같은 위대한 과학자, 베토벤 같은 위대한 음악가, 그리고 미켈란젤로 같은 위대한 예술가가 될 수 없다는 것 또한 사실이다.

꿀벌집의 비유와 시간을 황금으로 바꾸는 것에 대해

화학자 돌턴은 세상 사람들이 자신을 천재라고 부르는 것에 반발하여, 자기가 성취한 모든 일은 근면과 노력의 축적 때문이라고 말했다. 해부학자 존 헌터도 자신을 평가하여 이렇게 말했다.

"내 마음은 꿀벌집과 같다. 겉보기에는 소음과 혼란으로 가득한 것처럼 보이지만, 실은 정연한 질서와 규칙이 구석구석까지 지배하고 있으며, 쉬지 않고 노력한 결과 가장 훌륭한 자연의 보고에서 거둬들인 지식이라는 양식으로 가득

차 있는 것이다."

위인들의 전기를 대충 훑어보기만 해도, 탁월한 발명가와 예술가, 사상가, 그리고 그 밖의 모든 분야에서 이름을 떨친 사람들의 성공이 그들의 지칠 줄 모르는 근면과 노력의 결과라는 것을 알 수 있다. 그들은 이 세상의 모든 것, 이를테면 시간조차 황금으로 바꾼 사람들이었다. 저술가 디즈레일리는 "성공의 비결은 자기가 다루는 문제에 완전히 숙달하는 데 있으며, 그러한 숙달은 오로지 끊임없는 전심과 연구를 통해서만 이룰 수 있다"고 말했다. 그러므로 세상을 가장 크게 움직인 사람들은 천재라는 이름으로 불린 사람들이 아니라 강한 의지를 가진 보통 능력의 사람들이요, 또 굳은 인내력이 있는 사람들이요, 머리 좋고 찬란한 재주를 가진 사람들이 아니라 무슨 일에 종사하든지 부지런히 자기 일에 전념하는 사람들이었다.

재주는 있으나 정신을 못 차리는 아들을 둔 한 미망인이 말했다.

"아, 우리 아이는 인내심을 타고나지 못했구나."

아무리 영민한 사람이라도 참고 견디는 힘이 없으면 인생의 경주에서 결국에는 근면한 사람에게 지게 마련이며, 심지어는 우둔한 사람에게도 뒤처지고 만다. 이탈리아 속담에 이런 것이 있다.

"천천히 걷는 사람이 오래 가고 멀리 간다."

반복의 중요성과 로버트 필

우리가 목표로 삼아야 할 것은 근면하게 일하는 습성을 기르는 일이다. 그것만 되면 인생의 경쟁이 한결 쉬워질 것이다. 반복에 반복을 거듭하며 노력하면 솜씨가 좋아진다. 극히 간단한 기술이라도 반복 훈련을 하지 않으면 숙달될 수 없다. 그렇게만 하면 무슨 일이든 안 되겠는가?

로버트 필이 평범한 재능의 소유자이면서도 그렇게 훌륭한 역량을 길러 영국 상원의 빛나는 인물이 된 것도, 어려서부터 교육과 반복 연습을 쌓은 결과이다. 그는 드레이턴 매너에서 소년 시절을 보냈다. 이때 그의 아버지는 그를 책상 앞에 세워 놓고 즉석연설을 시켰다. 또 그 스스로도 주일에 목사의 설교를 듣고 기억할 수 있는 대로 암송하는 습관을 길러나갔다. 처음에는 별로 진전이 없었으나, 꾸준히 연습하는 동안 집중력이 높아져서 나중에는 그날의 설교를 글자 하나 빠뜨리지 않고 그대로 욀 수 있게 되었다. 뒷날 의회에서 정적들의 논박에 로버트 필만큼 지체 없이 명쾌하게 답변하는 사람이 없었다. 이 경우 그가 보여 준 남다른 기억력은 어린 시절 드레이턴 교구 교회에서 아버지의 훈련으로 길러졌다는 사실을 아무도 알아채지 못했을 것이다.

예능에도 인내와 노력이 필요

평범한 일에 있어서 지속적인 훈련으로 거두는 효과는 매우 놀라운 것이다. 이를테면 바이올린을 켜는 것이 간단한 일로 생각될지 모르지만, 참으로 많은 시간과 피나는 연습이 필요하다. 한 청년이 바이올린을 배우는 데 시간이 얼마나 걸리느냐고 묻자, 이름난 바이얼리니스트 자르디니는 다음과 같이 대답했다.

"하루에 12시간씩 연습한다 해도 통틀어 20년은 걸리지."

무용하는 사람에게도 근면이 필요하다. 무용가가 아름다운 춤으로 각광을 받게 되기까지는, 우선 무명으로서 동전 한 푼 수입도 없이 여러 해 동안 끊임없이 노력해야 한다. 발레리나로 유명한 탈리오니는 야간 공연 연습을 할 때, 아버지 감시 밑에서 2시간 동안 맹연습을 하다가 탈진하여 완전히 인사불성에 빠져 쓰러지곤 했다. 그러면 옷을 벗기고 간단한 스펀지 목욕을 시켜 살려냈다고 한다. 야간 무대에 올라 나비처럼 경쾌하게 춤을 출 수 있었던 것은 오직 그런 고된 훈련의 결과이다.

성공의 비결 뽕잎의 비유

최고의 진보는 속도가 너무 느리다. 위대한 성과는 결코 한 순간에 얻을 수 있는 것이 아니어서, 인생행로에도 한걸음 한 걸음 전진하는 데 만족해야 한다.

메스트르

"기다릴 줄 아는 것이 성공의 가장 큰 비결이다."

프랑스의 철학자 메스트르가 한 말이다.
작물을 거둬들이려면 먼저 씨앗부터 뿌려야 한다. 그 뒤에는 수확의 시기가 올 때까지 바라보는 데 만족하며 참을성 있게 기다려야 한다. 기다릴 만한 가치가 있는 열매일수록 가장 늦게 열매를 맺는 법이다. 동양의 속담에 이런 말이 있다.

"시간과 인내는 뽕잎을 비단으로 만들어 준다."

쾌활한 마음을 하루도 잊어서는 안 된다

그러나 참을성 있게 기다리려면 인간은 쾌활하게 일을 해야 한다. 쾌활한 정신은 뛰어난 자질이며, 그것은 어떤 불행과 실망에도 꺾이지 않는 힘을 우리에게 준다. 어느 목사가 그리스도교는 10가지 가르침 가운데 9가지가 중용이라고 말했다. 마찬가지로 '인생 비결의 10가지 중 9가지가 쾌활한 정신과 근면'이라고 할 수 있을 것이다. 쾌활과 근면은 행복뿐만 아니라 성공의 생명이요 정신이다. 또한 인생의 가장 큰 즐거움은 명랑하고 활기에 찬 마음으로 성실하게 일하는 데 있으며, 따라서 정력과 자신감과 그 밖의 모든 좋은 자질은 바로 쾌활한 마음에서 생겨난다.

시드니 스미스는 요크셔 주에 있는 산간벽지의 교구에 목사로 파견되었을 때, 그 직무가 자기에게 정당하다고 생각하지는 않았지만 최선을 다해 보리라고 굳게 결심하고 쾌활한 마음으로 일했다. 그가 한 말이다.

"어떤 일이든 그것을 좋아하도록 마음을 기울여 나 자신을 길들이자. 그렇게 하는 편이 현재의 처지에 불만을 품거나 버림 받은 폐인처럼 행동하는 것보다 훨씬 남자다운 일이다."

훅 박사는 새로운 임무를 맡고 리즈를 떠날 때 다음과 같이 말했다.

"어디로 가든 내가 해야 할 일이 있다면 하느님의 축복을 받아 최선을 다할 것이요, 만일 할 일을 얻지 못하면 내 스스로 할 일을 찾을 것이다."

시드니 스미스

사회에 위대한 업적을 남긴 사람들도 그 오랜 세월의 수고를 세상에서 인정받지 못한 예가 많다. 그들이 뿌린 씨앗은 때로는 겨울의 깊은 눈 속에 묻혀 있다가 화창한 봄날의 방문과 함께 생명이 끝나버리는 경우도 있다.

공익을 위해 일한 사람들이 모두 근대 우편제도의 창시자인 롤런드 힐처럼 생전에 자신의 큰 경륜이 열매를 맺는 것을 보는 것은 아니다. 애덤 스미스는 글래스고 대학에서 오랫동안 연구에 전념하여 〈국부론〉을 써서 사회개량의 씨앗을 뿌렸으나, 그의 연구가 사회에서 결실을 맺는 데는 그 뒤 70년의 세월이 걸렸다. 그리고 오늘날까지도 그의 학문이 모두 성과를 거둔 것은 아니다.

희망은 품행의 근본, 그리고 케어리

인간이 희망을 잃으면 무엇으로도 그것을 메울 수 없으며, 그렇게 되면 인간의 성격마저 완전히 달라진다. 위대했으나 불행한 어느 사상가는 이와 같이 말했다.

"내가 모든 희망을 잃었는데 어찌 일할 수 있으며, 어찌 행복할 수 있겠는가?"

늘 희망에 넘쳐 누구보다 쾌활하고 용감했던 사람으로는 선교사 케어리를 들 수 있다. 인도에 있을 때, 그를 돕던 조수 세 명은 늘 기진맥진했고, 케어리도 하는 일이 바뀔 때만 잠시 쉴 뿐이었다.

제화공의 아들인 케어리는 목수의 아들 워드와 직조공의 아들 마샴을 조수로 데리고 있었다. 이들의 노력으로 세람포에 웅장한 대학이 하나 들어서고, 신자들이 들끓는 설교소가 16군데나 개설되었으며, 성경을 16개 국어로 번역하여 영국령 인도에 도덕적 혁명의 씨앗을 뿌렸다. 케어리는 자신의 출신이 미천한 것을 결코 부끄러워하지 않았다.

한번은 인도 총독이 베푼 연회석상에서, 건너편에 앉아 있던 어느 장교가 모두 다 들으라는 듯이 일부러 큰 소리로 옆 사람에게, 케어리가 전에 제화공이 아니었느냐고 묻는 말을 우연히 들었다. 케어리는 즉각 이에 답하여 큰 소리로 말했다.

"아니오, 나는 제화공은커녕 겨우 구두 수선공이었어요."

소년 시절의 인내에 대해 케어리의 특유한 기질을 보여 주는 다음과 같은 일화가 있다. 어느 날 나무를 타다가 떨어져서 다리가 부러진 일이 있었다. 그래서 몇 주일 동안 침대에 누워 있다가 다시 제 발로 걸을 수 있게 되자, 맨 먼저 한 일은 한 번 더 그 나무에 올라가 보는 것이었다. 그의 평생의 대사업인 선교에는 이런 불굴의 용기가 필요했으며, 그는 끈기 있고 과감하게 그 사업을 수행했던 것이다.

학자 영의 격언과 고사
"누군가가 해냈다면 나도 할 수 있다."

학자 영 박사가 한 말이다. 그는 어떤 시련 속에서도 자기가 한 번 하겠다고 마음먹은 일에서 결코 후퇴하는 일이 없었다. 이에 대해 다음과 같은 이야기가 전해지고 있다. 유명한 수렵가인 우라이의 바클레이와 함께 난생 처음으로 말을 탔을 때였다. 앞장선 사람이 높은 울타리를 넘는 것이었다. 영도 그것을 흉내 내려고 했으나 울타리를 넘다가 말에서 떨어지고 말았다. 그는 아무 말 없이 다시 말에 올라타 재도전을 했지만 이번에도 실패였다. 그러나 이번에는 말의 목을 꼭 붙잡고 있었기 때문에 전보다 더 멀리 나가떨어지지는 않았다. 세 번째 시도에서는 기어코 성공하여 보기 좋게 울타리를 뛰어넘었다고 한다.

오더번

타타르의 티무르가 역경에 처했을 때, 번번이 실패한 끝에 7번째에 집을 짓는 데 성공한 거미에게서 교훈을 얻었다는 이야기는 너무도 유명하다. 미국의 조류학자 오더번에 대한 일화도 이에 못지않게 흥미롭다. 다음은 그가 한 말이다.

오더번

"한때 절망에서 헤어날 수 없을 만큼 곤경에 처했으면서도 그것을 극복할 수 있었던 것은, 아마 자신의 연구에 대한 '광신적인 정열'을 가지고 있었기 때문이라고 생각한다. 그 당시의 나의 인내심은 오로지 '광신적'이라는 말로 표현할 수밖에 없다.

그 사건은 이러했다.

그 무렵 켄터키 주 헨더슨이라는 마을에서 살고 있던 나는, 필라델피아에 볼일이 생겨서 한동안 집을 비우게 되었다. 당시 나는 여러 가지 새의 모습을 스케치하고 있었는데, 그 그림은 무려 200장에 가까웠다. 그래서 출발 전에 그 그림을 전부 조심스럽게 나무상자에 넣어 한 친척에게 맡겨 두었다. 물론 귀중한 연구 자료니까 절대로 훼손되지 않도록 잘 보관해 달라고 신신당부하고 떠났다.

필라델피아에서의 일은 몇 달이 걸렸다. 드디어 마을에 돌아와 2, 3일 쉰 다음, 나는 그 나무상자를 찾으러 친척 집으로 갔다. 보물처럼 소중한 나의 그림과 재회할 수 있다는 것은 참으로 큰 행복이었다. 상자를 꺼내 뚜껑을 열었다…….

그런데 놀랍게도 상자 속에는 시궁쥐 한 쌍이 마치 제가 주인인 양 들어앉아 있었고, 거기에 새끼까지 낳은 것이 아닌가! 내 그림은 모두 갈기갈기 찢어져서 새끼 쥐의 이부자리가 되어 있었다.

한 순간 피가 머리 위로 솟구치더니 아무 생각도 나지 않았다. 너무나 큰 충격에 신경이 완전히 끊어져 버린 것 같았다. 그 자리에 쓰러진 뒤 사흘 밤 사흘 낮 동안, 나는 침대에서 일어나지 못했다. 한동안 그렇게 완전히 망연자실한 상태로 지냈다.

칼라일

그러나, 그러고 있는 동안 나는 내 몸과 마음이 동물적 본능이라고도 할 수 있는 힘으로 차오르는 것을 느끼게 되었다. 그 힘은 나로 하여금 일을 하지 않고는 견딜 수 없도록 만들었다. 마침내 나는 총과 스케치북과 연필을 들고 숲으로 들어갔다. 이미 지나가버린 끔찍한 일은 아예 없었던 것처럼 깨끗이 잊고, 다시 밝고 유쾌한 기분이 되었다.

나는 다시 맹렬한 기세로 스케치를 시작했다. 그림은 전보다 더욱 잘 그려지는 것 같았다. 3년도 되지 않아 나는 잃어버린 그림을 보상하고도 남을 만큼 많은 스케치를 완성할 수 있었다."

칼라일

뉴턴이 기르던 개 다이아몬드가 책상 위의 촛불을 쓰러뜨리는 바람에, 여러 해 동안 고심해서 연구한 수학 계산이 한 순간에 재로 변해버린 것은 너무도 유명한 일화이다. 오랜 연구의 성과가 흔적도 없이 사라진 충격으로, 뉴턴은 그 뒤 한동안 건강이 좋지 않았고 그 원인으로 이해력도 상당히 감퇴되어 버렸다고 한다.

역사가 칼라일이 《프랑스 혁명》 제1권 원고를 썼을 때도 이와 비슷한 일이 일어났다. 그는 그 원고를 학문을 좋아하는 한 친구에게 빌려 주었다. 그런데 그 친구는 원고를 거실 바닥에 둔 채 까맣게 잊어버리고 말았다. 몇 주일 뒤 출판사로부터 원고를 재촉받은 칼라일은, 그 원고를 돌려받으려고 친구의 집에 사람을 보냈다. 그런데 친구가 가지고 있어야 할 원고는 그 집 하녀가 휴지인 줄 알고 난로의 불쏘시개로 써 버린 뒤였다.

사건의 전말을 들은 칼라일의 심정을 상상하기란 어렵지 않다. 그러나 이미 엎질러진 물이 아닌가. 그에게는 다시 책상 앞에 앉아 펜을 드는 것 외에는 방법이 남아 있지 않았다. 그는 기억의 실마리를 더듬어 가물가물하던 내용과 표현을 되살려서 하나부터 다시 시작해야 했다. 처음에 썼을 때는 집필의 기쁨이 있었지만, 똑같은 내용을 다시 쓴다는 것은 이만저만한 고역이 아니었다.

그러나, 칼라일은 그 고통을 이겨내고 마지막까지 집필을 완수해 냈다. 칼라일의 이 경험은 굳은 결의와 용기만 있으면 대부분의 목표를 성취할 수 있음을 보여 주는 좋은 예라 할 수 있다.

스티븐슨, 와트, 그 지칠 줄 모르는 인내심

뛰어난 발명가들의 생애에서도 우리는 이와 같은 불굴의 정신을 뚜렷이 볼 수 있다. 조지 스티븐슨은 젊은 사람들에게 연설할 때 자신을 가리키며 다음과 같이 충고했다.

"이 사람이 한 대로 하시오. 즉 인내하시오."

스티븐슨은 15년 동안 기관차 개량에 심혈을 기울여 레인힐에서 결정적인 개가를 올렸고, 와트는 약 30년 동안이나 인고한 끝에 축밀 증기기관을 완성했다.

롤린슨, 레이어드

이와 같이 훌륭한 불굴의 실례는 과학, 예술, 산업 등 기타 분야에서도 많이 볼 수 있다. 그 중에서 가장 흥미로운 것은 니네베의 대리석 고분 발굴과, 그 대리석에 조각된 채 오랫동안 버려져 있었던 설형 문자의 발견이다. 그것은 그 옛날 마케도니아가 페르시아를 정복한 뒤 완전히 매몰되어 있었던 문자였다. 동인도 회사에 속한 총명한 육군 소령 롤린슨이 페르시아의 케르만샤에 체류하고 있던 중, 근처의 비석에 괴상한 설형 문자가 새겨져 있는 것을 발견했다. 비석은 아주 오래 된 것이라 역사적으로 그 내력을 따져 볼 길이 없었다. 그가 베낀 비명 중에 유명한 비시툰 암석에 새긴 것도 있었는데, 그 암석은 평원에서 직각으로 약 1,700피트 높이까지 치솟은 거대한 암석으로, 그 아래 부분 약 300피트에 걸쳐 페르시아, 시리아, 앗시리아의 세 나라 말로 비명이 새겨져 있었다. 알려져 있는 지식과 알려지지 않은 지식, 오늘날 사용되고 있는 언어와 잊혀진 언어를 비교하여, 롤린슨은 마침내 설형문자를 일부 해독하여 그것을 알파벳으로 재구성할 수 있었다.

롤린슨은 자기가 조사한 것을 본국에 보내 연구를 요청했다. 그러나 각 대학의 교수 중 설형 문자를 아는 사람은 한 사람도 없었다. 마침 전에 동인도회사에서 서기로 일했던 노리스라는 겸손하고 평범한 사람이 잘 알려지지 않은 고대문자를 연구하고 있다고 해서 그에게 그것을 보냈다. 그는 비시툰 암석을 직접 본 적이 없으면서도 롤린슨이 문제의 비명을 제대로 베끼지 못했다고 말하는 것이었다.

아직 그 암석 근처에 체류하고 있던 롤린슨이 처음 베낀 사본을 암석 비명과 자세히 비교해 보니 과연 노리스의 말이 옳았다. 그 뒤로 더욱 주의 깊게 비교 연구하여 설형 문자에 대한 지식을 크게 진보시켰다. 그러나 두 독학자의 연구를 유용하게 하기 위해서는, 그들이 터득한 것을 활용할 수 있는 재료를 공급해줄 제3자가 필요했다.

그 일을 맡은 사람이 런던의 한 변호사 사무실에서 일하던 오스틴 레이어드였다. 한 사람은 육군 소령이고, 한 사람은 인도 상사의 서기, 또 한 사람은 변호사 사무장인 이 세 사람이 잊혀진 언어와 바빌로니아의 매몰된 역사의 발견자가 될 줄은 아무도 예상하지 못했지만, 그것은 틀림없는 사실이었다.

레이어드는 겨우 22세의 청년으로, 동양에 여행을 갔다가 우연히 유프라테스 강 건너편 지대를 답사하고 싶은 생각에 사로잡히게 되었다. 그래서 동행 없이 단신으로 몇 자루의 총에 생명을 맡기고 여행을 떠났다. 다행히도 그에게는 총보다 나은 쾌활하고 정중하고 용감한 성격이 있어, 저희들끼리 죽느냐 사느냐의 사투를 벌이는 야만 종족들 사이를 무사히 통과했다. 몇 년 뒤 가졌던 돈도 거의 다 떨어졌지만, 오직 발견과 연구 조사를 위한 열정에서 우러나온 불굴의 정신과 굳은 의지, 목적의식으로 상당한 양의 역사적 유물을 발굴하는 데 성공하였으니, 한 사람의 근면한 노력으로 이처럼 많은 유물이 발견된 것은 일찍이 없었던 일이었다.

늘어놓으면 3.2km나 되는 부조들이 바로 레이어드에 의해 발굴된 것이다. 이 귀중한 유적 가운데 정선된 부분이 오늘날 대영박물관에 보관되어 있는데, 약 3,000년 전에 일어난, 성경에 기록되어 있는 일들을 신기하게 뒷받침해 주는 것이어서 거의 새로운 계시인 양 온 세상을 놀라게 했다.

레이어드의 《니네베의 옛 비석》 가운데 이 유명한 유적 발견에 대한 내력이 자세히 적혀 있으니, 이는 개인의 경륜과 근면과 정력을 후세 사람들에게 입증하는 가장 흥미롭고 진실한 기록의 하나로 영원히 남을 것이다.

뷔퐁

프랑스 박물학의 대가 콩트 드 뷔퐁의 생애
도 '천재는 인내'라고 한 그의 말뿐 아니라, 인내
와 근면의 힘을 뚜렷이 보여 주는 예이다. 그는
자연과학 분야에서 위대한 업적을 남겼지만, 어
린 시절에는 지극히 평범한 소년일 뿐이었다. 그
는 머리를 쓰는 것이 더디고 한번 얻은 지식을
다시 기억해 내는 데 시간이 걸리는 편이었다.
본디 게으른 성격인 데다 부유한 가정에서 태어
났기 때문에, 사람들은 모두 그가 사치에 빠져

콩트 드 뷔퐁

방종한 생활에서 헤어나지 못할 거라고 생각했다. 그러나 그와 반대로 뷔퐁은,
쾌락의 유혹에서 단호하게 빠져나오기로 일찌감치 결심하고, 학문과 자기 수
양에 힘을 기울였다.

뷔퐁은 시간이라는 것은 한정된 귀중한 재산이라고 생각했지만, 그러면서
도 아침에 일찍 일어나지 못하여 귀중한 시간을 낭비하고 있었다. 그는 이 늦
잠 자는 악습을 고쳐야겠다고 결심하고 일찍 일어나려고 시도했지만, 도무지
정한 시간에 일어날 수가 없었다.

그래서 하인 조셉에게 도움을 청해, 아침 6시 전에 깨워 주면 그때마다 크
라운 은화를 한 개씩 주겠다고 약속했다. 하지만 막상 그를 깨우면 몸이 개운
하지 않다거나 성가시게 하지 말라며 일어나지 않았다. 그래 놓고는 실컷 자고
일어나서는 왜 약속 시간에 깨워 주지 않았느냐고 오히려 나무라기만 하는 것
이었다.

주인의 태도에 화가 난 조셉은 무슨 일이 있어도 크라운 은화를 손에 넣어
야겠다고 결심했다. 그는 주인의 애원과 '해고해 버리겠다'는 협박에도 굴하지
않고, 약속한 시간이 되면 주인을 강제로 침대 밖으로 끌어냈다. 어느 날 아침
에는 뷔퐁이 전에 없이 완강하게 버티자, 조셉은 대야에 차가운 물을 받아 와
서 그것을 뷔퐁의 이불 위에 부어 버렸다. 그것이 단번에 효과를 발휘했다. 이
러한 노력에 힘입어, 뷔퐁은 마침내 늦잠 자는 습관을 극복할 수 있었다.

뒷날 뷔퐁은 자신의 책 가운데 서너 권은 하인 조셉 덕분에 쓴 것이라고 자
주 말하곤 했다.

뷔퐁은 40년 동안 아침 9시부터 오후 2시까지 연구하고, 저녁에도 5시부터 9시까지 책상 앞에 앉아 있는 생활을 계속했다. 매일 시간을 정하여 학문에 전념하는 동안, 그것이 완전히 몸에 배어 습관이 되어 버린 것이다.

뷔퐁의 전기 작가는 이렇게 쓰고 있다.

"그는 일을 하지 않고는 살아갈 수 없는 사람이었다. 연구는 그의 생활에서 커다란 기쁨이었다. 그는 영광에 찬 생애의 마지막이 다가온 뒤에도 몇 년만이라도 더 살아 연구를 계속하고 싶다고 몇 번이나 말했다."

뷔퐁은 참으로 양심적인 학자로서, 독자들에게 자신의 최고의 사상을 최상의 표현을 사용하여 전달하려고 늘 주의를 기울였다. 그래서 문체에도 완벽을 기하기 위해 원고에 수없이 손질을 가하면서도 조금도 지겨워하지 않았다. 《자연의 시대》라는 책을 쓸 때는, 스스로 만족할 때까지 적어도 11번 이상 다시 썼다고 한다.

이렇게 뷔퐁은 철저한 일벌레로서, 어떤 일이든 순서를 정하여 일사천리로 해내지 않으면 성이 차지 않는 사람이었다.

"질서 있게 일할 줄 모르는 사람은, 아무리 천부적인 재능을 타고 났더라도 그 재능의 4분의 3은 낭비하고 있는 것과 같다"고 그는 늘 말하곤 했다.

당시 프랑스 문예 살롱의 중심인물이었던 네케르 부인은 뷔퐁에 대해 다음과 같이 말했다.

"그는 '천재는 하나의 문제에 깊이 파고든 결과'라고 강력하게 주장했어요. 그 자신도 초고를 쓰는 것만으로도 기진맥진하지만, 피곤한 몸에 채찍질을 가하며 퇴고의 펜을 잡는다고 해요. 물론 이미 완벽한 영역에 도달했다고 생각되는 문장에 대해서도 소홀히 하는 법이 없었지요. 지루한 수정 작업이 머지않아 기쁨으로 바뀐다는 것을 아니까요."

마지막으로 뷔퐁의 모든 위대한 저작은 무서운 병마와의 고통스러운 싸움 속에서 집필되고 출판되었다는 점을 덧붙이는 것도 완전히 무의미한 일은 아닐 것이다.

일상적인 일을 소홀히 하지 않았던 월터 스콧

문학가의 생애에도 이 같은 인내의 힘을 보여
준 실례가 많은데, 그 중에서 최고의 인물은 아
마 월터 스콧일 것이다. 그는 여러 해 동안 변호
사 사무실에서 문서를 기록하는 잡역이나 다름
없는 일을 했다. 그가 창작에 전념하는 자세에
는 이때의 경험이 크게 작용하고 있다. 하루하
루가 재미도 없는 판에 박힌 일의 되풀이였기
때문에, 그에게는 자신만의 시간을 가질 수 있
는 밤이 무엇보다 위안이 되었다. 그는 밤이 깊
도록 독서와 공부에 전념했다.

월터 스콧

"우리 문학가들에게는 때때로 근면한 태도가 부족하기 쉬운데, 그것이 몸에
배게 된 것은 지겨운 사무소 근무 덕분이었다"고 말했을 정도였다.

문서를 베끼면 1장 당 3펜스의 수입이 들어왔다. 그는 때로는 야간근무까지
하며 12시간에 120장의 문서를 베껴 쓰고 30실링 이상 벌기도 했다. 그렇게 하
면 이따금 전집 중 짝이 맞지 않는 책을 한 권 정도는 살 수 있었다. 그렇게라
도 하지 않으면 도저히 책을 손에 넣을 여유가 없었다.

뒷날 스콧은 자신이 실무가인 것을 늘 자랑으로 여겼다. '천재는 흔해빠진
일상적인 일을 싫어하고 경멸하게 마련'이라고 말하는 시인들에게 단호하게 반
론했다. 그의 말에 따르면, 오히려 그런 일상적인 일을 제대로 잘하면 인간은
더욱 고도의 능력을 지닐 수 있다고 한다.

나중에 에든버러 법원에서 서기관으로 일했을 때도, 스콧은 문학 집필의 대
부분을 아침 식사 전에 마치고, 낮에는 재판소에서 등기 사무나 여러 문서를
베껴 쓰는 작업에 종사했다. 《스콧전》을 쓴 그의 사위 록하트는 다음과 같이
썼다.

"스콧의 생애에서 주목할 만한 점은, 문학에 가장 전념했던 시기에도 적어도
반년 이상 하루의 대부분을 서기관 일에 할애하고 있었다는 점이다."

수입은 일상의 일을 통해서 얻고 문학을 생계수단으로 삼지 않는다는 것이

스콧이 스스로 정한 생활 지침이었다. 그는 이렇게 말했다.

"문학은 내 정신의 지주이기는 하지만 생활의 지주는 아니다. 내 작품이 아무리 잘 팔린다 해도, 가능한 한 그 돈은 생활비에 쓰고 싶지 않다."

스콧은 시간 엄수에 유념하여 참으로 규칙적인 생활을 했다. 그렇게 하지 않았으면, 그토록 엄청난 분량의 문학작품을 탄생시킬 수는 없었을 것이다. 그에게는 매일같이 두꺼운 편지 다발이 배달되었다. 그 한 통 한 통마다 일일이 답장을 쓴다는 것은 여간 힘든 일이 아니다. 그러나 그는 조사를 하거나 심사숙고할 필요가 없는 편지에는 그날 안에 답장을 보내는 것을 원칙으로 하고 있었기 때문에, 상대방을 서운하게 만든 적이 한 번도 없었다.

또 스콧은 매일 아침 5시에 일어나 스스로 난로에 불을 피웠다. 수염을 깎고, 옷을 갈아입은 뒤 6시에는 책상 앞에 앉았다. 물론 원고들은 눈앞에 잘 정돈되어 있고, 거실에는 참고서적들이 그를 둘러싸고 진열되어 있으며, 애견한 마리가 그 책들 너머에 앉아 그를 바라본다. 그리하여 9시부터 10시 사이에 가족이 아침 식사를 하러 모일 때까지는, 그날 집필하려 했던 것들 대부분을 쓸 수 있었다. 이렇게 하여 스콧은 힘든 것도 아랑곳하지 않고 학문에 힘써 광범한 지식을 터득하면서, 오랜 세월에 걸쳐 뛰어난 작품을 세상에 내보냈다. 그래도 그는 늘 자신의 능력이 부족하다고 탄식했다.

"돌이켜보면 나는 늘 나 자신의 무지와 맞닥뜨리면서 괴로워한 것 같다."

스콧의 이 말에는 진정한 지혜와 겸허함이 드러나 있다.

지식이 많아지면 많아질수록 학문이 부족함을 깨닫는다

사람은 올바른 지식이 많으면 많을수록 자만하는 마음이 사라지는 법이다.

트리니티 칼리지의 1학년 학생이 '대학에서 배워야 할 것은 다 배웠다' 생각하고, 담당교수에게 작별인사를 하러 갔다. 그러자 교수는 '그런가, 나는 이제 겨우 지식의 보고에 들어설 수 있는 실마리를 발견했을 뿐인데'라는 대답으로 그 학생을 깨우쳤다고 한다.

어리석고 경박한 인간은 사물의 본질을 이해하지 못하고, 어중간한 겉핥기식 지식만 습득하고는 자신의 재능을 자랑하려고 하지만, 현명한 사람은 '나는 나 자신이 무지하다는 것을 알 뿐'이라고 겸손한 고백을 하는 것이다.

뉴턴 같은 천재도 '눈앞에는 손도 대지 못한 진리의 바다가 가로놓여 있고, 나는 그 물가에서 조개껍질을 줍고 있을 뿐'이라고 말했다.

존 브리턴, 시장을 보고 책을 읽다

크게 명성을 얻지 못한 문필가의 삶에서도 우리는 인내하는 힘의 실례를 볼 수 있다. 《웨일스의 미(美)》 등 많은 귀중한 건축서적을 쓴 존 브리턴은, 월트셔의 킹스턴에 있는 초라한 오두막집에서 태어났다. 아버지는 빵을 굽고 맥주를 양조하는 일을 했는데, 브리턴이 아직 어렸을 때 사업이 실패하여 그 충격으로 정신병에 걸렸다. 그는 학교 교육을 거의 받지 못하고 험한 일을 많이 겪었지만, 다행히 나쁜 길로 빠지지는 않았다.

어릴 때부터 클라큰웰에서 술집을 경영하는 삼촌 집에서 일하게 되어, 거기서 5년이 넘도록 병에 술을 담고 마개를 막은 뒤 통에 넣는 따위의 일을 했다. 그러던 중 건강이 나빠지자, 삼촌은 겨우 2기니를 주면서 마음대로 하라며 내쫓았다. 주머니에 든 2기니는 그가 5년 동안 일해 준 대가였다. 이후 7년 동안 그는 많은 파란과 고난을 겪었다. 그는 자서전에서 이렇게 말했다.

"1주일에 18페니를 내는 누추한 하숙집에서 나는 열심히 공부했다. 겨울에는 방이 너무 추워서 이불 속에서 책을 보아야 할 때가 많았다."

걸어서 바드까지 간 그는 지하 저장실 수위 자리를 얻었으나, 곧 동전 한 푼 없이 맨발에 웃옷도 걸치지 못한 채 다시 런던으로 돌아오게 되었다. 그곳에서 그는 런던 술집의 지하 저장실 수위로 취직이 되었는데, 그 일은 아침 7시부터 밤 11시까지 지하 저장실을 지키는 것이었다. 어두운 지하실에 갇혀 때로는 힘든 일을 해야 했기 때문에 건강이 몹시 나빠져서, 그곳을 그만두고 1주일에 15실링을 받는 변호사 사무실에 서기로 들어갔다. 그것도 조금씩 틈이 날 때마다 부지런히 글씨 쓰는 연습을 해 온 덕분이었다. 변호사 사무실에 고용되어 있는 동안 그는 틈만 나면 서점을 돌아다녔다. 책을 살 형편이 못 되었던 그는 서점에서 책을 뽑아 읽으면서 단편적이나마 상당히 많은 지식을 쌓아갔다. 이어서 다른 변호사 사무실로 자리를 옮긴 그는, 전보다 좀 더 많은 주당 20실링의 보수를 받고 일하며, 여기서도 독서와 연구를 계속했다.

28세 때 《피자로의 기업적 모험》이라는 책을 써서 출판한 것을 시작으로, 그는 세상을 떠날 때까지 약 55년 동안 문필 활동을 계속했다. 그의 저서는 모두 87종이나 되며, 그 가운데 가장 중요한 것이 《영국의 대성당 유적》이라는 14권짜리 전집이니, 이는 과연 대저술가로서 존 브리턴의 지칠 줄 모르는 근면 정신을 가장 잘 나타내 주는 기념비라 할 수 있다.

런던, 백과전서를 쓰다

원예가 런던도 정력적으로 활동한 사람이었다. 에든버러 근방에 살던 농부의 아들인 그는 어릴 때부터 노동을 했다. 설계도와 풍경 그림을 잘 그렸으므로, 그의 아버지는 그를 어느 원예가에게 보내어 공부를 시켰다. 그곳에서 그는 1주일에 이틀은 밤을 꼬박 새면서 공부를 하면서도, 낮에는 어느 노동자보다도 더 열심히 일했다.

야학에서 프랑스어를 배워 18세 때 이미 백과전서 원고로 아벨라드전을 번역했다. 그는 자신이 뛰어난 인물이 되길 얼마나 바랐던지, 잉글랜드에서 정원사로 일하던 20세 때는 수첩에 다음과 같은 말을 적기도 했다.

"내 나이 벌써 스물이니 인생의 3분의 1이 지나간 셈이 아닌가. 그런데 나는 과연 그동안 세상 사람들에게 도움이 될 만한 어떤 일을 했는가?"

겨우 20세가 된 청년의 반성으로는 참으로 이례적인 것이라 할 수 있다. 프랑스어 다음으로 독일어에 눈을 돌려 금방 숙달했다. 농업 기술을 스코틀랜드식으로 개선할 목적으로 대규모 농장을 맡겼더니 곧 상당한 수입을 올렸다.

전쟁이 끝나 유럽 대륙의 문호가 개방되자, 그는 다른 나라의 원예와 농업 제도를 살펴볼 목적으로 외국 여행을 떠났다. 그는 두 번에 걸친 이러한 외국 여행으로 백과전서를 내게 되었다. 같은 종류의 책 중에서 가장 저명한 것 중의 하나인 그 책에는 보기 드문 근면과 노력 끝에 모은 유용하고 필수적인 내용이 풍부하게 담겨 있다.

거친 성격을 고쳐 저술가가 된 새뮤얼 드루

새뮤얼 드루도 앞에 말한 사람들 못지않게 비범한 삶을 살았다. 그의 아버지는 콘월 지방의 세인트 오스텔 교구에 살던 노동자였다. 비록 가난하기는 했지만, 이 노동자는 두 아들을 주당 1페니만 내면 되는 근처의 초등학교에 보냈다. 형 자베즈는 공부를 좋아하여 배움에 많은 진척을 보였으나, 아우 새뮤얼은 아둔한데다 장난을 좋아하여 걸핏하면 학교에 가지 않고 놀기만 했다.

8살 때부터 노동을 시작했는데, 주석 광산에서 채굴한 광석을 깨끗하게 씻는 일을 하여 하루에 겨우 3펜스 반을 벌었다. 10세 때는 제화공의 집에 견습생으로 들어가 많은 고생을 해야 했다. 새뮤얼이 늘 하던 말을 빌리면, '써레 밑에 깔린 두꺼비' 같은 생활을 했던 것이다. 그는 이따금 도망쳐서 해적이나 되어 볼까 하는 생각을 하며, 자랄수록 더욱 고약하고 거친 성격을 보였다. 과수원에서 서리를 했다하면 주동자는 어김없이 그였고, 나이를 먹으면서 밀렵과 밀수에 손을 대기도 했다.

아직 견습 기간이 채 끝나기 전인 17세쯤 되었을 때, 그는 군함에 올라 수병이 되려고 도망을 쳤으나, 밤중에 들에서 노숙을 하다 감기에 걸려 그대로 돌아온 일도 있었다. 그 뒤 새뮤얼은 플리머스 근처로 가서 제화업을 하면서 카우샌드에서 봉술 경기에 참여하여 우승하기도 했다.

그곳에 사는 동안 한번은 밀수에 관여하다가 목숨을 잃을 뻔한 일도 있었다. 그것은 그가 모험을 좋아했기 때문이기도 하지만 주급이 겨우 8실링이었으므로 돈을 벌어 볼 생각도 있었기 때문이다. 어느 날 밤 밀수선 한 척이 해안 근처로 와서 짐을 내릴 거라는 소식이 크래프트홀 마을에 퍼지자, 마을의 남자들이─거의 모두가 밀수꾼들이었지만─해변으로 몰려갔다. 한 패는 바위에 올라가 신호를 보내고 짐이 도착하면 처분하는 일을 맡고, 또 한 패는 작은 배를 타고 밀수선까지 가기로 했는데, 드루는 배를 타고 나가는 패에 끼었다.

그런데 그날 따라 지척을 분간할 수 없을 정도로 캄캄한 데다, 아직 짐도 별로 내리지 않았는데 바람이 불고 파도가 높아졌다. 그러나 작은 배에 탄 사람들은 조금도 겁내지 않고 저 멀리 바다에 떠 있는 밀수선과 해변 사이를 몇 차례 오갔다. 그런데 드루와 같은 배에 탄 사람들 중 하나가 바람에 모자가 날리자 그것을 건지려다 배가 뒤집히고 말았다. 그래서 세 사람은 바로 익사했고, 나머지 사람들은 한참 동안 배를 붙잡고 있다가 배가 표류하자 헤엄을 치기 시작했다.

육지에서 2마일이나 떨어져 있었고 캄캄한 밤이었다. 물 속에서 3시간에 걸친 사투 끝에 드루는 동료들과 함께 근처의 바위에 닿을 수 있었는데, 이튿날 아침 사람들에게 구조될 때까지 추위 때문에 거의 정신을 잃고 있었다. 사람들은 거의 죽을 지경이 된 그들을 육지로 옮긴 다음, 방금 배에서 내린 브랜디한 통을 가져와 생존자들에게 한 사발씩 마시게 했다. 이윽고 드루는 정신을 차렸고, 깊은 눈 속을 2마일이나 걸어 하숙집으로 돌아갔다.

정말이지 싹수가 노란 인생이 아닐 수 없다. 그러나 바로 그 말썽꾸러기이자 과수원 도둑, 제화공이면서 무술가요, 밀수꾼이었던 드루가 젊은 날의 비행을 뉘우치고, 얼마 뒤에는 복음을 전파하는 목사요, 훌륭한 책을 쓰는 저자로 이름을 날리게 된 것이다. 다행히도 그는 너무 늦기 전에 자신의 장점인 왕성한 활동력을 좋은 방향으로 돌리게 되었으며, 일찍이 말썽꾸러기로 유명했던 것처럼 유용한 일에서도 두각을 드러냈다.

그의 아버지는 그를 다시 페인트 오스텔로 데려와 어엿한 제화기술자로 일을 할 수 있게 해주었다. 그가 이와 같이 착실한 사람이 된 것은 가까스로 죽음을 모면했기 때문이기도 하겠지만, 때마침 웨슬레안 감리교회의 목사인 애덤 클라크 박사의 힘찬 설교를 듣고 감화를 받았기 때문일 것이다. 더욱이 그무렵에 형이 세상을 떠나자, 그는 더욱 사려 깊은 사람으로 변하여 완전히 딴사람이 되었다. 그동안 읽고 쓰는 법을 거의 다 잊어버린 그는 그때부터 다시 공부를 시작했다. 그러나 그 뒤 몇 년이 지났건만 도무지 글씨가 늘지 않아, 한 친구는 그의 글씨를 잉크병에 빠졌던 거미가 종이 위를 기어다닌 흔적과 같다고 비유하기도 했다.

드루는 뒷날 이때를 회고하여 이렇게 말했다. "책을 읽으면 읽을수록 내가 무지하다는 것을 깨달았다. 그리고 무지를 느낄수록 그것을 극복해야겠다는 열망이 더 강해졌다. 나는 틈만 있으면 이것저것 닥치는 대로 읽었다. 노동을 하며 먹고 살아야 하는 처지라서 책 읽을 시간이 거의 없는 것이나 다름없었지만, 이 불리한 조건을 극복하기 위해 나는 식탁 위에 책을 놓고 식사를 했다. 그렇게 해서 식사 때마다 대여섯 페이지씩 읽을 수 있었다."

로크의 《인간 오성론》을 정독하고 나서 그는 비로소 형이상학에 눈을 뜨게 되었다. 그는 이렇게 말했다.

"그 책을 읽고 나는 잠에서 깨어났다. 그리고 그때까지 가지고 있었던 천박한 견해를 버리기로 결심했다."

드루는 몇 실링 안 되는 돈으로 자기 사업을 시작했다. 이때는 그가 착실한 사람이라는 평판을 받고 있었기 때문에 이웃의 방앗간 주인이 돈을 빌려 주었다. 그는 그 돈을 밑천으로 부지런히 일한 결과 1년 뒤에는 빚을 다 갚을 수 있었다. 누구한테도 신세를 지지 않겠다는 결심으로 사업을 시작한 그는, 많은 어려움 속에서도 이 결심만은 꼭 지켰다. 빚을 지지 않으려고 저녁 식사도 굶은 채 잠자리에 드는 일이 가끔 있었다.

그의 야심이란 근면과 절약으로 독립을 이루는 것이었고, 사실 이 점에서 점차 성공을 거두고 있었다. 쉬지 않고 일하는 한편으로, 천문학과 역사, 그리고 철학을 공부하면서 정신을 수련했다. 그가 철학을 공부하게 된 것은 천문학이나 역사학에 비해 참고서적이 많이 필요하지 않았기 때문이다.

그는 이렇게 말했다. "철학의 길은 가시밭길처럼 생각되었지만, 아무튼 해보기로 결심하고 그 길에 들어선 것이다."

제화 일을 하고 철학 공부를 하면서, 드루는 지방 전도사와 감리교 분회장 일도 맡아 보았다. 또 정치에 많은 관심을 가졌기 때문에 그의 제화점은 마을 사람들이 모여 정치 이야기를 나누는 집회소가 되었다. 사람들이 모이지 않으면 드루가 그들을 찾아가 세상 이야기를 나누곤 했다. 그는 그것을 위해 많은 시간을 할애했으므로, 낮에 소비한 시간을 보충하기 위해 자정이 넘을 때까지 일할 때가 많았다. 그의 정치적 열광은 마을의 화젯거리가 될 정도였다.

어느 날 밤 그가 구두 밑창에 열심히 망치를 두드리고 있는데, 한 동네꼬마가 문의 열쇠 구멍에다 입을 대고 귀가 째질 듯이 소리를 질렀다.

"구두쟁이! 구두쟁이! 낮에는 싸돌아다니더니 밤에 일하는구나!"

뒷날 드루가 한 친구에게 그 얘기를 하니 그 친구가 물었다.

"그래서 그 못된 녀석을 쫓아가 때려 주었나?"

드루는 다음과 같이 대답했다.

"아니야, 안 그랬어. 난 그 말을 듣고 정말 놀라고 당황했다네. 내 귀에 대고 총을 쏘았다 해도 아마 그렇게 놀라진 않았을 거야. 난 일손을 놓고 이렇게 혼잣말을 중얼거렸지. '그래, 네 말이 옳다. 내 다시는 그런 말을 듣지 않도록 하마.' 그 소년이 나를 놀리며 외친 소리는 다름아닌 하느님의 목소리였네. 난 그 말을 평생 동안 마음에 새겨 두었지. 그리고 그 말을 듣고 난 오늘 일을 내일로 미루지 말 것과, 일 해야 할 때 빈둥거리며 놀아서는 안 된다는 것을 배웠네."

이때부터 드루는 정치 담론을 그만두고 자기 일에 전념하면서 시간이 나면 책을 읽고 공부했다. 하지만 그는 휴식 시간에 책을 읽고 공부하는 일은 있었지만 결코 그것 때문에 본업을 게을리 하지는 않았다. 결혼을 한 뒤 한때 미국으로 이주할까 하는 생각을 했으나 그대로 남아 하던 일을 계속했다. 그의 문학 취미는 처음에는 시짓기로 시작했으며, 지금까지 남아 있는 단편적인 시구를 보건대, 영혼의 무형과 불멸에 대한 그의 연구는 이 시적 사색이 기원이 되었던 것으로 보인다. 그의 서재는 부엌이었으니, 아내가 쓰는 풀무를 책상으로 삼아 칭얼대는 아이를 아내가 달래는 와중에서 글을 썼다.

마침 이때 페인의 《이성의 시대》가 출간되어 세상 사람들의 많은 관심을 끌었는데, 드루는 그 이론을 논박하는 작은 책자를 발간했다. 뒷날 그는 자신이 저술가가 된 것은 이 《이성의 시대》 때문이었다고 말하곤 했다. 이후 그는 계속 많은 책자를 냈고, 몇 년 뒤에는 여전히 제화 일을 하면서 감탄할 만한 책 《인간 영혼의 무형 및 불멸론》을 발표했다. 이 책은 20파운드에 팔렸는데 당시 그의 형편에는 큰돈이었으며 계속 출간되어 오늘날까지 높이 평가받고 있다.

드루는 이와 같이 성공을 하고도 많은 젊은 문인들처럼 우쭐해하지 않았고, 한동안 사람들은 그가 유명해진 뒤에도 자기 집 앞을 비로 쓸고 문하생들이 겨울에 석탄 나르는 것을 도와주곤 하는 모습을 볼 수 있었다. 또 그는 몇 해 동안은 문학을 생업으로 생각하지 않았다. 자신의 본업으로 정직한 돈을 벌어 생계를 유지하는 것을 원칙으로 삼았고, 다만 여가를 이용하여 그가 말한 이른바 '문학적 성공의 복권뽑기'를 한 것이다.

그러나 결국 전적으로 문학에 헌신하게 되었
으니, 특히 웨슬리파 감리교와 관계를 맺고 그
들의 잡지를 주간하면서 중요한 저서 몇 권의
출판을 맡아하였다. 또《종교 평론》을 집필하고,
자신이 출생한 콘월 지방에 대한 귀중한 역사
책과 그 밖에도 수많은 저서를 발표했다.

만년에 그는 다음과 같이 자신의 삶을 회고
했다.

조지프 흄

"나는 가장 미천한 집안에서 태어나 정직한
노동, 근검절약, 그리고 도덕심에 대한 숭고한 인식을 가지고 평생 노력하여 나
의 집안을 존경받는 지위로 끌어올렸다. 하느님께서 나의 노력을 기뻐하시고,
내가 소원하던 성공의 결실을 맺게 해주신 것이다."

인내의 힘으로 나라를 위해 일한 흄

조지프 흄은 드루와는 매우 다른 행로를 걸었으나, 인내의 정신으로 노력한
점에서는 같다. 그는 평범한 자질을 가진 사람이었다. 그러나 매우 근면하고
티 없는 정직함을 지니고 있던 그는, 인생의 좌우명을 '인내'로 정하고 그것을
실천하며 살았다.

아버지는 흄이 아직 어렸을 때 세상을 떠났고, 어머니 혼자 몬트로즈에 조
그마한 가게를 차려 생계를 유지하면서 아이들을 남부끄럽지 않게 키우기 위
해 억척스럽게 일했다. 어머니는 흄을 어느 외과 의사에게 보내 장차 의사가
될 공부를 시켰다. 의사 면허를 얻은 흄은 선내 의사로서 몇 차례 인도를 왕래
한 다음 동인도 회사의 사관후보생이 되었다. 그는 누구도 따라가지 못할 만
큼 열심히 근무하면서 절제하는 생활을 하여 상관의 신임을 얻고, 자신의 의
무를 감당할 수 있는 청년으로 인정받아 점점 승진의 길을 걷게 되었다.

1803년의 마라타 전쟁에서 그는 장군이 지휘하는 사단에 복무했다. 통역관
이 전사하자 그동안 토착어를 공부했던 그가 대신 통역을 맡아 보았고, 이어
서 의무부장에도 임명되었다. 그러나 이 임무만으로는 그의 정력이 남아돌기

나 하는 것처럼 그 밖에도 경리 일과 우편 일을 도맡아 훌륭히 수행했다. 또 병참 보급까지 맡아서 군대에나 자신에게나 다같이 이득이 되도록 큰돈을 벌었다. 이렇게 노력을 아끼지 않고 10년 동안 일한 뒤 상당한 재산가가 되어 본국으로 돌아왔고, 돌아와서 맨 먼저 한 일은 친척 가운데서 가난한 사람들을 도와 주는 것이었다.

그러나 조지프 흄은 노력의 성과를 한가하게 앉아서 즐기는 사람이 아니었다. 일을 하고 임무가 있어야만 그는 편안하고 행복할 수 있었다. 나라의 형편과 국민의 실정을 알기 위해, 그는 제조 공업으로 알려져 있는 국내의 여러 지방을 돌아다녔고, 나중에는 외국 사정을 파악할 목적으로 다른 나라 여행도 했다.

영국으로 돌아와 1812년에 국회에 들어간 이후, 그는 잠시 동안의 공백을 제외하면 거의 34년 동안 국회의원 생활을 했다. 최초로 기록된 그의 국회 연설은 국민 교육에 대한 것이었다. 길고도 명예로운 의원 생활 동안 그는 국민의 생활 수준을 향상시키기 위해 모든 문제에 적극적이고 진지하게 관심을 표시했다. 즉 형무 행정 개혁, 저축 은행, 자유 무역, 국민 경제, 국회의원의 대표권 확장 그리고 이와 비슷한 수많은 좋은 일들을 위해 쉬지 않고 노력을 기울였던 것이다.

그는 무슨 일에서든 최선을 다했고, 능수능란한 연사는 아니지만 사람들은 그의 말을 정직하고 솔직하고 정확한 사람의 말로 믿어 주었다. 샤프츠버리가 말한 것처럼, 만일 조소가 진리의 판단 기준이라면 조지프야말로 이 기준에 합격한 사람이다. 사실 조지프 흄처럼 조소를 많이 받은 사람도 없을 것이다. 그러나 그는 조금도 굴하지 않고 그야말로 '자기 자리'를 지키고 있었다. 보통 그의 주장은 표결에서는 패배했지만 큰 영향력이 있어서, 반대 표결에도 불구하고 많은 재정적 개선을 이룰 수 있었다.

조지프 흄은 무척 힘든 일과를 보내야만 했다. 아침 6시에 일어나 서한을 처리하고 국회에 가지고 갈 서류를 정리한 다음, 아침 식사를 마치고, 찾아오는 사람들을 만났다. 그렇게 찾아오는 사람들이 때로는 20여 명이 될 때도 있었으나, 의회에 나가지 않는 일은 없었으며, 다음 날 2, 3시까지 토론이 계속되어도 자리를 뜨는 법이 없었다. 요컨대 매주, 매년 그토록 많은 사무에 시달리면서도 오랫동안 그는—표결에 패배하고 조소를 받으며 거의 고립 상태에서

—마음이 흔들려 뜻을 굽히거나 희망을 버리지 않았으며, 용기가 꺾이기 쉬운 때에도 인내심을 발휘하여 자신의 주장이 결국 채택되도록 노력했다. 이것은 과연 인내력의 효과를 보여 주는 가장 두드러진 예라 할 수 있을 것이다.

작은 일이 큰 일의 씨앗이 된다

노력과 지혜만으로는 큰일을 이룰 수 없고 수단과 도움이 필요하다. 그 수단과 도움은 노력과 지혜 양쪽에 다같이 필요하다.　　　　　베이컨

기회의 이마에는 머리카락이 있으나 뒤에는 없다. 따라서 그 앞머리를 붙잡으면 기회를 사로잡을 수 있지만, 놓쳐 버리면 주피터도 다시는 잡을 수 없다.　　　　　로마인들의 말

성공은 우연히 얻는 것이 아니다

우연으로 인생의 큰일을 이룰 수는 없다. 때로는 과감한 모험으로 뜻밖의 행운을 얻는 경우도 있지만, 한결같이 근면하게 노력하는 길만이 유일하고 안전한 성공의 길이다.

풍경화가 윌슨에 대해 전해지는 얘기가 있다. 그는 지극히 평범한 방법으로 정확하게 그림을 거의 다 그린 다음, 마지막에 붓을 매단 긴 막대기를 들고 뒤로 물러서서 진지하게 작품을 주시한다. 그러고는 갑자기 그림 앞으로 다가가 몇 군데 대담하게 붓을 대서 작품을 훌륭하게 완성했다고 한다.

그러나 이것은 아무나 할 수 있는 재주가 아니다. 평소에 쌓은 노력이 있었기 때문에, 한 장의 그림에 예술적 생명을 불어넣는 솜씨가 가능했던 것이다. 수련이 부족한 화가가 그런 흉내를 낸다면, 걸작은커녕 오히려 캔버스를 물감 얼룩으로 망쳐 놓기 십상이다.

큰 사람은 작은 일을 소홀히 하지 않는다

진정으로 훌륭한 노력가는 끊임없이 사물에 열중하여 몸을 아끼지 않고 애써 일을 한다.

그들은 일상의 자질구레한 일들을 결코 소홀히 하지 않는다. 아무리 사소한 문제라도 개선하려고 최선의 노력을 다한다.

어느 날 미켈란젤로의 화실에 한 친구가 찾아왔다. 미켈란젤로는 조각상 하나를 가리키면서, 지난번 친구가 다녀간 이후 어느 부분에 손을 댔는지 자세히 설명하기 시작했다.

미켈란젤로

"이 부분은 다시 손질했다네. 저 부분도 좀 고치고. 이 선을 전보다 부드럽게 하고 저쪽의 근육도 강조하려고 연구했지. 입술에도 약간 표정을 주고, 팔다리는 더욱 힘차게 표현했네."

"나는 그런 사소한 문제는 그리 중요하지 않다고 생각하네만."

친구가 고개를 갸우뚱하며 말하자, 미켈란젤로는 이렇게 대답했다.

"확실히 사소한 수정은 하찮은 문제일지도 모르네. 그러나 그런 것이 쌓여서 미가 완성되는 것일세. 즉 미를 완성할 때는 아무리 사소한 문제라도 중요한 의미를 가진다네."

프랑스 화가 니콜라스 푸생도 "보람 있는 일이라면, 그게 무엇이든 최후까지 훌륭하게 완수해야 한다"는 것을 좌우명으로 삼고 있었다. 뒷날 한 친구가 화가로서 명성을 떨친 비결을 물었을 때, 그는 "아무리 사소한 문제라도 소홀히 하지 않았기 때문이겠지요"라고 대답했다 한다.

뉴턴과 영의 발명은 우연이 아니었다

어떤 우연에서 위대한 발견이 이루어진 얘기를 자주 듣는다. 그러나 잘 생각해보면, 표주박에서 느닷없이 망아지가 튀어나오는 경우는 거의 없다. 우연한 사건이라고 하는 것의 대부분은 실제로 천재적인 노력 끝에 쟁취된 것이다.

솔로몬

뉴턴은 발 아래 떨어진 사과 덕분에 만유인력의 법칙을 생각해낸 것으로 전해지고 있다. 그 이야기는 우연이 대발견으로 이어진 예로 흔히 인용되고 있다.

그러나 뉴턴은 그때까지 오랜 세월 동안 중력 문제를 파고들며 부지런히 연구했기 때문에, 눈앞에 사과가 떨어진 것을 보고 문득 영감이 떠올라 만유인력의 법칙을 깨닫기에 이른 것이다.

물리학자 영의 경우도 마찬가지다.

그는 비눗방울에 빛이 반짝이며 비치는 것을 보고 빛의 간섭이론을 생각해내고, 그것이 광선의 회절현상을 해명하는 실마리가 되었다. 보통 사람의 눈에는 단순한 '빛의 장난'으로밖에 비치지 않는 현상에서 새로운 진리를 이끌어낸 것은 그가 오랫동안 그 문제에 대해 연구했기 때문이다.

세상 사람들은 위인들이 속세와 거리가 먼 문제만 다룬다고 생각하기 쉽다. 그러나 뉴턴과 영의 예에서도 알 수 있듯이 오히려 그들은 누구에게나 친숙한 평범한 사물을 잘 관찰하여, 거기에 숨어 있는 중대한 의미를 이끌어내려고 한다.

우리 주위에 흔히 있는 사물의 배후에 숨어 있는 본질을 깊이 이해하는 것, 그것이 그들이 위인임을 증명하는 것이라고 할 수 있을 것이다.

관찰을 잘 하는 사람을 지자(智者)라 한다

인간의 차이는 관찰력에 따라 결정된다. 러시아 속담에 있듯이, 주의력이 산만한 사람은 '숲 속을 거닐어도 땔감을 보지 못하는' 것이다. 고대 이스라엘의 현왕인 솔로몬은 "지혜로운 자는 눈이 밝고, 어리석은 자는 어둠 속을 걷는다"고 말했다.

또 새뮤얼 존슨은 이탈리아에서 방금 귀국한 신사에게 이렇게 말한 적이 있다.

"신사 양반, 유럽 여행을 즐기는 사람보다 내가 살고 있는 햄스테드 일대*1 주민들 중에 더 박식한 사람이 많답니다."

요컨대 마음도 눈처럼 훌륭하게 사물을 꿰뚫어볼 수 있다. 생각이 없는 사람에게는 아무것도 보이지 않지만, 총명한 통찰력을 지닌 사람은 눈앞의 사물에 깊이 파고들어 그 속에 숨어 있는 진리에 도달할 수 있다.

이제부터 갈릴레이, 브라운, 부르네르, 콜럼버스의 예를 들어 이를 증명해보기로 하자.

갈릴레이의 시계추

갈릴레이 이전에도 끈에 매달린 추가 규칙적으로 흔들리는 것을 목격한 사람은 많이 있었을 것이다. 그러나 그 사실의 중요성을 깨달은 사람은 그가 최초였다.

어느 날, 피사의 대성당 문지기가 천장에 매달려 있는 램프의 청소를 마친 뒤, 램프가 계속 흔들리는 것을 그대로 두고 가버렸다. 당시 18세의 젊은이가 램프의 흔들림을 유심히 관찰하다가, 그것을 시간을 재는 데 이용할 수 없을까 하는 생각을 했다. 그 뒤 50여 년에 걸친 연구와 노력 끝에, 그는 마침내 진자의 실용화에 성공한다. 시간 측정과 천문 계산에서 진자의 중요성은 전혀 과장된 것이 아니다. 그의 발명은 인류의 생활과 물리학에 큰 공헌을 한 것이다.

또 갈릴레이는 네덜란드의 안경 기술자가 먼 곳의 사물을 가까이 볼 수 있도록 연구한 도구를 만들어 나소 집안의 모리스 백작에게 기증했다는 얘기를 듣고 뛸 듯이 기뻐했다. 그는 그 도구의 구조를 깊이 연구한 끝에 망원경을 만들어 냈다. 그것으로 근대 천문학이 그 첫걸음을 내딛게 된 것이다.

만약 갈릴레이가 사물을 유심히 관찰하지 않고, 남의 말을 건성으로 듣는 사람이었다면, 이러한 발명은 절대로 불가능했을 것이다.

현수교를 건설한 브라운과 템스강 바닥에 터널을 뚫은 브루넬

브라운 대위(뒷날의 새뮤얼 경)가 자기 동네 근처에 있는 튀드 강에 적은 돈으로 다리를 놓을 방법을 연구하고 있던 중, 이슬이 내린 어느 청명한 가을 날

---

*1 예술가들이 많이 사는 런던의 거리.

아침에 자기 집 정원을 거닐다가 거미줄이 길 앞에 걸려 있는 것을 보았다. 이때 갑자기 쇠줄이나 쇠사슬을 거미줄처럼 짜서 다리를 놓을 수 있을지 모른다는 생각이 그의 머리에 퍼뜩 떠올랐다. 이렇게 해서 그가 고안해낸 현수교가 생기게 된 것이다.

바다의 높낮이가 고르지 않은 클라이드 강 밑으로 철관을 설치하여 물을 끌어 보겠다는 계획을 세우고, 이 문제에 대해 제임스 와트에게 의견을 물었다. 어느 날 와트는 책상 위에 놓여 있는 바닷가재의 껍질을 유심히 보다가 그것을 모방하여 철관을 만들 생각을 하게 되었는데, 그렇게 만들어 강 밑에 설치한 결과 이 문제를 만족스럽게 해결할 수 있었다.

아이삼바드 브루넬은 템스 강 터널 개통을 연구할 때, 첫 번째 힌트를 작은 좀조개한테서 얻었다. 그 조그만 생물이 튼튼한 머리로 나무의 이쪽저쪽에 구멍을 뚫어 마침내 큰 문을 만든 다음, 지붕과 옆 부분에 바니시 같은 물질을 바르는 모습을 본 것이다. 이것을 모방하여 브루넬은 마침내 실드공법을 만들어 그 위대한 공사를 완수할 수 있었다.

콜럼버스, 해조가 떠 있는 것을 보고 신세계가 가까운 것을 알다

겉으로 보기에 이런 사소한 현상들 속에서 그 가치를 발견하는 것은 세심한 관찰자의 총명한 눈이다. 육지가 보이지 않는다고 선원들이 반란을 일으켰을 때, 콜럼버스는 아주 사소한 현상, 즉 때마침 배 옆에 떠 있던 해조(海藻)를 발견하고 그것을 가리키며 그들이 열심히 찾고 있는 신천지가 이제 멀지 않았다고 안심시켜 반란을 진정시킬 수 있었다.

이처럼 아무리 작은 일이라도 소홀히 해서는 안 되며, 아무리 하찮은 일이라도 그 의미를 주의 깊게 살피면 어느 면으로든지 유용하다. 알비온의 깎아지른 듯이 높이 솟아 있는 백악암(白堊巖)이 사실은 산호초를 만들어 바다를 장식하는 조그만 벌레 종류—현미경으로나 겨우 볼 수 있는—가 쌓인 것이라고 누가 생각할 수 있었을까? 이런 엄청난 결과가 한없이 조그마한 작용에서 일어난다는 것을 아는 사람이라면, 그 누가 조그마한 일들의 힘을 소홀히 할 수 있겠는가?

작은 일의 힘

콜럼버스

예술, 과학 기타 모든 인생사에서 성공하는 비결은 작은 일을 유심히 관찰하는 데에 있다. 인간의 지식은 헤아릴 수 없이 많은 세대의 사람들이 작은 사실들을 축적한 것에 지나지 않는다. 사람들이 주의 깊게 저장해 둔 작은 지식과 경험이 마침내 거대한 피라미드로 성장하는 것이다.

이러한 많은 사실과 관찰은 처음에는 별로 중요하게 보이지 않지만, 나중에는 모두 쓸모가 있고 각기 그 분야에 적합한 역할을 한다. 외관상 실용에서 거리가 먼 것처럼 보이는 수많은 사색들이 결국은 극히 실용적인 결과의 기초임이 판명된다.

아폴로니오스가 주창한 원뿔 곡선론은 2천 년이 지난 뒤에야 천문학의 토대로 활용될 수 있었다. 천문학은 근대의 항해자에게 망망한 대양 위에서 침로의 착오를 막아 주고, 하늘의 별을 기준으로 삼아 목표하는 항구에 도달하게 하는 중요한 학문이다. 그리고 만일 수학자들이, 알지 못하는 사람들에게는 아무 소용도 없어 보이는 선과 표면의 추상적인 관계에 대해 그토록 오랫동안 고생하며 연구하지 않았더라면, 빛을 보게 된 우리의 기계적 발명은 분명 없었을 것이다.

프랭클린과 갈바니, 전기의 이치를 밝힌 일

미국의 과학자이자 정치가인 벤저민 프랭클린은 번개의 정체가 전기라는 것을 실험으로 확인했다. 그러나 당시 사람들은 "그래서 그게 뭐 어쨌는데?" 하고 비웃었다. 프랭클린은 이렇게 대답했다.

"어린아이가 어디에 쓸모가 있다고 생각하십니까? 지금은 어린아이지만 언젠가 훌륭한 어른이 될지도 모르지 않습니까!"

이탈리아의 생리학자 갈바니는 개구리 다리를 종류가 다른 금속에 동시에 접촉시키면 근육이 경련하는 것을 발견했다. 그러나 당시 사람들은 그것을 극

갈바니

히 사소한 사실로 여겨, 거기에 전신기술의 싹이 숨어 있을지 모른다고 상상한 사람은 거의 없었다. 그러나 바로 그것이 전신을 발명하는 토대가 되어 대륙간에 통신을 할 수 있게 되었고, 몇 년이 지나지 않아 '지구를 하나로 이어주는' 큰 결과를 이룬 것이다.

이와 마찬가지로, 땅에서 파낸 작은 돌조각과 화석을 지혜롭게 연구하여 해명하는 가운데 지질학이 탄생했고, 이를 바탕으로 많은 자본을 투자하고 실용적인 광산업이 발달하여 수많은 사람들에게 일자리를 제공하게 된 것이다.

증기의 힘을 밝혀낸 우스터 백작

거대한 기계가 갱도에서 물을 퍼올리고, 제분기를 움직이고, 공장에서 물건을 만들고, 배와 기관차를 달리게 하는 데 사용된다. 이 거대한 기계는 몇 방울의 물에 열을 가하는 지극히 간단한 방법으로 발생하는 동력에 의존하는 것이니, 이것을 바로 증기라 부른다. 보통 주전자 주둥이에서 뿜어져 나오는 이것을 우리는 매일같이 보고 있다. 그러나 이 증기가 정교하게 설계된 기계 장치 속에서 사용되면, 수백만 마력에 필적하는 큰 힘을 발휘하여, 파도를 물리치고 태풍도 무색하게 하는 힘이 된다.

전해지는 얘기에 따르면, 런던탑에 갇혀 있던 우스터는 우연히 뜨거운 물을 담은 용기의 뚜껑이 튕겨져 나가는 것을 보고, 증기의 힘에 주목하기 시작했다고 한다. 그는 자신이 관찰한 결과를 《발명의 세기》라는 책으로 정리하여 발표했다. 이 책은 한동안 증기의 힘을 연구하는 사람들의 교과서가 되었는데, 이윽고 세이버리와 뉴커먼 등이 증기의 실용화를 꾀하여 증기기관을 탄생시키게 된다.

글래스고 대학에 보관되어 있는 뉴커먼의 증기기관을 수리해달라는 의뢰를 받은 사람이 바로 와트였다. 그는 이 우연한 행운을 천재일우의 기회로 보고 뛰어들어, 일생을 걸고 고성능의 증기기관을 완성시킨 것이다.

기회를 포착하고 기회를 만들라

기회를 붙잡아 우연한 일을 어떤 목적에 이용하는 것이 커다란 성공의 비결이다. 존슨은 천재적인 힘을 가리켜 "넓은 분야를 포용하는 큰 정신이 우연히 어떤 특정한 방향으로 향하는 것"이라고 정의했다. 스스로 자기의 길을 찾으려고 굳게 결심한 사람에게는 거기에 필요한 기회가 반드시 주어진다. 가까운 곳에 기회가 없더라도 그들은 그것을 자기 힘으로 만들어 간다.

과학과 예술에서 큰 업적을 거둔 사람들은, 반드시 대학에서 공부하고 박물관과 미술관에 출입할 수 있는 혜택 받은 환경에서 살아온 사람들이 아니다. 위대한 기술자와 발명가는 결코 전문연구소에서 교육을 받은 자들이 아니다. 그런 의미에서 볼 때 편리한 시설이나 설비보다는 오히려 필요가 발명의 어머니요, 어려움이 위대한 성과를 낳을 수 있는 진정한 학교라고 할 수 있을 것이다.

유명한 기술자들의 보잘것없어 보이는 도구

뛰어난 기술자 중에는, 참으로 평범하기 짝이 없는 도구밖에 가지고 있지 않은 사람들이 많다. 그러나 '서툰 목수가 연장 나무란다'고 하듯이 훌륭한 성과를 낳는 것은 좋은 도구가 아니라 그 사람 자신의 숙련된 기술과 끈기다.

영국의 화가 오피는 색채의 배합에 멋진 솜씨를 발휘했는데, 그 비결을 물으니 '나는 그림물감에 머리를 혼합했다'고 말한다. 남보다 탁월한 기량을 발휘하는 연구자들은 모두 이런 사람들이다. 스코틀랜드의 과학자 퍼거슨은 흔해빠진 펜나이프 하나를 자유자재로 구사하여 놀랍도록 정교한 목제 시계를 만들어냈다. 누구나 펜나이프 하나 정도는 가지고 있지만, 그렇다고 누구나 퍼거슨처럼 되는 것은 아니다.

화학자 블랙은 물을 담은 냄비와 두 개의 온도계만을 사용하여 잠열(융해열이나 기화열을 가리킴)을 발견했다. 빛의 조성과 색의 기원을 해명한 뉴턴도 한 쌍의 프리즘과 렌즈, 그리고 두꺼운 종이 한 장을 이용했을 뿐이다.

수많은 발견을 통해 과학의 진보에 공헌한 우라스톤에게, 어느 날 외국의 저명한 학자가 찾아와서 연구실을 보여 달라고 부탁했다. 우라스톤은 작은 서재로 손님을 안내했다. 책상에는 낡은 차 쟁반이 놓여 있고, 그 안에는 회중시계의 뚜껑 유리 2, 3개, 시험지, 작은 천칭저울, 취관*2이 들어 있었다. 그는 그 기구들을 가리키면서 말했다.

"이것이 내 연구실의 전부입니다."

스토더드는 나비의 날개를 정밀히 연구하여 빛깔을 조합하는 기술을 배웠으며, 자기가 그 조그만 곤충에서 얻은 것이 얼마나 많은지 아는 사람은 아무도 없을 거라고 이따금 말하곤 했다.

화가 윌키에게는 타다 만 나무토막과 헛간의 문이 연필과 캔버스를 대신했다. 목판화가 베윅도 젊은 시절에는 오두막 집 벽에 백묵으로 그림을 그려 연습했다. 벤저민 웨스트가 사용한 최초의 그림붓은 손수 고양이 꼬리털로 만든 것이었다.

퍼거슨은 밤에 담요로 몸을 둘둘 감싸고 들판에 드러누운 채 자기 눈과 별사이를 어림하면서 끝에 구슬을 매단 실로 천체도를 그렸다.

프랭클린은 2개의 작대기와 비단손수건으로 만든 연을 띄워 전기구름에서 전기를 얻는 데 성공했다. 와트도 해부하는 사람들이 해부 전에 동맥주사를 놓을 때 사용하는 주사기를 본떠 처음으로 증기기관의 모형을 제작했고, 기퍼드는 구두 수리공의 견습생 노릇을 할 때, 작은 가죽 조각을 두들겨 판판하게 만든 뒤 거기에 수학 문제를 풀었다. 천문학자 리튼하우스도 처음에는 그의 쟁기 손잡이 위에 일월식(日月蝕)을 계산했다.

우연히 학문을 시작한 리

사소한 일상의 사건이 연구의 계기나 암시를 주는 경우도 많다. 물론 그 당사자가 기민하게 이러한 기회를 포착하여 이용할 수 있어야 가능한 일이다. 동양학자 리 교수는 목수였을 때 어느 유태인 교회에서 긴 의자를 수리하다가, 우연히 히브리어로 된 성경을 발견하고 히브리어 공부에 관심을 가지게 되었다. 원문으로 된 이 책을 읽고 싶은 욕망에 사로잡혀, 그는 값이 싼 헌 히브리어 문법책을 사서 혼자 공부한 끝에 기어이 히브리어를 통달할 수 있었다.

---

*2 화학실험 도구로 가스 불꽃에 공기를 불어넣기 위한, 직각으로 구부러진 금속관.

스톤의 명언

가난한 정원사의 아들로서 어떻게 라틴어로 된 뉴턴의 《프린키피아》를 읽을 수 있게 되었느냐는 아길 공작의 질문에, 수학자 에드먼드 스톤은 다음과 같이 대답했다.

"사람은 알파벳 스물넉 자만 알면 자기가 원하는 건 뭐든지 배울 수 있습니다."

거기에 몰입과 인내, 그리고 기회를 활용하는 부지런한 자세만 있으면 모든 것을 이룰 수 있는 것이다.

무슨 일에서나 기회를 발견한 스콧

월터 스콧은 모든 일에서 자기 향상을 위한 기회를 발견하고, 아무리 사소한 일도 그것을 좋은 면으로 이용했다. 그는 이러한 능력을 발휘하여, 어느 작가의 조수로 일하던 중 처음으로 하일랜드를 방문하여 1745년의 전란에서 살아남은 용사들과 우정을 나누며 뒷날 쓰게 될 작품의 소재를 얻는다.

그 뒤 에든버러 경기병대의 보급관으로 일하다가 실수로 말에 걷어차여, 얼마 동안 집에서 요양을 해야 했다. 그러나 스콧은 게으름을 원수같이 여기고 용기를 내어 일을 하기 시작했다. 사흘 뒤에 그는 《마지막 음유 시인의 노래》의 첫머리를 짓고 얼마 뒤 완결했다. 그것이 그의 첫 작품이다.

14세에 화학을 지망한 프리스틀리

화학의 대가로서 많은 종류의 기체를 발견한 프리스틀리 박사는 양조장 이웃에 살다가 우연히 화학에 관심을 가지게 되었다. 어느 날 이 양조장을 찾아갔다가 발효하는 액체 위의 기포 속에서 가스가 반짝거리다가 사라지는 현상을 보게 되었다. 이때 그의 나이 40세였으나 화학에 대해서는 아는 바가 전혀 없었다. 그 현상에 대해 알아보려고 책을 뒤져 보았으나 별로 얻은 것이 없었다. 그때는 아직 그 원리가 해명되기 전이었던 것이다.

그리하여 그는 직접 만든 보잘것없는 기구로 실험을 하기 시작했다. 그의 첫 번째 실험에서 이상한 결과가 나와 계속 다른 실험을 하게 되었고, 그리하여

머지않아 그에 의해 기체 화학이라는 과학의 새 분야가 탄생했다. 거의 동시에 셸레가 저 멀리 스웨덴의 한 마을에서 같은 방향의 연구를 하여 몇몇 새로운 기체를 발견했는데, 그가 사용한 도구는 약국에서 쓰는 유리병 몇 개와 돼지 방광뿐이었다.

잡동사니로 실험 도구를 만든 데이비 경

험프리 데이비는 약국에서 조수로 일할 때 형편없이 엉성한 도구로 최초의 실험을 했다. 그는

험프리 패러데이

우연히 자기 손에 들어오는 잡동사니로 대부분의 실험 도구를 만들었으니, 부엌에서 쓰는 그릇과 냄비, 그리고 약국 주인의 조제실에서 나오는 유리병과 용기 따위가 그것이었다.

어느 날 프랑스 배가 가까운 해변에서 난파된 적이 있었는데 그때 살아남은 외과의사가 데이비에게 구식 주사기를 주었다. 데이비는 그것을 받고 크게 기뻐하며, 자기가 만든 기체 역학 도구의 일부로 사용하고, 나중에는 공기 펌프로 이용하여 열의 성질과 근원을 실험하는 데 썼다.

패러데이, 우연한 일에서 화학을 지망

험프리 데이비의 후계자인 물리학자 패러데이 교수도 한 개의 헌 병을 사용하여 처음으로 전기 실험을 시도했다. 이때는 그가 아직 제본 기술자로 일하고 있을 무렵이었다. 한낱 기술자가 과학을 지망하는 것은 드문 예이지만, 그 계기는 엉뚱한 일에서 시작되었다.

당시 패러데이는 백과사전 제본을 담당하고 있었는데, 일을 하다가 문득 '전기'라는 항목이 눈에 들어왔다. 흥미를 느껴 그 부분을 읽고 있는데, 그때 마침 왕립과학연구소 회원의 한 사람이 그곳에 들렀다.

그는 젊은 제본 기술자가 전기 문제에 관심을 가지고 있는 것을 알고, 왕립과학연구소에서 강연을 들을 수 있도록 허락해 주었다. 패러데이는 당장 연구소로 가서, 화학자 험프리 데이비의 전기에 대한 강의를 들었다. 그가 강의 내용을 기록한 노트를 데이비에게 보여 주자, 데이비는 그 기록의 과학적인 정확

성에 깜짝 놀랐다. 그리고 패러데이가 한낱 제본 기술자라는 말을 듣고는 더욱 놀랐다.

패러데이가 본격적으로 연구하고 싶다는 희망을 털어놓자, 데이비는 처음에는 그런 생각은 버리라고 충고했다. 그러나 결국 젊은이의 한결 같은 정열에 설득되어 그를 조수로서 왕립과학연구소의 일원으로 받아들인다. 그리하여 그 똑똑하던 약국 집 소년의 망토는 똑똑한 제본공의 가치 있는 어깨를 덮어 주게 된 것이다.

데이비의 수첩에 적혀 있는 말

데이비가 약 20세 때 베도스 박사의 실험 연구실에서 일하고 있을 당시, 그가 수첩에 기록해 둔 다음과 같은 말은 그의 사람됨을 특히 잘 나타내 준다.

"나에게는 부도 권력도 없고, 나를 밀어 줄 가문의 배경도 없다. 하지만 내가 삶을 받은 이상, 인류에 대한 나의 봉사가 그런 모든 유리한 조건을 가지고 태어난 나의 친구들보다 못하지는 않을 것이다."

데이비는 어떤 주제를 여러 면에서 실용적으로 또 실험적으로 연구 조사하는 데 그의 모든 정신을 쏟을 수 있는 능력이 있었고, 패러데이 또한 그러했다. 그런 정신에 근면과 끈기 있는 사고력이 있으면 반드시 최고의 결과를 얻을 수 있는 것이다. 데이비에 대해 시인 콜리지는 이렇게 말했다.

"그의 정신에는 정력과 탄력이 있어서 모든 문제를 파악하고 분석하여 합리적인 결과를 이끌어낼 줄 안다. 일단 데이비의 정신 속에 들어간 주제는 모두 활력을 띠게 되고, 생동하는 생각들이 발밑에서 자라는 잔디처럼 파릇파릇 자라난다."

한편 데이비는 콜리지에 대해 다음과 같이 평가했다.

"가장 탁월한 천재와 폭넓은 시야, 그리고 섬세한 감성과 밝은 마음을 가진 그는 질서, 정확성, 규율을 따지지 않는 사람이 될 것이다."

린네

우연한 계기로 동물학을 연구한 퀴비에

프랑스의 위대한 박물학자 퀴비에는 남달리 정확하고 세심하며 근면한 관찰자였다. 그는 어린 시절에 우연히 뷔퐁의 저서를 보고 박물학에 관심을 가지게 되었다. 그는 즉시 책에 있는 그림을 베끼고 본문의 설명에 따라 색깔을 칠하며 공부했다. 그가 학교 다닐 때 한 선생님이 그에게 린네의 《자연의 분류》라는 책을 준 일이 있는데, 그 뒤 10여 년 동안 그가 공부하는 방에 꽂힌 책이라고는 오직 그 책 한 권뿐이었다.

18세 때 퀴비에는 노르망디에 있는 어느 집에 가정교사로 들어가게 되었다. 집이 바닷가에서 가까웠기 때문에 그는 바다 생물의 놀라움을 가까이에서 관찰할 수 있었다.

어느 날 해변을 거닐다가 모래 위에서 오도 가도 못하고 있는 뼈오징어를 보았다. 그는 그 이상한 생물에 호기심을 느끼고 그것을 집으로 가져가 해부해 보았다. 이리하여 그는 연체동물을 연구하기 시작했고, 마침내 그 방면에서 탁월한 명성을 얻게 되었다.

그에게는 눈앞에 펼쳐져 있는 자연 외에는 참고할 서적이 아무것도 없었다. 매일같이 눈앞에 전개되는 새롭고 흥미로운 재료가 글로 씌어지거나 그림으로 그려진 어떤 것보다 훨씬 더 깊은 인상을 준 것이다. 이렇게 3년이 지나는 동안, 그는 바다 동물의 살아 있는 종류를 근처에서 발견한 화석과 비교하거나, 우연히 발견한 바다생물의 표본을 세밀히 조사하고 주의 깊게 관찰하여 동물 세계의 분류를 완전히 혁신하는 길을 터놓았다.

이때쯤 유명한 학자 압베 테이시에가 퀴비에를 알게 되었다. 이 학자는 파리에 있는 주시외와 다른 친구들에게 이 청년이 연구하고 있는 문제를 알리면서 퀴비에를 추천했다. 그 덕분에 퀴비에는 그의 연구 원고를 박물학협회에 보내 달라는 요청을 받게 되었고, 얼마 안 있어 식물원의 부원장으로 임명되었다.

테이시에가 주시외에게 이 젊은 박물학자를 소개한 편지에는 다음과 같은 말이 있다.

"자네가 다른 과학 분야를 연구하는 델랑브르(유명한 천문학자)를 학사회원으로 추천한 일을 기억하고 있을 걸세. 이 청년도 델랑브르 같은 대가가 될 것이 틀림없네."

스티븐슨

테이시에의 예언이 딱 들어맞았다는 것은 말할 필요도 없다.

퀴비에의 명성은 점점 높아져서, 1800년 콜레주 드 프랑스에서 박물학 교수에 임명되었고, 뒷날 남작의 작위를 받았다.

기회를 놓치지 말고 학문에 힘쓸 것

사람이 성공하는 길을 돕는 것은 우연이 아니라 확고한 목적의식과 꾸준한 근면이다. 나약하고 게으르며 아무 목적도 없는 사람에게는 어떤 우연한 행운도 아무 소용이 없다. 이런 사람들은 그 속에 들어 있는 의미를 보지 못하고 그대로 지나쳐 버리기 때문이다. 그러나 늘 우리 앞에 나타나는 활동과 노력의 기회를 재빨리 붙잡아 개선한다면 참으로 놀라운 업적을 이룰 수 있다.

와트는 수학 기구를 만드는 일에 종사하면서 화학과 기계학을 공부하고, 한편으로 스위스인 염색 기술자한테서 독일어를 배웠다. 증기기관차를 발명한 스티븐슨도 탄광에서 기계를 조작하면서 밤에는 수학과 측량술을 공부했다. 낮에도 식사 시간을 이용하여 석탄차 벽을 흑판 삼아 백묵으로 계산 연습을 했다.

물리학자 돌턴에게 근면은 어린 시절부터 몸에 밴 삶의 습관이었다. 그는 겨우 12세의 나이에 고향 마르의 학교에서 교사로 근무했다. 겨울에는 수업을 담당하고, 여름에는 아버지의 농장에서 일을 했다. 엄격한 퀘이커 교도 가정에서 태어났지만, 이따금 그는 친구들과 돈을 걸기까지 하면서 공부를 경쟁했을 정도였다. 어느 때는 어려운 문제를 훌륭하게 풀어 생각지도 않은 큰돈을 거머쥐었는데, 그는 그 돈으로 겨울철에 쓸 양초를 샀다고 한다.

돌턴은 죽기 하루 이틀 전까지도 기상학 관측을 계속했고, 그가 한평생 걸처 모은 자료는 무려 20만 점이나 된다.

시간의 조각들을 모아서 극대의 가치를 창조하라

잠시 동안의 여가도 헛되이 하지 않고 부지런히 노력을 계속하면, 그것이 쌓이고 쌓여 큰 성과로 이어진다. 매일 1시간씩이라도 뭔가 유익한 목적을 위해 사용한다면, 평범한 능력밖에 없는 사람도 반드시 한 가지 학문은 마스터할 수 있게 된다. 그리고 아무리 무지한 사람이라도 10년도 지나기 전에 몰라 볼 정도로 박식한 인물로 변할 것이다.

배울 가치가 있는 지식을 흡수하고, 뛰어난 신념을 기르며, 좋은 습관을 기르는 데 시간을 사용해야 한다. 결실이 없는 생활을 계속하면서 시간을 낭비해서는 결코 안 된다.

명사, 흩어지는 시간을 모아서 대업을 이룬 예

수많은 책을 쓴 의사 메이슨 굿은 왕진을 위해 런던 거리를 마차로 달리는 중에도, 마차 안에서 고대 로마의 시인 루크레티우스의 시집을 번역했다고 한다. 다윈도 마찬가지로 마차를 타고 환자의 집을 다녔는데, 메모 용지를 꼭 가지고 다니면서 마음에 떠오른 아이디어를 그 자리에서 기록해 두었다가 뒷날 저서에 사용했으며, 그의 저서의 대부분은 이렇게 해서 탄생된 것이었다.

헤일은 순회재판으로 여기저기를 순회하는 동안 그의 명저 《사색록》을 썼으며, 음악가 찰스 버니가 프랑스어와 이탈리아어를 습득한 것은 제자에게 음악 레슨을 하러 가는 말안장 위에서였고, 시인 커크 화이트가 그리스어를 공부한 것은 근무하고 있던 변호사 사무실을 오가는 길에서였다.

그리고 우리가 잘 아는 고명한 사람 중에 심부름꾼으로 맨체스터 거리를 뛰어다니면서 라틴어와 프랑스어를 공부한 사람이 있다. 프랑스의 위대한 수상 중의 한 사람인 다게소는 여가를 소중하게 이용하여 식사를 기다릴 때마다 원고를 써서 작품을 완성했다. 장리 부인은 자기가 매일 지도하는 공주를 기다리는 시간을 이용하여 그녀의 아담한 저서 몇 권을 냈다.

미국의 언어학자 엘리휴 버릿은 이렇게 말했다.

"내가 성공한 것은 천부적인 재능 때문이 아니다. 나날의 얼마 안 되는 시간을 효과적으로 이용할 수 있었기 때문이다."

그는 생계를 유지하기 위해 대장장이로 일하면서 동서고금의 18개 언어와 22개의 유럽 방언을 마스터했다.

시간을 소중히 하라
"시간은 소멸하는 것이다. 그리고 그 책임은 전적으로 우리에게 있다."

옥스퍼드의 올 솔스 칼리지의 해시계에 새겨진 이 엄숙한 말만큼, 젊은이들에 대한 훈계의 말에 어울리는 것도 없을 것이다. 영원한 이 세상의 진리 중에서, 최소한 시간만큼은 우리의 자유 재량에 맡겨져 있다. 그리고 인생과 마찬가지로 시간도 한 번 지나가 버리면 다시는 되돌릴 수 없다.

엑세터 대성당의 잭슨 주교는 이렇게 말했다.

"과거에 아무리 방탕한 생활을 했어도 앞으로 착실하게 살려고 노력하면, 탕진한 재산은 메울 수도 있다. 그러나 '오늘 낭비한 시간을 내일의 시간을 빌려 메우면 된다'고 말할 수 있는 자가 과연 누가 있을까?"

루터의 동지 멜란히톤은 자기가 낭비한 시간을 수첩에 적어 두었는데, 이렇게 자기를 격려하면서 단 한 시간도 허비하지 않으려 했다. 이탈리아의 어느 학자는 "이 방에 들어오는 사람은 누구든지 나의 일을 도와주어야 합니다"라는 내용의 쪽지를 문 앞에 붙여 두었다고 한다.

신학자 백스터를 찾아온 사람들이 "당신의 시간을 방해할까봐 걱정됩니다" 하고 말하자, 이 솔직한 신학자는 시간 손실을 정말 불쾌히 여기고, "사실 방해가 됩니다"라고 대답했다. 위대한 일꾼과 그 밖의 많은 일을 한 사람들에게 시간은 재산이다. 그들은 그 시간을 잘 이용하여 풍요로운 사상과 행동의 보물을 창조하고, 그 혜택을 후세 사람들에게 남겨준 것이다

저술에 노고를 겪은 옛사람들
그들이 위업을 이루는 동안 겪은 노고는 이루 말할 수 없을 정도로 막심했

으나, 그들은 그 노고를 이겨내야만 성공할 수 있다고 생각했다. 영국의 문학가이자 정치가인 조셉 애디슨은 《스펙테이터》*3를 발행하기 전에 이미 2절판의 책 3권이 될 만한 원고가 준비되어 있었다. 뉴턴은 《연대기》를 쓸 때 열다섯 번이나 손질을 한 후 비로소 만족했으며, 기번은 《회고록》을 아홉 번이나 다시 고쳐 썼다.

헤일은 여러 해 동안 매일 6시간씩 법률을 연구했는데, 연구하다 지치면 철학과 수학 책을 읽으면서 휴식을 취했다. 흄은 《영국사》를 저술할 준비를 위해 매일 13시간씩 글을 썼다. 몽테스키외는 자기 원고의 일부를 친구에게 보여 주면서 이렇게 말했다.

"자네는 몇 시간 안에 그것을 다 읽을 수 있겠지. 하지만 난 그것을 쓰느라고 머리가 다 세어 버렸다네."

기록 및 초고의 이점

생각이 깊고 연구심이 많은 사람들은 머리에 떠오른 사상과 보고들을 반드시 적어 두는 습관이 있다. 사실이 희미한 망각의 세계로 사라지기 전에 꼭 붙들어 두기 위해서다. 그러면 강하게 인상에 남아 있는 중요한 것을 잊지 않을 수 있다.

베이컨은 수많은 초고를 남기고 죽었는데, 거기에는 '집필용으로 적어둔 그때그때의 단상'이라는 제목이 붙여 있었다. 어스킨은 버크의 저서에서 초록한 것이 많았고, 엘던은 쿡이 주해한 리틀턴의 법률책을 2번이나 베껴서 마치 자기 몸의 일부인 양 그 책을 훤히 꿰고 있었다.

파이 스미스는 젊은 시절 아버지 밑에서 제본 견습공으로 있었는데, 당시부터 자신이 읽은 책은 발췌하여 베껴 쓰고 자신의 비평도 적어 두는 습관을 길렀다. 평생토록 자료수집에 정열을 바친 그는 "늘 배우고, 늘 진보하며, 늘 지식을 쌓고 있었다"고 전기 작가가 말했을 만큼 노력가였다.

이렇게 기록해둔 메모장은 나중에 책을 쓸 때 리히터의 《쿼리즈》처럼 유용하게 사용되었는데, 수많은 그의 사례를 모은 훌륭한 보고가 된 것은 말할 것

---

*3 18세기 초에 에디슨과 스틸이 발행한 잡지.

도 없다.

존 헌터

명의(名醫) 존 헌터도 좋지 않은 기억력을 메모로 보완했고, 틈만 나면 메모의 효용에 대해 얘기했다. 그는 이렇게 말했다.

존 스튜어트 밀

"생각한 일이나 보고 들은 것을 기록해 두는 것은 상인이 재고 조사를 하는 것과 같다. 그렇게 하지 않으면, 자신의 가게에 무엇이 있고 무엇이 부족한지 전혀 알 길이 없지 않은가."

관찰력이 예민하여 애버니디가 언제나 '아르고스*4의 눈'을 가진 사람이라고 말했던 존 헌터는, 인내와 근면의 힘이 크다는 것을 훌륭하게 증명해 준 사람이었다.

그는 약 20세가 될 때까지 거의 교육을 받지 못해 글을 읽고 쓰는 데도 힘이 들 정도였다. 얼마 동안 글래스고에서 목수로 일하다가, 런던에서 강사 겸 해부실습 지도원으로 근무하는 형에게 갔다. 형이 일하는 해부실에서 조수로 일하게 된 그는 얼마 지나지 않아 형을 능가하기 시작했다. 이는 그에게 위대한 천부적 재능이 있기 때문이기도 하지만, 주로 그의 참을성 있는 몰입과 불굴의 근면에 의한 것이다. 그는 이 나라에서 최초로 비교 해부학에 헌신한 사람이었으며, 뒷날 저명한 교수 오웬이 그가 해부하고 수집한 것을 정리하는 데만도 거의 10년이나 걸렸다. 그가 수집한 종은 약 2만 점이나 되며, 한 사람이 근면한 노력으로 이처럼 많은 귀중한 보물 같은 재료를 수집한 예는 일찍이 없는 일이었다.

헌터는 매일 아침 해가 뜨는 시간부터 저녁 8시까지 박물관에서 시간을 보내거나, 세인트 조지 병원의 외과의사 겸 육군 의무차감으로서 자신의 모든 의무를 수행하면서 광범위한 개인 일을 처리했다. 학생들에게 강의를 하고 자

---

*4 그리스 신화에 나오는 눈이 100개 달린 거인.

기 집에 차려 놓은 해부 실습소를 관리하는 바쁜 시간 속에서도, 틈만 나면 동물경제학에 대한 정밀 실험도 하고 과학적으로 중요한 여러 가지 저술도 하였다. 이처럼 막대한 양의 일을 해내기 위해 그는 점심 식사 뒤 1시간 동안 자고 밤에는 겨우 4시간을 잘 뿐이었다.

어떻게 해서 성공할 수 있었느냐는 질문에 그는 다음과 같이 대답했다.

"나는 무슨 일을 시작하기 전에 과연 그것이 내가 해야 할 일인지 아닌지에 대해 심사숙고한다. 그리고 해야 할 일이 아니라고 판단되면 아예 시도조차 하지 않는다. 만약 내가 해야 할 일이라면 아무리 힘들어도 기어이 이뤄내고 만다. 일단 시작하면 끝까지 중단하지 않았고, 그것이 내가 일을 성취할 수 있었던 요인이다."

헌터, 물질의 정해진 정형을 흔들지 않고 이것을 숙찰하다

헌터는 남들이 지극히 사소하게 여기는 일들에 대해서도 정확한 사실을 수집하는 데 많은 시간을 들였다. 예를 들면 사슴뿔이 자라는 과정을 어찌나 세밀하게 연구하는지, 당대의 많은 학자들은 그가 시간만 낭비하고 있다고 생각했다. 그러나 헌터는 과학적인 정확한 지식은 반드시 그 가치가 있는 것이라고 확신했다.

그는 위에서 말한 연구에 의해 동맥이 어떻게 각 상황에 적응하는지, 그리고 필요에 따라 어떻게 확장되는지를 알게 되었다. 그렇게 해서 얻은 지식을 토대로 지맥 동맥류(動脈瘤)를 앓고 있는 환자를 치료할 때 대정맥을 이어 그 생명을 구하니, 이는 일찍이 아무도 감히 시도해 보지 못했던 일이다.

독창적인 사람들이 대부분 그렇듯, 그는 오랫동안 일을 하면서 남몰래 기초를 닦았다. 공감도 찬성도 얻지 못한 채 혼자서 스스로만 믿고 공부를 계속한 천재였으므로, 같은 시대의 사람들 중에서도 그가 추구한 일의 궁극적인 목적을 이해하는 사람은 거의 없었다. 그러나 모든 진정한 노력가의 경우처럼 그는 최상의 보수, 즉 자기 양심의 동조를 얻었다. 그 최상의 보수를 얻는 것은 남들이 아니라 자기 자신에게 달려 있는 것이며, 마음이 올바른 사람에게는 정직하고 정력적으로 의무를 완수하고 나면 반드시 양심의 동조가 따르게 마련이다.

파레

프랑스의 위대한 의사 앙브루아즈 파레도 세심한 관찰력과 끈기 있는 집념, 그리고 불굴의 인내심이 있었던 사람이다. 그는 1509년 메인 지방의 라발에서 이발사의 아들로 태어났다. 그의 부모는 너무 가난하여 그를 학교에 보낼 수 없었기 때문에, 마을의 학식 있는 목사 집에 심부름꾼으로 보내 스스로 뭔가 배우도록 했다. 그러나 목사는 말을 돌보는 일을 비롯하여 여러 가지 잡일로 그에게 한시도 여유를 주지 않았기 때문에, 도무지 공부할 시간이 나지 않았다.

앙브루아즈 파레

파레가 그렇게 바쁜 나날을 보내던 어느 날, 방광 결석 적출술로 유명한 코토가 라발에 와서 목사의 친구를 수술하게 되었다. 이 수술을 하는 동안 파레는 옆에서 수술 광경을 볼 수 있었는데, 이때의 수술에 깊은 감명을 받아 외과의사가 되려는 결심을 굳히게 되었다. 목사의 집에서 나온 파레는 비알로라는 이발 외과의사[*5]의 조수가 되어 피를 뽑는 기술과 이를 뽑는 기술, 그 밖의 작은 수술 기술을 배웠다. 거기서 4년 동안 경험을 쌓은 그는 파리로 가 이발업으로 생계를 유지하면서, 해부학과 외과 수술을 가르쳐 주는 학교에 다녔다. 이어서 의료국의 조수로 채용되어 일하게 되었는데, 그의 행동이 모범적이고 실력이 나날이 늘자 외과 부장은 자신이 감당할 수 없는 환자를 그에게 맡겼다.

파레는 정규 과정을 밟아 일등 이발 외과의사 면허를 받고, 그 뒤 곧 피드몬트 지방 몽모랑시 지휘 아래에 있는 프랑스군 군의관으로 임명되었다. 파레는 남들이 한 것을 답습하지 않고 자신의 일상 의무를 수행하는 데 열성과 독창적인 재능을 발휘하면서, 혼자 힘으로 질병의 원인을 알아내어 적절한 치료를 했다. 그가 그 병원에 오기 전까지는 부상병들은 군의관의 치료를 받을 때 적에게 당한 고통보다 더 큰 고통을 겪어야만 했다. 군의관들은 총상에 의한 출혈을 막기 위해 펄펄 끓는 기름으로 상처를 닦거나 시뻘겋게 단 쇠로 지졌으

[*5] 이발, 발치, 사혈 등을 겸하는 당시의 직업.

샤를 5세

며, 절단이 필요할 때도 빨갛게 단 칼로 수술을 하는 식의 야만적인 방법을 썼던 것이다.

처음에는 파레도 재래식 방법으로 상처를 치료했는데, 어느 날 끓는 기름이 다 떨어져서 좀 더 순한 치료를 해 보았다. 부드러운 치료를 한 것이 혹시 잘못 되지 않을까 걱정이 되어 밤새도록 잠을 이루지 못했다. 그러나 다음 날 아침 자기가 치료한 환자들은 비교적 편안해하는데, 재래식 방법으로 치료한 환자들은 아파서 뒹굴고 있는 것을 보고 크게 안심이 되었다.

이리하여 총상 치료의 개량된 방법을 개척하게 된 파레는, 그 뒤에도 계속 순한 치료법을 썼다. 그가 이룬 또 하나의 중요한 개선책은 출혈을 막기 위해 동맥을 이을 때 인두를 쓰지 않고 봉합실을 쓴 점이다.

그러나 파레는 개혁자들이 늘 마주치는 운명에 부딪칠 수밖에 없었다. 동료 외과의사들이 들고 일어나, 그의 방법은 위험하고 비전문적이며 실험적인 의술이라고 하면서 단결하여 채택을 반대하는 것이었다. 그들은 파레가 교육도 제대로 받지 못한데다 라틴어와 그리스어도 모르는 의사라고 헐뜯었다. 그리고 옛날 서적에서 예증을 인용하며 공박했으나, 파레에게는 그것을 반증하고 반박할 능력이 없었다. 파레가 할 수 있는 가장 유력한 대응은 새로운 치료법으로 환자를 잘 고쳐 주는 길뿐이었다.

부상병들은 도처에서 파레를 찾았고, 파레는 언제나 그들 곁에서 봉사를 아끼지 않았다. 그리고 정성을 기울여 주의 깊게 치료한 다음, 그들의 곁을 떠나면서 이렇게 말하는 것이었다.

"나의 치료는 끝났소. 나머지는 하느님께서 당신을 치료해 주실 것이오."

군의관으로 3년을 복무한 뒤 파리로 돌아왔을 때, 파레는 즉시 국왕의 시의로 임명될 정도로 명성이 높아져 있었다.

이때 샤를 5세 지휘 아래에 있는 에스파냐 군대가 메스를 포위 공격하여, 수

비대는 매우 큰 손실을 입고 많은 부상자들이 속출했다. 군의관의 수는 부족하고 그나마 기술도 서툴러서, 에스파냐 군에게 죽는 수비대원보다 외과의사의 서툰 치료 때문에 죽은 사람이 더 많을 정도였다.

수비대를 지휘하던 기즈 공작은 왕에게 청원서를 보내 파레를 파견해 달라고 요청했다. 용감한 의사 파레는 즉시 출발하여, 위험한 고비를 숱하게 넘기면서 적의 포위망을 뚫고 무사히 메스에 도착했다. 공작과 장군들, 그리고 모든 장교와 사병들은 그를 열광적으로 환영했다. 사병들은 파레가 왔다는 소식을 듣고 "이제는 부상으로 죽을 염려가 없게 되었다. 우리의 친구가 왔으니까" 하며 좋아했다.

이듬해 파레는 또 포위된 에댕 시에서 근무하다가 도시가 사보이 공작에게 함락되는 바람에 포로가 되었다. 그러나 중상을 입은 적군의 요직 장교 한 사람을 치료해 준 공으로, 포로 배상금도 면제받고 파리로 돌아올 수 있었다. 파레는 연구와 자기 계발, 그리고 두터운 신심 속에서 선행을 베풀며 남은 삶을 보냈다.

같은 시대의 몇몇 저명한 학자들이 그의 수술 경험들을 기록하여 책자로 출판하기를 간청하자, 그는 그것을 기록해서 여러 번에 걸쳐 모두 28권의 책으로 출판했다. 이 책에 실린 증상과 수술의 실례는 실로 방대하며, 관찰에 바탕을 두지 않은 단순한 이론에 의한 처치는 피했으므로, 대단히 귀중하고 뛰어난 책이 되었다. 비록 신교도이기는 하지만 파레는 계속 국왕의 시의로 남아 있었다.

그리고 성 바르톨로메오 대학살 때 그가 살아남게 된 것은 샤를 9세와의 개인적인 친분 덕택이었으니, 전에 샤를 9세가 서툰 외과의사에게 사혈(死血) 수술을 잘못 받아 위험한 지경에 있는 것을 파레가 살려주었기 때문이었다. 브란톰은 바르톨로메오 대학살이 있던 날 밤, 왕이 파레의 목숨을 구해 주는 상황을 《회고록》에 다음과 같이 기록하고 있다.

"왕은 즉각 파레를 궁중으로 불러들여 밤새 자기의 의상실에 들어가 있게 했다. 그리고 조금도 걱정하지 말고 가만히 있으라고 했다. 그토록 많은 사람들의 생명을 구해 준 사람이 학살당한다는 것은 당치도 않은 일이라는 것이었다."

이렇게 하여 파레는 그 무서운 밤, 죽음을 면하고 장수와 명예를 누리며 평화롭게 살다가 세상을 떠났다.

피의 운행을 밝혀낸 하비

하비는 지금까지 우리가 예로 든 어느 누구에 못지않은 불굴의 노력가였다. 그는 혈액이 우리 몸속을 돌고 있다는 사실을 최초로 발견한 의사이다. 하비는 그 설을 공표할 때까지 8년 이상 연구를 계속하면서, 신중하게 실험을 되풀이하여 자신이 발견한 것의 정당성을 확인했다. 왜냐하면 그 설은 당시의 학계에서 맹렬한 반박을 받을 것이 뻔했기 때문이다.

하비는 마침내 자신이 발견한 것을 한 권의 책으로 써서 공표했다. 그 논문의 표현은 온화하지만 논지는 단순명쾌하고 설득력이 흘러 넘쳤다. 그러나 그를 기다리고 있는 것은 비웃음뿐이었다. 하비의 주장은 미치광이 사기꾼의 헛소리로 치부되어, 한 사람의 지지자도 얻지 못한 채 온갖 조소만 당하게 되었다.

그렇듯 한동안 하비의 설을 지지하는 사람은 한 사람도 나타나지 않았다. 그의 귀에 들어오는 것은 모욕과 경멸의 말뿐이었다. 그는 존엄한 의학의 권위에 의문을 던진 발칙한 인물로 간주되었고, 그의 학설은 성서의 권위를 떨어뜨리고 도덕과 종교를 뿌리째 뒤흔드는 것이라고까지 폄하되었다.

그리하여 그의 학설은 여전히 인정받지 못했고 의사로서의 직업도 생각대로 순조롭지가 않았다. 친구들도 대부분 그의 곁을 떠났다.

그리고 몇 년이 지났다. 마침내 사리 분별이 있는 사람들 사이에서 그의 주장이 서서히 인정받기 시작했다. 그러나 하비가 모든 역경 속에서도 신념을 잃지 않고 고수한 이 위대한 진리가 과학적으로 실증되어 널리 인정받게 되는 데는 25년의 세월을 더 기다리지 않으면 안 되었다.

종두를 발명한 제너

하비에 못지않은 고난을 겪은 사람은, 천연두 예방법으로 우두를 발견하여 그것을 세상에 널리 알리려고 한 에드워드 제너이다. 당시에는 이미 우두*6의

---

*6 소가 걸리는 두창.

존재가 알려져 있었고, 그가 태어난 영국의 글
로스터셔 지방에서는 소젖을 짜는 여자들 사이
에 '우두에 걸린 적이 있는 사람은 천연두에 걸
리지 않는다'는 설이 널리 퍼져 있었다.

에드워드 제너

그러나 의학계에서는 그 설을 아무런 근거도
없는 하찮은 소문일 뿐이라고 일축하고, 아무도
그 진위를 확인하려 하지 않았다. 제너가 이 문
제에 주목하기 시작한 것도 처음에는 우연한 계
기에서였다.

젊은 시절, 제너는 소드버리에서 한 의사의 조수로 지내면서 연구를 계속하
고 있었다. 그때 마침 마을 처녀가 진찰을 받으러 왔다. 의사가 천연두라고 진
단하자, 처녀는 놀란 듯이 고개를 옆으로 저었다.

"천연두라고요? 그럴 리가 없어요. 저는 우두에 걸린 적이 있는걸요."

무심한 처녀의 말은 제너의 마음을 당장 사로잡았다. 그는 곧장 이 문제에
대해 조사하고 연구하기 시작했다.

제너는 우두가 천연두 예방 효과를 가지는 것이 아닌가 하는 견해를 동료
의사들에게 털어놓았다. 그러나 의사들은 그 생각을 비웃었을 뿐만 아니라, 그
런 엉뚱한 설을 주장하여 동업자를 계속 난처하게 만든다면 의사의 세계에서
쫓아내는 수밖에 없다고 그를 위협까지 했다.

그 뒤 제너는 런던으로 가서 명의 존 헌터의 제자로 들어갔다. 그것이 그에
게는 행운이 되었다. 제너가 헌터에게 자신의 견해를 얘기하자 이 고명한 해부
학자는 이렇게 대답했다고 한다.

"생각만 하지 말고 노력해 보게. 오직, 인내심을 가지고 정확하게 해야 하네."

제너는 이 충고에 용기를 얻었다. 학문 연구의 진수가 무엇인지 헌터의 말을
통해 깨달은 것이다.

그는 고향으로 돌아갔다. 그리고 의사로서 일하는 한편, 그 뒤 20년 동안 천

연두 예방 연구를 계속했다. 제너는 자신의 발견이 옳다는 것을 믿고 있었기 때문에, 아들에게도 3번에 걸쳐 백신 접종을 시험했다.

마침내 연구 성과를 발표할 때가 왔다. 제너는 23명에게 접종하여 실험에 성공했고 천연두의 전염을 예방할 수 있음을 확신했다. 그것을 그는 70쪽의 책으로 상세하게 기록하여 1798년에 발표했다. 제너가 종두에 대해 확고한 생각을 가지기 시작한 것이 1775년이니까, 이날을 위해 20여 년을 연구에 바친 셈이다.

그러면 제너의 이 발견은 사람들에게 어떻게 받아들여졌을까? 그들은 말할 것 없이 처음에는 묵살했고, 다음에는 노골적으로 비방했다. 제너는 종두의 효능을 설명하고 전파하기 위해 런던으로 갔다. 제너는 당시 런던 의학계에서도 완전히 배척당하며 3개월 가까이나 헛된 노력을 계속하다가, 실망을 안고 고향으로 돌아올 수밖에 없었다.

그뿐만이 아니었다. 제너의 의도가 왜곡되어 세상에 전해지는 바람에, 중상과 적대감에 시달렸다.

"그자는 소젖에서 나오는 병균을 인체에 접종하여 인간을 동물로 타락시키려 하고 있다."

목사들은 종두가 '마법이나 요술 같은 것'이라며 비난했다. 종두를 접종한 아이는 '얼굴이 소처럼 변하고' '이마가 붓고 뿔이 나며' '목소리까지 소와 똑같아진다'는 소문이 그럴듯하게 번졌다.

어떤 마을에서는 종두를 받은 남자가 길을 걷고 있었는데, 마을 사람들이 돌팔매질을 하여 그 남자는 집 안으로 뛰어 들어가지 않을 수 없었다.

그러나 제너의 방법에는 확실한 효과가 있었기 때문에, 이러한 격렬한 반대에도 불구하고 종두를 믿는 사람들이 점차 늘어났다. 귀족 여성인 듀시 부인과 버클리 백작부인은 후세에 길이 회자될 정도로 존경을 받고 있다. 왜냐하면 이 두 부인은 자신의 아이들에게 과감히 종두를 맞혔기 때문이다. 귀족 계급의 이러한 행위는 당시의 편견을 타파하는 계기가 되었다.

이리하여 의학계의 평판도 점차 바뀌기 시작했다. 드디어 종두의 중요성이 인정받게 되자, 제너의 성과를 가로채려는 의사까지 나타났다. 그러나 결국은 제너의 주장이 받아들여져, 그는 종두의 최초의 발견자로서 모든 사람들에게 존경을 받게 되었다.

제너는 성공의 정점에 도달한 뒤에도 불우한 무명 시절의 겸허함을 잃지 않았다. "런던에 가서 병원을 개업하면 연수(年收) 1만 파운드는 틀림없다"는 권고를 받았을 때, 그는 단호하게 이를 거절했다.

찰스 벨

"나는 젊은 시절부터 골짜기의 길을 걷듯이 조용하고 검소한 생활을 추구했습니다. 그런데 인생의 황혼에 접어든 지금에 와서 어떻게 자신의 몸을 산꼭대기로 끌고 올라가겠습니까? 부와 명성을 쫓는 것은 나에게 어울리는 생활이 아닙니다."

제너의 생전에 우두 접종은 모든 문명국가에서 채택되었고, 그가 세상을 떠날 때쯤에는 세계 곳곳의 사람들이 그를 인류의 은인으로 인식하게 되었다. 퀴비에는 다음과 같이 말했다.

"금세기의 유일한 발명인 우두는 역사에 영원히 그 이름을 남기게 될 것이다. 그러나 이것은 학회의 문을 20번이나 두드린 후에 인정을 받을 수 있었다."

신경을 연구한 벨

찰스 벨이 신경 계통에 대한 새로운 학설을 발표하는 과정에도 제너에 못지않은 인내와 끈기가 필요했다.

신경의 기능에 대해서는 당시 다양한 설이 뒤섞였지만, 이 분야의 연구는 3천 년 전 고대 그리스의 학자 데모크리토스와 아낙사고라스가 시작한 이래 거의 진보하지 않고 있었다.

벨은 오랫동안 주의 깊게 정밀한 실험을 되풀이하여, 그것을 토대로 한 독자적인 견해를 1821년부터 일련의 논문으로 계속 발표했다. 그 논문 속에는 하등 생물부터 동물계의 왕인 '인간'에 이르기까지 신경계의 발달이 치밀하게 추적되어 알기 쉽게 해설되어 있었다.

벨은 척수신경에는 두 가지 작용이 있으며, 그것은 척수의 두 개의 뿌리에서 시작되고, 한쪽 뿌리에서 시작된 신경은 인간의 의사를 전달하고, 다른 한쪽 뿌리에서 시작된 신경은 감각을 전달한다는 것을 밝혀냈다.

벨은 40년 동안 마음속에 계속 품어온 이 사실을, 1840년 마지막 논문을 통해 영국학사원에 제출했다. 그러나 하비나 제너와 마찬가지로 그도 처음에는 조소와 반론의 세례를 받았다.

그는 잇따라 발표한 논문 때문에 개업의로서의 명성을 유지하기가 어려웠고, 결국 한 사람의 환자도 찾아오지 않게 되었다. 그러다가 그의 학설의 진가가 점차 인정을 받게 되자 이번에는 거꾸로 '내가 그 학설의 첫 번째 발견자'라고 주장하는 자가 나라 안팎을 가리지 않고 대거 등장했다.

우여곡절 끝에 벨의 업적은 결국 학계의 정설로 완전히 승인받게 되었다. 죽음의 병상에 누워 있던 박물학자 퀴비에도, 자신의 얼굴이 한쪽으로 일그러진 것을 손가락으로 가리키며 간호사에게 이렇게 말했다.

"이 증상은 벨의 이론이 옳다는 것을 증명하고 있다."

신경의 연동운동을 밝혀낸 홀

신경 계통에 대해 이에 못지않게 공헌한 사람으로 마셜 홀 박사가 있다. 후세 사람들은 반드시 그의 이름을 하비와 헌터, 제네, 벨 등과 나란히 기억할 것이다. 그는 길고 유익했던 전 생애에 걸쳐, 세밀하고도 주의 깊은 관찰을 계속하며 겉으로 보기에 아무리 사소한 사실이라도 그대로 넘겨 버리는 법이 없었다. 그는 연동신경계를 발견하여 과학자들 가운데 그 이름을 영원히 남기게 되었다. 그런데 그 중요한 발견은 극히 평범한 일에서 비롯되었다.

어느 날 소라고둥의 폐의 혈액 순환을 연구하던 중, 그 머리를 잘라 책상 위에 놓고 꼬리를 자르려 하다가 우연히 외피를 찌르니, 이것이 힘차게 움직이면서 여러 가지 형태로 꿈틀거리는 것이었다. 근육과 근육 신경은 전혀 건드리지 않았는데 어째서 이렇게 움직이는 것일까? 이와 같은 현상은 새삼스러운 것이 아니었지만, 그 원인을 끈질기게 파고 든 사람은 홀 박사가 처음이었다. 이때 그는 이렇게 외쳤다.

"이 현상의 원인을 알아내어 분명히 밝혀낼 때까지 결코 중단하지 않겠다."

그는 그 뒤 실험과 화학적 연구를 반복하며 이 문제를 계속 파고들었다.

한편, 홀은 바쁜 개업의 생활을 하면서 세인 트토머스 병원과 몇몇 의과대학에서 강의를 담당하고 있었다. 믿을 수 없는 이야기이지만, 틈틈이 애써 작성한 그의 보고서는 왕실 학술원에서 줄곧 거절을 당하다가 17년 뒤에야 받아들

윌리엄 허셜

여겼다. 국내외의 과학자들은 그때서야 비로소 홀의 견해가 옳다는 것을 인정한 것이다.

신행성(新行星)을 처음으로 발견한 허셜

분야는 다르지만 마찬가지로 과학에서 뛰어난 불굴의 힘을 보여준 사람으로 윌리엄 허셜이 있다. 그의 아버지는 독일의 가난한 음악가였는데, 네 아이들에게 모두 음악 교육을 시켰다. 허셜은 생활비를 벌 목적으로, 영국으로 건너가 더햄 민병연대의 군악대에서 오보에를 연주했다. 이 연대는 동커스터에 주둔하고 있었는데, 밀러 박사가 우연히 허셜의 바이올린 연주를 듣고 그 재능에 감탄하여 그와 만나기를 청했다.

박사는 이 청년에게 민병대를 그만두고 당분간 자기 집에 와서 머무르라고 권했다. 허셜은 이 권유를 받아들여, 동커스터에 머무는 동안 주로 음악회에 나가 바이올린을 연주하면서 틈틈이 밀러 박사의 서재에서 공부를 했다. 그러던 중 헬리팩스 교구 교회에서 큰 오르간을 새로 설치하고 오르간 연주자를 모집하자, 이에 응모하여 채용되었다. 이후 예술가로서 이리저리 방랑 생활을 하다가 배스로 가게 되어 그곳에서 펌프룸 악단의 단원으로 일하는 한편, 옥타곤 교회에서 오르간을 연주하기도 했다.

허셜은 그 당시 천문학계에서 여러 가지 새로 발견된 사실들에 마음이 끌렸다. 강한 호기심을 느낀 허셜은 한 친구한테서 2피트짜리 망원경을 빌렸다. 이리하여 과학에 관심을 갖게 된 이 가난한 음악가는 아예 망원경을 하나 사볼

월리엄 스미스

까 하고 마음을 먹었다. 그런데 런던의 상점이 너무나 엄청난 값을 요구하여, 자기 손으로 망원경을 한 대 만들어 볼 결심을 했다.

망원경의 구조를 알고 망원경의 중요한 부분인 오목거울을 만드는 데 얼마나 많은 기술이 필요한지 아는 사람은, 그것이 얼마나 힘든 일인지 알 수 있을 것이다. 허셜은 오랫동안 고생한 끝에 길이 5피트짜리 망원경을 만들어, 그것으로 토성의 고리와 그 위성을 관찰할 수 있게 되었다.

허셜은 이 성공에 만족하지 않고 계속 노력하여 길이 7피트, 10피트, 그리고 결국 20피트나 되는 망원경까지 만들어 냈다. 길이 7피트의 망원경을 만들 때는 마음에 들 때까지 200여 개나 되는 반사거울을 만들어 시험했다고 하니, 허셜의 남다른 불굴의 노력을 짐작할 수 있다. 그는 망원경을 가지고 천체를 연구하면서도, 생계 때문에 펌프룸 악단에 나가 유행을 찾는 손님들 앞에서 오보에를 불어야 했다. 천문 관찰에 열중한 그는 연주하다가 쉬는 시간에 살짝 빠져나가, 집에 가서 잠깐 망원경을 만진 뒤 다시 돌아가서 오보에를 연주하곤 했다.

이러한 오랜 노력이 결실을 맺어, 허셜은 결국 태양계의 제7행성인 천왕성을 발견하고, 그 궤도와 운행 속도를 상세히 측정하여 결과를 영국학사원에 보고했다. 이리하여 한낱 오보에 연주자였던 그는 하루아침에 각광을 받기 시작했고, 천문대장으로 임명되어 조지 3세의 특별한 총애를 받으며 평생 동안 그 자격을 유지했다. 그런데 그의 이러한 명예 속에서도 온화하고 겸허한 인품은 변하지 않았다. 이와 같이 역경 속에서도 과학에 종사하여 탁월하게 성공한 인물의 예는 동서고금의 전기 속에서도 찾아보기 힘들 것이다.

지질학에 뛰어났던 월리엄 스미스

영국 지질학의 아버지인 월리엄 스미스의 일생은 허셜만큼 알려지진 않았지만, 근면과 노력의 모범이자 부지런한 기회의 개척자로서 그에 못지않게 흥미롭고 교훈적이다. 스미스는 1769년 옥스퍼드셔의 처칠에서 소지주의 아들로 태어났다. 어린 나이에 아버지를 여의고 학교 교육도 제대로 받지 못했다. 거기에는 그의 방랑 기질과 게으른 습성도 한몫 했다.

어머니가 재혼한 뒤에는 역시 농부인 그의 삼촌에게 맡겨졌다. 삼촌은 이 소년이 이리저리 돌아다니기를 즐기고 근처에 흩어져 있는 괴상한 모양의 돌을 수집하는 버릇을 못마땅하게 생각했으나, 어쨌든 필요한 책을 몇 권 사주어 기하학과 측량술의 기초를 독학할 수 있게 해주었다. 이 소년에게 토지 측량에 대한 소질이 있음을 알았기 때문이었다.

스미스는 어린시절부터 날카롭고 정확한 관찰력을 가지고 있었고, 한 번 본 것은 결코 잊지 않았다. 정식 교육을 받지 않았음에도 스스로 제도법을 익히고 측정과 측량 기술을 터득하였다. 이렇게 독학하며 노력하는 가운데 상당히 능숙한 기술자가 되어, 그 지방의 유능한 측량사의 조수로 채용되었다. 그 일에 종사하다 보면 늘 옥스퍼드셔와 그 근방을 돌아다녀야 했다.

스미스는 먼저 자기가 돌아다니며 측량한 지방의 여러 토질과 지층의 위치, 특히 청색 석회암과 그 위의 암석층과 관련된 붉은 흙의 성질을 자세히 살폈다. 또 수많은 탄광을 측량하면서 더 많은 경험을 얻을 수 있었다. 이리하여 겨우 23세 때 이미 지층의 모형을 만들 궁리를 하기 시작했다.

글로스터셔에 운하를 개설하느라고 땅을 수평으로 다지는 일을 하던 중, 이 지방의 지층에 대한 대체적인 윤곽이 스미스의 머릿속에 그려졌다. 스미스는 석탄 위의 지층은 수평이 아니라 한 방향, 즉 동쪽으로 기울어져 있으며 그것은 버터를 바른 빵을 포개 놓은 모양일 것이라고 생각했다. 실제로 평행하는 두 계곡의 지층을 조사해 보니 적토, 청색 석회암, 사암, 어란상(魚卵狀) 석회암이 모두 동쪽을 향해 아래로 기울어져 있고 비늘 모양으로 서로 자리가 물려 있어서, 자신의 생각이 옳다는 것을 확신할 수 있었다.

이어서 스미스는 잉글랜드와 웨일스의 운하를 직접 조사하는 임무를 맡게 되자, 자신의 견해를 더욱 큰 규모로 입증할 수 있었다. 멀리 배스에서 뉴캐슬온타인까지 답사하고 시롭셔와 웨일스를 거쳐 돌아오는 도중에, 그 날카로운 눈으로 모든 것을 자세히 살펴보았다. 일행과 함께 돌아다니며 여러 지방의 토질 양상과 구조를 예리하게 관찰하여, 나중에 참고로 하기 위해 내용을 기록해 두었다.

그는 우편 마차로 요크에서 뉴캐슬까지 여행하는 중에, 동쪽으로 5마일에서 15마일이나 떨어져 있는 백악과 어란상 석회암의 산악을 보게 되었다. 그는 거리가 멀었음에도 불구하고 그 산의 형태와 위치로 성질을 추측하고, 도중에 이따금 볼 수 있는 청색 석회암과 적토가 들어 있는 표면의 구조를 알아보았으니, 그의 지질학적 관찰력이 얼마나 예민했던가를 알 수 있다.

스미스가 관찰한 대체적인 결과는 다음과 같았다. 영국 서부의 암석지대는 대체로 동쪽이나 동남쪽으로 기울어져 있고 석탄 위의 붉은 사토(砂土)와 이회토(泥灰土)는 청색 석회암과 점토층, 그리고 석회암 아래를 통과하고 있으며, 그것이 또 모래와 황색 석회석 및 점토층 아래를 통과하면서 코츠월드의 고원지대를 형성하고, 이어서 영국 동부를 점유하고 있는 거대한 석회층 아래를 통과하고 있다는 것이었다.

스미스는 점토와 사토와 석회석의 각 지층에 각각 특별한 종류의 화석이 있음을 관찰하고, 그것을 깊이 연구 조사하여 일찍이 아무도 알지 못했던 결론에 도달했다. 이런 여러 지층에 있는 해양생물의 여러 화석은 그 시대의 해저의 생태를 분명히 보여 주는 것이고, 진흙과 사토와 백악 같은 각 지층은 그 지질사의 각 시대를 나타낸다는 내용이었다.

스미스는 이 생각에 몰두하여 다른 일에는 전혀 신경을 쓰지 않았다. 이미 '지층 스미스'라고 불리던 그는 운하위원회, 군회(郡會), 그리고 농업협회 따위의 모임에서도, 언제나 자신의 마음에서 떠나지 않고 있는 이 문제에 대해서만 얘기했다. 비록 과학계에는 전혀 알려지지 않았지만, 사실 그는 위대한 발견을 한 것이었다.

스미스는 영국의 지층도를 작성할 계획이었으나, 거의 6년 동안 서머싯셔의 석탄운하 공사에 종사하게 되어 사정이 여의치 못했다. 그러나 그 동안에도 관찰을 계속하여 토지의 내부 구조에 통탈했고, 외형만 보고도 지층의 성질을 정확하게 알 수 있게 되었다. 그래서 광대한 토지의 배수에 대한 자문이 들어오면 그 지질학적 지식으로 어김없이 성공을 거두니, 그의 명성은 더욱더 높아졌다.

어느 날 그는 새뮤얼 리처드슨 목사가 소장하고 있는 화석의 진열품을 보게 되었다. 그런데 그는 목사가 분류해 놓은 것을 다 허물어버리더니, "이것은 청색 석회암에서 나온 것이고, 이것은 겹쳐져 쌓인 사암에서 나온 것이며, 이것은 표토에서 나온 것이고, 이것은 배스의 건축석에서 나온 것이다"라며 즉각 다시 분류해 정리해 놓아 목사를 깜짝 놀라게 했다. 목사는 그 자리에서 그때까지의 생각을 버리고 윌리엄 스미스의 주장을 믿게 되었다.

그러나 당시의 지질학자들은 그의 주장을 쉽사리 믿지 않았고, 한낱 이름 없는 측량사의 말에 귀를 기울이려 하지 않았다. 그러나 윌리엄 스미스에게는 지구의 속을 들여다보는 눈이 있어서 그 구조와 골격을 선명하게 볼 줄 알았고, 그 조직을 훤히 꿰뚫고 있었던 것이다.

배스 부근의 지층에 대한 그의 지식이 어찌나 정확했던지, 어느 날 저녁 목사 조지프 타운젠드의 집에서 리처드슨에게 지층의 상태를 위에서부터 차례로 설명하는데, 백악층에서 석탄층 아래에 이르기까지 도합 23층을 열거했다. 이 가운데 석탄층 이하는 당시까지 알려지지 않은 것이었다. 그 밖에도 몇 층의 암석층에서 캐낸 화석 가운데 중요한 것을 표로 작성하여 첨가하였고, 이 것이 1801년에 책으로 출판되어 널리 알려지게 된다.

이어서 스미스는 자신의 힘이 닿는 한, 배스에서 먼 곳까지 범위를 넓혀 지층을 조사해 보기로 결심하였다. 그는 여러 해 동안 때로는 걸어서, 때로는 말이나 역마차를 타고 곳곳을 돌아다녔다. 일상의 사무에 지장이 없게 하기 위해 낮에 볼일을 본 날에는 밤에 여행을 하여 시간을 아꼈다.

예를 들어, 지방 유지인 쿠크 씨 소유 땅의 관개와 배수 관리 때문에 집을 떠난 적이 있었다. 그는 배스에서 노퍽 홀크암까지 여행을 하면서, 말을 타고 도로에서 멀리 떨어진 곳까지 들어가 그 지방의 지질을 조사하곤 했다.

몇 해 동안 이런 식으로 잉글랜드와 아일랜드의 먼 지역까지 답사한 거리를 따져 보면, 한 해에 1만 마일 이상을 여행한 셈이었다.

이와 같이 끈기 있게 힘든 여행을 하는 동안, 스미스는 자기가 하나의 새로운 과학이라고 여긴 분야에 대해 재빨리 개괄하고 그것을 기록해 두었다. 아무리 사소하게 보이더라도 관찰을 게을리 하지 않았고, 새로운 사실을 수집하는 기회를 그대로 넘기는 일이 없었다. 가능하기만 하면 늘 천연 또는 인공 채굴을 기록하여, 그것을 8야드에서 1인치 크기로 축사(縮寫)하고 채색까지 하였다. 그의 날카로운 관찰력을 보여 주는 다음과 같은 일화가 있다.

워번 지방 근처에서 지질답사 여행을 하던 중 던스터블 백악 산기슭에 이르렀을 때, 그는 동행을 보고 이렇게 말했다.

"만약 이 산기슭에 부서진 흙이 있으면 우리는 상어의 이빨을 발견할 수 있을 것이오."

놀랍게도 그리 멀리 가기도 전에 변두리 호(濠)의 화이트 뱅크에서 6개의 상어 이빨이 발견되었다. 뒷날 그는 자기 자신에 대해 다음과 같은 말을 했다.

"관찰하는 습관이 내게 생겨 떨어질 줄 모르는 평생의 친구가 되었다. 그리고 여행을 생각하기만 하면 이 습관이 꿈틀거리는 것이었다. 그래서 나는 여행을 할 때 늘 지도를 준비하고, 여행 목적지와 도중의 여러 사물에 대한 자료를 미리 수첩에 적어 가지고 떠났다. 말하자면 내 마음은 화가의 캔버스처럼 그 위에 최초의, 그리고 최선의 인상을 받아들일 준비가 되어 있었던 것이다."

스미스의 이러한 근면함에도 불구하고, 여러 가지 사정으로 진작부터 계획했던 《잉글랜드와 웨일스의 지층도》의 출판이 지연되다가, 몇몇 친구들의 도움으로 20년에 걸친 끊임없는 노력의 결과를 1834년에야 세상에 내놓을 수 있었다. 답사를 하고, 또 그의 목적을 위해 없어서는 안 되는 광범위한 사실과 관찰을 수집하기 위해, 그는 그동안 자기가 번 돈을 몽땅 투자해야만 했다. 심지어 오지를 탐사하는 비용을 마련하기 위해 얼마 안 되는 부동산까지 팔아 치웠다.

게다가 배스 부근의 채석 사업에 관여하다 실패하여, 지질학의 표본 전부(영국 박물관이 매입)와 약간의 집기에 책까지 팔아야만 했다. 약간의 문서, 지도, 그리고 지면도만 보존했는데, 이 세 가지는 그 자신 말고는 누구에게도 필요하지 않은 물건이었던 것이다. 이런 손실과 불운을 모범적인 굳은 의지로 감수하며, 그는 쾌활하고 굴하지 않는 참을성으로 자신의 연구를 계속했다.

그러던 스미스는 1839년 9월, 버밍엄에서 열린 영국협회에 참석하러 가는 도중 노샘프턴에서 세상을 떠났다. 이와 같이 용기 있는 과학자의 근면으로 작성된 영국의 지질도에 대해서는 아무리 찬사를 보내도 지나치지 않다.

어느 유명한 저술가는 이 지질도에 대해 다음과 같이 말했다.

"스미스의 지질도는 그 착상이 탁월하고 전체 구성이 매우 정확하여, 그 이후 영국의 지도를 만들 때 이 원리를 기초로 적용했을 뿐 아니라, 세계의 모든 나라가 지질도를 만들 때도 이 원리를 이용했다. 지질학협회에 가면 아직도 스미스의 지도를 볼 수 있는데, 그 고색창연한 문서는 마치 새 빛을 칠해 달라고 호소하고 있는 듯이 보인다. 지질학에 정통한 사람이 그것을 같은 규모의 후세의 지도와 비교해 보더라도 중요한 부분에서 거의 차이가 없음을 발견할 것이다. 스미스의 이 위대한 개괄 제작에 새로 추가한 것이 있다면, 머치슨과

휴 밀러

세지윅이 웨일스와 잉글랜드 북부의 실루리언 암석 지대를 자세히 분석해 놓은 것뿐이다."

옥스퍼드셔 출신의 이 천재 측량기사는 생전에 과학자들의 정당한 인정과 존경을 받을 수 있었다. 1831년에 런던 지질학협회는 그에게 월라스턴 상패를 주면서 다음과 같은 말로 그의 공적을 찬양했다.

"윌리엄 스미스는 영국의 지질학을 위해 위대한 독창적인 발견을 하였으며, 더욱이 영국에서 처음으로 지층의 식별법을 제시하고 지층 속에 묻혀 있는 화석을 통해 지층의 순서를 결정하였다."

윌리엄 스미스는 그 순수하고 열성적인 학구열로 자기가 그토록 사랑하는 과학과 함께 그 이름을 영원히 남기게 된 것이다. 생물이 잇따라 출현하는 상태와 그 사실이 밝혀지기 전까지는, 스미스가 발견한 것보다 귀한 발견은 앞으로 지질학계에서는 다시 나오기 어려울 것이다.

관찰의 재능이 있던 휴 밀러

휴 밀러는 과학뿐만 아니라 문학도 열심히 공부하여 성공한, 뛰어난 관찰력의 소유자였다. 그의 자서전 《나의 학교와 선생님들》은 무척 재미있고 유익한 책이다. 불우한 환경 속에서도 참으로 고귀한 인격을 형성하는 이야기를 담고

있어, 자조와 자중(自重), 그리고 자신감에 대한 교훈을 힘차게 제시해 준다.

밀러가 어렸을 때 선원이던 아버지가 바다에서 익사하는 바람에, 어머니 혼자서 그를 키웠다. 어느 정도 학교 교육을 받았으나 그에게 정말 가르침을 준 것은 어린 시절 같이 놀았던 아이들, 함께 일하던 사람들, 그리고 같이 지냈던 친구와 친척들이었다. 그는 닥치는 대로 이것저것 책을 많이 읽었고, 여러 방면의 사람들, 즉 인부, 목수, 어부, 선원들에게 진기한 지식을 배웠으며, 특히 크로마티 해변에 흩어져 있는 오래 된 돌에서 많은 것을 배웠다.

해적 노릇을 한 그의 증조할아버지가 쓰던 큰 망치를 들고 나가 여기저기 돌아다니며 돌을 깨고, 운모, 반암(斑岩), 그리고 석류석 같은 종류의 돌을 모았다. 때로는 숲 속에 들어가 온종일을 보내기도 했는데, 여기서도 남다른 지질학적인 호기심을 쏟았다. 해변에서 암석들을 살피고 다닐 무렵엔, 해초를 따러 온 어부들이 "돌 속에 은이라도 있는가?" 하고 물었지만, 그는 애석하게도 그렇다는 대답을 할 수 없었다.

나이가 들자 스스로 원해서 석공의 견습생으로 들어갔다. 이리하여 그는 크로마티 해변이 내려다보이는 채석장에서 일하게 되었다. 이 채석장이 그에게는 어느 곳보다 좋은 학교였으니, 그것이 가지고 있는 지질학적 구조가 한층 더 그의 호기심을 일깨워 주었다. 위에는 심홍색의 암석층이 있고 아래에는 담홍색의 점토층이 있음에 주목하여, 그처럼 하찮게 보이는 사실 속에서도 관찰과 사색의 대상을 발견했다. 남들은 아무것도 주목하지 못하는 가운데 그는 유사성과 차이와 특질을 발견하고 그것을 깊이 생각했다.

언제나 깨어 있는 정신으로 근면과 인내를 가지고 연구에 임했으니, 그것이 바로 그의 지혜가 성장할 수 있었던 비결이었다. 지금은 소멸된 이상한 유기물의 잔해, 예를 들면 물고기와 양치류의 것, 그리고 고대 생물의 암모나이트 같은 기묘한 유물들을 파도가 씻어낸 해변에서, 또는 그가 망치로 돌을 깰 때 볼 수 있었는데, 그런 것들이 그의 호기심에 더욱더 불을 붙였다.

휴 밀러는 그런 것을 계속 관찰하고 다른 것들과 비교 연구하여, 석공 생활을 그만둔 뒤 마침내 옛날의 적사토(赤砂土)에 대한 매우 흥미로운 내용을 담은 《오래된 적사토》라는 책을 냈다. 그로 인해 그는 단번에 과학자로서의 명성을 얻게 되었는데, 그것은 오로지 오랫동안 끈기 있는 관찰과 연구 조사를 해서 얻은 열매였다. 그는 자서전에서 다음과 같이 겸손하게 말하고 있다.

"이 일에서 내가 공적이라고 말할 수 있는 것은 오직 참을성 있게 연구한 점뿐이다. 그러나 누구나 의지만 있으면 이만한 공적이나 또는 이를 능가하는 공적을 올릴 수 있다. 그리고 이런 변변치 못한 능력이나마 그것을 올바르게 개발시키면, 식견이 매우 발달하게 되어 천재도 이를 따르지 못하게 될 것이다."

영국의 저명한 지질학자 존 브라운도 밀러처럼 어린 시절에는 석공이었는데, 처음에는 콜체스터에서 견습생으로 있다가 나중에 노리치에서 품팔이 석공 생활을 했다. 이어서 콜체스터에서 자립하여 건축업을 하면서 검소함과 근면함으로 상당한 재산을 모았다. 건축업을 하는 동안 처음으로 화석과 조개 종류에 흥미를 느끼고 그런 종류를 계속 수집했는데, 그것은 나중에 영국에서 가장 훌륭한 수집품의 하나가 되었다.

존 브라운은 이렇게 에섹스와 켄트, 그리고 서식스의 해변을 답사하다가 코끼리와 코뿔소의 큰 화석을 발견했고, 그 중에서 가장 귀중한 것을 대영박물관에 기증했다. 세상을 떠나기 전 몇 해 동안은 백악기의 유공충류(有孔蟲類)의 연구에 상당한 관심을 기울여, 이에 대한 몇 가지 흥미로운 발견을 했다.

그의 일생은 유익하고 행복했을 뿐 아니라 살아 있는 동안 세상 사람들의 존경을 받았으며, 80세의 장수를 누린 뒤에 1859년 2월 에식스 스탠웨이에서 세상을 떠났다.

로더릭 머치슨 경이 스코틀랜드 북단의 더르소에서 훌륭한 지질학자 한 사람을 발견했다. 그는 로버트 딕이라는 빵장수였다. 로더릭 경이 로버트의 빵집을 방문한 적이 있었는데, 이때 로버트는 나무도마 위에 밀가루로 자기가 사는 지방의 지도와 지질학적 상황을 그리면서, 당시 사용되고 있던 지도의 미비점을 지적했다. 여가 시간에 이 지방을 답사하여 직접 확인했다는 것이었다. 좀더 이야기를 나눈 뒤, 로더릭 경은 자기 앞에 서 있는 이 겸손한 사람이 한낱 빵 굽는 사람이 아니라 지질학자요 일급 식물학자라는 것을 알게 되었다.

지리학회 회장인 로더릭 경은 이렇게 말했다.

"부끄러운 일이지만, 나는 이 빵장수가 나보다 10배나 더 많은 식물학 지식을 갖추고 있음을 알았다. 그가 수집하지 못한 꽃은 겨우 20~30종밖에 없었다. 그 중에는 선물로 받은 것도 있고 산 것도 있었지만, 대부분 그의 고향인 게이드니스에서 그가 열심히 수집한 것들이었다. 그리고 수집한 것들을 아주 질서정연하게 정리해 놓고 일일이 학명을 붙여 놓고 있었다."

로더릭 머치슨 경 자신도 꽃과 관련된 학문에서 둘째가라면 서러워할 정도로 훌륭한 연구자였다. 〈쿼털리 리뷰〉지의 한 필자는 다음과 같이 그를 격찬했다.

"로더릭 경은 일찍이 군인으로 청년 시절을 보내느라 학문을 연구할 기회가 많지 않았지만, 여우 사냥이나 하면서 시간을 보내는 시골 신사 노릇을 하지 않았다. 그는 타고난 활력과 지혜, 인내와 근면으로 세상에 오래도록 남을 명성을 얻었으니, 이런 예는 그리 흔치 않은 것이다. 먼저 힘든 곳이어서 아직 조사되지 않은 지방을 조사하여 오랫동안 수고한 끝에 암석의 구조를 알아내고, 그것을 천연의 배치대로 분류하여 각기 특유한 화석을 배당함으로써 세계 지질학사에 두 가지 중요하고 새로운 해석을 더했으니, 그 새로운 해석과 명예는 반드시 후세에 남게 될 것이다. 이렇게 얻은 지식을 응용하여 국내외의 광대한 지역을 분석하는 데 이용했으며, 그때까지 알려지지 않던 여러 나라의 지질학적 발견자가 되었다."

로더릭 머치슨 경은 단순한 지질학자로만 머물지 않고 여러 분야에서 불굴의 노력을 하여, 마침내 가장 원숙하고 완성된 과학자의 대열에 낄 수 있었다.

6 예술의 일꾼
열성이 재능을 이긴다

저 멀리 빛을 내는 것이 있느니, 그것을 수중에 넣지 못하겠거든 다시 시
도해 보아라. 소중한 것은 성공이 아니라 노력하는 과정에 있는 것이다.

R.M. 밀네즈

뛰어나라, 그러면 그 결과를 보게 될 것이다. 　　　　　　　　　주베르

천부적인 재능이 있다 해도 반드시 근면의 힘이 필요하다

어떤 일이나 다 마찬가지이지만 예술에서의 뛰어난 성과도 몸을 아끼지 않
는 근면한 노력을 통해서만 얻을 수 있다. 훌륭한 그림을 그리거나 고상한 조
각품을 완성하는 것은 결코 우연하게 일어나는 일이 아니다. 예술가의 숙달된
붓놀림이나 끌의 움직임은, 아무리 타고난 재능이 있다 하더라도 실은 끊임없
는 노력의 산물이 아닐 수 없다.

조슈아 레이놀즈는 근면의 힘을 확신하여 이렇게 주장했다.

"위대한 예술 작품은 천부적인 재능과 타고난 미적 감각, 신이 주신 선물에
의한 것이지만, 실제로는 작가의 한결 같은 노력에 의해 성취할 수 있다."

또 화가 배리에게 보낸 서신에서 조슈아 레이놀즈는 다음과 같이 말했다.

"그림이든 다른 어떤 예술이든 탁월한 작품을 창조하겠다는 뜻을 정했으면,
아침에 일어나서 잠자리에 들 때까지 모든 정신을 거기에만 쏟아야 한다."

또 이렇게 말한 적도 있다.

"예술가로서 남보다 뛰어나고자 한다면 마음이 내키든 안 내키든, 아침에도 낮에도 밤에도 늘 그 일만 생각해야 하며, 그것은 이미 즐거움의 영역을 넘어서 고행이라는 것을 알아야 한다."

그러나 근면한 노력이 예술에서 대성하는 데 절대적으로 필요한 것이기는 하되, 타고난 재능이 없으면 아무리 노력을 기울여도 예술가가 될 수 없는 것은 사실이다. 재능은 타고나는 것이지만 그 재능을 갈고 닦아 완성시키는 것은 자기 수양의 힘이다. 모든 사람에게 평등한 기회를 주는 학교교육보다 자기 수양 쪽이 재능을 펼치는 데 훨씬 더 도움이 되는 것은 말할 것도 없다.

위대한 예술가들 중에는 가난이나 그 밖에 많은 장애를 무릅쓰고 분투하여 자신의 진로를 개척한 사람들이 적지 않다.

몇 가지 예가 독자들의 머리에 떠오를 것이다.

과자 기술자 클로드 로렌, 염색공 틴토레토, 한 사람은 물감 빻는 일을 하고 또 한 사람은 바티칸에서 회반죽을 운반하던 두 카라바기오, 산적과 한패였던 살바토르 로자, 농부의 머슴살이를 한 지오토, 집시로 유랑 생활을 한 진 가로, 집에서 쫓겨나 거지 노릇을 한 카베도네, 석공 카노바—이러한 사람들과 그 밖의 유명한 예술가들은 최악의 환경 속에서 말할 수 없는 노력과 고생 끝에 그 명성을 떨치게 되었다.

영국의 탁월한 예술가들 중에도 예술적 재능을 키우기에 적합하지 않은 환경에서 태어난 사람들이 많다.

게인즈버러와 베이컨은 직조공의 아들이요, 배리는 아일랜드에서 견습선원이었으며, 마클리스는 코르크 지방의 어느 은행가의 견습생이었고, 오피와 롬니는 이니고 존스처럼 목수였다. 웨스트는 펜실베이니아에서 퀘이커 교도인 어느 소농의 아들이었으며, 노스코트는 시계 수리공이었고, 잭슨은 양복재단사였으며, 에티는 인쇄공이었다. 레이놀즈, 윌슨, 그리고 월키는 목사의 아들이었다. 로렌스는 선술집 주인의 아들이었고 터너는 이발사의 아들이었다. 화가들 중에는 비록 보잘것없는 환경이지만 미술 쪽과 관련된 집안 출신들도 있다. 플랙스먼은 석고상 상인의 아들이었고, 버드는 찻그릇 장식업을 했고, 마틴은 마차 도장공이었으며, 라이트와 길핀은 선박 도장공이었다. 찬트리는 조각공이자 도금공이었으며, 데이비드 콕스와 스탠필드, 그리고 로버츠는 풍경화공이었다.

이들이 명성을 얻은 것은 결코 행운이나 우연의 힘이 아니라, 진지한 노력과 근면의 결과이다. 예술가 중에는 돈방석에 앉은 자도 있지만, 부 자체가 그들의 주목적이 되는 일은 좀처럼 없다.

실제로 예술가는 젊었을 때부터 자신을 송두리째 내던지면서 창조활동에 힘쓰고 있는데, 단순히 돈을 바라는 사람은 그러한 고뇌에 찬 생활을 계속할 수가 없다. 예술의 진수를 추구하는 것은 기쁜 일이지만, 그 기쁨을 얻을 수 있는 것만으로도 예술가는 충분히 만족한다. 부는 어쩌다가 예술에 따라붙는 우연에 지나지 않는다. 수많은 고상한 예술가들은 작품을 매매할 때 사람들과 다투는 법이 없고, 오직 자신들의 작품이 인정받기만을 원했다.

그리스의 철학자 스파그놀레토는 소설의 아름다운 이상을 실현하고 그에 따라 호화로운 생활을 할 수 있는 재물을 얻었으나, 그 모든 것을 물리치고 스스로 가난하고 근면한 생활로 돌아갔다.

미켈란젤로는 어느 화가가 돈을 벌기 위해 기를 쓰며 그림을 그린다는 이야기를 듣고 다음과 같이 말했다.

"반드시 부자가 되어야겠다는 마음을 버리지 않는 한, 예술가로서 평생 허우적거리며 살게 될 것이오."

미켈란젤로

조슈아 레이놀즈처럼 미켈란젤로도 노력의 중요함에 대한 굳은 신념을 가지고 있었다. 마음이 움직이는 대로 자유자재로 끌을 다룰 수 있을 때까지 수련을 쌓으면, 머리에 떠오른 어떠한 구상도 대리석에 그대로 표현할 수 있게 된다고 그는 주장했다. 미켈란젤로는 진정 지칠 줄 모르는 노력파였다. 그는 같은 시대의 예술가 가운데 누구보다도 오랜 시간을 창작활동에 바쳤는데, 그것이 가능했던 것도 그 자신의 검소한 생활 습관 덕분이었다.

거의 하루 종일 빵 한 조각과 포도주로 버티며 작업했고, 한밤중에도 종종 일어나 일을 했다. 밤에는 두꺼운 종이로 만든 모자에 양초를 세워 불을 켜고, 그 모자를 쓴 채 조각상을 비추면서 끌을 놀렸다. 그러다가 지치면 옷을 입은 채 잠들고, 피로가 가시면 벌떡 일어나서 다시 작업을 계속했다.

미켈란젤로가 마음에 들어한 작품 중에 모래시계를 든 노인이 손수레를 타고 있는 상(像)이 있는데, 그 모래시계에는 'Ancora imparo!(나는 지금도 배우는 중이다)'라는 글귀가 새겨져 있다.

그림 하나에 7, 8년이 걸린 티티안

티티안도 불굴의 노력가이다. 그의 유명한 〈피에트로 마르티레〉는 완성하는데 8년이 걸렸고, 〈최후의 만찬〉도 7년이나 걸려 완성을 보았다. 샤를 5세에게 보낸 서신에서 그는 다음과 같이 말했다.

"폐하께 올리는 이 〈최후의 만찬〉은 7년 동안 거의 하루도 빼놓지 않고 그린 것입니다."

예술가의 위대한 작품을 보고, 거기서 인내심 강한 노력과 오랜 수업의 흔적을 느낄 수 있는 사람은 많지 않다. 그들의 작품은 극히 짧은 기간에 참으로 쉽게 만들어진 것처럼 보인다. 그러나 그 그늘에는 상상을 초월하는 작가의 고통이 배어 있는 것이다.

어느 날 베네치아의 귀족이 미켈란젤로에게 자신의 흉상을 의뢰했다. 그는 열흘 만에 그 상을 완성하여 그 대가로 금화 50개를 청구했다. 귀족은 '겨우 열흘 만에 완성한 작품치고는 너무 비싸다'고 항의했다. 그러나 미켈란젤로는 이렇게 대답했다.

"당신은 잊고 계신 것 같군요. 흉상을 열흘 만에 만들 수 있게 되기까지 내가 30년 동안 수업을 쌓아왔다는 것을."

도메니키노는 의뢰받은 그림을 그리는 데 너무 시일이 걸린다고 좋지 않은 말을 들었을 때, 이렇게 대답했다.

"잠시도 쉬지 않고 내 마음속에서 그리고 있소."

오거스터스 콜컷은 유명한 〈로체스터〉를 그리기 위해 별도로 40장이나 되는 스케치를 했다는 사실에서, 우리는 그의 유별나게 근면한 기질을 엿볼 수 있다. 인생 그 자체도 그렇지만, 예술에서 성공하는 데에도 이와 같이 꾸준한 반복이 중요한 조건이 아닐까?

평범하게 끝나는 사람, 나중에 두각을 드러내는 사람

아무리 천부적인 재능을 타고난 사람이라 해도, 예술의 진수를 이해하려면 오랜 세월에 걸친 지속적인 노력이 없어서는 안 된다. 어려서 신동이라는 소리를 들었어도, 그 뒤 재능을 갈고 닦는 것을 게을리 하여 결국 '보통 사람'으로 추락하는 경우도 많다.

그 가장 좋은 예가 화가 벤저민 웨스트이다.

그는 불과 7살 때, 요람에서 잠든 여동생의 귀여운 모습을 보고, 그 아름다움에 매료되어 급히 종이를 가져와서 잠든 아기의 얼굴을 스케치했다. 이 작은 사건으로 그의 예술가로서의 소질이 세상에 알려졌고, 그는 천재 소년이라는 평판을 얻었다. 그러나 너무나 빨리 찾아온 성공이 웨스트의 미래를 해치는 결과가 되었다. 그렇지 않았으면 그는 더욱 위대한 화가가 되었을지도 모른다.

웨스트가 커다란 명성을 얻은 것은 사실이지만, 그것은 학문이나 시행착오, 고통을 통해 얻어진 것은 아니었다. 그래서 결국 그 명성도 오래 가지 못하고 끝나 버린 것이다.

리처드 윌슨은 어릴 때부터 불에 타다 만 막대기로 자기 집 담벼락에 사람과 동물을 즐겨 그렸다. 처음에는 인물화에 관심을 가졌지만, 이탈리아에 있는 추카렐리의 집을 방문했을 때, 기다리다 지루해서 그 친구의 방 창문에서 내다보이는 풍경을 그렸다. 추카렐리는 그 그림을 보고 놀라면서 혹시 풍경화를 공부하지 않았느냐고 물었다. 그는 배운 적이 없다고 대답했다.

"그렇다면 한번 배워보기를 권하네. 자네는 틀림없이 성공할 거야."

윌슨은 추카렐리의 권유에 따라 열심히 공부하고 연구하여, 마침내 영국 최초의 위대한 풍경화가가 되었다.

조슈아 레이놀즈 경은 소년 시절에 공부는 하지 않고 밤낮 그림만 그려 아

윌리엄 호가스

버지한테 늘 꾸지람을 들었다. 아버지는 그를 의사로 만들 생각이었으나, 이 소년은 그림에 대한 강한 열망을 누를 길 없어 화가가 되었다.

어린 시절에 서드버리 숲으로 그림을 그리러 다녔던 게인즈버러는 12세 때 벌써 어엿한 화가가 되어 있었다. 그는 예민하고 부지런한 노력가로서 아름다운 풍경만 보면 반드시 공을 들여 그려 내고야 말았다.

양말 장수의 아들 윌리엄 블레이크는 아버지 상점의 계산서 뒷면에 도안을 그리거나 계산대 위에서 스케치를 했다.

에드워드 버드는 겨우 서너 살 때 의자 위에 올라가서 벽에 그림을 그린 뒤, 그것을 프랑스와 영국의 군인들이라고 했다. 아버지는 그 아이에게 그림물감을 사주고, 예술을 좋아하는 아이의 적성을 살려 볼 생각으로 찻그릇을 만드는 집에 제자로 들여보냈다. 그 일에 종사하던 버드는 공부와 노력을 통해 점점 성장하여, 마침내 영국왕립미술원의 회원이 되었다.

윌리엄 호가스는 공부에는 둔재였지만, 알파벳 글자로 도안을 그리는 것을 좋아했다. 학교에서 숙제를 내주면 내용은 형편없지만, 숙제를 다양하게 장식해 가는 것으로 유명했다. 그것 때문에 학교 친구들에게 놀림을 당하고 두들겨 맞기도 했지만 문자 장식에서만큼은 아무도 그를 따라오지 못했다. 아버지가 그를 금은세공사의 집에 제자로 보내자, 거기서 수저와 포크에 꽃무늬와 글자를 그리고 새기는 일을 배웠다. 세공 일에서 한 걸음 더 나아가, 구리에 주로 그리핀[*1]과 각종 괴물을 도안한 문장을 새기는 공부도 했다. 그러는 사이에 여러 가지 사람의 모습을 묘사해 보고 싶은 생각이 들어 열심히 연습하고 노력했다. 마침내 그 분야에서는 아무도 따라올 수 없게 되었다. 그것은 오직 그가 세심하게 관찰하고 공부한 결과였다.

호가스는 눈에 띄는 얼굴을 보면 그 특징을 기억해 두었다가, 나중에 종이

---

*1 독수리 머리와 날개에 사자의 몸을 가진 괴물.

위에 정확하게 그려낼 수 있었다. 그는 이 재능을 쉬지 않고 발달시켰다. 특별히 묘한 모습이나 개성 있는 얼굴을 보면, 그 모습을 자기 엄지손톱 위에 스케치했다가 시간이 나면 크게 확대하여 그리기도 했다. 멋지고 창조적인 것이라면 무엇이든 그의 관심을 끌었고, 그런 것을 발견하기 위해 먼 곳까지 찾아다니는 것도 마다하지 않았다. 이렇게 축적해 둔 관찰이 있었기에, 호가스는 뒷날 많은 분량의 생각과 소중한 관찰 내용을 자신의 작품 속에 쏟아 넣을 수 있었던 것이다.

그래서 호가스의 그림은 그가 살던 시대의 특징과 풍습, 그리고 유행까지 잘 나타내 주는 정확한 기념물이 되었다. 호가스는 진정한 그림은 오직 하나의 학교, 즉 자연에서만 배울 수 있다고 말했다. 그러나 그는 자신의 분야를 제외하고는 결코 높은 교양을 갖춘 사람은 아니었다. 그가 받은 학교 교육이라야 보잘것없었고 철자법도 제대로 배우지 못했지만, 나머지는 모두 혼자서 공부했다. 오랫동안 역경에 처해 있으면서도 그는 쾌활한 마음을 잃지 않고 일했다. 비록 가난했지만 자신이 버는 적은 수입으로 살며 '나는 지독한 살림꾼'이라고 자랑했는데 그것은 정말 자랑할 만한 일이었다. 이 모든 어려움을 이겨내고 명성이 자자한 사람이 되었을 때, 그는 지난날의 노력과 고난을 되새겨보기를 좋아했고, 그토록 명예롭고 영광스러운 예술가가 되었는데도 그 싸움을 처음부터 다시 해보고 싶다는 말을 자주 했다.

"아직도 기억이 나는군. 동전 한 푼 없이 시내로 들어가, 판화 하나를 만들어 10기니에 팔고 집으로 돌아오던 날…… 난 옆구리에 칼을 차고, 마치 주머니에 수천 금이라도 들어 있는 사람처럼 의기양양하게 밖으로 나갔지."

소년을 격려한 뱅크스

조각가 뱅크스의 좌우명은 '근면과 인내'였다. 그는 스스로 그렇게 활동했을 뿐만 아니라 남에게도 강력히 권고했다. 그는 특히 친절한 사람으로 유명하여, 큰 뜻을 품은 많은 청년들이 그를 찾아와 충고와 도움을 청했다. 어느 날 한 소년이 그를 찾아왔는데, 문을 너무 세게 두드린다고 하인이 화를 내며 소년을 꾸짖었다. 뱅크스가 그 소리를 듣고 즉시 나가 보니, 어린 소년이 손에 그림 몇 장을 쥐고 서 있는 것이었다. 조각가는 소년에게 말했다.

"무슨 일로 나를 찾아왔니?"

"선생님, 제가 미술원에서 그림 공부하는 것을 허락해 주십시오."

뱅크스는 그런 일을 주선해 줄 수는 없지만 그림은 봐주겠다고 말했다. 그림을 훑어보고 나서 뱅크스는 이렇게 말했다.

"미술원에 들어갈 만하구나. 하지만 애야, 우선 집에서 그림 공부에만 전념하고, 앞으로 아폴로(신상의 이름) 그림을 보다 낫게 그려 봐라. 그리고 한 달 뒤에 다시 와서 보여 다오."

소년은 집으로 돌아가 더욱 열심히 그림을 그리고, 한 달 뒤에 다시 조각가를 찾아왔다. 그림은 전보다 좋아졌으나, 뱅크스는 또다시 충고를 하면서 집에 가서 공부를 더 하라고 돌려보냈다. 1주일 뒤 소년이 다시 찾아왔을 때 그림은 훨씬 더 나아져 있었다.
뱅크스는 소년에게 더욱 용기를 주면서, 그 능력을 소중히 키워 가면 훌륭한 화가가 될 수 있을 거라고 말했다. 그 소년이 바로 최초로 우편 봉투를 도안한 화가 멀레디였다.

클로드 로랭
프랑스 화가 클로드 로랭은 로렌 지방의 가난한 집안에서 태어나, 처음에는 페스트리(파이의 일종) 가게의 견습생으로 들어갔다. 그 뒤 목각 공예를 하는 형에게서 목각 기술을 배우면서 그는 점차 예술적인 기량을 발휘하기 시작했다.
어느 날, 한 행상인이 클로드의 소질을 알아보고 그를 이탈리아로 데리고 가고 싶다고 형에게 제안했다. 클로드는 형의 승낙을 얻어 로마로 가서 화가 아고스티노 타시의 집에 하인으로 들어갔다. 타시 밑에서 풍경화를 배운 클로드는 이윽고 자신의 작품을 발표하기 시작한다. 그리고 이탈리아, 프랑스, 독일을 두루 돌아다니며, 가는 길에 돈이 떨어지면 걸음을 멈추고 풍경화를 그려 빈 주머니를 채웠다.

다시 로마로 돌아왔을 때는 그의 작품을 찾는 사람이 점점 더 많아졌고, 그의 평판은 마침내 전 유럽에 알려졌다.

클로드는 자연의 다양한 표정에서 회화의 진수를 이끌어 내는 연습을 묵묵히 계속했다. 하루의 대부분을 건물이나 토지, 나무들을 세밀하게 묘사하는 데 보냈다. 또 해가 뜰 때부터 해가 질 때까지 하늘을 바라보며 흘러가는 구름의 움직임과 햇빛의 변화를 관찰했다.

이렇게 늘 수련을 게을리 하지 않은 덕택에, 느리기는 하지만 자연을 볼 줄 아는 안목과 그것을 묘사할 수 있는 기량을 높여간 클로드는 어느새 '최고의 풍경화가'로 불리게 되었다.

이익에 연연하지 않고 사물에 전념한 터너

풍경화가 터너는 '영국의 클로드'라 불리는데, 두 사람의 작풍은 물론 그 성장 과정에도 공통점이 많다. 터너도 고학 끝에 명성을 얻은 예술가였다.

터너는 어린 시절부터 런던에서 이발업을 경영하고 있던 아버지 밑에서 일을 돕고 있었다. 어느 날, 그가 은쟁반에 그려 있는 문장의 무늬를 스케치하고 있는 것을 보고, 손님 중 한 사람이 그의 그림 솜씨에 감탄하여 소질을 키워 보는 게 어떻겠느냐고 아버지에게 충고했다. 그것이 계기가 되어 터너는 화가의 길로 들어서게 된다.

터너는 여느 젊은 예술가들처럼 수많은 어려움을 겪었다. 게다가 그는 가난했기 때문에 더더욱 고통이 컸다. 그러나 그는 그림을 그리는 데 따르는 고생을 마다하지 않고 뼈를 깎는 수업을 견뎌냈다.

남의 그림에 덧칠을 하는 일도 스스로 떠맡아, 하룻밤에 반 크라운을 벌어서 그것으로 저녁 식사를 해결했다. 또 여행 안내서와 연감의 삽화를 그리거나 책의 표지 그림을 그리는 일감을 받아와서 약간의 돈을 벌기도 했다. 그러면서 전문적인 기술도 익혀갔다.

"그때에 그것 말고 내가 할 수 있는 일이 있었을까? 그것이 내가 할 수 있는 최선의 연습 방법이었다."

터너는 이렇게 회고했다. 그는 이익이 없는 일에도 세심하게 정성을 기울여 일했다. 언제나 최선을 다하며, 전보다 한 걸음이라도 진보된 그림을 그리려고 노력했다. 터너처럼 사물에 전념하면 누구든지 눈에 띄게 진보를 이룩하지 않을 수 없을 것이다.

터너의 재능은 이렇게 하여 점점 커져 갔다. 그의 성장은 러스킨의 말을 빌리면, "아침해가 떠오르는 것처럼 확실했다." 그러나 그에 대한 더 이상의 찬사는 쓸데없는 것인지도 모른다. 왜냐하면, 지금 남아 있는 그의 작품이 그 불후의 명성에 대한 확실한 기념비이기 때문이다.

방랑자가 되어 예술 활동을 한 페리에

예술의 중심지 로마로 가는 것은 언제나 예술가 지망생들의 가장 커다란 꿈이다. 그러나 로마로 가는 여비는 비싸고, 학생은 흔히 가난하게 마련이다. 하지만 어려움을 극복하려는 굳은 의지만 있다면, 마침내 로마로 가는 길이 열리게 된다. 프랑스의 화가 프랑수아 페리에는 이 불멸의 도시 로마에 가보리라는 열망을 이루기 위해, 한 맹인 유랑자의 안내자 노릇을 했다. 오랜 방랑 끝에 바티칸에 닿은 그는 열심히 노력하여 마침내 명성을 얻게 되었다.

집시의 친구로 판화가가 된 칼로

자크 칼로도 페리에 못지않게 로마에 가고 싶은 열망에 사로잡혔으나, 아버지는 미술가가 되려는 그의 뜻에 반대했다. 칼로는 이에 굴하지 않고 집을 나가 이탈리아로 갔다. 무일푼으로 집을 나갔으므로 곧 곤경에 빠지게 되었는데, 우연히 한 무리의 집시를 만나 그들에게 끼어 갖가지 모험을 하면서 개구리밥처럼 곳곳의 장터를 찾아 흘러다녔다. 이런 유별난 유랑생활을 하는 동안 칼로는 사람들의 기이한 모습과 성격에 대해 방대한 지식을 축적하여, 뒷날 그것을 그림과 조각 속에 과장된 모습으로 재현했다.

마침내 플로렌스에 도착했을 때, 한 신사가 그의 재능과 열성을 좋게 보아 어떤 화가의 집에서 그림 공부를 할 수 있게 주선해 주었다. 그러나 그는 로마에 이르기 전에는 한곳에 정착하고 싶지 않아 곧 거기에서 나온다.

로마에서 마침내 포리기와 토마신을 알게 되었는데, 이들은 칼로의 연필 스케치를 보고 장차 미술가로 크게 성공할 것을 예견했다.

그러나 칼로 집안과 친분이 있는 어떤 사람이 우연히 칼로를 알아보고 그를 억지로 고향으로 돌려보냈다. 그러나 이미 그에게는 방랑벽이 붙어서 가만히 집에 있지 못하였다. 다시 집을 뛰쳐나갔으나 투린에서 형에게 붙잡혀 또다시 집으로 돌아오게 되었다.

마침내 아버지는 아무리 말려도 소용이 없음을 깨닫고, 마지못해 그림 공부를 할 수 있도록 허락하고 칼로를 로마로 보냈다. 이리하여 그는 로마의 훌륭한 스승 밑에서 몇 해 동안 열심히 도안과 조각을 공부했다.

프랑스로 돌아오던 중에 코스모 2세의 격려

루이 13세

와 권유로 플로렌스에 머물며, 그곳에서 몇 년 동안 더 연구하며 공부했다. 그러다가 그 후원자가 세상을 떠나자, 그는 가족이 살고 있는 낭시로 돌아와 그곳에서 조각칼과 송곳으로 이내 많은 재산과 명성을 얻었다.

내란이 일어나 낭시가 포위되었을 때, 리슐리외는 칼로에게 그 싸움 광경을 그림과 조각으로 남겨 기념할 수 있게 하라고 했다. 그러나 그는 자기 고향의 참상을 기념하는 작품은 만들지 못한다며 단번에 거절했다. 리슐리외는 그가 끝내 고집을 굽히지 않자 감옥에 가둬 버렸다. 감옥에서 칼로는 처음에 로마로 가다가 자기를 곤경에서 구해 주었던 집시 친구들을 만났다.

이때 루이 13세가 그의 수감 소식을 듣고 감옥에서 풀어 주었을 뿐 아니라, 원하는 것이 있으면 무엇이든 말해 보라고 했다. 칼로는 자기의 옛 친구들인 집시들을 즉시 감옥에서 내보내고, 그들이 파리 시내에서 구걸을 해도 잡아들이지 말 것을 요청했다. 칼로의 이 묘한 요청은 즉각 받아들여졌으나, 거기에는 한 가지 조건이 있었다. 즉 그들의 모습을 판화로 새겨야 한다는 것이었다.

그래서인지 뒷날 그가 발간한 판화집 이름은 〈거지들〉이다. 루이 13세는 만약 칼로가 파리를 떠나지 않는다면 3천 리블*²의 연금을 하사하겠다고 제의했다. 그러나 방랑벽이 너무 심한 칼로는 자유를 소중히 여겨 이 제의를 받아들이지 않았고, 낭시로 돌아가 세상을 떠날 때까지 예술 활동을 계속했다. 그가 남긴 조각과 금속판화가 1,600점에 이르는 것만 보아도, 그가 얼마나 근면

---

*2 옛 프랑스의 화폐 단위.

로렌초 데 메디치

한 사람이었는지 짐작할 수 있다. 그는 특히 특이한 소재를 좋아하여 남다른 재주로 그런 것을 다루었는데, 조각도로 새긴 그의 금속 판화는 참으로 섬세하고 절묘했다.

열정적인 천재 예술가 첼리니

벤베누토 첼리니의 생애는 훨씬 더 낭만적이고 모험적이었다. 그는 교묘한 금세공사이자 화가였으며, 조각가이자 판화가, 그리고 기사이자 저술가였다. 그가 쓴 자서전에 따르면, 그의 일생은 어느 누구의 자서전에서도 볼 수 없는 특이한 것이었다.

아버지 조반니 첼리니는 플로렌스의 로렌초 데 메디치 가(家)의 궁정악사였는데, 아들 벤베누토가 플루트를 잘 부는 악사가 되어주기를 간절히 바랐다. 그러다가 그는 일자리를 잃게 되어, 아들에게 생업을 마련해 주지 않을 수 없어서 벤베누토를 금세공사에게 견습생으로 보냈다. 소년도 그림과 기술을 좋아했기 때문에 열심히 일했고, 곧 능숙한 금세공인이 되었다.

그러나 어떤 사람들의 싸움에 말려들어 그곳에서 6개월 동안 추방을 당하게 되는데, 그 사이에 시에나의 금세공사 밑에서 보석과 금세공에 한층 더 정교한 경험을 쌓았다. 아버지는 아직도 아들이 플루트 악사가 되기를 원했으므로, 벤베누토는 마음이 썩 내키지는 않았지만 한편으로는 플루트 연습을 계속했다. 그러나 그가 가장 좋아한 것은 미술이어서 계속 미술 공부에도 정열을 쏟았다.

플로렌스로 돌아온 벤베누토는 레오나르도 다빈치와 미켈란젤로의 작품을 주의 깊게 연구하는 한편, 금세공 기술을 더욱 향상시킬 생각으로 걸어서 로마까지 갔다. 그곳에서 수많은 어려움을 겪으며 기술을 익힌 벤베누토가 다시 플로렌스로 돌아왔을 때는, 귀금속 세공 분야에서 매우 섬세한 기술자라는 평판이 자자하여 그를 찾아오는 사람들이 많았다. 그러나 워낙 거친 성격 때문에 늘 곤경에 빠져 자주 도피 생활을 해야만 했다. 이리하여 수도승으로 가장하여 다시 한 번 시에나로 도피했다가, 나중에 로마로 갔다.

두 번째로 로마에 머무르는 동안 첼리니는 많은 사람들의 사랑을 받았고,

교황청의 부름을 받아 금세공사 겸 악사로 일하기도 했다. 언제나 대가들의 작품을 연구하며 자신의 기술 향상을 도모했다. 보석을 박는 일, 에나멜을 입히는 일, 도장을 새기는 일, 금·은·동을 세공하는 일 등에 그 솜씨가 어찌나 교묘했던지, 당시 예술가들 가운데서 그를 따를 만한 사람이 없었다. 벤베누토는 어떤 특수한 분야에서 자기보다 나은 금세공사가 있다는 말을 들으면, 당장 노력하여 그 사람을 능가하려고 애썼다.

그리하여 금세공에서는 갑이라는 사람과 경쟁하고, 에나멜을 입히는 일에서는 을이라는 사람과 경쟁하며, 보석세공에서는 병이라는 사람과 경쟁했으니, 사실상 자신이 다루는 모든 분야에서 누구보다 뛰어나고자 노력했다. 그렇게 피나는 노력을 한 만큼 그가 크게 성공한 것은 조금도 이상한 일이 아니었다. 그는 지칠 줄 모르는 활동가로 잠시도 쉬지 않고 움직였다. 플로렌스에 있는가 하면 로마에 가 있고, 만투아·로마·나폴리 등지를 돌아다니다가 다시 플로렌스로 돌아오곤 했다.

그는 그 긴 여행 동안 언제나 말을 타고 다녔다. 짐을 많이 가지고 다닐 수 없었으므로 어디를 가든 맨 먼저 하는 일은 도구를 만드는 일이었다. 그는 도구를 직접 고안했을 뿐만 아니라 모든 일을 자기 손으로 했는데, 손수 망치질하고 새기고 본을 떠서 주조했다. 이와 같이 만든 그의 제작물은 과연 그의 천재성을 입증해 주는 것으로, 아무나 만들 수 있는 것이 아니었다. 부인들의 허리띠 버클, 도장, 로켓*³, 브로치, 반지 또는 단추 같은 대단치 않은 물건도 그의 손을 거치면 아름다운 예술 작품이 되었다.

첼리니의 수공예 세공은 특히 빠르고 숙련되어 있었다. 어느 날, 한 외과 의사가 금세공인 라파엘로 델 모로의 집에 와서, 그 집 딸의 손을 수술하려 했다. 마침 그 자리에 있었던 첼리니가 외과 의사의 기구를 보고, 당시의 기구가 모두 그렇듯 몹시 엉성하고 무딘 걸 보고 의사에게 15분만 수술을 늦춰 달라고 요청했다. 그리고 집으로 달려가더니, 최고로 좋은 강철로 아름답고 훌륭한 수술용 메스를 만들어 와, 의사는 그것으로 수술을 잘 마칠 수 있었다.

첼리니가 만든 조상(彫像) 중에서 가장 유명한 것은, 프랑수아 1세를 위해 파리에서 제작한 주피터의 은상과 플로렌스의 코시모 대공(大公)의 위촉으로

---

*3 사진, 머리카락, 기념품 따위를 넣어서 목에 줄로 매다는 작은 갑.

제작한 페르세우스의 동상이다. 이 밖에도 아폴로, 히아신투스, 나르시스, 그리고 넵튠의 대리석상을 제작했다. 이 중 페르세우스상의 주조와 관련된 일화는 그의 특성을 잘 보여 주고 있다.

대공이 밀랍으로 만든 모형을 보고 이것은 도저히 주조할 수 없을 거라고 단언하자, 첼리니는 그 말에 자극을 받아서 오히려 끝까지 시도하여 반드시 만들어 내고야 말겠다는 결심을 했다. 먼저 진흙 모형을 떠서 구운 다음, 거기에 밀랍을 입혀 완전한 조상 모양을 만들었다. 이어서 이 밀랍에 어떤 흙을 입혀 또 한 번 굽자, 밀랍이 녹으면서 두 층 사이에 생기는 공간에 쇠를 흘려 넣었다. 용광로 바로 밑의 홈을 통해 파이프 구멍에 용해된 쇠를 부어 넣어, 준비된 모형으로 흘러 들어가게 한 것이었다.

첼리니는 주조 때 쓰려고 소나무를 미리 몇 짐 사 두었는데, 용광로에 놋쇠와 청동덩이를 가득 넣고 그것을 써서 불을 붙였다. 그런데 송진이 가득한 소나무가 갑자기 무서운 기세로 활활 타올라 공장에 불이 옮겨 붙어서 지붕을 홀랑 다 태워 버렸다. 게다가 바람이 불고 비까지 내려, 용광로의 열이 식는 바람에 쇠가 녹지 않았다.

첼리니는 몇 시간 동안 계속 불을 지피며 열을 유지하려고 애를 썼다. 그러다가 마침내 탈진한 끝에 병이 났고, 조상이 완성되기도 전에 죽는 게 아닌가 하는 불안한 생각이 덜컥 들었다. 하는 수 없이 일은 조수에게 맡기고, 금속이 녹으면 흘려 넣으라고 이른 다음, 자리에 누워 버렸다. 사람들이 찾아와 병석에 누운 그를 위로하고 있을 때, 일꾼 한 사람이 헐레벌떡 달려오더니 슬픈 얼굴로 말했다.

"송구합니다, 이번 작품은 어쩔 수 없이 실패로 돌아가고 말았습니다."

이 말을 들은 첼리니는 자리에서 벌떡 일어나 공장으로 뛰어갔다. 아닌 게 아니라 불은 다 꺼져 버리고 쇠는 다시 딱딱하게 굳어 있었다. 그는 이웃집으로 달려가서 말린 지 1년이 넘는 질이 좋은 참나무 한 짐을 얻어와 그것을 화덕에 넣으니, 불길이 다시 활활 타오르면서 쇠가 반짝반짝 빛나며 녹기 시작했다. 그러나 여전히 비바람이 심하여, 첼리니는 자기 몸을 보호하기 위해 여러 개의 책상과 벽걸이, 그리고 헌 옷가지를 가져오게 하여 그것으로 비바람을 막으며 화덕에 계속 장작을 집어넣었다. 다른 쇠 위에 백랍덩어리를 집어넣고 이따금 쇠 따위의 긴 자루로 휘저으니, 곧 모두 녹아 버렸다.

성패 여부를 눈앞에 둔 그 순간, 마치 천둥이 치는 듯한 요란한 소리가 나며 첼리니의 눈앞에 섬광이 번쩍거렸다. 알고 보니 용광로 뚜껑이 터져서 쇠가 흘러나오고 있는 것이 아닌가! 흘러나오는 속도가 그리 빠르지는 않아서, 첼리니는 부엌으로 뛰어 들어가 그 안에 있는 모든 구리와 백랍, 기물들—죽 사발, 접시, 주전자 등등 약 200개 정도—을 가지고 나오더니 그것을 몽땅 용광로에 던져 넣었다. 그리하여 결국 쇳물이 원활하게 흘러들어가, 그 훌륭한 페르세우스의 상이 완성된 것이다.

첼리니가 부엌에 뛰어 들어 모든 기물을 가져와서 용광로에 넣은 것은 실로 천재의 신성한 격렬함이니, 독자 여러분은 거기서 팔리시가 토기를 구우려고 집안의 가구를 부순 일화가 떠오를 것이다. 일에 대한 열정에 있어서는 두 사람이 같았지만, 성격으로 말하면 그렇게 서로 다른 사람들도 없었을 것이다.

첼리니는 스스로 인정하듯이 누구나 등을 돌릴 정도로 사람들이 멀리하는 존재였다. 그러나 그의 기능인으로서의 숙련과, 예술가로서의 천재성에 대해 이의를 제기할 사람은 아무도 없을 것이다.

니콜라 푸생

첼리니에 비하면 니콜라 푸생의 생애는 훨씬 우아하여 예술적인 이상, 일상생활, 활력 있는 지성, 고매하고 소박한 인격 등의 면에서 누구보다 뛰어났다. 그는 루앙 근처 레장들리의 평범한 집안에서 태어났는데, 아버지는 그곳에서 마을 학교를 운영하고 있었다. 비록 작은 학교였지만, 이 소년은 아버지의 학교에서 공부를 할 수 있었다. 그러나 전해지는 말에 따르면 공부에는 조금 게으른 편이었고, 공책과 석판에 그림 그리는 것을 더 좋아했다고 한다.

어느 시골 화가가 푸생의 스케치를 보고 몹시 기뻐하며, 이 소년의 적성을 살려 주는 것이 좋을 거라고 아버지에게 충고했다. 그래서 이 화가는 푸생에게 그림을 지도해 주게 되었는데, 어찌나 빨리 배우는지 얼마 안 가 더 이상 가르칠 것이 없을 정도로 발전했다.

푸생은 더 배우고 싶은 열망을 누를 길 없어 18세 때 파리로 떠났는데, 도중의 숙식 문제는 이집 저집 간판을 그려 주면서 해결했다. 파리에서 본 예술 세계는 그에게는 완전히 새로운 것이었고, 놀라움과 더불어 경쟁심이 솟아나게 했다. 푸생은 많은 화실을 찾아다니며 부지런히 그림을 그리고 모사도 했다.

얼마 뒤, 기왕이면 로마로 가는 것이 좋겠다고 마음먹고 여행 길에 올랐다. 그러나 겨우 플로렌스까지 갔다가 다시 파리로 돌아왔다. 또 한번 로마에 가려고 시도했으나, 이번에는 플로렌스는 고사하고 리옹까지밖에 가지 못했다. 그러나 그는 자기 앞에 다가오는 기회를 모두 조심스럽게 이용하면서 전과 다름없이 부지런히 그림 공부를 계속했다. 그러는 동안 무명의 서러움과 노고, 실패와 실망, 그리고 궁핍까지 곁들인 12년의 세월이 흘렀다. 마침내 푸생은 로마에 가게 되었다.

푸생은 로마에서 옛 대가들의 작품을 열심히 연구하고, 특히 그 완성미에 깊은 감명을 받은 고대의 조상에 대해 공부했다. 얼마 동안 자기처럼 가난한 처지의 조각가 뒤케누아와 함께 기거하면서 옛 작품을 따라 모형을 만드는 일을 도와주었다. 그리고 함께 로마의 유명한 입상, 특히 안티노우스 상을 면밀하게 연구했는데, 뒷날 그의 작풍 형성에 큰 영향을 준 것이 바로 이때의 연습이었다고 사람들은 생각하고 있다. 동시에 그는 해부학 공부를 하고 인물화를 그리거나 만나는 사람들의 모습과 자태를 그렸으며, 시간만 나면 친구한테서 빌려 온 예술서적을 주의 깊게 읽곤 했다.

푸생은 계속 가난을 면치 못했지만 자기 수련에 만족하고 살았다. 돈을 많이 주건 적게 주건 자기의 그림을 팔았다. 예언자를 그린 어떤 그림은 8리블에 팔고, 〈필리스틴 사람들의 역병〉이라는 그림은 60크라운에 팔았는데, 뒷날 이 그림을 카르디날 드 리슐리외가 1,000크라운에 샀다. 이러한 고난에 엎친 데 덮친 격으로 좋지 못한 병까지 걸렸는데, 아무도 없는 외로움 속에서 돈을 갖다 주며 도와준 사람이 슈발리에 델 포소였다.

푸생은 그에게 보답하기 위해 뒷날 〈사막에서의 휴식〉이라는 그림을 그려 보냈으니, 그것은 자기가 병들었을 때 받은 도움보다 훨씬 값어치 있는 그림이었다. 이 용감한 사나이는 고난 속에서도 계속 노력하고 공부했다.

더욱 수준 높은 것을 배우기 위해 플로렌스와 베네치아로 가서 공부의 범위를 넓혔다. 점차 그의 양심적인 노력이 결실을 맺기 시작하여 그는 계속 대작을 그려 냈다. 맨 먼저 〈게르마니쿠스의 죽음〉이 나왔고, 이어서 〈병자 성사〉, 〈유다미다스의 성약〉, 〈만나〉, 그리고 〈사빈 사람들의 유괴〉가 잇따라 나왔다.

그러나 푸생은 혼자 조용히 있기를 좋아하고 사교를 멀리했기 때문에 이름이 알려지는 데 시간이 적잖게 걸렸다.

사람들은 그를 화가라기보다 사색가라고 생각했다. 그림을 그리지 않을 때면 혼자서 먼 길을 거닐며 다음 그림을 구상했다. 로마에서 가까이 지내던 얼마 안 되는 친구 중 한 사람인 클로드 로랭은, 그와 함께 예술과 고전 취향에 대한 얘기를 나누며 라 트리니테 뒤 몽트의 테라스에서 많은 시간을 보냈다. 로마의 단순하고 조용한 분위기가 그의 기질과 잘 맞아서, 이제 그림을 그려 보통 수준의 생활을 할 수 있게 된 그는 그곳을 떠날 생각이 없었다. 그러나 그의 명성이 로마 밖까지 퍼지자, 파리로 돌아오라는 초청을 거듭 받게 되었다. 프랑스 왕실의 수석화가로 와 달라는 요청도 받았다. 처음에는 주저하면서 이탈리아 격언을 인용하여, 이미 로마에서 15년을 살아 왔고 이곳에서 아내까지 맞아들였으니 여기서 죽고 여기에 묻히겠노라고 말했다. 그러나 다시 간청을 받자 더 이상 거절하지 못하고 파리로 돌아갔다.

그러나 파리의 화가들이 어찌나 질시를 하는지, 이내 다시 로마로 돌아갈 생각을 품었다. 파리에 머무는 동안 푸생은 〈성 자비에르상〉, 〈세례〉, 〈최후의 만찬〉 같은 대작을 그렸다. 왕실에서는 쉴 새 없이 그에게 일을 시켰다. 처음에는 무엇이든 시키는 대로 했다. 예를 들면 왕실 서적의 속표지 장식, 성경과 베르길리우스 시집의 책머리 그림, 루브르 박물관용 풍자화, 태피스트리*⁴의 무늬 등 무슨 일이든지 했다. 그러나 마침내 M. 드 샹텔로프에게 충고를 하지 않을 수 없었다.

"저 혼자서 이렇게 많은 일들—책의 속표지 장식, 성모마리아상, 생 루이 성당에 모인 사람들의 모습, 전시장의 여러 장식, 게다가 궁중 태피스트리 무늬까지 맡는 것은 불가능한 일입니다. 저에게는 두 개의 손과 허약한 머리 하나밖에 없는데, 도와주는 사람도 없고 일을 나누어 할 사람도 없는 실정입니다."

푸생은 자신의 성공을 시기하는 적들과 도저히 함께 활동할 수 없다는 것을 알자, 그는 파리에 와서 일한 지 2년도 채 못 되어 로마로 돌아가기로 결심

---

*4 그림을 짜 넣은 벽걸이 융단.

했다.

몽 팽시오에 있는 그의 검소한 집에 다시 자리를 잡고, 푸생은 간소하고도 조용한 생활 속에서 부지런히 미술 제작에 전념하며 남은 삶을 보냈다. 병 때문에 큰 고생을 했지만, 꾸준히 공부하며 뛰어난 그림을 추구하는 가운데 위안을 얻었다.

"나이를 먹을수록 나는 더욱더 발전하여 가장 높은 완성의 경지에 이르고 싶은 열망에 사로잡힌다"고 푸생은 말했다. 푸생은 만년을 이와 같은 고뇌 속에서 노력하고 신음하면서 보냈다.

슬하에 자녀도 없이 부인은 먼저 세상을 떠났고, 친구들도 모두 유명을 달리한 뒤였다. 그래서 그는 무덤으로 가득 찬 로마에서 홀로 노년을 보내다가, 약 1,000크라운쯤 되는 유산을 친척들에게 남기고 인류에게는 그의 천재적인 대작들을 물려주고서 1665년에 세상을 떠났다.

아리 셰페르

아리 셰페르는 일생 동안 고상하게 살면서 예술에 헌신한 가장 모범적인 예술가였다. 도르드레흐트에서 한 독일 예술가의 아들로 태어난 그는 어린 시절부터 그림에 대한 소질을 보여 주었고, 그의 부모 역시 그 길을 적극 밀어주었다. 그가 어렸을 때 아버지가 세상을 떠나자, 어머니는 가난한 살림 속에서도 아들의 공부를 위해 파리로 이사해서 화가 게랭에게 어린 셰페르를 맡겼다. 그러나 워낙 살림이 어려워 아들에게 공부만 전념하게 할 수가 없었다. 다른 자녀들의 교육비도 있고 해서, 어머니는 할 수 있는 데까지 검소한 생활을 하며, 얼마 안 되는 것이지만 가지고 있던 패물도 다 팔아야만 했다. 이러한 형편인지라 셰페르도 자연히 어머니를 도와드리고 싶은 생각에 18세 때부터 간단한 그림을 그려서 팔기 시작했는데, 그리기만 하면 괜찮은 값으로 팔리곤 했다.

또 그는 인물화를 그려 경험도 쌓고 정직한 방법으로 돈을 버는 방법도 배웠다. 그러는 동안 차츰 묘사와 채색과 구성의 기술이 향상되었다. 〈세례〉가 그의 예술 활동의 새 기원을 이룬 작품이 되었다. 그때부터 재능이 활짝 펴서 화가로서의 명성이 최고조에 이르러, 〈파우스트〉, 〈프란시스카 드 리미니〉, 〈위안을 주시는 그리스도〉, 〈신성한 여인들〉, 〈성 모니카와 성 아우구스티누스〉

같은 대작들이 잇따라 나왔다.

그로테는 자신이 쓴 셰페르의 전기에서, 셰페르가 〈프란시스카〉 제작에 쏟은 노력과 사고와 주의력을 분량으로 따지면 어마어마한 양이었을 거라고 말했다. 사실 그가 받은 그림 교육은 불충분했기 때문에, 그는 자신의 재능에 따라 험난한 미술의 길을 걷지 않을 수 없었다. 그리하여 손으로 그림을 그리면서 마음은 언제나 명상에 잠겨 있었던 것이다. 여러 가지 묘사법과 채색법을 시험하며 쉬지 않고 끈기 있게 그리고 또 그려야 했다. 하늘은 그에게 부족한 전문 지식을 어느 정도 보충해 주었으니, 그의 고매한 인격과 심오한 심성이 그를 도와 붓 하나로 많은 사람을 감동시킬 수 있었다.

그런 셰페르가 가장 찬양한 미술가는 플랙스먼이었다. 셰페르는 친구에게 이렇게 말한 적이 있었다.

"내가 〈프란시스카〉를 구상할 때 나도 모르게 남의 것을 빌려 온 것이 있다면, 그것은 아마 플랙스먼의 그림에서 얻은 것이었을 것이네."

존 플랙스먼

존 플랙스먼은 런던의 코벤트가든에서 석고상을 취급하던 상인의 아들이었다. 어린 시절 존 플랙스먼은 너무나 병약하여 일어서지도 못하고, 아버지 상점의 계산대 뒤에서 쿠션에 기대앉아 그림을 그리거나 책을 읽으며 놀았다. 어느 날 인자한 목사 매튜스가 가게에 왔다가 소년이 책을 읽고 있는 것을 보고 무슨 책인가 하고 보니, 역사가 코르넬리우스 네포스가 지은 책으로 소년의 아버지가 서점에서 몇 푼에 사온 것이었다.

목사는 소년과 몇 마디 이야기를 주고 받은 뒤, 이 책이 너에게는 적당하지 않으니 다른 책을 갖다 주겠노라고 말했다. 이튿날 그가 호메로스의 시집과 돈키호테의 번역서를 갖다 주자 소년은 정신없이 책에 빨려 들어갔다. 더욱이 호메로스의 시 전체에 흐르는 영웅주의에 매료되어 상점 선반 위에 널려 있는 아이아스와 아킬레우스[5]의 상을 다시 바라보면서, 그 장엄한 영웅들의 모습을 시적인 형태로 구상하여 재현해 보고 싶은 욕망에 사로잡히게 되었다.

---

[5] 두 사람 다 호머의 작품에 나오는 그리스 용사.

그러나 어린 시절의 풋풋한 정열에 의한 노력이 흔히 그렇듯, 그가 그린 최초의 그림은 몹시 미숙했다. 어느 날 그의 아버지가 아들의 그림 몇 점을 조각가 루비악에게 자랑스럽게 보여 주자, 이 조각가는 경멸조로 혀를 차면서 그대로 돌아서는 것이었다.

그러나 소년에게는 좋은 소질과 근면과 인내심이 있어, 꾸준히 책을 보면서 그림을 그렸다. 그리고 석고와 밀랍과 진흙으로 조각상의 모형을 만들며 자신의 능력을 시험해 보았다. 그 초기 작품들이 아직도 보존되어 있는데, 그 까닭은 작품이 훌륭해서가 아니라 인내심 있는 천재가 초년에 보여 준 건전한 노력의 흔적이 유감없이 나타나 있기 때문이다. 한참 뒤에 그는 일어서게 되는데, 처음에는 목발을 짚고 비틀거리며 걷다가 마침내 목발이 없이도 걸을 수 있게 되었다.

친절한 목사 매튜스의 초대를 받아 그의 집으로 가면, 목사의 부인은 그에게 호메로스와 밀턴의 시를 풀이해 주었다. 존 플랙스먼은 또 그들에게서 자기 수양의 길을 배웠다. 그리스어와 라틴어를 자유롭게 구사할 수 있게 된 것도 그 집에서 배운 덕택이었다. 인내와 근면에 의해서 그의 그림은 갈수록 진보했고, 어느 부인으로부터 호메로스의 작품에서 소재를 골라 묵화로 6점의 그림을 그려 달라는 청탁까지 받게 되었다.

난생 처음 받아 보는 청탁은 예술가의 생애에서 잊을 수 없는 일이 아닌가! 외과 의사가 받는 최초의 수술 대금, 변호사가 받는 최초의 수임료, 국회의원의 첫 연설, 가수의 처녀 무대, 저술가가 세상에 내놓는 처녀작, 명성을 얻고자 하는 자에게는 이런 것들이 누구에게나 소중한 것처럼, 미술가가 처음 받는 청탁도 마찬가지이다. 소년은 당장 그 일을 완수하여, 보수는 물론이고 칭찬도 많이 받았다.

15세가 되자 플랙스먼은 왕립미술원에 들어갔다. 본디 수줍은 성격이었지만, 학생들 사이에 곧 명성이 알려져 많은 기대를 한 몸에 받게 되었다. 과연 그들의 기대는 헛되지 않아, 만 15세가 되던 해에 은상을 받고 이듬해에는 금상 후보자가 되었다. 능력과 근면에서 그를 당할 사람이 없었으므로, 모두들 그가 금상을 탈 거라고 예상했다. 그러나 그는 금상을 타지 못했다. 전에는 이름을 전혀 들어본 적이 없는 다른 소년이 타게 된 것이다.

소년 시절에 이렇게 고배를 마셨던 경험이 그에게는 오히려 좋은 약이 되었다. 의지가 굳은 소년은 실패로 인해 용기를 잃는 것이 아니고 오히려 숨은 실력을 발휘하게 되기 때문이다.

"두고 보십시오. 미술원에서 자랑스럽게 인정해 줄 작품을 꼭 그려 보이겠습니다."

플랙스먼은 아버지에게 이렇게 말했다. 그리고 몸을 아끼지 않고 더욱 노력하면서 꾸준히 모형을 구상하고 만드는 가운데, 비록 빠른 속도는 아니지만 꾸준히 발전하고 있었다.

그러나 아버지의 석고상 상점이 잘 되지 않아 생활이 어려워지자, 어린 플랙스먼은 과감하게 자신보다는 가족을 먼저 생각했다. 그래서 그는 그림 그리는 시간을 줄여서 상점에 나가 잔일을 하면서 아버지를 도왔다. 호메로스를 내려놓고 석고 흙손을 잡은 것이다. 가족들이 굶지 않고 살 수 있도록 어떤 허드렛일도 기꺼이 맡아했다.

오랫동안 그런 고된 일을 했지만 그것이 오히려 그에게는 도움이 되었으니, 그로 인해 그는 꾸준히 일하는 습관이 생겼고 인내력 또한 강해질 수 있었다. 무척 힘든 훈련이었으나 건전한 훈련이었다.

다행히 조시아 웨지우드가 플랙스먼의 숙련된 도안 솜씨에 대한 소문을 듣고 도자기와 토기 무늬를 향상시킬 생각으로 플랙스먼을 찾아갔다. 그런 일은 플랙스먼 같은 천재가 하기에는 좀 하찮은 일로 생각될지 모르지만 결코 그렇지 않았다. 보통 찻주전자에 도안을 그리는 일이든, 물병에 도안을 그리는 일이든, 예술가는 그것을 천직으로 알고 최선을 다해 헌신하는 법이다. 그것은 매일 끼니때마다 사람들이 흔히 쓰는 것이니, 많은 사람을 교화하는 매개체가 되어 고상한 감흥을 일으켜 주는 도구가 될 수 있다.

이렇게 해서 훌륭한 예술가는 인류에게 많은 혜택을 주는 것이며 반드시 정교한 작품을 그려 그것을 수천 파운드에 팔아, 일반 대중은 볼 수 없는 몇몇 부잣집의 화랑을 장식하는 것만을 능사로 삼지는 않는다. 레지우드 이전에는 영국 도자기와 칠기의 무늬가 화법이나 제작이 서툴러 볼품이 없었으므로, 플랙스먼은 이 두 가지를 모두 개선해 보기로 결심했다. 제작자의 의견에 따라 최선을 다하여 여러 종류의 토기 모형과 무늬를 제시했는데, 주로 옛날의 시와 역사에서 유래한 것이었다. 이때의 물건이 아직도 많이 남아 있으며, 그 중 몇몇은 아름다움과 단순성에서 뒷날 그의 대리석 도안과 맞먹을 만한 것이다.

박물관과 골동품 애호가들의 집 유리 장식장에 보관되어 있는 유명한 에트루리아 화병들이 그에게 좋은 착상을 제공하여, 그는 우아한 도안으로 이를 더욱더 아름답게 하였다. 당시에 출판된 스튜어트의 《아테네》라는 책에 모양이 극히 단아한 그리스 기물의 표본이 실려 있어, 그 중에서 최고의 것을 골라 우아하고 아름답고 새로운 형태의 작품을 만들었다. 플랙스먼은 이때 자기가 대중 교육에 도움을 주고 있을 뿐 아니라 위대한 예술 작품 제작에 종사하고 있음을 깨달았다.

뒷날 그는 이때를 자랑스럽게 회고하며, 그것으로 자신의 미에 대한 사랑을 키울 수 있었고 민중에게 예술 취미를 보급시킬 수 있었으며, 또한 자기의 빈 주머니를 채워 가면서 친구이자 은인의 발전을 도와줄 수 있었다고 말했다.

마침내 1782년 그의 나이 27세가 되자, 그는 집에서 나와 소호의 와더 거리에 화실이 달린 작은 집 한 채를 얻었다. 더욱이 이때 앤 덴먼과 결혼을 했는데, 아내는 참으로 쾌활하고 순결하고 고상한 여성이었다. 플랙스먼은 그녀와 결혼하면 반드시 더욱 열정을 기울여 작품을 만들 수 있을 거라고 믿었다. 그녀 역시 시와 미술에 대한 취미가 있고, 또 남편의 재능을 진심으로 찬양해 주었기 때문이다. 그러나 플랙스먼이 결혼한 지 얼마 안 되었을 때 여전히 독신으로 있던 조슈아 레이놀즈가 그에게 다음과 같이 말했다.

"플랙스먼, 자네가 결혼했다는 말을 들었네. 내, 자네에게 장담하네만 자넨 이제 예술가로서는 파멸일세."

플랙스먼은 곧장 집으로 가 아내 옆에 앉아 그녀의 손을 잡으면서 말했다.

"앤, 나는 이제 예술가로서는 파멸이오."

"무슨 말이에요, 존? 어째서 그런 말을 하는 거죠? 누가 당신을 파멸시켰다는 거예요?"

"교회에서 들었소. 바로 당신, 앤 덴먼이 나를 파멸시켰다는구려."

남편이 대답했다. 그리고 그는 조슈아 레이놀즈에 대해 얘기했다. 전에도 레이놀즈가 가끔 피력한 적이 있었던 그의 지론은 미술학도가 남보다 뛰어나려면 아침에 일어나서 밤에 잠자리에 들 때까지 모든 정신력을 예술에 쏟아야 하며 로마와 플로렌스에서 라파엘로, 미켈란젤로, 그리고 기타 대가들의 작품을 연구하지 않으면 결코 위대한 예술가가 될 수 없다는 것을 말해 주었다.

"나는 위대한 예술가가 되고 싶소."

플랙스먼은 그 작은 체구를 꼿꼿하게 세우면서 말했다.

"그래요, 당신은 위대한 예술가가 되셔야 해요. 그리고 당신이 위대해지기 위해 필요하다면 로마에도 가셔야죠."

"하지만 어떻게?"

플랙스먼이 물었다.

"열심히 일하고 절약하는 거예요. 앤 덴먼 때문에 존 플랙스먼이 예술가로서 파멸했다는 말은 절대로 듣지 않게 하겠어요."

용감한 부인은 그렇게 대답했다. 이리하여 부부는 형편이 닿는 대로 로마에 가기로 결정했다. 이때 플랙스먼은 다음과 같이 말했다.

"그래, 로마로 가야지. 그리고 예술원 원장에게 보여 주겠소. 결혼이 남자에게 결코 해로운 것이 아니라 오히려 이로운 것이라는 것을. 물론 당신도 데리고 갈 거요."

서로 사랑하는 이 부부는 와더 거리의 작고 소박한 집에서 늘 로마로 가는 꿈을 안고 5년 동안 근면하게, 행복한 노력을 계속했다. 잠시도 그 꿈을 버리지 않고 필요한 돈을 모으기 위해 동전 한 푼도 헛되게 쓰지 않았다. 그들은 이 계획을 누구에게도 말하지 않았고, 미술원에서 보조해 주기를 기대하지도 않았다. 오직 끈기 있게 일하면서 그들의 목적을 달성하기 위해 매진할 뿐이었다.

그동안 플랙스먼은 작품을 그다지 발표하지 않았다. 독창적인 도안을 실험하는 데 쓸 대리석을 살 능력이 없었던 것이다. 그러나 기념물을 만들어 달라는 청탁이 가끔 있어, 거기서 생기는 돈으로 살림을 꾸려갔다. 그는 아직도 웨지우드의 일을 해 주고 있었는데, 웨지우드는 돈을 제때에 잘 지불해 주는 제작자였다. 그래서 플랙스먼은 대체로 풍족하고 행복했고 늘 희망에 넘쳐 있었다.

플랙스먼은 지역에서도 상당한 존경을 받으며 책임 있는 일을 맡기도 했다. 납세자들이 그를 선출하여 세인트 앤 교구의 야경비 징수를 위탁한 것이다. 이리하여 마을 사람들은 단춧구멍에 잉크병을 매달고 돌아다니며 야경비를 징수하는 그의 모습을 볼 수 있었다.

마침내 플랙스먼 부부는 돈을 충분히 모아 로마로 떠났다. 로마에 도착하자 그는 여느 가난한 미술가들처럼 고미술품을 모사하여 생계를 유지하면서 미술 공부에 전념했다. 영국인 방문객들이 그의 화실에 찾아와 제작을 의뢰했다. 그가 호메로스, 에스킬루스 그리고 단테의 시를 설명하는 아름다운 도안을 그린 것은 바로 이때였다. 그 대가로 받은 돈은 고작 그림 한 컷당 15실링이었다. 플랙스먼은 생활비뿐만 아니라 예술을 위해서라도 손에서 일을 놓지 않았다. 그의 도안이 아름다웠기 때문에 한 번 찾아온 손님은 다른 친구와 후원자를 소개해 주었다.

마음씨 좋은 토머스 호프의 의뢰로 〈큐피드와 오로라〉를 그렸으며, 브리스틀 백작을 위해서는 〈아다마스의 분노〉를 그렸다. 세심한 공부를 한 덕분에 심미안이 크게 열렸으므로 그는 마침내 영국으로 돌아갈 준비를 했다. 이탈리아를 떠나기 전에 플로렌스와 카라라의 미술원이 그의 공적을 인정하여 그를 회원으로 선출했다.

런던에서는 그가 돌아가기도 전에 이미 명성이 자자했고, 영국에 도착하자마자 제작 의뢰가 수없이 들어왔다. 로마에 있을 때 위탁을 받아 맨스필드 백작의 대형 기념상을 제작한 적이 있었는데, 그가 돌아온 지 얼마 안 되어 이 기념상이 웨스트민스터 대사원의 북쪽에 세워졌다. 이 기념상은 지금도 그 자리에 당당한 모습으로 서 있는데, 조용하고 간소하고 엄숙한 모습이 마치 플랙스먼 자신의 천재성을 나타내는 것처럼 보인다.

그즈음 명성이 한창 높았던 조각가 뱅크스가 그 입상을 보고 한 감탄의 말은 조금도 과장이 아니었다.

"그 조그만 사람이 우리의 코를 모두 납작하게 만들었군!"

왕립미술원 사람들은 플랙스먼이 돌아왔다는 소식을 듣고, 특히 맨스필드의 기념상을 보고 감탄한 나머지, 그를 어서 미술원 회원으로 받아들이고 싶어했다. 그는 후보자 명단에 들어간 뒤, 곧이어 정회원으로 선출되었다.

잠시 뒤 그는 완전히 새로운 사람으로 세상에 나타났다. 어린 시절 코벤트 가든의 뉴스트리트에 있는 석고상 가게의 계산대 뒤에서 공부를 시작한 그가, 이젠 탄탄한 실력을 갖춘 신사로서 예술적 탁월성을 인정받아 왕립미술원의 조각 교수로 학생들을 지도하게 된 것이다.

사실 그 훌륭한 자리에 더 어울리는 사람은 없었을 것이다. 자기 자신의 노력으로 모든 어려움과 맞서 싸워 이겨낸 그보다 학생들을 잘 가르칠 수 있는 사람은 없을 테니까. 오래도록 평화롭고 행복한 세월을 보낸 플랙스먼은 마침내 노령에 이르렀다.

사랑하는 아내 앤을 잃은 것은 그에게는 견디기 힘든 충격이었다. 그래도 그는 아내보다 몇 년을 더 살았는데, 그동안에 그의 유명한 작품 〈아킬레우스의 방패〉와 숭고한 〈사탄을 격퇴하는 천사장 미카엘〉을 제작하였으니, 아마도 이 두 작품이 그의 최고 걸작이 아닌가 한다.

찬트리

찬트리는 플랙스먼에 비해 더욱 건장하고 활동적이었다. 조금 거친 편이었으나 마음은 아주 따스한 사람으로, 어릴 때부터 부딪친 고난을 극복해낸 것과, 무엇보다도 자기의 독립심을 자랑스럽게 생각했다. 그는 셰필드의 노턴에서 가난한 집안의 아들로 태어났다. 아버지는 그가 어릴 때 세상을 떠났고, 어머니는 곧 재혼했다. 찬트리는 어릴 때부터 나귀 등에 우유통을 싣고 이웃 동네를 돌아다니며 어머니의 단골손님들에게 우유를 배달했다.

찬트리의 근면한 생애는 이와 같이 시작되었으며, 이런 처지에서 차츰 발전하여 마침내 최고의 미술가가 된 것은 오직 자기 자신의 힘에 의해서였다. 의붓아버지는 그와 뜻이 맞지 않아 밖에 나가 돈벌이나 하라고 소년을 한 식료품 가게에 맡겼다. 그러나 어린 찬트리는 그 일이 도무지 마음에 들지 않았다. 그러던 어느 날 조각품 가게 앞을 지나가다 번쩍번쩍 빛나는 진열품에 마음이 끌려, 조각가가 되겠다는 생각을 품고 식료품 가게에는 그만두겠다는 뜻을 전했다. 그 뒤 7년 계약으로 조각품 가게 사람들의 동의를 얻어 조각공 겸 도금공의 견습 생활을 하게 되었다.

이 새 주인은 목공일뿐만 아니라 판화와 석고 모형도 취급했다. 그리하여 찬트리는 놀라운 근면과 열정을 기울여 그 두 가지를 다 배우고, 틈만 나면 그림을 그리고 모형도 만들면서 자기 발전을 위해 늦은 밤까지 공부할 때가 많았다. 견습 계약기간이 아직 끝나지 않은 21세 때, 그는 자신이 긁어모을 수 있는 대로 다 모은 50파운드를 주인에게 주고 견습 계약을 파기한 뒤 미술에 헌신할 결심을 했다.

그리고 있는 힘을 다해 런던으로 가서 조각공의 조수로 취직을 하고, 여가를 이용하여 그림과 모형 공부를 했다. 고용된 조각공으로서 그가 맨 먼저 한 일은, 시인 로저스 씨 저택의 식당을 장식하는 일이었다. 그런데 뒷날 그는 이 집의 귀한 손님으로 그 식당에서 식사 대접을 받게 된다. 이때 그는 함께 있던 다른 친구들에게 그 장식을 보여주고 젊은 시절의 자기 솜씨를 자랑하며 즐거워했다고 한다.

직업상의 목적으로 셰필드로 돌아온 찬트리는 지방 신문에 색연필 그림이나 세밀화(미니아튀르) 또는 유화물감으로 초상화를 그리겠다고 광고를 냈다. 칼 장수에게 최초의 색연필 초상화를 그려 주고 1기니를 받은 것을 시작으로, 어느 제과업자에게 유화물감으로 초상화를 그려 주었더니 5파운드에 덧붙여 장화 한 켤레까지 주었다.

찬트리는 다시 런던으로 가서 왕립미술원에서 그림을 공부했다. 그리고 다시 셰필드로 돌아와 인물화뿐만 아니라 석고 흉상도 주문 제작하겠노라고 광고를 냈다. 그는 곧 이 지방 교구목사 기념상을 제작하게 되었고, 모든 사람이 흡족할 만큼 열심히 일했다. 런던에 있을 때는 마구간 위의 방을 화실로 꾸며

놓고, 거기서 최초의 전시 창작품인 〈악마왕의 거대한 두상〉을 제작하였다. 그가 노년에 이르렀을 때 어느 친구가 그의 화실을 찾아왔다가, 구석에 있던 이모형을 보고 감탄을 금치 못했다. 찬트리는 웃으며 말했다.

"저 두상은 내가 런던에 와서 만든 최초의 작품일세. 흰 종이 모자를 쓰고 다락방에서 제작했지. 초를 한 자루밖에 살 수 없어서 촛불 하나를 모자에 꽂고 일을 했다네. 내 머리가 움직이는 대로 촛불도 같이 움직여 불을 비춰줄 수 있도록 말일세."

플랙스먼이 그것을 미술원 전람회장에서 보고 크게 감탄하여, 마침 해군 양로원에서 요청한 네 명의 해군 제독 흉상 제작을 찬트리에게 맡겼다. 이 청탁 외에도 다른 일거리가 계속 들어와, 결국 그림 쪽은 포기하게 되었다. 겨우 8년 전만 해도 모형 제작으로 5파운드밖에 받지 못했던 그였다. 찬트리는 그의 유명한 작품 〈혼 투크의 두상〉으로 크게 성공한 것이다. 그의 말에 따르면 이 작품의 대가로 1만 2,000파운드를 받았다고 한다.

찬트리는 이렇게 성공한 뒤에도 계속 열심히 일하여 많은 수입을 올렸다. 런던에 조지 3세의 조각상을 세울 때는 열여섯 명의 경쟁자를 물리치고 그가 선발되어 그 조상을 제작하게 되었다. 몇 년 뒤 그는 〈잠자는 아이들〉이라는 절묘한 조상을 만들었는데, 오늘날 리치필드 성당에 소장되어 있는 그것은 매우 섬세하고 아름다운 작품이다.

이때부터 그의 생애는 상승 가도를 달리며 명예와 명성, 그리고 번영을 얻었다. 이와 같이 그가 위대한 미술가가 된 것은 오직 인내와 근면과 불굴의 노력 때문이었다. 하늘은 그에게 재능을 주셨고, 그는 자신의 건전한 양식으로 그 귀중한 재능을 사용할 수 있었던 것이다. 그는 당시 사람들이 모두 그렇듯 신중하고도 예민했다.

예를 들어 찬트리가 이탈리아를 방문했을 때 지니고 다니던 수첩을 보면, 미술에 대한 여러 가지 기록과 그날 그날의 경비 및 대리석 값 등이 꼼꼼히 적혀 있다. 찬트리의 예술관은 단순함에 있었으니, 오직 그 단순함을 부각시켜 절묘한 작품을 위대하게 만들 수 있었다. 핸즈워드 교회에 서 있는 그의 작품 〈와트의 입상〉은 완전무결한 예술 작품이지만, 기교가 전혀 없고 참으로 단순하기 그지없다. 그는 가난한 동료 예술가들에게 아낌없이 지원했다. 그러나 언제나 소리 없이 남모르게 도와주었다. 그리고 영국 예술의 발전을 위해 유산의 대부분을 왕립미술원에 기증했다.

말 많은 것을 좋아하지 않았던 윌키

풍속화가 데이비드 윌키도 성실하고 끈기 있는 근면한 자세로 일관했다. 스코틀랜드에서 목사의 아들로 태어난 그는, 일찍부터 예술적 재능을 보여주었다. 학교에서는 게으른 열등생이었지만 인물 그림을 그릴 때는 완전히 딴 사람이 되어 열중했다. 과묵한 소년 시절, 그는 활동적인 성격을 내면에 간직하고 있었다. 그것은 일생을 통해 그의 특질이 되었다.

윌키는 언제나 그림을 그릴 기회를 찾고 있었다. 목사관 벽이나 강가의 모래사장은 캔버스와 다름없었다. 어떤 것이든 생각한 대로 그림을 그리는 데 안성맞춤이었다. 타다 만 나무토막은 연필이었고, 매끄러운 바위는 캔버스를 대신했으며, 넝마를 입은 사람을 만나면 즉시 그림 소재가 되었다. 남의 집에 가서도 벽에 가득 낙서를 남겼기 때문에, 벽을 보면 윌키가 다녀갔음을 알 수 있을 정도였다. 물론 깔끔한 부인들은 눈살을 찌푸리곤 했다.

목사인 아버지는 직업상 화가를 '죄 많은' 직업으로 여기고 단호히 반대했다. 그래도 아들의 결심을 꺾지는 못하여, 결국 윌키는 화가를 지망하여 험난한 언덕길을 힘차게 올라가게 된다.

윌키는 에든버러에 있는 스코틀랜드 미술원에 입학을 신청하지만, 작품이 거칠고 정확성이 부족하다는 이유로 처음에는 입학을 거부당한다. 그러나 더 나은 작품을 완성할 때까지 계속 분발하여 결국 멋지게 합격하고야 만다. 입학한 뒤에도 실력이 빠르게 늘지는 않았지만, 인물화 제작에 몰두하고 있는 모습은 성공을 다지고 그 노력의 결과에 확고한 자신감을 가지고 있는 것 같았다.

천재를 자처하는 젊은이들 중에는 성격이 기이하거나, 제멋대로 마음 내킬 때만 일에 열중하는 타입도 많다. 그러나 윌키는 달랐다. 그는 오로지 성실하게 노력에 노력을 거듭했다.

윌키는 나중에 이렇게 말했다.

"나의 성공은 천부적인 재능보다는 착실하고 끈질긴 노력의 결과이다. 내가 그림을 잘 그리는 이유를 단 한 마디로 표현한다면, 그건 바로 끊임없이 노력했기 때문이다."

나중에 윌키는 런던에 가서 싸구려 하숙집에 살면서 '마을의 정치가들'을 그렸다. 이 그림이 호평을 받자 그림 주문도 늘어났다. 하지만 그래도 그는 오랫동안 궁핍한 생활을 해야 했다. 제작에 쏟은 많은 시간과 노력에 비해서, 보수가 얼마 되지 않았기 때문이다.

그는 한 장의 그림을 그리는 데도 사전조사를 철저히 하여 세심하게 준비를 했다. 단숨에 그려낸 그림은 한 장도 없었고, 대부분 완성하기까지 몇 년이 걸렸다. 일단 완성된 그림도 다시 그리거나 수정한 끝에야 간신히 햇빛을 보게 될 정도로 정성을 기울였던 것이다.

"일하라! 일하라! 더욱 일하라!"라는 레이놀즈 경의 외침이 그의 좌우명이었다. 또한 레이놀즈 경과 마찬가지로 그도 말이 많은 예술가를 극도로 싫어했다. 말을 잘하는 사람은 씨를 뿌리는 건 할 수 있겠지만, 어느 세상에나 잘 익은 열매를 따는 것은 말없이 실천하는 형의 인간이다.

"늘 무슨 일이든 하자."

이렇게 그는 은근히 수다쟁이들을 비난하며 게으름뱅이들에게 경고를 주었다. 윌키가 스코틀랜드 미술원에 재학 중일 때, 당시의 그래엄 학장은 레이놀즈 경의 다음과 같은 말을 학생들에게 자주 인용해 들려주었다.

"여러분이 천부적인 재능을 타고났다면 근면이 그것을 더욱 높여줄 것입니다. 만약 재능을 타고나지 않았다 해도 근면이 그것을 대신해줄 것입니다."

윌키는 이 이야기를 친구 컨스터블에게 해 주면서 덧붙였다.

"그렇기 때문에 나는 열심히 노력하려고 결심했네. 내가 재능을 타고 나지 못했다는 것을 잘 알고 있었으니까."

또한 그는 컨스터블에게, 런던 시절 동료 학생이던 리넬과 버넷이 예술에 대해 토론을 하면 될 수 있는 한 가까이 다가가서 그들이 하는 모든 얘기를 귀담아 들으려고 했다고 말했다.

"왜냐하면 그들은 아는 것이 많고, 나는 아는 것이 별로 없었거든."

이것은 진심에서 우러나온 말이었다. 그는 그만큼 겸손한 사람이었다.

〈마을의 정치가들〉을 그려 맨스필드 경한테서 받은 30파운드의 돈으로 그가 가장 먼저 한 일은, 자기도 형편이 어려우면서 고향의 어머니와 누이에게 보낼 선물로 보닛 모자와 숄과 옷을 사는 일이었다. 젊은 시절에 가난했던 탓으로 윌키는 절약이 몸에 배어 있는 한편, 고상한 자선을 베풀 줄도 알았다. 이런 사실들은, 금속 판화가 아브라함 레임배치의 자서전 속 여기저기서 확인할 수 있다.

윌리엄 에티

윌리엄 에티 또한 불굴의 근면과 인내를 예술에 쏟아 넣은 뛰어난 인물이다. 그의 아버지는 요크에서 생강 과자와 향료를 제조하는 업자였으며, 정력과 독창성이 뛰어난 어머니는 로프 제조업자의 딸이었다.

그는 어려서부터 그림을 좋아하여, 벽과 마루와 책상을 온통 그림으로 뒤범벅되게 했다. 처음에 화필로 쓴 것은 1파딩(1페니의 4분의 1)짜리의 백묵이었으나, 곧 숯과 타다 남은 막대기를 쓰게 되었다.

미술에 대해 아무것도 모르는 어머니는 그를 인쇄소에 견습공으로 보냈다. 그러나 에티는 틈나는 대로 그림 공부를 계속하며, 견습기간이 끝나면 자신의 소질에 따라 꼭 화가가 되리라고 결심했다. 다행히도 생각이 깊은 그의 삼촌과 형이 이 공부에 도움을 주었고, 왕립미술원에 들어갈 수 있도록 돈을 대주었다.

레슬러의 자서전에 따르면, 동료 학생들이 에티를 보았을 때, 재능은 있으나 우둔하고 느린 편이라 결코 크게 성공하지는 못할 거라고 생각했다고 한다. 그러나 타고난 능력이 있는 데다 꾸준히 공부한 결과, 마침내 최고의 미술가로 이름을 날리게 되었다.

대작을 그릴 때 굶어죽을 뻔했던 화가 마틴

많은 예술가들은 성공을 거두기 전에 용기와 인내를 시험하는 듯한 극심한 고난을 겪곤 한다. 그 시련을 이기지 못하고 굴복한 자들이 얼마나 많았던가? 마틴은 일생을 사는 동안, 보통 사람들의 생애에서는 참으로 찾아보기 힘든 곤란을 겪었다.

최초의 대작을 제작할 때 그는 여러 번 굶어 죽을 위기에 처했다. 너무나 아름답게 반짝이면서 윤이 나는 은화 한 개를 마지막까지 쥐고 있다가 더 이상 버틸 수가 없어 결국 그것으로 빵을 사기 위해 밖으로 나갔다. 그 돈으로 빵 한 덩이를 사 가지고 막 돌아서려고 하는데, 빵집 주인이 도로 빵을 빼앗더니 그 은화를 이 굶주린 화가한테 던지는 것이었다. 그 절박한 순간에 반짝이는 은화가 그를 저버렸으니, 그 돈은 가짜였던 것이다. 하숙집으로 돌아온 그는 온 방 안을 뒤져 겨우 빵 부스러기를 찾아 그것을 입에 털어 넣고 굶주림을 견뎠다고 한다.

승리를 향한 열정의 힘으로, 그는 계속 불굴의 정력을 쏟으며 그림을 그렸다. 그에게는 얼마든지 노력하며 기다릴 용기가 있었던 것이다. 며칠 뒤 작품이 발표되자 세상은 입을 맞춰 찬사를 보냈고, 마틴은 흔들림 없는 확고한 명성을 얻게 되었다. 어떠한 경우에도 근면을 통해 천부적인 재능을 더욱 갈고 닦으면 자신을 지킬 수 있는 힘을 반드시 얻게 된다. 조금 늦더라도 명성은 반드시 참으로 가치 있는 사람을 찾아온다는 것을 마틴의 일생이 뚜렷이 증명하고 있다.

퓨진, 조지 켐프, 존 깁슨, 로버트 서번, 노엘 페이턴

학구적인 방법에 따라 아무리 세심하게 지도하고 훈련을 시켜도, 본인이 작업에 참여하지 않으면 진정한 예술가가 될 수 없다. 높은 수준의 교양을 지닌 사람들이 대부분 그렇듯이, 예술가는 스스로 모든 것을 배워야 한다.

퓨진은 건축업을 하던 아버지의 사무실에서 정석적(定石的)인 건축학을 배웠으나, 그래도 부족함을 느껴 아예 처음부터 다시 공부할 생각으로 노력을 기울였다. 이리하여 젊은 퓨진은 코벤트가든 극장의 목수로 고용되어 처음에는 무대 밑에서, 이어 무대 앞의 천장에서 일하다가 마침내 무대 위에서 일을 하게 되었다. 그렇게 해서 퓨진은 일을 익히고 건축에 대한 소질을 더욱 키웠는데, 대가극의 무대 장치에는 여러 가지 기술이 필요해 특히 많은 공부가 되었다. 공연 시즌이 지나면, 런던과 프랑스의 여러 항구를 오가는 선박에 취직하여 돈도 꽤 벌 수 있었다. 기회만 있으면 배에서 내려 오래된 건물, 특히 마음에 드는 교회당 건물 양식을 그려 두었다.

뒷날 퓨진은 이 같은 목적을 가지고 대륙을 여행하여 그림을 잔뜩 싣고 돌아왔다. 탁월하고 출중해지는 것을 목표로 이와 같이 노력을 거듭한 끝에 퓨진은 마침내 자신의 목적을 이루게 된다.

에든버러의 아름다운 스콧 기념탑의 제작자 조지 켐프의 삶도 꾸준히 노력한 사람의 실례를 보여 준다. 그는 펜틀랜드 구릉에 살던 가난한 양치기의 아들이었다. 이런 한적한 시골에서 소년은 예술 작품 같은 것은 생각해 볼 기회가 없었다. 그러나 10세 때, 아버지가 돌봐 주고 있는 양의 주인인 농부의 심부름으로 우연히 로즐린에 가게 되었는데, 그곳의 아름다운 성곽과 교회의 모습이 어린 소년의 마음에 오래도록 잊을 수 없는 생생한 인상을 남겼던 것 같다.

건축물에 대한 사랑에 빠져든 소년은 아버지에게 목수가 되게 해 달라고 졸라서, 이웃 마을의 목수집에 견습생으로 들어가게 되었다. 견습 기간을 마치고 일자리를 구하기 위해 갈라실즈로 갔다. 그런데 그가 연장을 짊어지고 트위드 계곡을 따라 터벅터벅 걸어가고 있을 때, 엘리뱅크 탑 근처에서 마차 한 대가 뒤따라와 섰다. 아마 안에 탄 주인의 명령인듯, 마부가 어디까지 가느냐고 묻더니 갈라실즈까지 간다는 말을 듣고, 올라와 자기 옆에 앉아서 같이 가자는 것이었다.

알고 보니 안에 타고 있던 친절한 신사는 바로 월터 스콧 경이었고, 셀커크셔의 치안관으로서 공무 여행 중이었다. 갈라실즈에서 일하는 동안 켐프는 멜로즈, 드라이버러, 제드버러 등 여러 사원을 자주 찾아볼 기회가 있어서, 주의 깊게 건축물을 연구했다. 건축을 무척 좋아하여 잉글랜드 북부 대부분의 지방을 돌아다니며 목수 생활을 했고, 훌륭한 고딕식 건물을 보기만 하면 빠뜨리지 않고 자세히 그려 두었다.

랭커셔에서 일하고 있을 때, 한번은 50마일을 걸어 요크까지 가서 1주일 동안 머물며 사원을 세심하게 살펴보고 다시 걸어서 돌아온 적도 있었다. 이어서 글래스고로 자리를 옮겨 그곳에서 4년 동안 머물렀는데, 이때도 틈만 나면 훌륭한 교회의 건축양식을 연구했다. 다시 잉글랜드로 돌아와 남부를 돌아다니면서 켄터베리, 윈체스터, 틴턴 등의 사원과 그 밖의 유명한 건물들을 조사했다.

1824년에는 같은 목적으로 유럽으로 건너가 볼 결심을 했다. 그 동안의 생계는 목수 일을 하여 해결할 생각이었다. 그리하여 불로뉴에 도착한 다음, 아베빌과 보베를 거쳐 파리로 갔다. 가는 도중 곳곳에서 몇 주일씩 머무르며 그림을 그리고 연구에 열중했다. 그는 기술자인데다 특히 방앗간에 대해 잘 알고 있었기 때문에, 어디를 가나 금방 일자리를 얻을 수 있었다. 조지 켐프는 늘 오래된 아름다운 고딕식 건물이 근처에 있는 곳에서 일하기를 좋아하여, 틈만 있으면 그런 건물들을 연구했다.

1년 동안 그렇게 외국에서 일하며 연구한 뒤, 조지 켐프는 다시 스코틀랜드로 돌아왔다. 그 뒤에도 계속 공부하여 제도와 투시도법을 익혔다. 멜로즈 사원은 그가 특히 좋아한 유적으로, 그 건물의 정교한 그림을 몇 장 그렸는데, 그 중에 이 사원의 본디 모습을 보여주는 그림은 나중에 판화로도 제작되었다.

조지 켐프는 또 건축제도사로서 남의 일을 해주었다. 브리턴이 발행하기로 계획한 《고대 대성당》을 위해 에든버러의 한 조각가가 작품을 만들기 시작했고, 켐프가 그 책에 실을 조각상의 그림을 그린 것이다. 그 일은 그의 기질에 맞는 일이어서 정열을 쏟아 노력한 덕분에 발행 부수가 급증했고, 그 때문에 스코틀랜드의 반 이상을 걸어서 돌아다니게 되었다. 그리고 평범한 목수로 생계를 유지하는 한편, 미술 방면의 대가들과 맞먹을 수 있는 그림을 그렸다.

책을 발행하던 사람이 세상을 떠나 발행이 중단되자 켐프는 다른 일거리를 구했다. 본디 과묵하고 겸손한 까닭에 그의 재능을 알아주는 사람이 별로 없었던 차에, 스콧 기념비 건립위원회가 현상금을 걸고 기념비 설계도를 모집했다. 응모자가 무척 많았다. 그 중에는 정통 건축의 대가들도 끼어 있었으나, 만장일치로 선정된 것은 조지 켐프가 응모한 설계도였다.

멀리 떨어진 에어셔의 킬위닝 사원에서 일하고 있던 켐프에게 위원회의 결정을 알리는 통지가 날아 왔다. 가엾은 켐프! 그 기쁜 소식을 들은 지 얼마 안 되어, 그는 석상에 쏟은 자기의 끈질긴 근면과 자기 수양의 첫 번째 결과를 보지도 못한 채 갑자기 세상을 떠났으니, 그 석상이야말로 문학의 천재를 기리기 위해 건립된 기념비 가운데 가장 아름다운 것으로 손꼽히고 있다.

존 깁슨도 예술에 진정한 열정과 사랑을 기울인 또 한 사람의 예술가였다. 그는 돈벌이의 유혹을 초월한 존재였다. 그는 북 웨일스의 콘웨이 근처 기펀에서 평범한 정원사의 아들로 태어났다. 가지고 다니던 주머니칼로 나무에 조각하기를 좋아하여, 어릴 때부터 예술에 대한 재능을 보여주었다. 아버지는 아들의 소질을 알고, 그를 리버풀에 보내 가구 제조 겸 목각을 하는 집에 견습생으로 들어가게 했다. 존 깁슨은 일을 빨리 배워, 사람들이 그의 목각 제품을 보고 칭찬하기에 이르렀다. 그러다가 자연히 조각에 마음이 쏠려, 18세 때는 밀랍으로 작은 시간상(時間像)을 제작하여 상당한 주목을 받았다.

조각가인 프랜시스 집안에서 이 소년의 견습생 계약금을 돌려주고, 대신 자기네 견습생으로 데리고 갔다. 그는 6년 동안 그곳에 있으면서, 창작의 재능을 마음껏 발휘했다. 그리고 런던에 갔다가 나중에는 로마로 가서 그의 명성이 온 유럽에 퍼지게 되었다.

왕립미술원 회원이었던 로버트 서번도 존 깁슨처럼 가난한 집안에서 태어났다. 아버지는 덤프리에서 제화점 일을 했고, 로버트 외에 두 아들이 더 있었는데, 그 중 한 사람은 솜씨 좋은 목공이었다.

어느 날 한 부인이 서번 제화점에 들어와, 아직 어린아이인 로버트가 의자를 책상으로 삼아 그 위에 뭔가 그림을 그리고 있는 것을 보았다. 그 그림을 보고 소년의 재능을 알아본 부인은 그에게 그림 일을 얻어주기도 하고, 뜻 있는 사람들을 모아 그의 그림 공부를 도와주었다. 소년은 꾸준하고 착실하게 일을 했다. 그는 말수가 적어서 극소수의 친구 외에는 아이들과 함께 어울려다니는 일도 없었다.

1830년경, 그곳의 몇몇 독지가들이 돈을 대주어 서번은 에든버러에 있는 스코틀랜드 미술학원에 다닐 수 있게 되었다. 그곳에서 유능한 교수들의 지도를 받자 그의 그림 실력은 눈에 띄게 향상되기 시작했다. 에든버러에서 런던으로 간 뒤에는 버클루 공작의 후원으로 세상 사람들에게 주목받게 된다. 그가 상류계층 사람들 사이에 알려지는 데 공작의 후원이 큰 도움이 된 것은 사실이다. 그러나 그의 타고난 재능과 근면한 노력이 없었으면, 그 후원의 힘만으로 그토록 자타가 공인하는 위대한 예술가가 될 수는 없었을 것이다.

유명한 화가 노엘 페이턴은 던펌린과 페이즐리 두 곳에서, 테이블보와 손으로 짠 모슬린 자수 제품의 도안을 만드는 일로 첫출발을 했다. 그러는 한편,

인물화와 같은 고상한 그림도 열심히 그렸다. 터너처럼 못하는 일이 없어서, 어린 소년이던 1840년에 벌써 다른 화가들 틈에 끼어 《렌프루셔 연감》의 삽화를 맡았다. 노엘은 한 걸음 한 걸음 천천히 그러나 착실하게 전진해 갔지만, 무명의 터널을 빠져나오기란 쉬운 일이 아니었다. 그러다가 의회의 상하 양원에서 현상 모집한 풍자화의 전시를 계기로 이름이 알려지게 되었다. 거기서 일등으로 입선된 노엘의 작품 〈종교 정신〉을 통해 그가 진정한 예술가임을 세상에 보여주게 된 것이다. 그 뒤 노엘이 발표한 일련의 작품들, 예를 들면 〈오베론과 티타니아의 화해〉, 〈가정〉, 〈유혈의 우시장〉 등은 그의 예술적 역량과 수양이 착실하게 성장했음을 입증해주었다.

제임스 샤플스

미천한 집안에서 태어나 근면과 노력으로 예술의 경지를 이룬 또 하나의 감동적인 예는 제임스 샤플스이다. 그는 블랙번에서 철공 일을 하던 사람이다. 샤플스는 1825년 요크셔의 웨이크필드에서 13남매 중 한 아이로 태어났다. 주철공이던 아버지는 나중에 베리로 이사를 가서도 같은 일을 했다.

아이들은 모두 학교 교육은 꿈도 꾸지 못한 채, 일할 수 있는 나이만 되면 공장으로 갔다. 샤플스도 10살쯤 되자 주조 공장에 들어가 약 2년 동안 일을 했다.

이어서 샤플스는 아버지가 일하고 있던 기관 공장에 들어가, 보일러 제작공들을 도와 리벳을 불에 달구거나 나르는 일을 했다. 아침 6시부터 밤 8시까지의 일은 고된 노동이었다. 그러나 일이 끝난 뒤 그의 아버지가 어렵게 시간을 내어 공부를 시킨 덕분에 조금이나마 글을 읽을 수 있게 되었다.

이렇게 보일러 제작공들 속에서 일하는 동안, 우연히 그림에 대해 눈을 뜨게 되는 일이 일어났다. 공장 감독이 공장 마루에 보일러 도안을 그릴 때면 가끔 그에게 백묵을 칠한 줄을 들고 있게 했다. 그럴 때는, 감독은 자기가 줄을 들고 소년에게 필요한 치수를 재게 했다. 그 일에 익숙해지자 샤플스는 감독에게 적지 않은 도움이 되었는데, 집에 와서도 틈만 나면 마루 위에 보일러 도안을 그리는 것이 그의 낙이었다.

어느 날 맨체스터에서 친척 부인이 찾아온다 하여 집을 깨끗하게 청소해 놓았는데, 공장에서 돌아온 소년은 마루 위에 또 그림을 그리기 시작했다. 백묵으로 큰 보일러의 도안을 한창 그리고 있는 중에, 어머니가 손님을 데리고 집에 들어와 보니, 놀랍고 부끄럽게도 아이는 씻지도 않은 흉한 꼴로 마루를 온통 백묵으로 칠해 놓은 것이 아닌가!

그러나 손님은 소년의 노력이 신통하다며 그가 그린 도안을 칭찬해주고, 오히려 그의 어머니에게 이런 '어린 장난꾼'에게는 종이와 연필을 사주어야 한다고 말했다.

형의 격려로 샤플스는 인물화와 풍경화를 그리고 석판 인쇄를 모사하기 시작했으나, 아직 원근법이나 명암을 표현하는 원칙조차도 몰랐다. 그러나 그 후 열심히 공부하여 모사의 기술을 터득하기에 이르렀다.

16세가 되자 베리 기술학원에 들어가 전문가가 아닌 본업이 이발사인 사람에게 석 달 동안 매주 1시간씩 그림 지도를 받았다. 교사의 추천으로 버넷이 쓴 《미술의 실제이론》을 샀으나, 아직 그것을 읽을 능력이 없어 어머니나 형이 읽어주면 옆에 앉아서 듣곤 했다.

글을 읽을 줄 모르는 샤플스는 버넷의 책이 너무 읽고 싶어 기술 학원에서 한 학기 공부만을 마친 뒤, 집에서 읽기와 쓰기 공부에 전력을 기울였다. 샤플스가 다시 기술 학원에 들어갔을 때는 책을 읽을 수 있었을 뿐 아니라, 뒷날을 위해 중요한 구절을 발췌할 수도 있었다. 그가 책에 정성을 기울인 정도를 말한다면, 새벽 4시에 일어나 한 번 읽고 중요한 구절을 골라 쓴 다음, 6시에 공장에 가서 저녁 6시나 때로는 밤 8시에 돌아와 새로운 기분으로 다시 버넷의 책을 펴 놓고 읽기 시작했다. 그렇게 밤늦도록 책을 붙들고 있는 경우가 많았다.

물론 그것 외에도 그림을 그리거나 남의 그림을 모사하면서 지새운 밤도 많았다. 그 중의 하나인 레오나르도 다 빈치의 〈최후의 만찬〉을 모사할 때는 밤을 꼬박 새워야 했다. 잠자리에 들었지만, 그림 생각 때문에 잠을 이루지 못하다가 기어이 다시 일어나 붓을 잡았던 것이다.

이어서 샤플스는 유화를 그려볼 생각으로 포목점에 가서 천을 사다가 나무 틀 위에 펴놓고, 그 위에 백연(白鉛)을 입힌 다음 화구점에서 산 물감으로 그림을 그리기 시작했다. 그러나 캔버스가 거칠고 흠이 많은 데다 물감이 마르지 않아서 도무지 그림이 완성되지 않았다.

급한 마음에 이발사인 옛 스승을 찾아갔더니, 유화를 그리는 캔버스가 따로 있고, 유화용으로 특별히 만든 채색 물감과 바니시가 있다는 것이었다. 그래서 그는 형편이 닿는 대로 필요한 물건을 사서 비전문가인 스승의 지도를 받아 가며 다시 유화를 시작했는데, 이번에는 성공하여 스승의 화법을 능가할 정도가 되었다. 그가 그린 최초의 그림은 〈양털깎이〉라는 판화를 모사한 것으로, 뒷날 반 크라운을 받고 팔았다.

그 뒤 1실링짜리 《유화 입문》이라는 책으로 틈틈이 그림 공부를 한 결과, 점차 그림 재료에 대한 더 많은 지식을 얻게 되었다. 이제 팔레트, 팔레트나이프, 물감 상자 등은 자기 손으로 직접 만들었고, 부업을 하여 번 돈으로 물감과 붓과 캔버스를 샀다. 이런 것들을 사는 데 부모님들이 허락한 돈은 극히 적은 돈이었다. 많은 식구가 살아가자니 더 많은 돈을 줄 수 없었던 것이다.

샤플스는 가끔 2~3실링짜리 물감과 캔버스를 사기 위해 맨체스터까지 걸어갔다가 한밤중에 비에 흠뻑 젖어서 기진맥진하여 돌아오곤 했지만, 그래도 끝없는 희망과 불굴의 의지로 참고 견뎠다. 이렇게 독학으로 미술 공부를 한 사람이 그 뒤 어떻게 발전했는지는, 그가 필자에게 보낸 서신을 통해 잘 알 수 있다.

"내가 다음에 그린 것은 〈월광(月光)〉과 〈과일 정물화〉, 그리고 몇 가지 그림들이었습니다. 이후 철공장의 모습을 그려 볼까 하고 생각했지만, 이 생각을 감히 그림으로 나타내지는 못했습니다. 그러나 마침내 그 제재를 종이에 그려 본 다음 캔버스에 옮겼습니다. 이 그림은 어느 특별한 공장을 그린 것이 아니라, 내가 일찍이 일했던 공장의 내부를 그린 것입니다. 그 점에서 창작이라고 할 수 있겠지요. 먼저 윤곽을 그린 다음, 좀더 성공적인 작품을 만들려면 일하는 사람들의 근육을 정확하게 묘사하기 위해 해부학 지식이 필요하다는 것을 알게 되었습니다. 이때 형이 나를 위해 플랙스먼이 지은 《해부학 연구》를 사다 주었는데, 값이 24실링이나 되는 책이어서 나의 힘으로는 도저히 살 수 없었던 것입니다. 나는 그 책을 보물처럼 여기며 열심히 연구했고, 새벽 3시에 일어나 그 책에 따라 근육을 그려보고, 어느 때는 사람들이 모두 잠자는 시간에 형을 깨워 모델이 되어 달라고 졸라 내 앞에 서게 하기도 했습니다.

조금씩 나아지기는 했지만, 상당한 시간이 흐른 뒤에야 그림을 그려볼 자신이 생겼습니다. 그러나 원근법에 대한 지식이 없어서, 부룩 테일러의 《원리》를 열심히 연구한 뒤에 그림을 다시 그렸습니다. 집에서 원근법을 공부할 때는 공장에서 더 무거운 물건의 철공일을 자청해서 했는데, 그 이유는 무거운 물건은 가벼운 물건보다 가열 시간이 더 많이 걸리므로, 그 동안에 여유가 생겨 내가 맡고 있는 용광로 앞의 철판 위에 원근 도형을 연습할 수 있었기 때문입니다."

이렇게 부지런히 노력하고 연구하는 가운데 샤플스의 미술 원리에 대한 지식은 착실하게 향상되었고, 실제 그림을 그리는 기술도 매우 능숙해졌다. 견습 계약이 끝난 지 약 18개월 뒤, 그는 아버지의 초상화를 그려 마을 사람들의 많은 주목을 받았고, 그 뒤 곧 완성된 〈철공장〉도 마찬가지였다. 이렇게 초상화를 잘 그리자, 공장 감독이 자기 가족을 그려 달라고 의뢰했는데, 샤플스의 그림이 무척 마음에 들었는지 감독은 약속한 18파운드에 30실링을 더 얹어주었다.

샤플스는 이런 군상화(群像畵)를 그리는 동안은 공장에 나가지 못했는데, 이 기회에 아예 공장을 그만두고 그림에만 전념하기로 결심했다. 그리고 몇 점의 그림을 더 그렸는데, 창작으로 그린 실물 크기의 〈그리스도의 두상〉과 〈베리의 풍경화〉가 이때의 작품이다. 그러나 초상화의 의뢰가 많지 않아 놀 때가 많았고 일정한 수입이 없었다. 그러자 현명하게도 다시 철공장에 들어가 가죽 치마를 걸치고 성실하게 일하였고, 틈나는 대로 먼저 발표된 〈철공장〉을 판화로 새겼다. 사실은 판화를 시작하라는 권유를 받은 것이었다. 맨체스터의 한 그림 중개업자에게 그 그림을 보여주었더니, 숙련된 판화공에게 맡기면 아주 좋은 판화가 될 거라고 말했던 것이다. 샤플스는 판화 기술에 대해 아무것도 아는 것이 없으면서도 즉시 자기 손으로 판화를 새겨 보겠다고 작정했다. 이 일을 하며 그가 겪은 어려움은 어떤 것이고, 또 어떻게 그 어려움을 극복했는지에 대해 그는 이렇게 말했다.

"셰필드의 한 철판 제작자가 낸 광고에 여러 가지 크기의 철판 가격표가 있어서, 그 중에서 적당한 것을 골라 그 값에 상당하는 돈과 함께 약간의 판화 도구를 보내 달라고 소액의 돈을 더 보냈습니다. 나는 판화에 대해 전혀 아는 바가 없었기 때문에, 필요한 도구에 대해 자세한 설명을 할 수가 없었습니다. 그러나 철판과 함께 서너 개의 조각도와 에칭바늘 하나가 곧 도착했습니다. 이

중 에칭바늘은 사용법을 배우기도 전에 망가뜨리고 말았지만…… 이렇게 해서 철판을 붙잡고 일을 하던 중, 기술자 연합회가 상금을 걸고 도안을 모집한다 해서 한번 응모해 보리라 마음먹고 출품을 했더니 다행히 입선하여 상을 타게 되었습니다.

그 뒤 얼마 안 되어 나는 블랙번으로 자리를 옮겨 에이스 기술회사에 들어가 기관공으로 일하면서, 여전히 틈틈이 그림을 그리고 판화를 조각했습니다. 판화를 새기는 기술은 좀처럼 늘지 않았는데, 그 이유는 적당한 도구가 없어서 많은 어려움을 겪었기 때문입니다. 그래서 나는 직접 내 손으로 도구를 만들어 쓰기로 했는데, 몇 번 실패한 끝에 마침내 알맞게 도구를 만들어, 그것으로 계속 판화를 조각했습니다. 게다가 적당한 확대경이 없어서 몹시 곤란하여, 간신히 아버지가 쓰시는 안경을 이용해 일을 하다가 나중에 용케 알맞은 확대경을 하나 구해 매우 유용하게 썼습니다. 이렇게 판화 제작에 매달리는 동안, 한번은 그것 때문에 판화를 아주 포기할 뻔한 일이 있었습니다. 다른 일이 바빠 한동안 판화를 중지해야 할 경우에는, 녹이 슬지 않도록 조각된 부분에 기름칠을 해두곤 했습니다.

그런데 어느 날 다시 화판을 조사해보니, 기름이 시커멓게 굳어서 떼어 낼 수가 없었습니다. 바늘로 떼어 낼까 생각했으나, 그러자니 새로 새기는 것만큼이나 시간이 걸릴 것 같았습니다. 그야말로 절망적인 순간이었는데 좋은 생각이 떠오르더군요. 즉 소다를 섞은 물에 철판을 담가두었다가 조각한 부분을 칫솔로 문질러 보았습니다. 그랬더니 뜻밖에도 딱딱하게 굳어 있던 기름때가 깨끗이 지워지는 것이었습니다. 이렇게 해서 한 가지 큰 곤경을 무사히 넘겼습니다. 오직 인내와 끈기만으로 내 노력이 성공할 수 있었습니다. 판화를 완성하기까지 충고해 주는 사람도 없고 도와주는 사람도 없었습니다. 그러므로 만일 그 작품이 뛰어나다면 그것은 나의 공적이라고 주장할 수 있습니다. 그리고 그 일을 완성하는 과정에서 끈기와 근면과 굳은 의지가 무엇인가를 이룩할 수 있는지를 보여주었다면, 그것 또한 내가 기꺼이 받을 수 있는 명예라고 생각합니다."

여기서는 작품 〈철공장〉의 판화로서의 가치를 논하고자 하는 것이 아니며, 그 가치에 대해서는 이미 여러 미술 잡지의 논평이 충분히 인정하고 있다. 샤

플스는 그 일을 하느라 5년 동안 헤아릴 수 없이 많은 밤을 지새웠으며, 그 작품을 가지고 인쇄소에 가서야 비로소 다른 사람이 제작한 판화를 처음으로 보았다. 니스칠도 하지 않은, 오직 근면과 천재를 상징해주는 그 작품에 대해 한 가지 덧붙이고 싶은 것이 있으니, 그것은 한 남자의 가정에 대한 이야기이다.

헨델

"결혼한 후 7년이 지나는 동안 결혼 생활의 가장 큰 기쁨은, 공장에서 하루 일과를 마치고 집에 돌아와 붓과 조각칼을 잡고 작품을 계속하는 일이었습니다. 밤늦도록 일하는 경우가 많았는데, 그럴 때는 아내가 옆에 앉아 재미있는 책을 읽어 주었지요."

샤플스가 실력 있는 판화가였을 뿐 아니라 풍부한 상식과 순수한 마음의 소유자였음을 보여주는 이야기이다.

유명한 음악가도 인내와 노력을 아끼지 않았다

그림과 조각에서 두각을 드러내자면 근면과 전념이 필요한 것처럼, 음악에서도 마찬가지이다. 다만 그림과 조각은 형태와 빛깔의 시요, 음악은 자연의 소리를 다루는 시일뿐이다.

독일의 음악가 헨델은 지칠 줄 모르는 꾸준한 노력가였다. 그는 실패했을 경우 의기소침해 하기는커녕 오히려 역경에 놓일 때면 더욱 분발했다. 어느 해는 빚 때문에 꼼짝 못하게 되어 심한 곤욕을 경험했지만, 헨델은 거기에 굴하지 않고 잠시도 쉬는 일이 없었다. 그 무렵 1년 동안 그는 〈사울〉, 〈이집트의 이스라엘인〉, 드라이든의 〈송가〉를 위한 악곡, 〈12의 대협주곡〉, 오페라 〈아르고스의 주피터〉를 작곡했는데, 이것들은 모두 그의 최고 걸작으로 일컬어지고 있다.

어떤 전기 작가는 헨델에 대해 이렇게 말했다.

"헨델은 무슨 일이든 용감하게 해치웠다. 그리고 누구의 도움도 빌리지 않고 혼자 힘으로 족히 12사람 몫의 일을 해냈다."

하이든은 자신의 예술에 대해 다음과 같이 말했다.

베토벤

"한 가지 주제를 정했으면 끝까지 그것을 추구해야 한다."

모차르트도 "일을 하는 것은 최고의 기쁨"이라고 말했다.

베토벤이 좋아한 격언은 다음과 같은 것이었다.

"야심에 불타는 유능하고 부지런한 인간에게는 '여기서 중단'이라는 벽이 없다."

어느 날 피아노 연주자인 모셸레스가 베토벤에게 오페라 〈피델리오〉의 피아노용 악보를 건넸는데, 그 마지막 페이지 한구석에 '신의 가호로 무사히 연주가 끝나기를'이라고 적혀 있었다. 그것을 본 베토벤은 즉각 펜을 들더니 그 밑에 이렇게 적어 넣었다.

"신에게 의지하다니! 그대의 힘으로 그대 자신을 도우라."

이 말이야말로 베토벤에게 예술가로서의 생애를 통한 좌우명이었다.

요한 세바스찬 바흐는 다음과 같이 얘기했다.

"나는 부지런히 일했다. 누구든 나처럼 근면하게 일한다면 틀림없이 성공을 거둘 것이다."

바흐가 예술에 대한 열정을 타고난 것은 사실이었고, 그가 근면했던 것도 그 때문이요, 성공한 것도 다 그 때문이었다. 그가 아직 어린 소년이었을 때, 그의 형은 동생의 재능을 다른 방향으로 돌릴 생각으로 촛불을 못 쓰게 했다. 그러자 바흐는 달빛 아래에서 악보를 베껴 감추어 두었고, 형은 그 동생의 악보를 모두 찢어 버린 일이 있었다. 달빛 아래에서 악보를 베꼈다는 것만 보아도, 우리는 그 소년의 타고난 천재성을 엿볼 수 있다.

마이어베어에 대해서는, 1820년 바일이 밀란에서 보낸 편지를 인용한다.

"그는 재능은 조금 있으나 결코 천재는 아니다. 혼자 고독하게 살면서 하루에 15시간씩 음악 공부를 했다."

몇 년이 지나 마이어베어의 노력은 드디어 그의 천재를 이끌어냈으니, 우리는 그의 작품 〈귀신 로베르〉, 〈위그노〉, 〈예언자〉 등에서 그것을 볼 수 있다.

영국인은 대개 실제적인 분야에 정력을 쏟기 때문에 음악 작곡에는 아직 뛰어난 사람이 없으나, 그 분야에도 인내의 노력을 보여준 좋은 예가 없는 것은 아니다.

아른은 가구상의 아들로, 아버지는 그가 법률가가 되기를 희망했다. 그러나 아른의 음악에 대한 열정이 너무 커서 도저히 그 뜻을 버리게 할 수 없었다. 법률사무소에서 일을 하고 받는 돈은 극히 형편없는 것이었다. 그러나 자신의 취미를 충족시키기 위해 아른은 늘 도서관에서 책을 빌려보고, 하인 전용 가극장을 드나들곤 했다.

그의 바이올린 연주 실력은 아버지도 모르는 사이에 크게 향상되었는데, 아버지가 그 사실을 처음 알게 된 것은 어느 날 우연히 이웃집을 방문했을 때였다. 그 집에 들어가 보니 놀랍게도 자기 아들이 다른 사람들의 시선을 끌어모으며 바이올린을 연주하고 있는 것이 아닌가! 그 일을 계기로 아른의 진로가 확정되었고, 아버지는 더 이상 아들의 뜻에 반대하지 않았다. 그리하여 이 세상은 법률가 한 사람을 잃었으나, 그 대신 풍부한 감흥과 섬세한 감정을 지닌 음악가 한 사람을 얻었다.

오라토리오 〈이스라엘의 해방〉을 쓴 윌리엄 잭슨의 생애도 음악에 투신하여 수많은 곤란을 극복하고 결국 인내로 승리를 거둔 흥미로운 예를 보여주고 있다. 그 〈이스라엘의 해방〉은 그의 고향인 요크의 여러 도시에서 대단한 호평 속에서 공연되었다.

윌리엄 잭슨은 요크셔 북서쪽의 요크 계곡에 자리잡은 작은 마을 마샴에서 방앗간집 아들로 태어났다. 이 집안 사람들은 대대로 음악에 소질이 있었는지, 그의 아버지는 마샴 의용군의 군악대에서 피리를 부는 동시에 이 지방 교회의 합창단원으로 있었다. 그의 할아버지도 마샴 교회 합창단의 주요 단원이자 종지기였다.

윌리엄 잭슨은 어릴 때 일요일 아침마다 교회에 나가 종을 치는 데 참여하면서 음악과 관계를 맺기 시작했다. 잭슨은 예배 시간에 오르간을 치는 사람의 솜씨를 보고 흥미를 느꼈다. 예배 보는 사람들에게 소리가 잘 들리도록 오르간 뒤쪽이 활짝 열려 있어서, 뒤에 앉은 소년들은 그 속의 음전(音栓), 풍관(風管), 소리통, 스테이플, 건반, 탄기(彈機) 등을 다 보고 모두들 신기하게 생각했다. 그 중에서도 특히 경탄을 금치 못한 아이가 잭슨이었다.

잭슨은 8세 때 아버지의 헌 피리를 불기 시작했다. 그 피리는 D음이 나지 않았기 때문에 어머니가 플루트를 새로 사 주었다. 또 얼마 뒤에는 이웃 사람이 더욱 풍부한 소리가 나는 플루트를 선물로 사주었다. 소년은 학교 공부보다 크리켓, 농구, 권투 등을 더 좋아했고, 도무지 학업에는 진전이 없어서 학교 선생님도 희망이 없는 학생이라고 단념했다.

그러자 잭슨의 부모는 페틀레이 빌리지에 있는 학교로 잭슨을 전학시켰다. 그곳에서 그는 브릭하우스 게이트의 마을 합창단원들과 친하게 지내면서 영국의 전통 음계를 공부했다. 그렇게 악보 읽는 방법을 배워 잭슨은 곧 악보를 잘 읽게 되었다. 다른 합창단원들을 놀라게 할 정도로 상당한 진전을 보인 뒤 음악에 대한 대망을 품고 고향으로 돌아왔다. 거기서는 아버지가 전에 쓰던 피아노로 음악 공부를 했는데, 음률이 좋지 않아 더 좋은 오르간을 사고 싶었다. 그러나 돈이 없었다.

그때 마침 이웃 동네 교회의 서기가 북부 지방을 떠돌던 악단에게서 작은 고물 오르간 한 대를 헐값에 샀다. 서기는 소리가 제대로 나도록 오르간을 고치려고 했으나, 자기 힘으로는 도저히 고칠 수가 없었다. 마침내 그는 윌리엄 잭슨의 힘을 빌려야겠다고 생각했다. 언젠가 잭슨이 교회의 오르간을 제대로 잘 고쳐놓는 것을 본 적이 있었던 것이다. 그리하여 서기는 오르간을 노새 마차에 싣고 잭슨의 집으로 갔다. 잭슨은 짧은 시간에 오르간을 깨끗이 고쳐 소리가 제대로 나게 해주었다. 서기가 크게 기뻐했음은 말할 것도 없다.

윌리엄 잭슨은 자신감이 생겨서 직접 오르간을 한번 만들어 보기로 결심했다. 그는 아버지와 힘을 합쳐 작업에 들어갔고, 목공 기술은 없었지만 열심히 노력하여 여러 번 실패한 끝에 성공을 거둘 수 있었다. 그것은 매우 고상한 10음계의 소리가 나는 오르간이었다. 동네 사람들은 이 오르간의 완성을 마치 기적처럼 생각했다. 그들은 자주 소년에게 청해 헌 오르간을 고쳐 달라거나, 새 음향이 나도록 해 달라는 부탁도 했다.

잭슨은 그때마다 모든 사람들이 흡족해할 수 있게 잘 해결해 주었고, 이어서 하프시코드*6의 건반을 응용하여 4음전의 핑거오르간을 만들었다. 그는 밤에는 그 악기를 가지고 캘코트의 〈절대 베이스〉를 연습하고 낮에는 방앗간에서 일했다. 때로는 노새 마차를 끌고 지방을 돌아다니며 행상 노릇도 했다. 여름에는 내내 들에서 일했지만, 밤이 되면 언제나 음악으로 마음을 달랬다.

다음에 그는 자신이 직접 곡을 쓰기 시작하여, 찬송가 12곡을 만들어 〈14살 방앗간 소년의 작품〉이라는 제목으로 요크의 캐미지에게 보냈다. 캐미지는 몹시 흐뭇해하면서 몇 군데 고칠 곳을 지적한 뒤, 이만하면 훌륭한 솜씨니 작곡 연습을 계속하라는 격려의 말과 함께 곡을 돌려주었다.

마샴에 마을 음악대가 창설되자 잭슨도 거기에 참여하여 곧 지휘자가 되었다. 그는 이것저것 여러 종류의 악기를 다루어 실제적인 악기 연주를 많이 터득하면서, 그 음악대에서 연주할 많은 곡을 작곡했다. 교회에 새 핑거오르간이 선물로 들어오자 그 오르간을 연주하게 되었다. 잭슨은 그 뒤 방앗간 일을 그만두고 수지(獸脂) 양초업을 시작했지만 틈틈이 음악 공부를 하는 것은 변함이 없었다.

1839년에 처음으로 찬송곡을 발표했다. 그 제목은 〈기쁘도다, 비옥한 계곡들을 노래하게 하라〉였고, 그 다음 해엔 〈초원의 자매〉를 작곡하여 허더스필드 글리 클럽에서 1등상을 받았다. 그 밖에 찬송가 〈하느님, 우리에게 자애를!〉, 그리고 이중합창과 관현악을 위해 지은 제 103장의 찬미가가 유명하다. 이와 같은 작은 일을 하면서 그는 오라토리오 〈이스라엘의 해방〉을 작곡했다.

---

*6 16~18세기에 사용된 건반 악기. 피아노의 전신.

양초 공장에서 머리에 떠오르는 대로 생각을 적어 두었다가, 하루의 일과를 마치고 집에 돌아와 밤이면 악보를 작성했다.

1844년부터 5년에 걸쳐 조금씩 발표하여, 29번째 생일에 마지막 합창곡을 완성했다. 이 곡은 세상 사람들에게 대호평을 받았으며, 북부 지방에서는 대성황리에 여러 번 공연되기도 했다. 잭슨은 나중에 대학 교수로서 브래드퍼드로 가게 되어, 그곳과 주변 지방의 음악적 소양을 향상시키는 데 적지 않은 공헌을 했다. 몇 년 뒤 그는 자신이 지휘하는 브래드퍼드 합창단을 이끌고 버킹엄 궁전에 들어가 여왕 앞에서 공연했고, 아울러 크리스털팰리스에서도 자신이 작곡한 합창곡을 불러 격찬을 받았다.

독학으로 음악을 공부한 이러한 인물의 생애는, 우리에게 자조의 힘, 그리고 어린 시절의 고난과 장애를 극복한 용기와 근면의 힘을 보여주는 또 하나의 좋은 예이다.

7 근면과 귀족계급
영원한 부자가 없듯 영원한 빈자도 없다

용감하게 시도하지 않는 자는 운명을 지나치게 두려워하거나 아무것도 얻지 못하는 자이다.　　　　　　　　　　　　　　　　　　　몬트로제 후작

하느님은 강한 자들을 낮추시고, 약한 자들을 높이신다.　　　　　성 누가

옛날에는 고귀하던 가문이 지금은 대부분 평민

우리는 지금까지 서민들이 전념과 근면을 통해 높은 지위로 올라간 이야기들을 했다. 그러나 귀족계급 사람들도 교훈적인 모범을 보여줄 수 있음을 지적하고 싶다. 다른 나라의 귀족계급과는 달리 영국의 귀족계급이 그 지위를 잃지 않고 있는 한 가지 이유는, 나라의 근면한 피—바로 영국의 간이요, 심장이요, 두뇌인 그 최고의 혈맥—가 끊어지지 않고 때때로 새로 공급되었기 때문이다. 전설에 등장하는 안타이오스[*1]처럼 이 근면한 피는 조국의 땅에 발을 튼튼하게 붙이고, 예로부터 내려오는 고상한 기질, 즉 노력하는 기질과 함께 새로운 힘을 얻어 온 것이다.

모든 인간의 피는 거슬러 올라가면 하나의 조상에서 비롯된다. 할아버지 이전의 사정을 잘 모르는 집안도 있지만, 체스터필드 경이 《스태넙 가문의 아담과 이브》를 썼을 때 그랬던 것처럼, 모든 사람들은 자기네 가계의 맨 꼭대기에 인류의 위대한 조상을 놓고 싶어한다. 그 어떤 계급도 영원할 수는 없다. 강한 자는 몰락하고 미천한 자가 높은 지위에 오르기도 한다. 오래된 가문이 서민 속에 섞여 사라지고, 새 가문이 일어선다.

버크가 쓴 《가문의 흥망성쇠》를 보면, 그러한 가문의 흥망성쇠에 대한 감동

[*1] 그리스 신화에 나오는 거인. 몸이 땅에 붙어 있는 동안은 당할 자가 없었으나 헤라클레스가 번쩍 들어 목을 잘라 죽임.

적인 이야기가 많이 담겨 있는데, 부자와 귀족들이 당하는 불행은 가난한 사람들이 겪는 불행보다 훨씬 더 비참할 수도 있음을 알 수 있다. 버크는 그 책에서, 대헌장을 집행하도록 선출되었던 25명의 남작들의 후손 가운데 오늘날 상원에 남아 있는 사람은 단 한 명도 없다고 지적하고 있다. 내란과 모반사건으로 인하여 수많은 전통 있는 귀족가문이 몰락하고 그 가족들은 뿔뿔이 흩어지게 되었다. 그러나 그 후손들은 대부분 살아남아 서민들 속에 끼어 살고 있다.

풀러는 그의 저서 《가치 있는 사람들》 속에서 다음과 같이 말했다.

"보훈, 모티머, 플랜태저넷과 같은 당당한 성을 가진 사람들이 서민들 속에 숨어 살고 있다."

버크의 책은 계속 다음과 같은 사실을 밝히고 있다. 에드워드 1세의 여섯 번째 아들인 켄트 백작의 직계 후손 두 사람은 각각 고깃간 일과 세금 징수원이었고, 클라렌스 공작의 딸 마거릿 플랜태저넷의 증손자는 슈롭셔의 뉴포트에서 구두 수선을 할 정도로 몰락했다.

에드워드 3세의 아들 글로스터 공작의 직계 후손 중에는, 하노버스퀘어의 세인트조지 교회에서 머슴 노릇을 한 사람이 있었다. 잉글랜드의 가장 오래된 남작 가문인 시몽 드 몽포르의 직계 후손은 툴리 가에서 마구공(馬具工)으로 있었다. 노섬벌랜드 공작의 칭호를 요구한 바 있었던, 이른바 '자랑스러운 피시 가문'의 후손 한 사람은 더블린에서 여행용 가방을 만드는 일에 종사했다. 그 얼마 전 퍼스 백작의 칭호를 요구했던 한 사람은 노섬벌랜드 탄광에서 일하고 있었다.

휴 밀러가 에든버러 근처에서 석공으로 일하고 있었을 때, 그를 도와 석회를 날라 준 사람이 크로퍼드 백작을 자처했는데, 그 사람이 백작 칭호를 얻는데 한 가지 결격 사항은 결혼 증명서 한 장이 없다는 것이었다. 그가 낮에 일을 하는 동안 벽을 통해 "크로퍼드 백작님, 석회 한 그릇 더 가져와!" 하는 소리가 들려오곤 했다.

올리버 크롬웰의 증손자 한 명은 스노힐에서 식료품 가게를 했고, 그의 후손 중 많은 사람들이 가난에 허덕이다 세상을 떠났다.

자랑스러운 이름과 칭호를 받았던 많은 귀족들이 그들의 가문에 매달려 모든 잎을 다 따 먹고 나무늘보처럼 멸망했으며, 닥쳐 온 역경을 이기지 못하고 마침내 빈곤과 무명의 존재로 몰락한 사람들도 있다. 계급과 운명의 무상함이란 바로 이런 것이다.

현존하는 귀족 집안, 대부분 상업으로 출세하다

오늘날에 와서 정력적이고 기업 의욕이 강한 사람들이 이룩해 놓은 런던의 부와 상업은 귀족계급의 풍부한 원천이었다. 예를 들면 콘월리스 백작 가문은 칩사이드의 상인이던 토머스 콘월리스가 세운 것이고, 에식스 백작 가문은 포목상인이던 윌리엄 카포엘, 크레이븐 백작 가문은 양복 재단사이던 윌리엄 크레이븐이 각각 세운 것이다. 워윅 백작 가문의 조상은 국왕 옹립자가 아니라 양모 장사를 하던 윌리엄 그레빌이었다.

노섬벌랜드 공작의 조상은 퍼시 가문이 아니고 런던에서 존경받던 약재상 휴 스미슨이었다. 다트머스, 레드노어, 듀시, 폼프렛 집안을 일으킨 사람들은 저마다 모피상, 견직물 업자, 양복 상인 그리고 칼레의 상인이었으며, 탱커빌, 도머, 컨벤트리 같은 귀족 가문 창시자들은 포목상이었다.

롬니 백작과 더들리와 워드 경의 조상들은 금세공인과 보석 상인들이었다. 다이커스 경은 찰스 1세 치하에서, 오버스턴 경은 빅토리아 여왕의 치하에서 은행업을 했다. 리스 공작 가문의 창시자인 에드워드 오스본은 런던브리지 거리에서 피복 공장을 하던 부유한 윌리엄 휴잇의 견습생으로 지냈는데, 주인의 외동딸이 템스 강에서 익사할 뻔한 것을 구해주고 뒷날 그 딸과 결혼했다.

이 밖에도 상업으로 귀족이 된 가문을 들면 피츠윌리엄, 레이, 페이터, 쿠퍼, 단리, 힐, 캐링턴 등의 가문들이 있다. 폴리와 노르만비의 두 가문을 세운 사람들은 여러 면에서 뛰어난 데가 있었으니, 인격의 힘을 보여주는 좋은 예로서 그들의 생애에 대한 이야기는 들어둘 만하다.

못을 만드는 비결을 찾기 위한 집념, 리처드 폴리

가문의 창시자 리처드 폴리의 아버지는 찰스 1세 때 스투어브리지 근처에 살던 소지주였다. 그 고장은 당시 중부지방 철공업의 중심지였으며, 리처드는 장차 그 공업의 한 분야인 못 제조업에 종사하기 위해 일을 배웠다. 그리하여 그는 못을 제조하는 과정에서, 서투른 방법으로 철선을 만드는 데 드는 그 많은 노력과 발생하는 시간 손실을 목격하게 되었다. 때마침 스웨덴 못이 수입되자, 스투어브리지의 못 상인들은 앞으로 시장을 잃게 될까봐 그들의 못을 싼 값에 팔아넘겼다.

스웨덴 사람들은 철근을 쪼개는 기계를 이용하여 싼 값으로 못을 만들 수 있었다. 이로 인해 손으로 철근을 쪼개어 못을 만드는 방법은 완전히 사라졌다는 사실이 영국에 알려지게 되었다. 리처드는 그 사실을 확인하고 자신이 그 새로운 방법을 습득하리라고 마음먹었다. 그는 갑자기 스투어브리지에서 모습을 감추더니 몇 년 동안 소식을 끊었다. 아무도, 심지어 그의 가족들조차 그가 어디로 갔는지 몰랐다. 자신의 계획이 새나가면 자칫 실패할지도 모르는 일이라 아무에게도 알리지 않았던 것이다.

폴리는 주머니에 돈 한 푼 없이 용케도 헐로 가서, 그곳에서 스웨덴의 어떤 항구로 가는 배에 고용되어 일을 했다. 가지고 있는 재산이라고는 오직 바이올린 하나밖에 없어서, 스웨덴에 내리자 바이올린을 켜며 구걸하면서 웁살라 근처 다네모라 광산으로 갔다. 그는 바이올린을 잘 켜는 데다 천성이 쾌활하여 금방 철공소 사람들의 호감을 살 수 있었다. 그리하여 공장에 들어가 공장의 각 부문에 접근할 수 있게 되었고, 자신이 알고자 했던 철근을 쪼개는 기계 장치를 직접 관찰하며 그 기술을 습득할 수 있었다. 그런 목적으로 한동안 있다가 또 갑자기 사라졌는데, 그의 친절한 동료였던 광부들도 그가 어디로 갔는지 아무도 몰랐다.

그는 영국에 돌아와 스투어브리지의 유지와 또 다른 한 사람에게 자기가 다녀온 결과를 보고했다. 그들은 이 청년을 전폭적으로 믿고 새로운 방법으로 철근을 쪼개는 공장과 기계를 설치하는 데 필요한 돈을 대주었다. 그러나 공장을 차리고 일을 시작해 보니 기계가 제대로 기능을 발휘하지 못하여 철근이 쪼개지지 않았다.

모든 사람들 중 특히 리처드 폴리는 불안과 실의에 빠지고 말았다. 이 실패에 의한 수치와 굴욕으로 그는 이제 영영 일어서지 못할 거라고 생각했다. 그러나 그게 아니었다!

폴리는 여전히 야망을 버리지 않고, 다시 한 번 이 철근 쪼개는 비결을 완전히 밝혀내겠다고 마음먹었다. 그는 다시 바이올린 하나 달랑 들고 스웨덴의 그 철공소로 갔다. 광부들이 그를 크게 환영하면서 이 바이올린 악사를 놓치지 않으려고 이번에는 바로 그 철근 쪼개는 공장에서 기거하게 해주었다. 인간이란 이렇게도 눈치가 없는 것인지, 광부들은 그 청년이 바이올린을 켜는 유랑 악사라고만 생각하고 아무런 의심도 하지 않았다.

그리하여 폴리는 자신의 인생 목표를 달성할 수 있었다. 주의 깊게 그 장치를 살피던 그는 이내 자기가 실패한 원인을 찾아냈다. 서투르기는 하지만 가능한 한 기계의 내용을 상세히 그림으로 그리고, 기계 장치를 훤하게 머릿속에 넣을 때까지 그곳에 머물렀다. 그 뒤 다시 광부 친구들과 헤어져 항구로 가서 영국행 배를 탔다. 이렇게 의지가 굳은 사람은 성공할 수밖에 없는 것이다. 친구들이 모두 놀라는 가운데 공장으로 돌아온 그는, 기계 장치를 다시 손질하여 이번에는 보기 좋게 성공을 거두었다. 그리하여 기술과 근면으로 곧 많은 재산의 기초를 쌓았을 뿐만 아니라, 상당히 넓은 지역에 산업을 부활시켰다. 일생을 통해 사업을 계속하면서 지방의 모든 자선 사업들을 도와주고 격려해주었다. 스투어브리지에 학교를 세워 기증했고, 잔류 의회*² 때 우스터셔의 고등치안관을 지냈던 그의 아들 토머스 폴리는 병원을 세워 기증함으로써 올드 스원포드의 어린이들을 무료로 돌봐주게 했다.

초기의 폴리네 사람들은 모두 청교도들이었다. 리처드 백스터*³는 이 집안 사람들과 모두 절친하게 지내어, 그가 쓴 〈인생과 시대〉라는 책 속에서 그들에 대한 이야기를 자주 하고 있다. 토머스 폴리는 고등치안관으로 임명되자 백스터에게 자기에 앞서서 관례적인 설교를 해달라고 부탁했다.

백스터는 그 책 속에서 토머스에 대해 다음과 같이 말했다.

"너무나도 공정하고 흠잡을 데 없이 일을 처리했으므로, 그를 가까이에서 본 사람은 누구나 그 성실성과 정직성을 과장해서 얘기했다. 그러나 그것을 의심하는 사람은 아무도 없었다."

이 가문은 찰스 2세 때 귀족이 되었다.

---

*2 1648년 장기 의회 의원 중 장로교파를 추방하고 나머지 의원만으로 열린 의회.
*3 영국 청교도 파 목사이자 저술가.

난파선의 보물을 찾아낸 윌리엄 핍스

멀그레이브, 즉 노르만비 가문의 창시자 윌리엄 핍스도 리처드 폴리처럼 뛰어난 사람이었다. 그의 아버지는 총포공(銃砲工)이었고, 당시 영국의 식민지였던 미국 메인 지방 울위치에 살던 건장한 영국인이었다.

윌리엄 핍스는 1651년 스물여섯 명의 자녀 중에서 스물한 번째 아이로 태어났는데, 이 집안에서 유일한 재산이라고는 아이들의 강인한 기질과 튼튼한 팔뿐이었다. 덴마크 뱃사람의 피를 물려받았는지, 핍스는 어린 시절 양을 돌보며 보내는 그 조용한 생활을 마음에 들어하지 않았다. 천성이 대담하고 모험을 좋아하여, 그는 뱃사람이 되어 온 세계를 돌아다니고 싶었다. 배에서 일하고 싶었으나 그것이 마음대로 되지 않자, 배를 만드는 집에 견습공으로 들어가 일을 배우면서 틈틈이 읽기와 쓰기를 공부했다.

견습기간이 끝나자 윌리엄 핍스는 보스턴으로 가서 상당한 재산가인 미망인과 결혼한 뒤, 조그마한 조선 공장을 차려 배를 만들면서 배를 타고 나가 목재 장사도 했다. 약 10년에 걸쳐 근면과 노력을 기울여 착실하게 사업을 계속했다.

어느 날, 핍스는 우연히 옛 보스턴의 구불구불한 거리를 걷다가 선원들이 수군거리는 소리를 들었다. 바하마 군도 근처에서 배 한 척이 난파되었는데, 그 난파된 에스파냐의 배에 많은 물건들이 실려 있다는 것이었다. 핍스는 즉각 모험심에 불타올라 지체 없이 유능한 선원들을 모아 바하마 군도로 떠났다. 난파선이 바로 바닷가에 있어서 쉽게 찾아 많은 짐을 건졌으나 값나가는 것은 별로 없어 간신히 비용만 건졌을 뿐이었다.

그러나 이 성공으로 그의 모험심은 커다란 자극을 받게 되었다. 이리하여 이번에는 훨씬 더 많은 재물을 실은 또 다른 배가 약 50년 전에 라플라타 항구 근처에서 난파된 적이 있다는 얘기를 듣고, 그 난파선을 인양하여 어떻게든 재물을 손에 넣어야겠다고 결심했다.

그러나 그런 큰일을 하려면 많은 돈이 필요하다. 그래서 핍스는 든든한 후원자를 찾기 위해 영국으로 떠났다. 다행히 바하마 군도 근처에서 난파선을 끌어올리는 데 성공했다는 소문이 이미 영국에 퍼져 있었다. 그는 정부에 직접 후원을 신청했다. 열성적으로 쫓아다닌 덕분에 마침내 보수적인 관리들의 마음을 움직이는 데 성공했다. 이리하여 찰스 2세는 18문의 포가 있고 98명의 선원이 딸린 '로즈 앨지어' 호를 맡기며 그를 선장으로 임명했다.

핍스는 그 보물을 얻기 위해 난파된 에스파냐 배를 찾아 무사히 히스파니올라 해안에 도착했다. 그러나 이번에는 난파선을 찾는 것 자체가 매우 어려운 일이었다. 50여 년 전의 난파선인데다 전해지는 풍문만을 근거로 찾아야 하는 일이었다. 넓고 넓은 해안과 바다를 다 뒤졌으나 그 밑바닥 어딘가에 있어야 할 커다란 배는 흔적조차 보이지 않았다. 그러나 배짱 두둑한 이 사나이는 희망을 잃지 않았다. 선원들을 시켜 해안 일대를 샅샅이 뒤지면서 몇 주일 동안 해초, 잔돌, 바위 조각 등을 건져 냈다. 선원들에게는 무척 힘든 일이어서 선장이 괜히 헛수고만 시킨다고 불만이 터져 나왔다.

드디어 불만은 갈수록 커져서 공공연한 반란이 일어났다. 어느 날 한 무리의 선원들이 선장실로 몰려가 항해를 포기하라고 요구했다. 그러나 그런 일 때문에 기가 꺾일 핍스가 아니었다. 주모자를 체포하고 나머지 선원들은 다시 제자리에 돌아가라고 명령했다. 배를 수선하기 위해 작은 섬에 정박하고, 배의 중량을 가볍게 할 목적으로 무거운 짐을 내렸다. 그러나 불평분자들의 수가 점점 늘어, 그들은 그 배를 탈취하여 핍스를 바다 속에 던져 넣고 남해의 에스파냐 선박들을 상대로 해적행위를 시작하려는 새로운 음모를 꾸미고 있었다. 그런데 그 일을 하자면 배의 목수장(木手長)의 협력을 얻지 않을 수 없어, 음모자들은 그에게 음모의 전모를 털어놓았다.

그런데 마침 목수장은 선장에게 충직한 사람이어서 즉각 그 위험한 계획을 선장에게 보고했다. 핍스는 해안을 겨냥하고 있는 대포에 포탄을 넣고, 육지와 배를 연결하는 다리를 거두라고 명령했다. 그리고 상륙해 있던 반란자들이 나타나자 그들을 향해 아직 육지에 쌓여 있는 뱃짐에 접근하면 발포하겠다고 으름장을 놓았다. 이리하여 반란자들은 후퇴하고, 핍스는 포를 겨냥한 채 짐을 모두 배에 싣게 했다.

반란자들은 척박한 외딴 섬에 버려질까 두려워 총을 버리고 다시 배를 타게 해 달라고 간청했다. 핍스는 그 청을 들어주었지만, 앞으로 일어날지도 모를 사고에 대비하여 충분한 경계태세를 갖추었다. 그리고 항구에 정박할 때마다 반란에 가담했던 선원들을 배에서 내리게 하고 다른 사람들을 고용했다. 다시 적극적으로 난파선 탐색을 시작하려는데, 배가 고장나서 수선을 위해 영국으로 돌아와야 했다. 여기서 그는 난파선이 침몰된 장소에 대해 더욱 정확한 정보를 얻었다. 그래서 지금까지는 실패했지만 언젠가는 반드시 성공할 거라고 더욱더 굳게 믿었다.

런던으로 돌아온 핍스는 항해 결과를 해군성에 보고했다. 사실 해군성은 그의 노고를 만족스럽게 여기고 있었지만, 성공하지 못했으므로 또다시 나라의 배를 그에게 빌려 주려고 하지 않았다. 제임스 2세가 왕위에 올라 나라 안 사정이 좋지 않았기 때문에 핍스의 장밋빛 계획은 그들에게는 관심의 대상이 되지 못했다.

핍스는 하는 수 없이 필요한 경비를 모금하기로 했다. 처음에는 모두들 비웃었으나 그의 끈질긴 열성은 마침내 효과를 거두었다. 자신은 가난에 허덕이면서도, 4년 동안 고위층 인사들과 세력 있는 사람들을 찾아다닌 끝에 목적을 이룰 수 있었다. 그리하여 20명의 주주로 회사를 하나 설립하고, 멍크 장군의 아들 앨버마 공작이 중심이 되어 이 사업을 수행하는 데 필요한 자금의 대부분을 댔다. 폴리처럼 핍스도 첫 번째 시도보다 두 번째 시도에서 운이 좋았다. 배는 순조로운 항해 끝에, 바로 그 근처 암초에서 난파된 것으로 추정되는 라 플라타 항구에 무사히 도착했다. 핍스는 자신이 직접 연장을 들고, 우선 8척 또는 10척의 작은 거룻배를 나를 수 있는 튼튼한 배 한 척을 만들었다. 뿐만 아니라 바다 밑을 뒤지는 데 쓰려고 잠수정 같은 특별한 기계도 만들었다고 한다. 그러한 기계는 책에 나와 있었지만, 핍스가 그런 책을 보았을 리 없으므로 완전히 핍스가 창안해서 만든 셈이었다.

핍스는 또 진주를 캐는 잠수 기술이 탁월한 인디언 잠수부들을 고용했다. 거룻배를 암초에 가져다 놓고 사람들은 일을 시작했다. 잠수부들도 물 속으로 들어가며 몇 주일 동안 여러 가지 방법으로 바다 밑을 훑어보았으나 성공의 기미는 보이지 않았다. 그러나 거의 절망적인 상황 속에서도 핍스는 희망을 잃지 않고 굳게 버티었다.

어느 날, 선원 한 사람이 배 아래의 맑은 물 속을 들여다보다가, 바위가 갈라진 틈 사이로 기이한 해초가 자라고 있는 것을 보았다. 그래서 인디언 잠수부를 불러 물 속에 들어가 그것을 가져오게 했다

잠수부는 해초를 뜯어 배로 올라와서는 그곳에 선박의 대포가 많이 있다고 보고했다. 처음에는 그 말을 믿지 않았으나, 자세히 조사해 보니 틀림없는 것으로 판명되었다. 계속 잠수부를 내려 보냈더니 단단한 은괴 하나를 들고 나

오는 것이었다. 핍스는 그것을 보고 외쳤다.

"하느님, 감사합니다! 우리가 마침내 해냈습니다!"

그는 잠수기와 잠수부를 열심히 내려 보내, 며칠 동안 약 30만 파운드에 달하는 보물을 끌어올려서 그것을 가지고 영국으로 돌아왔다

핍스가 도착하자, 전에 왕에게 청원할 때 이 사업의 정확한 내용을 알리지 않았다는 구실로, 선박과 보물을 압수해야 한다고 주장하는 사람들이 있었다. 그러나 왕은 핍스를 정직한 사람이라고 말하면서, 비록 그가 당초에 보고했던 것보다 곱절의 가치가 있는 보물을 가져왔지만, 그 전부를 그와 그의 친구들이 나누어 갖도록 했다. 핍스의 몫은 약 2만 파운드였다.

왕은 이 사업을 수행하는 데 보여 준 그의 열정과 정직을 가상히 여기고 그에게 기사 작위를 내렸다. 그는 또 뉴잉글랜드의 장관으로 임명되어, 임기 동안 포트로열과 퀘벡에 원정대를 파견하는 등, 조국과 식민지 주민들을 위해 프랑스 사람들과 용감하게 싸워 공을 세웠다. 이후 매사추세츠 주지사로 있다가 영국으로 돌아와 1695년에 런던에서 세상을 떠났다.

핍스는 노년에 이르러서도 자신의 출신이 미천하다는 것을 부끄럽게 생각하지 않았다. 그는 배의 목수였던 사람이 기사 작위를 받고 주지사라는 높은 자리에 오른 것을 오히려 깨끗한 명예로 생각했다. 뒷날 공무 처리에 어려운 일이 생기면, 그는 이따금 이럴 바에는 차라리 배로 돌아가 도끼를 잡는 편이 낫겠다고 말했다. 그는 청렴, 정직, 애국심, 용기 등의 품성을 남겨 놓았으니, 그것은 확실히 노르만비 가문에서 결코 소홀히 할 수 없는 귀한 유산이라 할 수 있다.

윌리엄 페티

랜즈다운 가문의 창시자 윌리엄 페티도, 한창때 정력가였으며 나라를 위해 유익한 일을 많이 한 사람이었다. 그는 1623년 햄프셔에서 가난한 피륙 장수의 아들로 태어났다. 고향의 문법학교(오늘날의 중등교육)에서 비교적 괜찮은 교육을 받고, 졸업한 뒤에는 노르망디의 캉에 가서 대학에 다녔다. 그곳에서 페티는 자잘한 물건들을 들고 다니며 행상 같은 것을 하여 아버지의 도움 없이

생활비와 학비를 꾸려 나갔다.

그러다 영국으로 돌아와 어느 선장 밑에 견습공으로 있게 되었는데, 그 선장이 시력이 나쁘다고 자신을 밧줄로 때리는 것이었다. 염증이 난 페티는 바다를 떠나 의학 공부에 전념하기 시작했다. 파리로 가서 해부 일을 하며, 당시 광학에 대한 논문을 쓰고 있던 홉스를 위해 도표를 작성해주기도 했다. 너무나 쪼들려 2~3주일 동안 호두만 먹고 지내던 때도 있었다. 그러나 다시 조그마하게 장사를 시작한 그는 정직하게 돈을 벌어 곧 얼마간의 돈을 지니고 영국으로 돌아올 수 있었다.

윌리엄 페티

그리고 기계에 대한 재주가 있어 편지를 복사하는 기계를 만들어 특허를 냈다. 이어서 과학 기술에 대한 글을 쓰기 시작하고, 화학과 물리학에 대한 성공적인 연구를 마쳤을 때는 상당한 명성을 얻게 되었다. 과학자들과 어울리면서 과학 실천을 위한 협회를 만들 의논을 한 뒤, 뒷날 왕실 과학협회의 모체가 되는 제1차 모임을 자신의 집에서 열었다. 또 얼마 동안 옥스퍼드 대학에서 해부를 무척 싫어하는 해부학 교수를 도와 대리 역할도 했다.

1652년 그는 근면성을 인정받아 아일랜드 주둔군의 군의관으로 임명되었다. 그곳에서 3대에 걸친 아일랜드 총독들, 즉 램버트, 플리트우드, 그리고 크롬웰의 주치의로 근무했다. 몰수된 많은 땅을 청교도군이 받았는데, 페티가 보니 측량이 매우 부정확했다. 그는 군의관으로 바쁜 일과를 보내면서도, 자기 손으로 다시 정확하게 측량을 마쳤다. 이어서 여러 가지 좋은 자리에 임명되었으나, 시기하는 자들이 부정이 있다고 떠드는 바람에 모두 그 자리를 내놓았다가 왕정복고가 되자 다시 부름을 받기도 했다.

페티는 지칠 줄 모르는 고안자이자 발명가이며 또한 사업가였다. 그가 발명한 것 중의 하나는 바다을 이중으로 깐 배로, 풍랑 속을 헤치고 항해할 수 있도록 만든 것이다. 그는 염색, 해상학, 직물 생산, 정치적 산술과 그 밖의 많은 문제에 대해 논문을 발표했다. 철공장을 세우고, 연광(鉛鑛)을 개척하고, 밴댕이류 물고기의 어업과 목재상을 시작했는데, 그것은 모두 그가 크게 공헌한 바 있는 왕실 과학협회의 설립을 한편으로 추진하는 가운데 이룬 일이다. 페티는 많은 재산을 후손들에게 물려주었고, 그의 큰 아들은 셸번 남작의 작위를 받게 되었다. 페티의 유서는 매우 특이한 것으로 그의 기질을 잘 나타내주고 있다. 그 속에서 그는 자신의 일생에 있었던 중요한 일들과 재산을 차츰차츰 늘린 내용을 자세히 얘기하고 있다. 극빈자들에 대한 그의 생각은 독특하다.

"가난한 사람에게 무엇을 주어야 할지, 정말 난감한 문제이다. 나는 장사나 선거에 실패하여 빈털터리가 된 자에게는 아무것도 주지 않는다. 그러나 하느님이 무력하게 만드신 자들은 사회가 돌봐주어야 한다. 직업 훈련을 받지 못했거나 아무것도 물려받은 것이 없는 사람들은 그들의 친척들이 맡아서 부양해야 한다. ……그러므로 나는 나의 가난한 친척들을 모두 도와주고 자립의 길을 열어주었으니 만족할 따름이다. 나는 공직을 맡았고, 발명을 통해 참다운 자선의 목적을 추구했다. 그리하여 나는 나의 재산을 물려받는 모든 자손들에게 중요한 때를 맞이하여 나와 같이 행동해주기를 바라는 바이다. 또한 내가 죽으면 관례적으로, 그리고 더욱 확실하게, 교구 안에서 가장 가난한 사람에게 20파운드를 주기 바란다."

페티는 그가 가난한 집안의 아들로 태어났던 롬지의 유서 깊은 노르만 교회에 묻혔다. 이 교회의 성가대석 남쪽에 아직도 평석판이 하나 서 있는데, 그 위에 어떤 무지한 석공이 새겨 놓은 다음과 같은 비문을 볼 수 있다.

"윌리엄 페티 경, 이곳에 눕히다('눕다'를 잘못 새긴 것임)."

스트럿

18세기에 발명과 장사로 귀족이 된 또 하나의 집안은 바로 벨퍼의 스트럿 집안이다. 이 집안이 귀족이 된 것은 사실상 제데디아 스트럿이 1758년에 양말을 짜는 기계를 발명한 뒤부터로, 그가 세운 재산의 기초를 후손들이 더욱 많이 늘려 품위 있게 사용했다.

제데디아의 아버지는 농사를 지으며 엿기름을 만들어 팔았고, 자식의 교육을 위해 별로 애쓰지는 않았지만 모두들 쑥쑥 잘 자라고 번창했다. 둘째 아들인 제데디아는 어릴 때부터 아버지의 농사일을 거들었다. 일찍부터 기계에 대한 취미가 있어서, 당시에 사용하던 변변치 못한 농기구 몇 가지를 개량한 적도 있었다.

삼촌이 세상을 떠나자, 제데디아는 삼촌이 오랫동안 노르만턴 근처의 블랙월에서 소작을 부치던 농사를 대신 맡게 되었고, 얼마 지나지 않아 더비의 양말 장수 딸 월렛과 결혼했다. 제데디아는 처남에게서 양말을 짜는 기계를 만들려고 여러 번 시도했지만 번번이 실패했다는 이야기를 듣고, 남들이 이루지 못한 이것을 꼭 달성해 보리라 결심하고 연구하기 시작했다.

그리하여 그는 양말 직조기를 얻어다가 그 구조와 움직이는 과정을 숙지한 뒤 새롭게 조립하기 시작했다. 재래식 고리가 달린 직조기를 좀더 복잡하게 만들어, 마침내 메리야스 양말을 짤 수 있게 되었다. 이 개량 양말 직조기의 특허권을 따낸 뒤 더비로 옮겨, 그곳에 메리야스 양말의 직조 공장을 세워 큰 성공을 거두었다.

그 뒤 아크라이트의 발명이 무척 마음에 들어 그와 동업하다가, 그의 특허권을 사들여서 더비셔에 커다란 방적 공장을 세우기에 이르렀다. 아크라이트와의 동업 기간이 끝나자 스트럿 집안 사람들은 벨퍼 근처의 밀퍼드에 대규모 방적 공장을 세웠는데, 이 집안의 칭호는 바로 거기서 유래한 것이다.

가문 창시자의 아들들도 아버지처럼 기계에 대한 재능이 뛰어났다. 장남인 윌리엄 스트럿은 자동 물 정방기(精紡機)를 발명했지만, 당시 기계의 능력으로는 그것을 만들 수 없어서 결국 실현되지 못했다 한다. 윌리엄의 아들 에드워드도 기계에 남다른 재능이 있던 사람으로, 일찍이 마차 바퀴에 스프링이 있어야 한다는 원칙을 발견했다. 이리하여 그는 손수레에 스프링을 달아 벨퍼 근처의 자기 집 농장에서 사용했다.

여기서 덧붙일 것은, 스트럿 가문은 근면과 기술로 번 재산을 남달리 고귀하게 사용했다는 점이다. 자신들이 고용하고 있는 공장 사람들의 정신적·사회적 지위를 높여주기 위해 여러모로 노력했고, 모든 좋은 일에는 앞장서서 돈을 기부했다. 조지프 스트럿이 더비의 아보레텀에 있는 아름다운 공원을 모든 사람들이 자자손손 이용할 수 있도록 기증한 것은 그 많은 예 가운데 하나일 뿐이다. 이때 그가 행한 짧은 연설의 마지막 구절은 오래도록 우리들 가슴에 새겨둘 만하다.

"저는 일생을 통해 밝은 햇빛 속에서 살았습니다. 그러므로 저와 함께 살고
계신 분들, 그리고 제가 이만큼 성공하는 데 근면하게 일할 수 있도록 도와주
신 분들의 행복을 증진시키는 일에 제가 그 재산의 일부를 기부하지 않는다
면, 그것은 틀림없는 배은망덕한 일이 될 것입니다."

전공(戰功)에 의해 귀족이 된 사람

이에 못지않은 근면과 정력을 발휘해온 수많은 용감한 사람들이 옛날부터
지금까지 땅과 바다에서 용맹을 떨쳐 귀족으로 올라섰다. 군사적인 공을 많이
세우고 국난이 있을 때 영국 군대의 앞장을 선 옛날 봉건시대의 영주들은 말
할 것도 없고, 근대에 들어서도 넬슨, 세인트 빈센트, 라이언스, 웰링턴, 힐, 하
딩, 클라이드 등 많은 사람들을 지적할 수 있는데 이들은 모두 두드러진 공을
세워 고상한 방법으로 높은 지위를 얻었다.

법조인으로서 귀족에 오른 사람들

법률 분야에 명예롭고 착실하게 종사하여 귀족이 된 사람들이, 다른 방법으
로 귀족이 된 사람들보다 훨씬 더 많다. 공작까지 포함한 영국의 귀족 집안 중
약 70개의 집안이, 성공한 법조계 출신들이 세운 것이다. 맨스필드 집안과 어
스킨 집안은 확실히 고상한 가문이지만, 어스킨은 자기 가문에 일찍이 경(卿)
이라고 불린 사람이 한 사람도 없다는 것을 늘 하느님께 감사하곤 했다.

귀족 가문을 세운 이 밖의 다른 사람들은 대부분 변호사, 식료품업자, 목사,
상인, 그리고 부지런히 일한 중류계급 사람들의 후손이었다. 그런 집안에서 나
온 귀족 가문들로 말하면 하워드와 캐번디시 가문이 있는데 이 가문에서 최
초로 귀족이 된 사람은 판사 출신이었다. 또 다른 예를 들면, 에일즈퍼드, 엘런
버러, 길퍼드, 샤프츠베리, 하드위크, 카디건, 클래런던, 캠던, 앨레스미어, 로슬
린 가문 등이 있으며, 좀더 최근의 예를 들면 텐터든, 엘던, 브루엄, 덴먼, 트루
로, 린더스트, 세인트 레너즈, 크랜워스, 캠벨 그리고 쳄스퍼드 가문 등이 있다.

린더스트 경의 아버지는 초상화가이고, 세인트 레너즈 경의 아버지는 벌링
턴 가에서 향료상과 이발사 노릇을 했다. 에드워드 석든은 어린 시절 캐번디시

스퀘어 헨리에타 가에서 공인 부동산 소개업을 하던 그룹의 사무실 심부름꾼이었다. 미래의 아일랜드 대법관이 처음으로 법률을 대한 곳이 바로 이 사무실이었던 것이다.

텐터든 경의 출신이 아마도 가장 미천했을 것이나 그는 조금도 부끄럽게 여기지 않았다. 자기가 높은 지위를 얻은 것은 오직 자기 자신의 근면과 연구와 집념의 덕이라고 확신했기 때문이다. 어느 날 그는 아들 찰스를 데리고 그 당시 켄터베리 중앙 성당 서쪽 건너편에 있던 조그마한 판잣집으로 가서, 그 집을 가리키며 다음과 같이 말했다고 한다.

"찰스야, 저 조그만 이발소를 보아라. 저 집을 보여주려고 일부러 너를 데리고 왔다. 저 이발소에서 너의 할아버지께서 손님들의 머리를 깎아 주고 1페니를 받으셨단다. 저 집은 나에게 가장 자랑스러운 추억으로 남아 있다."

텐터든 경은 어린 시절에 교회에서 노래를 불렀다. 그런데 어떤 좌절을 겪고 인생의 방향을 바꾸게 되었다. 그가 판사 리처드와 런던 주변의 재판 구역을 담당하고 있었을 때, 둘이서 대교회당으로 예배를 보러 간 적이 있었다. 이때 성가대에 끼어 있는 어떤 사람의 노랫소리를 듣고 리처드가 칭찬을 하자, 텐터든 경은 다음과 같이 말하는 것이었다.

"오, 바로 저 사람은 내가 무척 부러워하던 사람이라네. 이 동네에서 학교에 다닐 때 그와 내가 성가대원 한 사람을 뽑는데 같이 지원을 했거든. 그런데 결국 그가 뽑혔다네."

케니언과 엘런버러가 대법원장까지 오른 것도 그에 못지않게 유명한 이야기고, 피프셔 교구 목사의 아들로 영국 대법관이 된, 예리한 캠벨도 마찬가지로 뛰어난 사람이었다. 그는 여러 해 동안 신문 기자로 열심히 일하면서 법관이 되기 위해 부지런히 공부했다. 처음에 법관 생활을 시작했을 때, 우편 마차를 타고 다닐 돈이 없어서 걸어 다녔다고 한다. 그러나 한 걸음 한 걸음 서서히, 그러나 확실하게 높은 곳을 향해 올라갔다. 어느 직업이나 마찬가지이지만, 법조계에서도 명예롭고 정력적으로 일하면 당연히 이런 결과를 얻게 마련이다.

이렇게 정력을 쏟아 명성과 명예의 험한 비탈길에 오른 대법관들의 탁월한 예는 이 밖에도 많이 있다. 엘던 경의 생애는 그 중에서 아마 가장 현저한 예의 하나일 것이다. 그는 뉴캐슬에 살던 난로 설비공의 아들이었는데, 공부보다는 장난을 좋아하여 학교에서 말썽을 피우다가 걸핏하면 매를 맞기 일쑤였고, 과수원에 들어가 과일을 훔치는 것이 장차 대법관이 될 이 인물이 가장 좋아하는 일이었다. 그의 아버지는 처음에는 이 아이를 식료품 가게에 심부름꾼으로 보낼까 생각하다가, 아예 자기처럼 난로 설비공으로 만들 작정을 하고 있었다.

그런데 마침 그때 옥스퍼드 대학에 가서 장학생이 된 큰아들 윌리엄(뒷날의 스토웰 경)이 아버지에게 다음과 같은 편지를 보내왔다.

"잭을 저에게 보내주십시오. 제가 잘 보살펴보겠으니⋯⋯"

이리하여 존은 옥스퍼드로 가서 형의 도움과 자신의 노력으로 마침내 특별 연구생이 되었다. 그러나 방학 때 잠시 집에 돌아왔다가 불행하게도—결과적으로는 오히려 다행이었지만—한 여자와 사랑에 빠져, 그녀와 함께 다른 지방으로 가서 결혼을 해버렸다. 그는 그의 친구들이 생각한 것처럼 완전히 인생을 망쳐 버린 것처럼 보였다. 돈 한 푼 못 벌고 집은 물론 방 한 칸 없으면서도 결혼을 했기 때문이다. 특별 연구생의 자격도 잃고, 교회에서 예정되어 있던 승진의 길도 막혔다. 이리하여 엘던은 다시 법률 공부로 마음을 돌리게 된다.

이때 그가 한 친구에게 보낸 편지 속에는 다음과 같은 말이 있다.

"나는 너무 성급하게 결혼을 했네. 그러나 난 내가 사랑하는 여인을 부양하기 위해 열심히 공부하기로 결심했다네."

엘던은 런던으로 올라가 커시터 레인에 작은 집을 한 채 얻어 그곳에서 법률 공부를 시작했다. 그는 대단한 근면과 의지로 매일 아침 4시에 일어나 밤늦도록 공부했다. 밤에 공부할 때는 찬물에 적신 수건으로 머리를 동여매고 졸음을 쫓았다. 너무 가난해서 특별히 한 변호사를 스승으로 모시고 배울 수가 없어서, 판례 전집 중 2절판 3권이나 되는 분량을 자기 손으로 베껴 썼다.

대법관이 된 어느 날, 커스터 레인의 거리를 거닐면서 엘던은 비서에게 다음과 같이 말했다.

"여기가 그 옛날 내가 살던 곳이네. 저녁 때 먹을 작은 청어를 사려고 손에 6페니를 꼭 쥐고 이 거리를 걷곤 했지."

변호사가 된 뒤 그는 오랫동안 사건 의뢰를 기다려야 했다. 첫 해의 수입은 겨우 9실링이었다. 4년 동안 부지런히 런던재판소와 북부 순회재판소에 나갔으나 수입은 신통치 않았다. 자기 고향에서도 극빈자들의 사건 외에는 이렇다할 의뢰가 들어오지 않았다. 형편이 이렇게 되자 런던을 떠나 지방 도시로 가서 법정 변호사라도 할까 하고 생각했다.

그럴 즈음 그의 형 윌리엄은 집으로 다음과 같은 편지를 보냈다.

"가엾은 잭의 변호사업은 부진, 극히 부진합니다."

그러나 엘던이 일찍이 식료품 상인, 난로 설비공, 그리고 시골 교회 목사가 될 운명을 피해 갔듯이, 이번에도 결과적으로 시골 변호사가 될 뻔한 것을 면하게 되었다.

마침내 기회가 생겨 엘던은 그토록 어렵게 얻은 방대한 법률 지식을 마음껏 발휘할 수 있게 되었다. 그가 관여한 사건에서 그는 판사와 소송 의뢰인 양쪽의 주장에 다 같이 반대되는 견해를 주장했다. 기록 보관관*4은 그 견해와 다른 결정을 내렸으나, 상원에 상소했더니 덜로 경은 엘던이 주장한 대로 판결을 뒤집었다. 그날 법정을 나설 때, 한 사무 변호사가 그의 어깨를 가볍게 두드리며 이렇게 말하는 것이었다.

"젊은이, 이제 평생 먹고살 만한 돈을 벌게 될 걸세."

이 예언은 적중했다. 맨스필드 경이 일 없이도 1년에 3,000파운드의 수입이

---

*4 지금으로 치면 항소원 판사.

있었다고 늘 말했던 것처럼, 엘던도 같은 말을 할 수 있었다. 출세가 몹시 빨라 1783년 겨우 32세의 나이에 왕실 고문 변호사로 임명되었고, 북부 순회재판소의 소장이 되었으며, 웨오블리 선거구를 대표하는 국회의원이 되었다. 그가 이와 같이 성공의 기초를 세운 것은 일찍이 암담한 역경 속에서 고생을 한 결과이다. 근면함과 부지런히 쌓아올린 지식과 능력으로 이름을 날리게 된 것이다. 엘던은 이어서 사무 변호사와 법무장관이 되었고, 착실히 승진하여 마침내 왕이 재판관에게 내릴 수 있는 최고의 지위—즉 영국의 대법관으로 임명되어 25년 동안 직무를 수행했다.

헨리 비커스테스는 웨스트멀랜드의 커크비론스데일에서 의사의 아들로 태어났으며, 그 자신도 의학 공부를 했다. 에든버러에서 학교에 다닐 때 착실하게 공부와 연구에 전념하면서 두각을 나타냈다. 커크비 론스데일로 돌아와 아버지의 병원에서 열심히 일했으나, 의사라는 직업이 도무지 마음에 들지 않고 시시한 지방 도시에 싫증이 나기 시작했다. 그러나 그는 부지런히 일하며 자신의 향상을 도모하면서 차원 높은 생리학 분야를 연구했다. 그의 뜻에 따라 아버지는 그를 케임브리지 대학에 보내기로 했는데, 아버지의 의도는 그 학교에서 학위를 받아 런던에서 개업하려는 것이었다. 그러나 너무 공부에 매달린 탓에 몸이 많이 축나자, 건강을 되찾으려는 생각으로 옥스퍼드 경을 수행하는 순회 의사직을 맡았다.

외국에 가 있는 동안 이탈리아어를 익혀 이탈리아 문학에 심취했으나, 의학에 대해서는 전과 같이 별로 흥미를 보이지 않았다. 사실은 아예 의사를 그만둘 결심을 했지만, 케임브리지로 돌아와 일단 학위는 받아두었다. 학위 시험에 1등을 한 것을 보아도 그가 얼마나 열심히 공부했는지 짐작할 수 있다. 군에 들어가려는 소원이 이루어지지 않자, 그는 법률로 관심을 돌려 런던의 제2법학원에 입학했다. 의학 공부에서 그랬듯이 법률 공부도 열심히 했다.

이때 그는 아버지에게 다음과 같은 편지를 보냈다.

"모든 사람이 저에게 말합니다. '자네는 반드시 성공하게 될 거야.' 어떻게 될지는 모르겠으나 저는 되도록이면 이 말을 믿으려 하며, 제가 할 수 있는 모든 힘을 기울여 공부해 보겠습니다."

그는 28세에 마침내 변호사가 됐지만, 고생길은 그때부터 시작되었다. 돈이 궁해서 친구들의 도움으로 살아야 했다. 4년을 기다리며 공부했으나 도무지 사건 의뢰가 들어오지 않았다. 모든 도락을 버리고 옷과 일용품까지 아껴가면서 불굴의 정신으로 그 어려운 시기를 견뎌냈다.

이때 그가 고향 집에 보낸 편지 속에 이런 말이 있다.

"자립할 수 있는 기회가 올 때까지 어떻게 이 곤경을 헤쳐나가야 할지 정말 모르겠습니다."

3년을 더 기다렸으나 여전히 일이 없어, 헨리 비커스테스는 친구들에게 더 이상 신세를 지느니 차라리 변호사를 그만두고 케임브리지로 가고 싶다는 편지를 보냈다. 케임브리지에 가면 틀림없이 일을 구할 수 있고 돈도 벌 수 있다고 생각했던 것이다. 그러나 고향의 친구들이 약간의 돈을 보내주어 그는 계속 참고 견디기로 했다.

그러자 사건 의뢰가 조금씩 들어오기 시작하고, 작은 사건을 잘 처리하니 차츰 큰 사건들도 맡게 되었다. 그는 자신을 드높일 수 있는 정당한 기회라면 결코 그대로 넘기는 법이 없었다. 포기하지 않고 근면하게 일한 결과 그는 곧 많은 재산을 모을 수 있었다. 몇 년 뒤에는 집안의 도움 없이도 능히 지낼 수 있었을 뿐 아니라, 전에 받은 돈을 이자까지 쳐서 모두 갚을 수 있었다.

이리하여 불행은 사라지고, 헨리 비커스테스는 명예와 돈과 명성을 드날리게 되었다. 그는 마지막으로 기록 보관관이 되었고, 랜데일 남작으로서 귀족원에 들어가게 되었다. 그의 일생 또한 인내와 양심적인 노력의 힘이, 개인의 인격을 높여주고 성공으로 이끌어준다는 또 하나의 좋은 예이다.

누구나 가지고 있는 평범한 인격, 그러나 전심전력과 근면으로 더욱 강인해진 인격을 여러 면으로 발휘함으로써 최고의 지위에 오르고, 자신의 직업에 가장 기쁜 보상을 받은 탁월한 사람들의 예를 몇 가지 들어 보았다.

8 정력과 용기
결연한 의지가 있으면 두려울 게 없다

용감한 사람에게는 불가능이 없다.   자크 쾨르

그가 시작한 모든 일에서…… 그는 모든 정성을 기울여 노력했고 마침내 번영을 이루었다.   역대기 제31장 21절

사람의 품성은 작은 일에서 드러난다

"나는 신도 악마도 믿지 않는다. 오직 나의 육체와 정신의 힘만을 믿을 뿐이다."

이것은 고대 스칸디나비아의 한 노인이 남겼다는 유명한 말로, 튜턴 족의 전형적인 특성을 유감없이 잘 나타내주고 있다.

고대 스칸디나비아인의 문장(紋章)에는 "나는 길을 찾는다. 길이 없으면 길을 만든다"라는 글귀가 새겨져 있다. 이것도 앞에서 말한 노인의 말처럼 독립적이고 자유로운 마음의 표현이며, 그 특질은 지금도 여전히 그들의 자손들에게 계승되고 있다.

스칸디나비아 신화의 가장 큰 특징은, 망치를 손에 든 신이 어김없이 등장한다는 것이다. 인간의 특징은 사소한 일에서 드러난다. 실제로 망치를 휘두르는 사소한 움직임 하나만 보아도, 그 사람의 성격을 읽어내고 그가 가지고 있는 힘을 짐작할 수 있다.

한 저명한 프랑스인은 친구가 한 지방의 땅을 사서 그곳으로 이주하려고 했을 때, 그곳 주민의 기질을 한 마디로 알아맞혔다.

"그 땅을 사는 것은 주의해야 할 일이네. 그곳 출신자에 대해 내가 좀 알고

있지. 파리에 와서 나의 수의학교(獸醫學校)에 다니고 있는 자가 있네만, 그들은 모두 하나같이 제대로 두드릴 줄 모른다네. 즉 체력도 기력도 시원찮다는 얘기지. 그런 사람들이 사는 곳에 아무리 투자해봤자, 제대로 된 보상은 바랄 수 없을 거네."

이처럼 적절한 성격묘사는 사물을 사려 깊게 관찰하는 사람만이 할 수 있는 일이다. 그리고 이 말에서 '국가에 힘을 보태주고, 경작하고 있는 토지에 가치를 부여하는 것은 그곳에 사는 한 사람 한 사람의 체력과 기력'이라는 진리를 분명히 읽을 수 있다. 프랑스의 속담에도 있듯이 '토지의 가치는 그곳에 사는 인간의 가치에 의해 결정되는 것'이다.

활력이 힘을 준다

활력을 높이는 것은 매우 중요하다. 인간의 뛰어난 특성은 가치 있는 목표를 추구하여 단호하게 결단을 내리는 것이다. 누구나 활력만 있으면 단조로운 육체 노동이나 자질구레한 일에 파묻히지 않고 나날이 향상하고 전진해 나갈 수 있다. 활력이 넘치는 사람은 실망하지 않고 위험을 무릅쓰며 보통사람이 흉내낼 수 없는 대사업을 이룩한다.

어떤 분야에서든 성공에 필요한 것은 뛰어난 재능이 아니라 힘껏 하려는 의지이다. 그런 의미에서 활력은 인간 성격의 중심을 이루는 힘이고, 결국 인간 그 자체라고도 할 수 있다.

활력은 사람의 행동을 일으키고 온갖 노력을 기울이게 한다. 활력이 뒷받침되어야 비로소 진정한 희망, 즉 인생에 진정한 향기를 가져다주는 희망도 싹틀 수 있다. 배틀 대수도원에 보존되어 있는 깨진 투구에는 '희망은 힘이다'라고 새겨져 있다. 이것은 모든 사람이 가슴에 새겨야 할 말이다.

시락의 아들 예수는 "마음이 약한 자에게 화가 있을지니"라고 말했다. 분명히 용감한 마음을 지닌 사람만큼 혜택 받은 사람은 없다. 비록 노력이 물거품으로 돌아간다 해도 최선을 다했다고 느낀다면 그것으로 만족할 수 있다.

초라한 삶 속에서 인내하며 수많은 고통과 싸워 이기는 사람을 보는 것만큼 유쾌하고 아름다운 광경은 없다. 비록 다리를 다쳐 피를 흘리며 절름거린다 해도, 그는 용기의 지팡이를 짚고 계속 걸어갈 것이다.

사람은 일찍부터 뜻을 세워야 한다

한낱 소원과 소망은, 그것이 즉각적인 행동과 행위로 구체화되지 않는 한, 젊은이들의 마음에 꿈만 일으킬 뿐이다. 많은 사람들이 그랬듯이 블뤼커 장군*¹이 올 때까지 기다리는 것은 소용없는 일이며, 웰링턴처럼 계속 인내하며 열심히 맞서 싸워야 한다. 일단 높은 뜻을 품었으면 한눈팔지 말고 한길로 나아가야만 한다. 여러 가지 생활 환경이 있겠지만, 곤경과 고생을 특히 건전한 수련으로 알고 기꺼이 감수해야 한다.

아리 셰페르는 이렇게 말했다.

"오직 심신의 노력을 통해서만 성과를 얻을 수 있다. 힘쓰고 또 힘쓰는 것, 그것이 바로 인생이다. 이 점에서 나는 내가 할 수 있는 모든 일을 다 했다. 무슨 일이 있어도 나의 용기는 흔들리지 않았으니, 그것만은 자랑할 수 있을 것이다. 누구든 강한 정신과 뚜렷한 목표만 있으면 자기가 뜻하는 바를 이룰 수 있다."

한 번에 한 가지씩

지질학자 휴 밀러는 이렇게 말했다.

"내가 유일하게 올바른 가르침을 받은 곳은 세상이라는 학교이다. 그곳에서 '고난과 역경'이라는 엄격하고도 고귀한 교사를 만났다."

핑계를 대며 머뭇거리거나 하찮은 구실을 만들어 일을 피하려 한다면, 실패는 불을 보듯 뻔하다. 무슨 일이든 그것은 피할 수 없는 것이라고 생각하면, 머지않아 그 일에 능숙해져서 어렵지 않게 해낼 수 있게 된다.

근면이라는 습관도 다른 습관과 마찬가지로, 시간이 흐름에 따라 언젠가는 편안해지고 익숙해진다. 그러므로 평범한 능력밖에 없어도 한 번에 한 가지 일에만 집중하면 큰 성과를 올릴 수 있다.

파월 벅스턴은 평범한 소질에도 불구하고 비범한 노력을 하는 인간에게 신뢰를 두고 있었다. 그것은 그 자신이 "무릇 네 손이 일을 당하는 대로 힘을 다

---

*1 프로이센의 육군 원수로 워털루 전투에 참가하여 결정적인 승리를 이끌었음.

하여 할지어다(전도서 9 : 10)"라는 성서의 가르침을 이해하고 있었기 때문이다. 또 그는 자신의 성공에 대해, 한 가지 일에 전력을 다한 덕분이라고 말했다.

용감한 소망이 뜻을 이룬다.

진정으로 가치 있는 목표는 용감하고 과감하게 대처하지 않으면 성취할 수 없다. 인간의 성장은 오로지 어려움과 싸우고자 하는 의지의 힘, 즉 노력에 달려 있다. 얼핏 불가능하게 생각되는 일의 대부분이 노력에 의해 가능해지는 것을 볼 때, 우리는 놀라움을 금할 수 없다.

강하게 기대하는 마음이 있으면, 그것만으로도 가능성은 현실로 바뀐다. 강한 염원은 우리가 무언가를 이룩하기 위한 예고가 된다. 그런데 겁이 많고 우유부단한 사람은 처음부터 무슨 일이든 자신에게는 불가능하다고 생각하기 때문에 아무것도 성취할 수가 없다.

프랑스의 한 젊은 장교는 평소에 늘 방안을 거닐면서 이렇게 소리쳤다고 한다.

"나는, 언젠가 반드시 육군 원수가 되고 말리라."

그 청년 장교의 끝없는 소망은 이윽고 실제로 성공을 가져다주었다. 뒷날 그는 사령관으로 승진하여 이름을 날리더니, 결국 염원하던 프랑스 육군 원수가 되어 그 생애를 마쳤다.

육체의 힘도 힘이다

《기원(起源)》의 저자 워커는 의지의 힘을 크게 믿었던 사람으로, 언젠가 병을 앓고 있을 때 나아야겠다고 굳게 마음을 먹으니 금방 낫더라는 말을 했다. 그러나 우연히 일어난 일일 수도 있고, 과연 어느 처방보다 안전한 방법일지는 모르지만 언제나 그렇게 된다는 법은 없다. 육체의 힘보다 의지의 힘이 강한 것은 사실이지만, 의지의 힘만 믿다가 완전히 몸을 망치는 수도 있다.

무어족의 추장 뮬리 몰루크에 대해 다음과 같은 이야기가 전해지고 있다. 그가 불치의 병에 걸려 누워 있을 때, 그의 군대와 포르투갈 군대 사이에 전투가 벌어졌다. 사태가 급박해지자 추장은 병석에서 벌떡 일어나 군대를 이끌고 싸워 승리를 거두었다. 그러나 추장은 싸움이 끝난 뒤 기진맥진하여 쓰러져 그대로 숨을 거두고 말았다고 한다.

원하면 반드시 얻는다

의지만 있으면, 사람은 자신이 결정한 대로 목표를 이루고, 자신이 바라는 인간이 될 수 있다. 어느 성자는 입버릇처럼 이렇게 말했다고 한다.

"당신은 원하는 대로 어떤 것도 될 수 있다. 우리 의지의 힘이 신의 힘과 이어지면 지극히 큰 힘이 된다. 마음으로 진지하고 간절하게 원하면 모든 것이 가능해진다. 그러나 겸손과 인내, 절도와 관대함을 지니려고 노력하지 않는다면 무엇을 원하더라도 이루어지지 않을 것이다."

어떤 목수에 대해 이런 이야기가 전해지고 있다. 어느 날 목수는 지사가 앉을 의자를 수리하라는 의뢰를 받고 대패질을 하고 있었다. 그런데 그 일하는 모습이 지나칠 정도로 정성스러워서, 옆에서 보고 있던 사람이 그 까닭을 물었다.

그러자 목수는 이렇게 대답했다.

"제가 이 의자에 앉게 될 때, 조금이라도 더 편하기 위해서요."

신기하게도, 그는 그 뒤 실제로 지사가 되어 그 의자에 앉았다고 한다.

의지의 자유

논리학자가 의지의 자유에 대해 어떠한 이론적인 결론을 내렸든, 저마다 선과 악 중 어느 것이든 선택할 수 있다. 즉 우리는 강물에 던져진 한낱 지푸라기처럼 그저 물결 따라 흘러가는 것이 아니라, 헤엄을 쳐서 스스로 물결을 거슬러 자신이 원하는 방향으로 충분히 나아갈 수 있다.

우리의 자발적인 의지에 절대적인 구속을 가하는 것은 이 세상에 존재하지 않으며, 자신의 행동이 마법의 주문에 걸린 것처럼 속박당할 리가 없다는 것도 잘 알고 있다. '의지는 자유'라고 확신해야만 가정 준칙, 사회 관례, 공공 제도 등에서 모든 일과 행동을 할 수 있게 된다.

이 자유 의지가 없다면 책임은 어디에 있을까? 가르치고, 충고하고, 설교하고, 나무라고, 바로잡아준들 무슨 소용이 있단 말인가? 법률이란 사람들이 복종하든 안 하든 개별적인 의지로 인정한다. 만일 모든 사람이 그렇다고 인정하지 않는다면 법률이 무슨 소용이 있겠는가?

우리는 살아가는 순간마다 우리의 의지가 자유롭다는 양심의 외침을 듣고 있다. 우리가 자유 의지를 올바른 방향으로 돌리든 그릇된 방향으로 돌리든, 그것은 오직 우리 각 개인에게 달려 있다. 우리의 습성이나 유혹이 우리를 다스리는 것이 아니라 우리가 그들을 다스리고 있는 것이다. 우리가 자칫 습성이나 유혹 앞에 굴복할라치면, 양심은 우리에게 아직 그것에 저항할 수 있음을 알려주고, 일단 그 습성과 유혹을 누르고자 마음먹으면 그렇게 할 수 있다고 일러 준다.

라므네의 편지

그 옛날 프랑스의 종교가 라므네는 방탕한 생활을 보내고 있는 한 젊은이에게 이렇게 말했다.

"자네는 이제 자신의 삶을 스스로 결정할 시기에 있네. 이 기회를 놓치면 자네는 스스로 판 무덤에 빠져, 위에 얹힌 돌을 밀어 올리지도 못하고 평생 고통에 허덕이게 될지도 몰라. 의지를 가지고 산다는 것이 습관 들이기에는 가장 쉽네. 그러니까 강하고 확고한 의지를 가지도록 노력하게. 뿌리 없는 풀 같은 생활은 이제 그만두고 땅에 발을 붙이고 걸어야 하지 않겠나? 가랑잎처럼 바람이 부는 대로 이리저리 뒹구는 생활은 칼로 베듯이 끊어야 하네."

아들을 일깨운 벅스턴의 편지

자선가 벅스턴도 결심을 굳히고 그것을 관철하고자 하면 소망의 대부분을 이룰 수 있다고 확신하고 있었다. 그는 아들에게 다음과 같은 편지를 써 보냈다.

"너도 이제 오른쪽으로 갈 것인지 왼쪽으로 갈 것인지 결정해야 할 나이가 되었다. 그러니 자신의 주장과 결단력 그리고 정신력이 얼마나 강한지 몸으로

벅스턴

증명해 보이도록 해라. 그렇지 않으면 틀림없이 너는 게으름에 빠져 되는 대로 사는 무능한 청년의 악습에 물들 것이다. 한 번 그런 처지로 전락하게 된다면, 거기서 다시 기어오르는 것은 쉬운 일이 아니다. 젊은이들은 대개 자기 맘대로 살고 싶어하지. 나의 경우도 그랬다. 하지만 꼭 너 만한 나이에 나는 마음을 고쳐먹었지. 지금의 행복과 성공은 그때 시작되었다고 할 수 있지. 너도 활력이 넘치는 근면한 삶을 살도록 결심을 굳혀야 한다. 지금 당장 결심하고 첫걸음을 내딛는다면, 너는 스스로의 현명함에 대해 평생 감사하게 될 게다."

인간의 의지는 방향에 관계없이 무조건 돌진해 가려고 한다. 따라서 의지에 올바른 목표를 주고 적절한 방향으로 키를 잡는 것이 중요하다.

감각적 쾌락을 추구하려는 의지는 당장 악마의 본성을 드러내고, 지성은 비천한 노예가 될 것이다. 그러나 반대로 선을 추구하려는 강한 의지는 왕과 다름없다. 게다가 지성이 인간에게 최고의 번영을 가져다주는 신하가 될 것이 틀림없다.

뜻이 있는 곳에 길이 있다

'뜻이 있는 곳에 길이 있다'—이 오랜 속담은 바로 진리 그 자체이다. 뭔가를 이루려고 굳게 작정한 사람은, 바로 그 결심으로 수많은 장애를 넘어 목표에 도달한다. 가능하다고 생각하면 십중팔구 그것을 달성할 수 있다. 다시 말해 결심을 굳힌다면 그것은 이미 현실적으로 목표를 이룬 것이나 마찬가지다. 그런 의미에서 진정한 결의는 전능한 신과 같은 힘을 가지고 있다고 할 수 있다.

러시아의 장군 수바로프의 강인한 성격은 그 흔들리지 않는 의지력에서 비롯되었다. 그는 평소에 '의지가 약한 사람은 반드시 패배한다'고 자주 말했다고 한다. 프랑스 정치가 리슐리외와 황제 나폴레옹처럼 그도 '불가능'이란 말을 사전에서 빼고 싶었을 것이다. "나는 할 수 없다." "될 리가 없다." "무리한 일이다."—이런 말을 그는 특히 싫어했다. 그리고 언제나 "공부하라! 실천하라! 시

도하라!"고 소리쳤다. 전기 작가는 수바로프를
이렇게 평했다.

"누구에게나 능력이 있으며, 그것을 충분히 발
휘하려고 노력하면 큰 성과를 얻을 수 있다는
것을 그는 몸으로 증명했다."

순간을 엿보고 실패를 성공으로 바꾼 나폴레옹

싸움에 이기려면 신속하게 결단하고, 적의 허
를 찔러 재빨리 행동해야 한다는 것은 상식이
다. 나폴레옹은 다음과 같이 말했다.

수바로프

"아르콜라 전투에서는 불과 25명의 기병만으로 승리를 거두었다. 적(오스트
리아군)도 아군도 지쳐 기운이 빠진 틈을 타서, 나는 기병들에게 나팔을 불게
하고 적진을 향해 돌격 명령을 내렸다. 그것만으로 승리는 우리 군의 것이 되
었다. 싸움에서는 양쪽 모두 필사적으로 상대를 위압하려고 하는데, 갑자기
어느 순간 적이 겁을 먹을 때가 있다. 그 순간을 잘 이용하는 것이 승리의 비
결이다."

그리고 이런 말도 했다.

"순간의 기회를 놓치면 불행한 패배가 이어진다. 오스트리아군은 시간의 가
치를 몰랐다. 그들은 언제까지나 우물쭈물 공격을 주저하다가 우리 군에 당하
고 만 것이다."

나폴레옹이 즐겨 인용한 격언

나폴레옹이 좋아한 격언 중에 "가장 참된 지혜는 의연한 결단이다"라는 말
이 있다. 그의 인생은 강한 힘과 단호한 결단력이 무엇을 가져다주는지 여실히
보여주었다.

나폴레옹은 몸과 마음을 오직 일에 바친 사람이었다. 어리석은 지배자와 국

민들은 잇따라 그 앞에 무릎을 꿇었다. 어느 날 군대가 가는 길에 알프스가 가로막고 있다는 보고를 받은 나폴레옹은 "그렇다면 알프스를 치워버리자"고 말했다. 그리고 그때까지 아무도 가까이 다가가지 않던 생플롱 고개에 길을 뚫어버렸다. 그는 이렇게 말했다.

"불가능이라는 말은 바보들의 사전에서만 볼 수 있는 말이다."

나폴레옹은 무서우리만치 부지런한 사람이었다. 때로는 한꺼번에 네 명이나 되는 비서를 채용하여 네 사람이 다 녹초가 될 정도로 부려먹은 적도 있다. 어느 누구든 적당히 대하지 않았고, 자기 자신에 대해서도 엄격했다. 많은 사람들이 그의 영향을 받아 용기를 얻고 삶에 새로운 힘을 얻었다. 그러니 그가 이렇게 말할 만했다.

"내가 진창에서 장군들을 만들어냈다."

그러나 모든 것이 헛되었으니 강한 이기심 때문에 그는 파멸하게 되고, 프랑스도 무정부 상태에 빠져 결국 멸망의 길을 걷게 되었다. 그의 생애는 우리에게 다음과 같은 교훈을 주고 있다. '덕이 없는 권력은 국가의 쇠퇴를 불러오고 선이 없는 지식은 국가에 화를 부른다.'

직분이라는 두 글자를 늘 마음에 새긴 웰링턴
웰링턴 장군은 나폴레옹보다 훨씬 더 위대한 사람이었다. 나폴레옹 못지않게 결단력이 있고 의지가 굳고 끈기가 있었으며, 나폴레옹보다 극기심이 강하고 양심적이며 진정한 의미에서 애국자였다.

나폴레옹의 목표는 '영광'이었다. 웰링턴의 목표는 넬슨처럼 '의무'였다. 영광이라는 말이 나폴레옹의 공문서에 여러 번 나왔다고 하는데, 의무라는 말도 웰링턴의 공문서에 자주 나오지만 거기에서는 유난스러운 장군 냄새는 나지 않았다. 아무리 크나큰 난관 앞에서도 웰링턴은 당황하거나 겁을 먹기는커녕, 극복해야 할 장애가 크면 클수록 더욱 힘을 냈다.

웰링턴은 꿋꿋한 인내와 굳은 의지로 반도 전쟁의 그 극심한 고통과 무서운 고난을 견뎌냈는데, 이 인내와 의지야말로 역사상 가장 숭고한 것들 중의 하나라 할 수 있다. 에스파냐에서 웰링턴은 장군으로서의 천재성뿐만 아니라 정치가로서의 폭넓은 지혜를 보여주었다.

웰링턴은 타고난 기질은 무척 성급한 편이었으나 고도의 의무감으로 그것을 억제할 수 있었으며, 사람들에게는 특히 지칠 줄 모르는 인내의 모범을 보여주었다. 그의 위대한 인격은 야망과 탐욕, 그리고 어떤 저속한 감정으로 더럽혀지는 일이 없었다. 강한 개성을 지닌 사람이면서도 다양한 성품을 타고났다.

장군으로서는 나폴레옹과 맞먹고, 클리브처럼 민첩하고 정력적이며 대담했다. 크롬웰처럼 현명한 정치가인데다, 워싱턴처럼 순결하고 고상했다. 위대한 웰링턴은 길이 남을 명성을 남겼으니, 그 명성은 한없이 굳은 의지와 숭고한 대담성, 게다가 더욱 숭고한 인내심이 잘 어우러진 가운데 오랫동안 기울인 노력의 결실이다.

과감하고 신속한 인물들

정력은 대개 민첩함과 결단력 속에서 나타난다. 여행가 레드야드는 아프리카협회로부터 언제 떠나겠느냐는 질문을 받고 "내일 아침"이라고 대답했다. 블뤼커는 늘 속결 명령을 내려 모든 프로이센 군인들은 그에게 '돌격 원수'라는 별명을 붙여주었다.

나중에 세인트 빈센트 백작이 된 존 저비스는 언제 배를 타겠느냐는 질문을 받고 "지금 당장"이라고 대답했다. 콜린 캠벨 경은 인도군 사령관으로 임명되었을 때 언제 떠날 수 있느냐고 묻자 "내일이오"라고 대답했으니, 바로 이러한 자세가 그의 뒷날의 성공을 암시해 준 것이다.

7살 때 가문의 부흥을 꿈꾼 헤이스팅스

인도는 지난 18세기에 영국인이 정력을 쏟아넣을 수 있는 절호의 장소였다. 클라이브에서 해블록과 클라이드에 이르기까지 인도의 법률 행정과 전쟁에서 탁월한 이름을 남긴 사람들이 많다. 예를 들면 웰슬리, 메트가프, 우트램, 에드워즈 그리고 로렌스 일가 같은 사람들이다.

또 위대하지만 명예에 손상을 입은 사람이 있는데, 워렌 헤이스팅스였다. 이 사람은 굴하지 않는 의지를 지닌 근면한 사나이였다. 그의 가문은 빛나는 역사를 가지고 있었으나 흥망성쇠를 반복했다. 그러다 스튜어트 왕가를 위해 의리를 지킨 것이 잘못 되어 가난에 빠지게 되었고, 마침내 수백 년 동안 가문의 영지였던 데일즈퍼드의 땅마저 내놓아야 했다.

이리하여 데일즈퍼드를 떠나게 된 헤이스팅스는 둘째 아들에게 교구 행정을 맡겼다. 손자 워렌 헤이스팅스가 태어난 곳이 바로 이 교구였다. 소년은 이곳 마을 학교에서 농사꾼의 아들들과 한자리에 앉아 글을 배웠다. 소년은 일찍이 자신의 조상들이 소유했던 들에서 뛰놀았다. 그는 데일즈퍼드의 충성스럽고 용감한 헤이스팅스 가문 사람들의 이야기를 늘 가슴속에 담고 살았다.

소년은 야망에 불타올라, 겨우 7살이던 어느 해 여름, 이 지방 한복판을 흐르는 강둑에 앉아 기필코 조상의 땅을 찾고야 말겠다고 굳게 결심했다. 한낱 어린 소년의 낭만적인 꿈으로 생각될지 모르지만, 마침내 그는 자신의 생전에 그 꿈을 실현하고 만다. 꿈은 열정으로 변하여 그의 생활 속에 뿌리를 내렸다.

소년 시절부터 어른이 될 때까지 침착하고도 굳은 의지력으로 그 결심을 유지하였으니, 그 굳센 의지력이야말로 그의 가장 두드러진 특징이었다. 고아 소년이 당대의 가장 세력 있는 사람이 되어, 조상의 재산을 되찾고 지난날의 영지를 다시 사들여 가문의 저택을 새로 지은 것이다.

매콜리는 헤이스팅스에 대해 다음과 같이 말했다.

"열대의 태양 아래에서 그가 5,000만 명의 아시아인들을 다스리면서 전쟁과 재정과 법률 행정을 처리했을 때도, 그의 희망은 여전히 데일즈퍼드에 있었다. 좋은 일과 나쁜 일, 그리고 영광과 비난으로 엇갈린 오랜 관직 생활을 끝내고 그가 은퇴하여 세상을 떠난 곳이 바로 이 데일즈퍼드였다."

인도에서 공을 세운 네이피어 장군
찰스 네이피어 경도 비상한 용기와 결단력을 지닌 인도의 지도자였다. 그는 전쟁 중에 겪은 고난에 대해 다음과 같이 말한 적이 있다.

"갈수록 더 깊은 수렁에 빠질 뿐이었다."

미아니 전투에서 그는 역사상 가장 빛나는 공을 세웠다. 2,000명의 장병—

그 중 유럽인은 겨우 400명이었다—을 이끌고, 완벽히 무장된 3만 5,000명의 거친 벨루치 족의 군대와 맞섰다. 누가 봐도 대단히 무모해 보이는 행동이었으나, 장군은 자기 자신과 부하들을 믿었다. 그는 적의 방어선이 있는 높은 둑 한가운데를 목표로 돌진했고, 3시간 동안 죽느냐 사느냐의 사투가 전개되었다. 이 소수 부대의 사병들은 사령관의 격려를 받으며 모두 영웅적으로 싸웠다. 네이피어 장군과 부하들은 끝까지 적에게 등을 보이지 않고 맞서 싸웠고, 벨루치 족은 수적으로는 20대 1로 우세했으나 결국 패했다.

군인의 전투는 물론이요 인생의 모든 전투에서 승리하기 위해서는 바로 이런 종류의 대담성과 용기, 그리고 끝까지 버티는 인내가 필요하다. 한걸음 더 전진하면 싸움에서 이길 수 있고, 5분 동안 더 버티는 용기가 있으면 승리를 얻을 수 있다. 비록 우리의 힘이 적의 힘에 미치지 못한다더라도, 우리가 더 오래 버티고 더욱 집중하면 적과 대등하게 싸워 이길 수 있는 것이다. 한 스파르타인은 자신의 칼이 너무 짧다고 불평하는 아들에게 "그렇다면 한걸음 더 나아가라"고 말했다는데, 이것은 우리의 인생에도 적용할 수 있는 말이다.

부하들과 나란히 한 네이피어

네이피어는 자신의 부하들에게 영웅 정신을 불어넣어 주었다. 그는 자신도 어느 이등병 못지않게 죽기 살기로 싸우면서 다음과 같이 말했다.

"가장 위대한 지휘의 비결은 공평하게 일하는 것이다. 한 군대를 거느리는 사람은 자신의 직책에 모든 정신을 쏟아야 성공할 수 있다. 난관이 크면 그만큼 더 노력해야 하고, 위험이 크면 그만큼 더 용기를 보여주어야 한다. 그 모든 것을 극복할 때까지."

커치 언덕 전투에서 장군을 수행한 한 젊은 장교가 다음과 같은 말을 한 적이 있다.

"그 노인이 말을 타고 쉬지 않고 싸움터를 종횡무진하는 것을 보고, 젊고 혈기왕성한 내가 어찌 게으름을 피울 수 있었겠나? 장군의 명령이 있었다면 나는 포탄을 장전한 대포 구멍에라도 들어갔을 것이다."

젊은 장교의 이 말을 우연히 전해 들은 네이피어는, 그것이 바로 자신의 노고에 대한 최상의 보상이라고 생각했다.

인도의 마술사를 시험한 네이피어

그가 인도의 마술사와 면담할 때 보여준 일화는, 그의 냉철한 용기와 단순성, 그리고 정직성을 잘 증명해주고 있다. 인도 전쟁이 끝난 어느 날, 유명한 마술사가 부대를 찾아와 장군과 그의 가족, 그리고 막료들 앞에서 묘기를 부렸다. 여러 가지 재주 중에서 그의 조수의 머리 위에 올려놓은 보리수 열매를 칼로 쳐서 두 조각을 내는 묘기가 있었다.

네이피어는 마술사와 조수 사이에 뭔가 속임수가 있는 거라고 생각했다. 비록 스콧의 소설 《부적》에 비슷한 이야기가 나오긴 해도, 사람의 머리 위에 올려놓은 그처럼 작은 물체를 머리카락 한 오라기 건드리지 않고 감쪽같이 칼로 쪼갠다는 것은 불가능하다고 생각했던 것이다. 그것을 확인하기 위해 장군은 자신의 손을 실험에 쓸 생각으로 오른팔을 내밀었다. 마술사는 장군의 오른손을 한참 동안 들여다보더니 하지 않겠다고 말했다.

네이피어가 말했다.

"왜, 자신 없나? 당신의 정체를 알아보려고 했는데?"

"그렇다면 왼손을 보여주십시오."

왼손을 한참 들여다본 마술사는 이번에는 자신 있다는 듯 이렇게 말하는 것이었다.

"왼손을 움직이지 않고 계시면 한번 재주를 부려 보겠습니다."

"어째서 오른손은 안 되는데 왼손은 된단 말인가?"

"오른손은 손바닥이 오목해서 엄지손가락을 다칠 위험이 있습니다. 왼손은 손바닥의 살이 두툼해서 그럴 위험이 덜합니다."

뒷날 네이피어는 이렇게 말했다.

"그때 나는 정말 놀랐다. 그 묘기는 틀림없이 오묘한 검술의 재주라는 것을 알았다. 그러나 참모들 앞에서 이미 그를 비난하고 시험해 보려고 한 이상 물러설 수도 없는 일이었다. 그래서 나는 손 위에 보리수 열매를 올려놓고 천천히 앞으로 뻗었다. 마술사는 정신을 집중하여 재빠른 칼솜씨로 열매를 두 조각으로 쪼갰다. 그 순간 내 손 위에서는 차디찬 실오라기 하나가 스쳐가는 듯한 느낌이었다. 인도의 검술사는 그 정도로 용감했지만, 우리의 훌륭한 장병들은 미아니에서 그들을 패배시켰다."

인도에서 전개된 치열한 전투를 통해 영국인들은 역사상 어느 때보다 훌륭하게 그 굳센 정력과 자립정신을 보여주었다. 비록 영국의 관료주의가 어리석게도 자주 커다란 실수를 저지르고는 있지만, 국민들은 용케도 그 관료주의에서 벗어나 거의 숭고에 가까운 영웅 정신을 발휘하고 있다.

인도 반란과 자신의 의무를 다하고 죽은 영국인

1857년 5월 인도 전역에 우레 같은 폭동이 일어났을 때, 영국군은 최소한도의 군대만을 유지하고 있었고, 그나마도 대부분 멀리 떨어진 병영에 있었다. 벵골 연대가 차례로 폭동을 일으키며 부대를 이탈하여 델리를 향해 돌진했다. 이 지방 저 지방에서 잇따라 반란과 폭동이 일어나, 곳곳에서 구원을 요청하는 소리가 높아졌다. 도처에서 포위되어 궁지에 몰린 영국군은 도저히 진압할 엄두를 내지 못하고 있었다. 영국군의 패배가 확실시되고, 인도에서 영국인의 명분도 깨끗이 사라질 것처럼 보이자, 전부터 나돌던 이런 말들이 오갔다.

"영국 사람들이 망하는 것은 시간 문제다."

누가 보아도 영국인들이 어쩔 수 없는 숙명 앞에 굴복하는 것이 당연한 일이었다. 반란의 결과가 아직 불확실할 때, 토후 중의 한 사람이 점성가를 찾아 의견을 물었다. 점성가의 대답은 다음과 같았다.

"모든 유럽인들을 다 없앤다 해도, 한 종족만은 계속 남아 싸워서 다시 인도를 정복하게 될 겁니다."

한 치 앞도 내다볼 수 없는 막막한 순간에도—얼마 안 되는 영국 군인과 민간인 남녀가 도시에 갇혀서 적과 맞서 싸운 러크나우 같은 곳에서도—절망적인 말은 한 마디도 없었고, 더구나 항복한다는 것은 생각지도 않았다. 여러 달 동안 아군과 통신이 차단되어 인도를 빼앗겼는지 간신히 버티고 있는 것인지 모르는 가운데서도, 그들은 동포의 용기와 헌신을 굳게 믿고 있었다. 얼마 안 되는 수이지만 인도에 있는 영국 사람들이 한데 뭉치면 결코 멸망하지 않을 것을 알고 있었다. 이 불행을 극복하고 결국은 승리할 것이라는 믿음 외에는 다른 것은 생각할 수도 없었다. 만약 최악의 사태가 닥친다면 자신들이 맡은 자리에서 의무를 다하다가 쓰러지면 그만이었다.

이쯤에서 해블록, 잉글리스, 나일, 오트람 같은 사람들의 이름을 상기하지 않을 수 없다. 그들은 참으로 영웅적인 영국인으로, 모두 기사도 정신과 하느님을 믿는 마음, 그리고 순교자의 기질이 있었다. 몽탈랑베르는 이들에 대해 "그들은 인류를 명예롭게 해주었다"고 말했다. 그러나 그 무시무시한 시련 속에서 여자들, 민간인들, 군인들 모두가 위대했으니, 군인들은 위로는 장군에서 아래로는 이등병 나팔수에 이르기까지 모두들 훌륭하게 싸웠다. 이들은 선발된 사람들이 아니라 우리가 매일 거리와 작업장, 그리고 논밭과 클럽에서 만나는 보통 사람들이었다. 그러나 별안간 재난이 닥쳐오자 한 사람도 예외 없이 모두가 힘과 용기를 발휘했다. 말하자면 한 사람 한 사람이 모두 영웅적인 행동을 취한 것이다.

몽탈랑베르는 또 이렇게 말했다.

"한 사람도 뒷걸음질치거나 떨지 않았다. 군인과 민간인, 젊은이와 노인, 장군과 사병, 이 모든 사람들이 흔들림 없는 냉철함과 용맹함으로 저항하고 싸우고 쓰러졌다. 그리하여 영국민은 혹독한 시련 속에서 국민교육의 가치를 찬란하게 빛냈다. 어린 시절부터 자신의 힘과 자유를 활용하고, 남과 사귀거나 저항하며, 아무것도 두려워하거나 놀라지 않으며, 자신의 노력으로 인생의 모든 쓰라린 고난을 이겨내도록 교육시켰던 것이다."

존 로렌스 경이 인격의 힘으로 델리를 되찾고 인도를 구했다고들 한다. '로렌스'라는 그 이름 자체가 인도 서북부 지방에서는 힘의 상징이었다. 그의 의무감과 열성, 그리고 노력은 최고 수준이었고, 그 밑에서 일하는 사람들은 누구나 그의 정신에 감화를 받았다. 그의 인격만으로도 군대의 능력에 맞먹는다는 말이 나올 정도였다.

사람들은 그의 동생 헨리 경에 대해서도 같은 말을 했다. 그는 바로 델리 점령에 뛰어난 역할을 했던 편잡 부족군을 조직한 사람이었다.

존 니콜슨

이 형제는 다 같이 사람들에게 완벽한 사랑과 믿음을 불어넣어주었다. 두 사람은 모두 온유한 면을 지니고 있었는데, 그것은 영웅적인 성격의 진정한 요소다.

이 두 사람은 민중과 호흡을 같이하면서 그들에게 좋은 면으로 강한 영향을 끼쳤다. 특히 에드워드 대령이 말한 것처럼 젊은이들의 심지에 좋은 모범을 보여 주었고, 몇 가지 행정면에서도 좋은 본보기를 보였다. 즉 '충실'을 주장하고 '학교'를 세웠는데, 그 두 가지가 오늘날까지 생생히 이어지고 있다. 존 로렌스 경은 몽고메리, 니콜슨, 코턴 그리고 에드워드 같은 사람들을 곁에 데리고 있었는데, 이들도 존 로렌스 경처럼 민첩하고 결단력이 있으며 고상한 기질을 지닌 인물들이었다.

존 니콜슨 또한 멋지고 용감하며 고상한 사나이로, 원주민들의 말을 빌리면 머리에서 발끝까지 태수 감인 사람이었다. 댈하우지 경은 '힘의 탑'이라는 말로 그의 특성을 표현했다. 모든 일에 온 힘과 정신을 쏟았고, 무슨 일을 해도 위대했기 때문이다. 회교의 어느 고행자단은 그를 열광적으로 찬양한 나머지 니콜슨—그들의 말로 하면 니킬 센—을 위한 예배까지 올리게 되었다. 그는 이런 어리석은 짓이 어디 있느냐고 몇 사람을 데려다 벌까지 주었으나, 예배는 여전히 계속되었다.

55번째의 세포이 반란자들을 추적할때 보여준 그의 끈질긴 정력과 완고함을 예로 들 수 있는데, 이때 그는 쉬지 않고 20시간이나 말 안장 위에 앉아 70마일이 넘는 길을 달렸다. 적이 델리에 본부를 두고 버티고 있을 때, 로렌스와 몽고메리는 편잡 족의 도움이 필요하여 최선을 다해 그들의 찬양과 믿음 속에 이 부족이 사는 지방의 질서를 완전하게 유지하고, 한편으로 동원할 수 있는 모든 병력—유럽인들과 시크족—을 델리에 소집했다. 니콜슨 경은 군 사령관에게 "반역자들의 코앞까지 접근하라"는 명령을 내렸다. 니콜슨의 이와 같은 엄중한 명령으로 군대가 전진했을 때 '수 마일 밖에서도 군마의 말굽 소리를 들을 수 있었다'고, 뒷날 니콜슨이 세상을 떠난 뒤 그의 무덤 앞에서 흐느껴 울던 한 시크족 용사가 말했다.

병력도 얼마 남지 않은 제32연대가 영웅적인 영국군의 지휘 아래, 6달 동안이나 20만 명의 적군과 맞서 싸운 럭나우의 포위 공격이 더 치열했는지도 모르나, 델리의 포위와 습격은 확실히 그 대전 중에 있었던 가장 유명한 전투였다. 델리에서도 영국 사람들은 겉으로는 포위하고 있는 것처럼 보였으나 사실은 포위당하고 있었다. 병력이 얼마 안 된다는 것을 적도 훤히 알고 있었고, 유럽인과 토민들을 합쳐 기껏 3,700여명의 보병뿐이었으니, 한때는 그 수가 7만 5,000명에 달했던 적군에게 매일같이 공격을 받았다. 게다가 적군은 영국군 장교가 유럽식으로 훈련시킨 군대인데다 엄청난 탄약을 가지고 있었다. 그러나 영웅적인 소수의 영국군은 열대 태양의 뜨거운 햇볕 속에서 델리를 포위했다. 죽음도, 부상도, 열병도, 그들의 굳은 의지를 꺾지는 못했다. 30배나 되는 압도적인 수의 적에게 기습을 받았으나 번번이 적을 방위선 뒤로 격퇴시켰다. 이 전투에서 용사 중의 용사였던 호드슨 대위는 이렇게 말했다.

"나는 단언한다. 세상 어느 나라의 국민도 이것을 견디지 못했을 것이고, 아무리 노력해도 패전을 면치 못했을 것이다."

그 영웅들은 의무를 수행하는 데 있어서 잠시도 머뭇거리지 않았고, 숭고한 인내심으로 쉬지 않고 버티고 싸워 마침내 '죽음의 돌파구'를 뚫고 델리를 점령하여, 그 성벽에 다시 영국기를 펄럭이게 했다. 고된 생활에 익숙한 사병들, 유복한 가정에서 애지중지 자란 젊은 장교들, 그들 모두가 남자답게 싸워 그 무서운 시련으로 똑같은 명예를 얻은 것이다. 영국인의 타고난 힘과 근면, 그리고 씩씩한 영국식 훈련과 규율이 이때처럼 눈부시게 발휘된 적은 없었다. 영국의 가장 소중한 자원은 결국 영국 사람이라고 하는 것이 그곳에서 똑똑히 입증되었다. 역사의 위대한 한 페이지를 장식하기 위해 그들은 호된 대가를 치러야 했다. 그러나 살아남은 사람들과 그들의 후손이 이 교훈과 모범을 통해 배우는 것이 있다면 결코 그것은 비싼 값이 아닐지도 모른다.

동양을 향해한 사비에르

인도와 극동에 있는 여러 나라 사람들은 평소에도 전쟁 때처럼 정력과 용기를 보여주었다. 그러면서도 평화로움과 인정을 잃지 않았다. 칼의 영웅들을 잊지 않고 오랫동안 기억하고 있는 것처럼, 그리스도교 전도의 영웅들도 잊혀선 안 될 것이다. 그들은 인생에 절망하고 타락한 사람들을 구하고자, 세속의 명예 따위에는 아랑곳하지 않고 한결같이 숭고한 자기희생 정신을 발휘하여 일했다. 불굴의 용기와 인내를 지닌 그들은, 빈곤을 견디고 위험을 무릅쓰며 역병이 유행하는 지방을 돌아다녔다. 그런 고생과 재난에도 용기를 잃지 않고 포교에 전념하며, 심지어 순교를 기쁨과 자긍심으로 맞이했다.

그 중에서도 첫 번째 순교자로 가장 유명한 사람이 프란시스코 사비에르였다. 고귀한 집안에서 태어난 그에게, 쾌락과 권세와 명예를 손에 넣는 것은 어려운 일이 아니었다. 그러나 그는 전 생애를 통해 신분과 지위보다 소중한 것, 돈보다 훌륭한 것이 있음을 증명했다. 사비에르는 행동이나 마음씀씀이에 있어 진정한 신사였다. 타인의 말에 좌우되거나 감언이설에 넘어가기 쉬운 성격이기는 했지만, 반대로 남을 잘 설득하고 인내심과 의욕이 강한 정력적인 사람이었다. 22세 때 그는 파리 대학에서 철학교수로 지내다가, 거기서 로욜라와 알게 되어 둘이서 새로운 종교조직 예수회를 창설한다. 그리고 그는 예수회를 이끌고 로마를 향한 순례길에 올랐다.

그 무렵, 포르투갈의 국왕 조안 3세는 자국의 세력 아래에 있는 인도 지역에 그리스도교를 포교하려고 생각하고 있었다. 선교사로서 처음에는 보바지라는 인물이 뽑혔지만 병에 걸려 그 역할을 할 수 없게 되자, 두 번째 인선 결과 사비에르가 뽑혔다. 사비에르는 너덜너덜한 법의를 입고 기도서만 달랑 들고 즉시 리스본으로 향했다. 그곳에서 배를 타고 동양으로 출발했다. 인도의 고아로 가는 그 배에는 현지에 파견되는 천 명의 수비병들이 총독과 함께 타고 있었다. 전용 선실이 배당되어 있었는데도 사비에르는 항해 내내 갑판에서 지냈다. 밧줄 다발을 베개로 삼아 자고, 선원들과 함께 식사를 했다. 선원들도 잘 보살펴주고 지루한 하루하루를 견딜 수 있는 간단한 놀이를 고안하거나,

병자의 간호를 떠맡기도 했기 때문에, 그는 이내 선원들의 마음을 사로잡고 존경을 받게 되었다.

고아에 도착한 사비에르는 이주자와 현지인 사이에 타락과 부패가 만연해 있는 것을 보고 큰 충격을 받았다. 이주자가 문명의 빛이 비치지 않는 이 땅에 수많은 악덕을 가져와서, 현지인들도 앞 다투어 나쁜 본보기를 따라 하는 실정이었다. 그는 방울을 울리면서 거리를 다니며 어린이들이 공부할 수 있도록 자기에게 보내달라고 호소했다. 곧 모여든 수많은 학생들에게 그는 매일 끈기 있게 하느님의 가르침을 얘기했다. 동시에 병자와 한센병 환자, 온갖 고통을 지닌 사람들의 집을 방문하여, 그 슬픔을 어루만져주며 그들을 '진리'로 이끌려고 노력했다. 사람들이 괴로워하는 소리를 들으면 만사를 제쳐놓고 그곳으로 달려갔다. 이를테면 마나르 지방에서 진주를 채취하는 사람들이 비참한 생활에 허덕이고 있는 것을 알고, 그곳으로 가서 방울을 높이 울리면서 자비의 마음을 일깨우는 것이었다. 그는 세례를 주고 하느님의 가르침을 설교했다. 마음에 스며드는 듯한 설교를 통해, 곤궁과 고통의 밑바닥에 있는 사람들에게 구원의 손길을 내민 것이다.

사비에르는 방울을 울리면서 해변을 걷고, 마을과 도시를 순회하며 사원과 시장을 찾아갔다. 그리고 현지인들을 불러 모아 하느님의 말씀을 가르쳤다. 교리문답과 사도신경, 모세의 십계, 주기도문 같은 성구들이 사비에르에 의해 현지어로 번역되었다. 그는 먼저 자신이 그것을 암기하고 나서 어린이들이 암송할 수 있을 때까지 되풀이해서 들려주었다. 또 어린이들의 입을 통해 부모와 이웃사람들에게 전파되도록 했다. 케이프코모린에서는 30명의 전도사가 임명되어 사비에르의 지도 아래 30개의 교회가 세워졌다. 물론 교회라고 해도 허술하기 짝이 없는 것으로, 대부분 오두막 위에 십자가를 세우기만 한 것이었다. 이러한 포교활동은 사비에르 자신의 말에 따르면 '전혀 예상치 못한 대성공을 거두었다'고 한다. 순수하고 한결같으며, 존경할 만한 삶의 방식과 행동에서 배어나는 설득력 덕분에, 사비에르가 가는 곳마다 그리스도교 개종자가 끊이지 않았다. 그를 만나 얘기를 들은 사람들은 강한 힘에 이끌리듯 그 얘기에 공명하고, 자신도 모르는 사이에 그의 열의에 감염되는 것이었다.

'무르익은 열매는 많지만 그것을 따는 사람이 너무 적다(가르침을 받을 자는 많지만 가르침을 주는 자는 너무 적다)'는 것을 통감하면서 사비에르는 다음 목적지인 말라카와 일본을 향해 배를 타고 떠난다. 거기서 그를 기다리고 있던 것은 다른 언어로 얘기하는 완전히 새로운 종족이었다. 그가 할 수 있는 일은 고작 병자를 간호하면서 이부자리를 정리하거나 눈물 흘리며 기도하고, 때로는 중백의*2의 자락을 물에 적신 뒤 짜서 그 떨어지는 물방울로 죽어가는 자에게 세례를 주는 정도였다. 그러나 이 용감한 진리의 병사는 희망의 등불을 높이 들고 아무것도 두려워하지 않으며 신념과 활력으로 오로지 전진해 갔다.

"죽음이나 어떠한 고행이 기다리고 있다 해도, 한 영혼을 구원하기 위해서라면 1만 번이라도 그 속에 뛰어들 각오가 되어 있다"고 그는 말했다.

굶주림과 목마름, 빈곤, 온갖 위험과 싸우면서, 사비에르는 지칠 줄 모르고 사랑의 전도를 펼쳐나갔다. 하지만 7년에 걸친 포교활동을 끝내고 중국으로 건너가려던 그는 그만 열병에 걸려, 영광의 면류관을 받고 하느님에게 불려간다. 그처럼 일편단심으로 자기희생과 용기로 일관된 생애를 산 사람은 아마 두 번 다시 나타나기 힘들 것이다.

태평양을 향해한 존 윌리엄스

사비에르의 뒤를 이어 같은 일에 종사한 선교사들이 있었으니, 인도에서 선교한 슈바르츠, 케어리, 마시맨, 중국에서 봉사한 구츨라프와 모리슨, 태평양의 섬들에서 일한 윌리엄스, 아프리카에서 선교한 캠벨, 모파트, 리빙스턴 등이 바로 그들이다. 에로망가의 순교자 존 윌리엄스는 일찍이 철물상의 견습공으로 있었다. 조금 우둔한 소년으로 생각되었으나 일솜씨가 좋았다. 곧 기술이 숙련되자, 주인은 무엇이든 힘든 일이 있으면 늘 이 소년에게 맡기곤 했다. 소년은 공장 밖에 종을 매다는 따위의 일도 좋아했다.

윌리엄스는 우연히 들은 설교에 몹시 감동하여 주일학교 교사가 되었다. 교사 모임에서 선교 사업의 사명에 대한 이야기를 들은 그는 깊은 관심을 느끼고 그 일에 헌신하기로 결심했다. 런던 선교회에서 그의 뜻을 받아 주었고, 철물상 주인은 견습 계약기간이 끝나기 전에 공장에서 떠나는 것을 허락해 주었다. 태평양의 여러 섬, 즉 타히티의 후아히네, 라이아테아, 라로통가가 그의 주요 활동 무대였다. 그는 사도처럼 자기 손으로 직접 철공 일을 하며 정원을

---

*2 성직자의 짧은 흰 옷.

가꾸고 배를 건조하는 한편, 섬사람들에게 문명 생활의 여러 가지 기술을 가르쳐주고 종교의 진리를 불어넣어주었다. 이와 같은 불굴의 정신으로 봉사하다가 에로망가 해안에서 야만인들에 의해 학살당했으니 순교자의 왕관을 쓴 것이나 다름없다.

아프리카에 도달한 리빙스턴

리빙스턴 박사의 삶도 매우 흥미롭다. 그의 조상은 가난하지만 정직한 스코틀랜드 고지대 사람이었다. 그 조상 가운데 지혜가 풍부하고 사려 깊은 것으로 그 일대에 널리 알려져 있던 한 사람이, 임종을 앞두고 자식들을 불러 모아, 유일한 유산으로 다음과 같은 말을 남겼다고 한다.

"내가 평생 동안 우리 집안 대대의 전통을 자세히 조사했는데, 우리 조상 중에는 정직하지 않은 사람은 단 한 사람도 없었다. 그래서 만에 하나, 너희들이나 그 자손이 부정직한 길을 걷는다 해도, 그것은 우리 집안에 흐르고 있는 피 탓이 아니다. 너희들은 부정직한 삶을 사는 피는 손톱만큼도 물려받지 않았다. 정직하게 살아야 한다. 이것이 내가 남기는 유일한 훈계이다."

10살이 되자 리빙스턴은 글래스고 근교의 방적공장에 일하러 다녔다. 그는 일을 하고 처음으로 받은 급료로 라틴어 문법책을 사서, 라틴어 공부를 시작했다. 그때부터 몇 년 동안 야학에 다니며 공부를 계속했다. 공장에서는 매일 아침 6시부터 일이 시작되었는데, 빨리 자라고 어머니가 주의를 주지 않으면 그는 언제나 한밤중이 지나도록 공부에 몰두했다. 그리하여 고대 로마의 시인 베르길리우스와 호라티우스를 읽고, 또 소설 이외의 책이라면 닥치는 대로 읽었다. 그 중에서도 과학서와 여행기를 많이 읽었다고 한다. 약간의 여가시간에는 근교를 돌며 식물을 채집하여, 식물학 연구에도 열성을 쏟았다. 공장의 기계가 소음을 내며 돌아가는 동안에도 그는 책을 읽었다. 자신이 조작하는 제니 방적기 위에 책을 놓고, 기계 앞을 지나갈 때마다 한 문장씩 읽을 수 있도록 궁리한 것이다. 그렇게 열심히 공부한 젊은이는 지식을 스펀지처럼 흡수해간다. 그리고 그의 마음에는 세계 곳곳에 그리스도교를 전도하고 싶다는 꿈이 싹트기 시작했다.

목표를 정한 리빙스턴은 단순한 전도사 이
상의 자격을 갖추기 위해 의학 공부를 시작한
다. 허리띠를 졸라매고 최대한 돈을 모아서 겨
울학기에만 글래스고 대학에서 의학과 그리스
어와 신학을 공부하고, 나머지 기간은 방적공
장에서 일했다. 대학의 학비는 모두 자신이 일
해서 버는 급료로 충당하고, 남한테서는 한 푼
의 도움도 받지 않았다.

데이빗 리빙스턴

"지금 돌이켜보면, 당시에 힘든 생활이 나의
성장에 커다란 영향을 미친 것은 틀림없는 사실이다. 나는 그것에 감사하지
않을 수 없다. 만약 다시 태어난다 해도 나는 역시 검소하게 생활하며 혹독한
시련을 헤쳐 나가는 길을 택할 것이다."

이것은 아마 그의 거짓 없는 심경이었을 것이다.

이리하여 리빙스턴은 의학과정을 수료하고 라틴어 논문을 써서 시험에 합격
하여, 내과와 외과의 개업자격을 손에 넣었다. 처음에 그는 중국으로 건너가려
고 생각했다. 그러나 그 무렵 영국은 중국과 전쟁을 하고 있었기 때문에 계획
은 무산되고 말았다. 그는 그 뒤 런던 전도교회에 봉사를 신청했고, 그곳의 주
선으로 1840년에 아프리카에 도착했다. 다만 그의 말을 빌리면 이 아프리카 행
에는 딱 한 가지 고통이 뒤따랐다. 중국행 계획에서는 그는 스스로의 힘에만
의지하려 했으나, 이번에는 런던 전도교회가 비용을 부담해주었기 때문이다.

"모든 것을 내 힘으로 헤쳐 나가며 살아온 사람이 조금이라도 남의 도움을
받는다는 것은 그리 마음 편한 일이 아니니까."

아프리카에 도착하자마자 리빙스턴은 열정적으로 일했다. 그는 남이 하던
일을 물려받는 것만으로는 만족하지 않고, 독자적인 활동영역을 넓혀 현지인
의 주택 건설 같은 일에 나서기도 했다. 포교를 중심에 두고 있었던 것은 물론
이다. 이 포교활동은 '방적공장에서 일하던 때처럼 피곤하고 힘들어, 밤에 공

부를 할 수 없을 정도였다'고 그는 말했다.

그 뒤 베추아나 족*³ 사이에서 일하게 된 리빙스턴은 운하를 파고 집을 짓고, 들판을 개간하여 가축을 기르며, 원주민에게 노동과 신앙을 가르쳤다. 어느 날 그가 베추아나 족 사람들과 첫 번째 긴 여행을 떠나려 하는데, 어쩌다가 이런 말이 그의 귀에 들어왔다. 그것은 그의 외관과 체력에 대한 얘기였다.

"저 양반은 튼튼한 편이 아닌 것 같아. 무엇보다 몸이 너무 말랐어. 옷을 입고 있어서 건장한 것 같아 보여도, 금방 녹초가 되고 말걸."

이 말을 들은 전도사의 몸에 스코틀랜드 고지대 사람의 피가 끓어오른 것은 말할 것도 없다. 그는 여행 중의 며칠 동안, 베추아나 족이 지쳐서 이내 쓰러질 것 같아도 가차 없이 전속력으로 계속 걷게 했다. 결국 그들은 리빙스턴의 강한 지구력을 인정하지 않을 수 없었다.

아프리카에서 그가 무슨 일을 했고 어떻게 일했는지 그의 저서 《선교 여행기》에 잘 나와 있는데, 이 책은 지금까지 세상에 나온 같은 종류의 책 중에서 가장 흥미로운 책이다. 만년의 리빙스턴에게는 이런 에피소드가 남아 있다. 아프리카에 갈 때 가지고 갔던 증기선 바켄헤드호가 마침내 망가지자, 리빙스턴은 대신할 배를 본국에 새로 주문했다. 약 2천 파운드의 돈이 들었는데, 그것은 여행기를 출판한 인세로 충당하기로 했다. 그러나 실은 그 돈은 아들의 재산으로 저축해 두던 돈이었다. 그 돈을 배의 건조비에 돌리도록 아들들에게 지시하는 편지 속에서, 리빙스턴은 이렇게 썼다.

"이 지출로 인한 구멍은 너희들 스스로 메워야 한다."

이 에피소드에는 그의 사람됨이 유감없이 드러나 있다.

감옥제도를 개혁한 존 하워드
존 하워드의 생애도 참을성 있는 굳은 의지의 탁월한 예를 보여주었다. 그

---

*³ 현재의 보츠와나 민족의 하나.

의 숭고한 일생은 비록 육체적으로 허약한 사람일지라도 의무를 다하여 목표를 이루려 하면 어떠한 장애물도 극복할 수 있다는 것을 입증했다. 죄인들의 처우를 개선해야 한다는 집념과 열정에 사로잡혀 어떠한 고생과 위험 그리고 신체적인 고통 앞에서도 그 위대한 삶의 목표를 굽힌 적이 없었다.

천재적인 재능이 있는 것도 아니요 그저 평범한 재능을 가진 사람이었으나, 마음이 순수하고 의지가 굳었다. 그는 생전에 현저한 성공을 거두었고, 세상을 떠난 뒤에도 그 영향력이 계속 살아 있다. 오늘에 이르기까지 영국뿐만 아니라 모든 문명국의 입법 행정에 강력한 영향력을 끼쳤기 때문이다.

빈민구제에 앞장선 조나스 한웨이

조나스 한웨이는 영국을 오늘에 이르게 한, 인내와 끈기를 가졌던 수많은 사람들 중의 또 한 사람이었다. 한웨이를 비롯한 많은 이들은 오직 자기가 맡은 일에 열정을 기울이는 데 만족하고 일을 성취하면 그들이 생애를 바쳐 향상시킨 세계를 뒤에 남길 뿐, 아무런 기념물도 없이 감사하는 마음으로 안식의 세계로 갔던 것이다.

1712년 포츠머스에서 태어난 조나스 한웨이는, 아버지가 그곳 해군 공창에서 가게를 보고 있다가 어떤 사건으로 피살되어 어린 나이에 고아가 되었다. 이리하여 어머니는 아이들을 데리고 런던으로 옮긴 뒤, 아이들을 그곳 학교에 넣어 남과 같이 공부를 시키려고 갖은 애를 다 썼다. 17세가 되자 조나스는 리스본의 한 상점에 사환으로 들어갔는데, 꼼꼼하게 일을 보고 시간을 잘 지키는 데다 철저한 정직성과 성실성으로 주변 사람들의 신임을 받게 되었다. 1743년에 런던으로 돌아와, 상트페테르부르크에서 카스피 해 무역을 시작한 지 얼마 안 된 어느 영국인 상사의 동업 제의를 수락했다.

한웨이는 사업을 확장할 목적으로 러시아로 갔는데, 이 나라의 수도에 도착한 지 얼마 안 있어 20궤짝의 영국산 면포를 싣고 페르시아로 떠났다. 아스트라칸에서 카스피 해 동남쪽에 있는 아스트라바드를 향해 출범했으나, 짐을 내리자마자 이 나라에 반란이 일어나 짐을 압수당하고 말았다. 나중에 짐을 대부분 찾기는 했으나 큰 손해를 보았다. 게다가 그와 그의 일행을 체포하려는 음모가 있어서 그는 바다로 달아나, 수많은 위태로운 고비를 넘긴 끝에 무사히 길란에 도착했다. 이때의 도피 경험에서 그는 하나의 교훈을 얻었으니, 그것은 바로 그가 평생 좌우명으로 삼았던 "결코 절망하지 말자"는 것이었다. 그 뒤 5년 동안 상트페테르부르크에서 살면서 사업을 계속 번창시켰다. 그러다가 한 친척이 그에게 얼마간의 재산을 남겼기 때문에, 1750년 러시아를 떠나 고향으로 돌아왔다. 그가 이때 영국으로 돌아온 목적은, 그의 말을 빌리면 몹시 안 좋아진 자신의 건강을 보살피고 아직 능력이 있는 동안 남을 도와주고 싶었기 때문이라고 한다.

이후 그는 자신이 쓸 돈을 아껴가며, 많은 수입을 자선 사업에 쓰면서 조용히 살았다. 그가 공익을 위해 맨 먼저 시도한 것은 런던의 거리를 개선하는 일이었는데, 그것은 상당한 성공을 거두었다. 1755년 프랑스군의 침공 소문이 파다해지자, 한웨이는 선원을 보충하는 가장 좋은 방법을 강구하기 시작했다. 런던 거래소에서 상인들과 선주들을 소집하여 조직체를 만들고, 영국 선박에서 근무할 선원 지원자와 소년들을 양성하자고 제안했다. 모두들 열광적으로 이 제안을 받아들여 즉시 선원 양성기관을 만들고 장교들을 임명했으니, 이것은 모두 한웨이의 경륜으로 이루어진 일이었다. 이것이 모체가 되어 1756년에 해군협회가 설립되었는데, 이 협회는 국가적으로 대단히 유익한 것이었다. 이 협회가 설립된 뒤 6년 동안 5,451명의 소년들과 4,787명의 선원 지원자들이 훈련을 받고 해군에 편입되었다. 그 뒤에도 활발한 활동을 계속하여 수많은 소년들이 면밀한 교육을 받으며 해마다 주로 상선을 타고 훈련을 받았다.

한웨이는 한편으로 여가를 바쳐 런던의 중요한 공익사업을 개량하고 확립했다. 그는 일찍부터 버림받은 아이들을 돌보는 고아원에 많은 관심을 가지고 있었다. 고아원은 여러 해 전에 토머스 코람이 설립했으나, 부모들이 덮어놓고 아이들을 고아원에 맡기는 나쁜 결과를 가져왔다. 이리하여 그는 당시에 유행하던 그릇된 자선 풍조와 맞서서 이 악습을 제거할 결심을 했다. 이러한 굳은 의지로 마침내 자선 사업을 정상의 상태로 돌리는 데 성공했고, 시간이 흐르고 실제로 겪어 보니 과연 그의 생각이 옳았음이 판명되었다. 그 뒤 한웨이의 주도로 맥덜린 양육원이 설립되었다. 그러나 그가 가장 노력을 기울인 것은 교구의 가난한 유아를 위한 일이었다.

불행과 무관심 속에서 자라고 있던 그 가난한 어린이들의 사망률은 무서울 정도였다. 그러나 버려진 아이의 경우처럼 일시적으로나마 그들의 고통을 덜어주려는 움직임조차도 없었다. 그리하여 조나스 한웨이가 발 벗고 나선 것이다.

어느 누구의 도움도 없이 혼자서 그들을 일일이 찾아다니며 그들이 처한 상황을 조사해보았다. 런던에서 가장 가난한 사람들의 집을 조사해 보고, 런던 안팎에 있는 모든 구빈원의 관리 상황을 상세하게 확인했다. 이어서 프랑스와 네덜란드를 두루 돌아다니며 빈민들의 집을 살펴본 뒤, 영국으로 돌아와 자기가 본 것을 글로 써서 책으로 출판했다. 그 결과 많은 구빈원이 개선될 수 있었다.

1761년에는 그의 노력으로 법령이 제정되어, 런던의 각 구빈원에서 해마다 받아들이거나 내보낸 아이들, 또 사망한 유아들을 기록하게 했다. 자신이 직접 끈기 있게 돌아다니며 이 법령이 시행되도록 노력했다. 거부와 반대를 무릅쓰고 설득하면서 인간이 지닌 모든 잠재력을 발휘하였다. 아침에는 여러 군데의 구빈원을 찾아다니고, 오후에는 국회의원 한 사람과 함께 또 다른 구빈원을 돌아다녔는데, 이것을 매일같이 몇 해 동안 계속했던 것이다. 이와 같이 누구도 따를 수 없는 인내심으로 거의 10년 동안 노력하여 또 하나의 법령(조지 3세, 39장의 7)이 제정되기에 이르렀으니, 그 법령의 내용은 사망 통계표에 있는 교구의 유아는 구빈원에서 키워서는 안 되며, 도시에서 몇 마일 떨어진 곳으로 보내어 6살이 될 때까지 3년마다 선출되는 후견인의 보호 아래 양육되어야 한다는 것이었다.

가난한 사람들은 그 법령을 '아이들을 살리는 법령'이라고 불렀는데, 그 법령이 통과된 뒤의 기록 통계를 보면, 그 전에 비하여 수천 명의 아이들의 생명이 보존된 결과를 나타냈다. 그것은 오직 선량하고 현명한 한 사람, 즉 한웨이가 정의로운 노력을 기울였기 때문이다. 런던에서 무슨 자선 사업이 벌어졌다 하면, 거기에는 반드시 조나스 한웨이가 참여하고 있었다. 굴뚝 청소부의 아이들을 보호해주는 첫 번째 법령 가운데 하나가 그의 영향력으로 제정되기도 했다.

몬트리올과 브리지타운 그리고 바베이도스에서 큰 화재가 나자, 때를 놓치지 않고 이재민들의 구호를 위한 모금운동을 벌였다. 모든 좋은 일에서 그의 이름이 빠지는 법이 없었고, 그의 사심 없는 정의는 널리 인정을 받았다. 그는 얼마 안 되는 재산을 남들을 위해 쓰는 것을 조금도 아까워하지 않았다. 은행가인 호어를 비롯한 런던의 지도적 시민 5명이 당시의 수상 뷰트 경을 방문하여, 이 선량한 사람의 희생적인 국가 봉사에 대해 특별한 배려를 베풀어 줄 것을 시민들의 이름으로 요청했다. 그리하여 얼마 뒤 그는 해군 식량보급위원 가운데 한 사람으로 임명되었다.

만년에 접어들어 건강이 매우 나빠진 한웨이는 식량보급위원직을 그만두어야 했으나, 결코 가만히 앉아 게으름을 피울 사람은 아니었다. 그 당시 아직 시행 초창기에 있던 주일학교의 확립, 동전 한 푼 없이 런던 거리를 헤매고 있는 불쌍한 흑인들의 구호, 사회에서 버림받고 가난 속에 사는 사람들의 고생을 덜어주는 일 등에 많은 힘을 기울였다. 갖가지 불행을 속속들이 들여다보고 그 힘겨움을 다 알고 있었지만, 그 자신은 무척 쾌활한 사람이었다. 만일 그에게 그 쾌활함이 없었다면, 그렇게 허약한 몸으로 자청해서 그처럼 많은 일을 해내지는 못했을 것이다. 그가 가장 두려워한 것은 아무 일도 안 하고 노는 것이었고, 비록 몸은 약했지만 대담하고 인내심이 강했으며, 그의 정신적인 용기는 누구도 따를 수 없었다. 사소한 것이지만, 우산을 쓰고 런던거리를 거닌 최초의 사람이 한웨이였다. 그러나 만일 현대의 런던 상인이 차양이 달린 중국식 모자를 쓰고 콘힐을 거닌다면, 사람들의 눈총을 견딜 수 있는 상당한 용기가 필요하다는 것을 알게 될 것이다. 한웨이가 30년 동안 우산을 쓰고 다니자 마침내 모든 사람들이 우산을 이용하게 되었다.

한웨이는 명예와 진실성과 성실을 엄격히 갖춘 사람이었다. 그러므로 누구나 그가 하는 말이라면 전적으로 믿을 수 있었다. 정직한 상인으로서 거의 숭배에 가까운 존경을 받았고, 정직이야말로 그가 사람들에게 가장 많이 찬사를 받은 미덕이었다. 그리고 일단 공언한 것은 반드시 실천했고, 상인으로서나 해군 식량보급위원으로서나 그 행동에 한 점의 오점도 없었다. 거래 상인에게는 어떠한 호의도 받아들이지 않았고, 식량보급위원으로 있을 때 누가 선물을 보내면 "나는 직무와 관련된 사람에게서는 어떤 선물도 받지 않고 있습니다" 하며 정중히 그 선물을 돌려주곤 했다. 점점 기운이 쇠약해지자 그는 마치 시골로 여행이라도 가는 사람처럼 밝은 마음으로 죽음에 대비했다. 그는 사람을 시켜 소매상인들에게 지불할 돈을 다 지불하고, 친구들에게는 작별 인사를 하는 등 신변을 깨끗이 정리한 뒤, 74세의 나이로 조용하고 평화롭게 세상을 떠났다. 남은 재산이 3,000파운드도 되지 않았지만 돈을 원하는 친척도 없었으므로, 그가 일생 동안 벗이 되어 도와주었던 많은 고아들과 가난한 사람들에게 나누어주었다. 조나스 한웨이의 아름다운 일생을 간단히 요약하여 소개했지만, 그처럼 정직하게 정력적으로 심혈을 기울이며 성실하게 일한 사람은 드물 것이다.

흑인노예 매매를 금지시킨 그랜빌 샤프

그랜빌 샤프의 생애도 인간의 힘이 위대하다는 또 하나의 모범을 보여준다. 그의 힘은 많은 고상한 봉사자들에게도 스며들어 노예제도 폐지에 힘을 기울이게 했는데, 그들 중 뛰어난 사람들은 클락슨, 윌버포스, 벅스턴 그리고 브루엄이다. 그러나 아무리 그들이 정의 추구에 있어서 훌륭했다 하더라도, 인내와 정력과 대담성에서 제 1인자이며 가장 위대한 사람은 역시 그랜빌 샤프였다.

그는 타워힐에서 생애의 첫걸음을 내딛었다. 견습기간이 끝나자 그 집에서 나와 군수국의 서기로 들어갔다. 말단직에 종사하는 동안 그는 여가를 이용하여 흑인 해방운동을 했다. 견습생활을 할 때도 그랬지만 유용한 목적을 위해서는 언제나 자발적으로 노력했다. 그는 아마포 상인의 집에서 견습생으로 있었을 때, 같은 집에 기숙하고 있던 유니테리언교도인 동료와 가끔 종교 문제를 토론하기도 했다. 그 유니테리언 청년은 그랜빌은 성경 문구를 삼위일체의 입장에서 오해하고 있으며, 그것은 그가 그리스어를 모르기 때문이라고 주장했다. 그 말을 듣고 그랜빌은 그날부터 저녁 시간에 그리스어를 공부하기 시작하여 얼마 지나지 않아 그리스어에 통달하게 되었다. 또 다른 유대인 동료와 성경의 예언서에 대해 토론하다가 같은 말을 듣고, 많은 어려움을 극복한 끝에 히브리어를 습득하기도 했다.

그러나 그가 생애를 걸고 노력하고 활동하게 된 근원은 그의 관대함과 자비심에 있었다. 민싱 레인에서 의사로 일하던 그의 형 윌리엄은 가난한 사람들에게 무료봉사를 했는데, 수많은 구호 신청자 중에 조너선 스트롱이라는 불쌍한 아프리카 사람이 있었다. 이 흑인은 당시 런던에 살고 있던, 바베이도스의 변호사인 그의 주인에게 심한 학대를 받아 다리를 절고 눈은 거의 장님이 다 되어 일을 할 수 없는 상태였다. 몸이 그렇게 되자 주인은 그를 더 이상 쓸모없는 물건으로 단정하고 잔인하게도 굶어죽든 말든 거리로 내쫓아버렸다. 빈털터리에다 몸까지 완전히 망가진 스트롱은 구걸로 연명하다가 우연히 윌리엄 샤프의 눈에 띄게 되었다. 윌리엄은 그에게 약을 주고 세인트 바돌로뮤 병원에 입원시켜 치료를 받게 해주었다. 병원에서 퇴원하자 두 형제는 그 흑인을 거리에서 방황하지 않도록 도와주었으나, 혹시 누군가가 나타나 그 흑인의 주인이라고 주장하지 않을까 은근히 걱정도 되었다.

샤프는 그를 어느 약종상 집에 하인으로 취직시켜 주었다. 그런데 그 흑인이 그 집의 전세 마차 뒤에서 안주인의 시중을 들고 있을 때, 전 주인인 바베이도스 변호사가 이 흑인을 알아보고 이제는 건강이 회복되어 써 먹을 수 있겠다고 생각했는지 그를 데려가겠다고 주장했다. 그 변호사는 경관 두 사람을 데려와 스트롱을 체포하여 유치장에 가두고, 서인도 제도로 데려가려고 배를 기다렸다.

갇힌 몸이 된 흑인은 몇 년 전 큰 불행 속에서 자기를 구해준 그랜빌 샤프가 생각나, 자기를 이 곤경에서 구해달라고 그에게 편지를 보냈다. 스트롱이라는 이름을 잊고 있던 샤프는 사람을 보내 자세히 알아보게 했다. 그가 돌아와 보고하기를, 유치장 관리들의 말에 따르면 유치장에는 그런 사람이 없다는 것이었다. 이상하게 여긴 그는 자신이 직접 유치장으로 가서 조너선 스트롱을 만나게 해달라고 요청했다. 다행히 이 요청이 받아들여져 안에 들어가 보니 과연 그 불쌍한 흑인이 다시 노예로 잡혀와서 갇혀 있는 것이었다. 샤프는 자신의 위험도 무릅쓰고 유치장 책임자에게, 시장이 이 사실을 알 때까지 스트롱을 아무에게도 넘겨주지 말라고 요청한 다음, 즉각 시장에게 가서 구속 영장도 없이 스트롱을 유치시킨 사람들을 모두 소환토록 했다.

그리하여 그 일당이 시청에 출두하게 되었는데, 조사 과정에서 알아보니 스트롱의 전 주인은 이미 스트롱을 다른 사람에게 팔아 넘겼고, 새 주인이 매도 증서를 꺼내 보이면서 이 흑인은 이제 자기 재산이라고 주장하고 있다는 것이었다. 그러나 스트롱에게 무슨 범죄혐의가 있는 것도 아니어서, 시장이 스트롱의 자유문제에 대해 법적으로 처리할 능력이 있었는지는 모르나 아무튼 그때 스트롱을 석방해 주었다. 그 흑인은 은인을 따라 법정을 나왔고 감히 아무도 그를 건드리지 못했다. 그러나 스트롱의 새 주인은 즉시 샤프에게, 자기는 부당하게 빼앗긴 노예를 되찾기 위해 소송을 제기하겠다고 통고했다.

그 당시(1767년) 영국인의 개인 자유는 비록 이론적으로는 존중되고 있었지만, 현실적으로는 심각한 침해를 받으며 짓밟히고 있는 실정이었다. 수병을 마구 징발해 갔고, 이 밖에도 런던 등 영국의 큰 도시에 조직적인 유괴단이 있어서 사람들을 유괴하여 동인도 회사로 보냈다. 인도에서 노예가 필요하지 않으면 미국 식민지의 농장주들에게 보냈다. 런던과 리버풀 신문에는 공공연하게 노예를 판매하는 광고가 실렸고, 달아난 노예를 다시 붙잡아 항구에 있는 어떤 특정한 배로 보내주면 상금을 준다는 광고도 있었다.

그때 영국 노예의 지위는 애매하기 짝이 없었다. 법정에서 내린 판결은 확고한 원칙이 없이 이랬다저랬다 일정하지 않았다. 영국에는 노예가 있을 수 없다는 것이 일반적인 생각이었지만, 저명한 법조인 중에는 이 생각에 정면으로 반대의견을 표명하는 사람들도 있었다. 조녀선 스트롱 사건에서 샤프가 변호를 의뢰한 변호사도 대체적으로 이런 태도였다. 조녀선 스트롱의 주인의 말에 따르면, 저명한 대법관 맨스필드와 모든 지도적인 변호사들의 의견은, 노예는 일단 영국에 들어오면 자유로울 수 없으며 법에 의해 식민지로 돌려보내야 한다는 것이었다.

그랜빌에게 용기와 성의가 있었기에 망정이지, 그렇지 못한 사람이었다면 누구라도 이 말을 듣고 절망에 빠졌을 것이다. 그러나 그랜빌의 경우에는 이 말을 듣고 오히려 흑인의 자유, 적어도 영국 내의 흑인의 자유를 위해 투쟁할 결의를 더욱 굳게 다졌다. 그때의 사정을 그는 이렇게 말했다.

"변호사도 어쩔 수 없는 일이라 하니 나는 정식 법률가의 도움 없이 스스로 나 자신을 변호하기 위해 거의 절망적인 노력을 하지 않을 수 없었다. 그러나 내 생전에 성경 외에는 어떤 법률책도 펼쳐본 적이 없었으므로 법률의 절차도 기초도 전혀 아는 것이 없었다. 그래서 이때부터 하는 수 없이, 서적상이 최근에 구입한 법률도서의 목록을 뒤지기 시작했다."

낮에는 군수국 사무실에서 힘든 일을 하느라 온 시간을 보냈으므로, 새로 시작한 법률 공부는 밤늦게나 새벽에 해야 했다.

"나 자신이 노예가 된 기분이었다."

그가 말했다. 그리고 한 목사 친구에게 보낸 편지에는 답장이 늦어진 이유를 이렇게 썼다.

"요사이는 제대로 편지 답장도 쓸 수 없다네. 밤에 잠을 덜 자고 아침에 일찍 일어나 조금이라도 시간을 내어서 법률 공부를 하고 있거든. 그것이 답장이 늦어진 이유가 되는 건 아니지만, 이 공부에는 참으로 근면한 연구와 조사가 필요하더군."

그 뒤 2년 동안 샤프는 모든 여가를 바쳐 인간의 자유에 영향을 미치는 영국 법률을 세밀히 연구했다. 메마르고 혐오스러운 수많은 문헌들을 읽으며, 법령과 법정의 판결을 수집하고, 사방으로 돌아다니며 고명한 변호사들의 의견을 알아보았다.

이렇게 길고 지루한 조사를 하면서 누구의 가르침이나 도움을 받은 일이 없었고, 누구의 충고도 받은 적이 없었다. 단 한 사람의 변호사도 그가 하는 일에 찬성하는 사람이 없었다. 그러나 그의 조사결과는 매우 만족스러운 것이어서 법률에 종사하는 사람들조차 놀랄 정도였다. 그 결과를 그는 이렇게 적었다.

"하느님께 감사드리고 싶은 일이지만, 적어도 내가 조사할 수 있는 범위 안에서 보면 영국 법률에는 타인을 노예로 만드는 행위를 정당화하는 조항은 하나도 없다."

이렇게 근거가 확실해지니 거리낄 것이 아무것도 없었다. 그는 자신의 연구결과를 요약하여 《영국에서의 노예제도 묵인의 부당성》이라는 제목으로 작은 책자를 간행했다. 그 책의 논지는 간명하고도 당당한 것이었다. 그는 이 책을 많이 찍어 자신이 직접 돌아다니면서 당시의 유명한 법조인들에게 배부했다.

스트롱의 주인은 상대방이 어떤 인물인지 알고 나서, 이런저런 구실을 만들어 소송을 지연시키다가 마침내 타협을 신청했으나 거절당했다. 그랜빌은 필사본을 계속 만들어 법조인들에게 돌렸고, 그렇게 되자 조너선 스트롱이 주인의 것이라고 주장하던 변호사들도 옴짝달싹못하게 되어, 원고는 소송취하에 따른 3배의 비용을 지불해야만 했다. 이 필사본은 1769년에 인쇄되어 나왔다. 그러는 동안에도 서인도 제도에 팔아넘길 목적으로 흑인들을 납치하는 사건은 런던 거리에서 잇따라 발생하고 있었다. 샤프는 이런 사건을 포착하기만 하면 신속하게 그 흑인을 구하기 위한 법적 조치를 취했다. 이리하여 하일라스라는 아프리카 사람의 아내가 납치되어 바베이도스로 보내졌을 때, 샤프는 하일라스의 이름으로 그 불법자를 상대로 소송을 제기한 결과, 인권 침해라는 판결을 받아내어 하일라스의 아내를 무사히 영국으로 데려올 수 있었다.

1770년에 극히 잔인성을 띤 흑인 납치사건이 발생하자, 그는 즉각 그 불법자들의 뒤를 추적하기 시작했다. 어느 캄캄한 밤, 루이스라는 아프리카 사람은 그에 대한 재산권을 주장하는 사람이 고용한 두 사공들에 의하여 납치되었다. 두 사공은 흑인을 물속에 잡아넣어 배 위로 끌어올린 다음 입에 재갈을 물리고 사지를 묶어 꼼짝 못하게 하고, 배를 저어 자메이카로 가는 큰 배에 실었다. 자메이카에 가서 노예로 팔아넘길 작정이었던 것이다. 그러나 지나가던 사람들이 이 불쌍한 흑인의 비명소리를 듣게 되었고, 그 중 한 사람이 흑인의 구원자로 알려진 그랜빌 샤프에게 달려가 이 폭력사건을 알려주었다. 샤프는 즉각 루이스를 되찾으려고 영장을 발부받아 그레이브센드로 갔으나, 배는 이미 다운스 섬을 향해 떠난 뒤였다. 그래서 인신보호영장을 받아 스핏헤드로 보냈고, 배가 영국 해안을 떠나기 전에 그 효력이 발생했다.

흑인은 큰 돛대에 쇠사슬로 묶인 채 눈물을 글썽거리며 슬픈 얼굴로 자기가 이제 곧 떠나야 할 육지를 바라보고 있었다. 샤프는 즉각 그를 풀어주어 영국으로 데려왔고, 폭행한 자에 대한 구속영장이 발부되었다. 샤프는 더할 나위 없이 민첩하게 손을 써서 이 사건을 해결했지만, 그래도 자신의 조치가 늦은 것을 탄식했다. 맨스필드 경이 이 사건을 취급했는데―다시 말하지만, 이 사람은 이미 그랜빌 샤프의 생각과 정반대되는 의견을 표명한 바 있었다. 그러나 판사는 그것을 문제 삼지 않고, 노예의 자유문제에 대한 법적인 견해는 표명하지 않은 채, 루이스가 명의상 피고측의 재산이라는 증거가 없다는 이유로 흑인을 석방해주었다.

이와 같이 영국에서는 흑인의 자유문제가 그때까지도 결정되지 못하고 있었다. 그러나 그런 가운데서도 샤프는 꾸준하게 자선 활동을 벌이면서 불굴의 노력과 민첩한 활동으로 많은 흑인들을 구했다. 이러한 와중에 제임스 서머셋 사건이 터진다. 그런데 그 사건은 맨스필드 경과 샤프가 다 같이 그 큰 법적 문제에 분명한 결론을 내리고 싶은 생각에서 선택한 사건이라고들 말한다.

서머셋은 주인이 영국으로 데려왔는데, 영국에 와서 버림을 받고 주인의 집을 떠났다. 그리고 얼마 뒤 주인이 다시 잡아 자메이카로 팔아버렸다. 이리하여 또 샤프가 나서서 이 문제를 해결하기 위해 서머셋을 변호해줄 변호사까지 고용했다. 맨스필드 경은 이 문제는 많은 사람들이 관심을 가지고 있는 문제인 만큼 이번 기회에 모든 법조인들의 의견을 모아보겠다고 선언하고 나섰다. 샤프는 지금이야말로 자신에 대한 모든 반대 세력과 맞서 싸워야 할 때임을 느꼈지만, 그의 결의는 조금도 흔들리지 않았다. 다행히 이 심각한 대결에서 그의 지난날의 분투가 효과를 나타내기 시작했다. 일반 국민들이 이 문제에 많은 관심을 기울였고, 저명한 법조인들이 샤프의 편에 서서 돕겠다고 선언했다.

기로에 선 개인의 자유에 대한 문제가 이제 맨스필드 경과 세 사람의 판사들에 의해 공정한 판결을 받게 된 것이다. 이 문제는 법률에 의해 박탈되는 경우를 제외하고 영국 헌법이 정한 기본적 자유인권이라는 넓은 견지에서 판가름을 받게 되었던 것이다. 여기서 이 큰 재판의 자세한 내용을 설명하는 것은 필요하지 않은 일이다. 광범위한 논의가 벌어져 몇 번씩 휴정과 개정을 거듭한 끝에 맨스필드 경이 판결을 내리게 되었다. 그러나 강경한 의견은 점차 바뀌어 그랜빌 샤프의 주장 편으로 기울어지게 되었다.

마침내 맨스필드는, 관여한 판사들의 의견이 분명히 하나로 일치했으므로, 이 사건을 판결하기 전에 다른 12명의 판사들의 의견을 물을 필요는 없다고 선언했다. 노예에 대한 재산권은 인정할 수 없으며, 지금까지 일반이 주장하던 재산권은 영국에서 있던 것이 아니고 법적 근거가 없는 것이므로 제임스 서머셋을 석방한다는 판결이었다. 이 판결로 그랜빌 샤프는 그때까지 리버풀과 런던에서 공공연하게 거래되던 노예 매매를 사실상 폐지시킨 셈이 되었다. 그는 또한 영광스러운 원칙 하나를 확립하였으니, 그 원칙은 어떤 노예도 일단 영국 땅에 발을 내딛는 순간부터 자유의 몸이 된다는 것이었다. 맨스필드 경이 위대한 결정을 내린 것은, 자신의 주장을 관철하기 위해 처음부터 끝까지 변치 않고 버틴 샤프의 굳은 결단력과 용기 있는 자세에서 비롯되었음은 의심할 여지가 없다.

그랜빌 샤프의 그 이후의 생애를 알아보는 것은 의미가 없는 일일 것이다. 그러나 그는 계속해서 꾸준히 모든 좋은 일에 노력을 기울였다. 구출된 흑인들이 살 수 있도록 시에라리온에 집단 부락을 설립하는 데 큰 역할을 하고, 미국 식민지의 원주민인 인디언들의 생활 조건을 개선해 주려고 애썼다. 영국민의 정치 참여 권리를 확대하기 위해 국민의 여론을 일으키고, 선원들의 징발폐지를 위해서도 노력했다. 샤프는 영국의 선원들도 아프리카 흑인들과 마찬가지로 법의 보호를 받을 권리가 있으며, 선원을 직업으로 택했다고 해서 결코 영국 사람으로서의 권리와 특권—그는 이 중에서도 인간의 자유를 가장 중요한 것이라고 여겼다—이 박탈되는 것이 아니라고 주장했다. 샤프는 또한 영국과 미국식민지 사람들 사이의 우호적인 관계를 되찾고자 노력했으나 아무런 성과가 없었다. 이리하여 형제간의 싸움인 미국 독립전쟁이 일어나자, 너무나도 양심적인 그는 이러한 도리에 어긋난 전쟁에는 조금도 관여하고 싶지 않아서 군수국을 그만두었다.

마지막 순간까지 그는 생애의 위대한 목표, 즉 노예제도의 폐지를 고수했다. 이러한 사명을 완수하는 동시에 점점 수가 늘어가는 동지들을 조직화하기 위해 노예제도 폐지협회를 창설하자, 샤프의 모범과 열성에 감동한 새로운 사람들이 궐기하여 이에 참여했다. 그의 정력이 그들의 정력이 되고, 그가 그토록 오랫동안 혼자서 애써오며 보여준 희생적인 열성이 마침내 온 국민의 열성으로 변했다. 클락슨, 윌버포스, 브루엄 그리고 벅스턴 같은 사람들이 그의 영향을 받아 같은 정력과 굳은 의지로 노력을 기울인 결과, 영국의 전역에서 노예제도가 폐지되기에 이르렀다. 그러나 비록 이러한 사람들의 노력으로 그 위대한 명분이 마침내 승리를 얻게 된 것이라고 흔히들 말하지만, 그 원천적인 공적은 말할 것도 없이 그랜빌 샤프에게 돌아가야 한다.

그가 맨 처음 이 운동에 뛰어들었을 때는 누구 하나 만세를 외치며 격려해주는 사람이 없었다. 가장 유능한 변호사들과 당시의 뿌리 깊은 편견이 반대하는 가운데 그는 완전히 외톨이였고, 자기 돈을 써 가면서 혼자 있는 힘을 다해 끝까지 싸워 승리한 것이니, 그것이야말로 영국의 국체 보존과 영국민의 자유를 위한 지극히 중요한 투쟁으로서 현대 역사에 기록될 만한 일이다. 이후의 성과는 오직 그가 끈질기게 노력한 결과였다. 샤프가 횃불에 불을 붙였고, 그 횃불로 많은 사람들의 마음에 불이 붙었으며 그것이 전파되어 온 국민이 밝은 빛을 보게 된 것이다.

노예해방에 열성을 다한 클락슨

그랜빌 샤프가 세상을 떠나기 전에 클락슨도 이미 흑인 노예제도 문제에 주의를 기울이고 있었다. 그는 심지어 이 문제를 대학 논문의 주제로 택하기도 하면서, 너무나도 이 문제에 사로잡힌 나머지 거기서 잠시도 떠나지 못하고 있었다. 어느 날, 그는 허트포드셔의 방앗간 근처에서 말을 내려 울적한 기분으로 길가 잔디밭에 앉아 생각에 잠긴다. 그때 서광처럼 그의 마음을 밝혀 준 한 가지 결심은 노예제 폐지를 위해 헌신하겠다는 것이었다. 그는 자신의 라틴어 논문을 영어로 번역하여 거기에 새로운 예증을 더 넣어 출판했다. 동지들이 차츰 그의 주변에 모였고, 노예매매 폐지협회가 이미 설립되었다는 얘기를 듣고 즉시 협회에 가입했다. 그는 또 출세에 대한 야망을 버리고 그 사명을 이루기로 했다. 윌버포스는 의회에서 이 운동을 주도하기로 하고, 노예매매 폐지를 추진하는 데 필요한 많은 증거를 수집하고 정리하는 책임을 주로 클락슨에게 맡겼다.

탐정과 같은 끈기를 지닌 클락슨에게 흥미로운 일화가 있다. 노예제도를 선동하는 자들은 이 제도를 지지하면서, 싸움에서 포로가 된 흑인들만 노예로 팔리는 것이며, 그렇게 노예로 팔리지 않으면 그들의 나라에서 오히려 더 무서운 처지에 빠지게 된다고 말했다. 클락슨은 노예매매업자들이 노예를 잡으러 다니는 것을 알고 있었으나, 그것을 증언해 줄 증인이 없었다.

어디서 그 증인을 구할 수 있을까? 그런데 우연히 여행 중에 만난 한 신사가 약 1년 전에 함께 있었다는 젊은 선원 이야기를 해 주었는데, 그 선원이 노예를 잡으러 다니는 일에 직접 참여했다는 것이었다. 신사는 그 선원의 이름은 모르고 그의 인상만 막연하게 알려 줄 뿐이었다. 그가 보통 군함에 근무하는 수병이라는 것만 알 뿐, 어느 항구에 있는지는 알지 못했다. 막연한 이야기지만, 클락슨은 그 선원을 증인으로 세울 결심을 했다. 항구 도시들을 찾아다니며 여기저기 수소문해 봤지만 아무 성과도 거둘 수 없었다. 그러다 마지막 항구의 바로 마지막 배에서 그 선원을 찾아낼 수 있었다. 그 젊은이가 결국 그의 가장 귀중하고도 효과적인 증인이 된 것이다.

몇 해 동안 클락슨은 증거를 찾기 위해 400명이 넘는 사람들과 편지를 주고받으며 3만 5,000마일 이상을 여행했다. 계속되는 분투로 그는 결국 병에 걸려 몸을 마음대로 움직이지 못할 정도로 쇠약해졌다. 그러나 그는 일선에서 물러나지 않고 여전히 열성을 다해 대중의 의식을 일깨우고 노예를 위해 모든 선량한 사람들의 열렬한 공감을 불러일으켰다.

벅스턴의 독서법과 그 명언

노예제도에 대한 다툼이 몇 년 더 이어진 뒤에야 노예매매가 폐지되었다. 이보다 더 큰 업적은 영국이 식민지 지배 체제에 있을 때 노예제도가 폐지되었다는 것이다. 영국 본국 및 그 식민지에서의 노예제도 폐지운동은 수많은 사람들의 정력 넘치는 헌신적인 활동에 의해 지탱된 것이다. 그 중에서도 대영제국의 구석구석까지 노예제도를 철저히 폐지하는 대사업을 해낸 인물로 하원의원 파월 벅스턴이 유명하다.

어릴 때의 벅스턴은 서투르고 아둔한 아이였다. 또 유달리 고집이 세었는데, 그 기질은 처음에는 거친 행동이나 외고집을 부리는 태도로 나타났다. 일찍 아버지를 여의었지만 다행히 현명한 어머니 밑에서 자랐다. 그녀는 주의 깊게 아들의 의지력을 단련시키며 어느 정도 부모에 대한 복종을 강요했지만, 아들에게 맡겨도 안심할 수 있는 것은 아들의 몫으로 남겨 놓았다. 가치 있는 목적을 향하여 노력을 기울이는 강한 자아를 적절히 지도하면 인간으로서 귀중한 자질이 될 수 있다고 어머니는 믿었고, 그 생각에 따라 아들을 키웠다. 그래서 남들이 아들의 고집에 대해 지적해도, 그녀는 이렇게 대답할 뿐이었다.

"걱정 마세요. 지금 저 아이는 고집이 센 아이일 뿐이지만, 곧 훌륭한 사람이 될 거예요."

벅스턴은 학교에서는 공부를 전혀 하지 않는 열등생에다 게으름뱅이로 낙인찍혔다. 숙제는 친구에게 맡기고, 자기는 여기저기 돌아다니며 노는 골목대장이었다.

15살에 학교를 졸업하고 집으로 돌아간 그는 한창 성장기에 있는 버릇없는 젊은이로, 보트타기와 사냥, 승마 같은 야외스포츠 외에는 아무 것에도 흥미를 보이지 않았다. 그리고 하루의 대부분을 사냥터 관리인 남자와 함께 보냈다. 그 남자는 선량한 성품에 인생과 자연에 대한 날카로운 관찰안을 가지고 있었는데, 애석하게도 글을 전혀 읽을 줄 몰랐다.

당시의 그는 좋은 인품을 기르느냐, 아니면 나쁜 습관에 물드느냐 하는 중요한 시기에 접어들고 있었다. 그 인생의 기로에서, 그는 운 좋게도 거니 집안과 교제를 하게 된다. 거니 집안은 사회적 지위도 높고, 교양이 풍부하고 박애

심도 풍부한 명문가였다.

나중에 벅스턴 자신이 말한 것처럼, 거니 집안과의 교제는 그의 인생에 장밋빛 사건이었다. 거니 집안은 그에게 교양을 높일 것을 강력하게 권했다. 그 덕분에 그는 더블린 대학에 입학하여 우수한 성적으로 졸업하게 된다. 그래서 졸업할 때 그는 이렇게 말했다.

"제가 좋은 성적을 거둘 수 있었던 것은 거니 집안사람들 덕분입니다. 상장을 가지고 돌아가서 그들에게 보여주고 싶어요."

이윽고 벅스턴은 거니 집안의 딸과 결혼한 뒤, 런던에서 숙부가 경영하고 있는 맥주회사의 직원으로 새로운 인생의 첫걸음을 내디뎠다.

어린 시절의 다루기 힘들던 고집은, 점차 강한 의지력으로서 그의 성격의 중추를 형성하여 그 덕분에 무슨 일이든 지칠 줄 모르고 정력적으로 꾸준히 해낼 수 있었다. 그는 일을 할 때 전력을 기울였다. 키가 거의 2m나 되어 '코끼리 벅스턴'으로 불렸을 정도이지만, 활력과 추진력에서는 남에게 뒤지지 않았다.

그는 이렇게 말했다.

"먼저 1시간은 맥주 제조 일을 하고, 다음 1시간은 수학 공부, 또 1시간은 사냥을 했어요. 그 어느 것도 소홀히 하지 않았지요."

맥주회사의 공동경영자로 승진한 그는, 곧 유능한 매니저로서의 수완을 발휘했다. 아무리 규모가 큰 거래라도 세부에 이르기까지 세심하게 지휘했다. 그 덕분에 회사는 몰라볼 정도로 번창했다. 물론 벅스턴은 정신수양도 게을리 하지 않았고 밤에는 학문에 매진했다.

"책을 들었으면 반드시 끝까지 읽어라."

"내용을 완전히 마스터할 때까지는 그 책을 독파했다고 생각해서는 안 된다."

"정신을 집중하여 모든 항목을 배워라."

이것들이 독서에 대한 그의 격언이다.

불과 32살에 하원의원에 선출된 벅스턴은 영국 식민지 노예의 완전해방에 전념하기 시작했다. 그가 노예해방운동에 일찍부터 흥미를 보인 것은 프리실라 거니라는 여성의 영향이었다. 프리실라는 총명하고 따뜻한 마음씨를 지닌 미덕에 넘치는 여성이었다.

1821년 죽음의 병상에 누워 있던 그녀는, 벅스턴을 몇 번이나 불러 '노예해방 사업을 그의 인생의 목표로 삼기 바란다'고 간절히 부탁했다. 임종하는 순간에도 다시 한 번 그 말을 하려다가 다하지 못하고 그대로 숨을 거두었다고 한다.

벅스턴은 그녀의 말을 잊지 않았다. 그리고 자신의 딸을 그녀의 이름을 따서 프리실라라고 불렀다. 딸 프리실라가 결혼한 1834년 8월 1일은 영국에서의 노예해방의 날이기도 하다. 그날 딸이 남편과 함께 집을 떠나는 것을 전송한 뒤, 벅스턴은 친구에게 보낸 편지에 이렇게 썼다.

"신부는 방금 집을 떠났네. 모든 일이 다 잘 됐어. 이제 영국의 식민지에는 단 한 명의 노예도 남지 않았네."

벅스턴은 결코 천재는 아니었다. 또 영도력 있는 지도자도 발견자도 아니었다. 그러나 꾸준하고 정직하며 의지가 강하고 활력이 넘치는 남자였던 것은 분명하다. 그의 인격은 다음과 같은 그의 말 속에 충분히 나타나 있다. 그것은 청년이라면 누구나 마음에 새겨둘 만한 지당한 말이다.

"나이가 들수록 더욱 확신을 가지고 말할 수 있는 것이 있다. 강자와 약자의 차이, 위인과 평범한 인간의 차이는 그 인간에게 왕성한 활력과 불굴의 의지가 있느냐에 달려 있다. 한 번 목표를 정하면 나머지는 승리나 죽음, 둘 중의 하나뿐이다—이렇게 단호하게 마음먹는 결의가 중요하다. 왕성한 활력과 불굴의 의지만 있으면 이 세상에 불가능한 것이란 아무것도 없다. 반대로 그것이 결여되어 있으면, 아무리 재능과 환경과 기회가 주어져도, 두 발로 걷는 동물의 영역에서 벗어나지 못하고, 진정한 인간이 될 수 없을 것이다."

9 사업가
살아간다는 모든 것이 비지니스이다

그대는 자기 일에 부지런한 사람을 보았는가? 그런 사람은 왕 앞에서도 부끄러울 것이 없다.   솔로몬의 잠언

자기 일을 처리하지 못하는 자가 바로 비천한 자이다.   오웬 펠덤

사업은 마음이 넓은 사람이 하는 것이다

해즐릿은 자신의 산뜻한 수필 중 하나에 사업가를, 마차를 타고 가는 따분한 사람으로 표현하면서, 그가 할 일은 이미 다져진 바퀴 자국을 그대로 따라가기만 하는 것이라고 주장했다. 그는 《사고와 행동에 대하여》라는 글에서 이렇게 말했다.

"비즈니스에서 성공하는 데 중요한 요건은 가장 좁은 범위에서 관세와 수익을 단 한 푼까지 철저하게 따지는 것이며, 상상력이나 그 밖의 다른 생각은 필요하지 않다."

사실 이렇게 일방적이고 그릇된 정의는 없을 것이다. 과학자, 문학가, 입법자들 중에 마음이 좁은 사람들이 있는 것처럼, 물론 사업가들 중에도 마음이 좁은 사람들이 있을 수 있다. 그러나 아량이 넓고 스케일이 커서 활동 범위가 매우 넓은 사람들도 있다. 버크가 인도 법안 제안 연설에서 말한 것처럼, 행상인이나 다름없는 정치인이 있는가 하면 정치가처럼 스케일이 큰 상인들도 있는 것이다.

중요한 사업을 성공적으로 추진하는 데 필요한 요건을 들어 보면, 특수한 적성, 위급에 대처할 수 있는 민첩한 행동, 수많은 사람들의 노력을 조직화할

수 있는 능력, 인간의 본성에 대한 뛰어난 통찰력, 꾸준한 자기 수양, 그리고 실제적인 경험 등이 있는데, 사업이라는 분야는 몇몇 작가들이 우리에게 그렇게 믿기를 바라는 것처럼 결코 좁은 것이 아니다.

헬프스의 다음과 같은 말은 훨씬 더 진리에 가깝다.

"완벽한 사업가는 위대한 시인만큼이나 희귀하며, 어쩌면 진정한 성인과 순교자들보다 더 귀할 것이다."

사실 다른 모든 일보다 사업에 대해 우리는 분명히 이렇게 말할 수 있다.

"일이 인간을 만든다."

직업의 귀천은 인품과는 상관없다

그러나 어리석은 사람들은 흔히 그릇된 생각을 하고 있으니, 천재는 사업에 부적당하므로 사업은 천재들이 하는 일이 아니라는 것이다. 자신이 '식료품 상인의 아들로 태어나 식료품 상인이 될 수밖에 없는 처지'를 비관하여 자살한 가여운 청년이 있다. 그런 행동으로 미루어 보건대, 이 청년은 식료품 상인으로서의 품위도 지킬 수 없는 위인임을 알 수 있다.

직업이 사람의 품격을 떨어뜨리는 것이 아니라, 사람이 직업의 품격을 떨어뜨리기 때문이다. 노동을 해서 벌든 머리를 써서 벌든, 정직한 소득을 얻게 해주는 일은 모두 명예로운 것이다. 손가락은 더러워질지 모르나 마음은 순결한 그대로이다. 모독이 되는 것은 물질이 아니라 도덕적인 더러움이기 때문이다. 즉 숯검정보다는 탐욕이, 그리고 녹청(綠靑)보다는 악덕이 문제이다.

생업을 위한 일을 하면서 문학에서도 이름을 빛낸 사람

예로부터 위인이라 불리는 사람들은, 고귀한 목표를 추구하면서도 생계를 유지하기 위해 행하는 정직하고 유익한 일을 결코 부끄럽게 여기지 않았다. 그리스 7현인의 첫 번째로 일컬어지는 탈레스와 아테네의 제 2건설자인 솔론 그리고 수학자 하이페라테스는 모두 상인이었다. 지혜가 뛰어나다는 이유로 신으로까지 숭배되었던 플라톤도, 기름을 팔아 번 돈으로 이집트로 가는 여비를 마련했다. 또 철학자 스피노자는 렌즈를 가공하여 생활비를 벌면서 철학 탐구를 계속했고, 대식물학자 린네는 구두를 만들면서 한편으로 학문에 힘썼다.

셰익스피어는 극장 지배인으로서도 성공을 거두었다. 그는 희곡과 시를 쓰는 재능보다 매니저로서의 실무적 수완을 오히려 자랑으로 여겼을지도 모른다. 시인 포프의 말에 따르면, 셰익스피어의 문학수업의 가장 큰 목표는 정당하게 독립심을 키우는 것이었다고 한다. 실제로 그는 문학적인 명성에는 전혀 관심이 없었던 것 같다. 그가 희곡 발표를 직접 이렇게 저렇게 지시했다거나, 작품 출판을 스스로 허가했다는 애기는 들은 적이 없다. 그래서 그의 작품이 쓰인 연대는 지금도 수수께끼에 싸여 있다. 확실하게 알려져 있는 것은, 극장 경영 사업으로 큰 재산을 모았다는 사실이다. 이 성공 덕분에 고향 스트랫퍼드 어폰 에이번에서의 안락한 은거생활이 가능했던 것이다.

초서는 젊은 시절에는 군인으로 있다가 나중에는 유능한 관세 판무관과 살림 및 왕실 소유령의 감독관이 되었다. 스펜서는 아일랜드 부총독의 비서를 거쳐 코크의 치안관이 되었는데, 민첩하고 주의 깊은 일솜씨를 보였다고 한다. 시인 밀턴도 처음에는 학교 교사였으나, 나중에 잉글랜드 공화국 당시 국무위원의 지위에 올랐다. 오늘날까지 남아 있는 당시의 공문서나 밀턴 자신의 수많은 편지에서도 알 수 있듯이, 그는 그 직무를 다하기 위해 열심히 일하여 유익한 성과를 올렸다.

대과학자 아이작 뉴턴도 한편으로는 유능한 조폐국장이었다. 1694년 영국에서 새로운 화폐가 주조되었는데, 그것을 직접 지휘하고 감독한 것이 바로 그였다. 시인 쿠퍼는 "시인으로서 나만큼 모든 일에 꼼꼼한 사람은 아마 없을 것이다"라고 말하며, 자신의 정확하고 빈틈없는 성격을 자랑으로 여겼다. 이에 비해 워즈워스와 스콧—워즈워스는 인지(印紙)를 분배하는 일을 하고 스콧은 법정의 서기 일을 보았다—의 생애를 예를 들면, 두 사람 다 위대한 시인이지만 일 처리에서 남달리 엄격하고 실무적이었다. 경제학자 데이빗 리카도는 런던에서 증권 중개일을 통해 상당한 부를 쌓고, 좋아하는 연구에도 전념했다. 매일 사업 때문에 바쁜 가운데서도 자기가 좋아하는 연구과제 —이 연구는 그에게 큰 명예를 주었다—인 정치경제의 원리 연구에 정신을 집중시킬 수 있었다. 그는 현명한 상인으로서의 소질과 심오한 학문 연구자로서의 재능을 겸비하고 있었던 것이다. 이윽고 그는 정통파 경제학의 원리를 확립하기에 이르는데, 이것도 현명한 상인과 박식한 학자, 양쪽의 자질을 스스로 통합하여 발전시킬 수 있었기 때문이다. 유명한 천문학자인 베일리도 주식 중개인이었고, 화학자 알렌은 견직물 생산업자였다.

최고의 지성과 일상의 의무 수행을 양립시킨 예

오늘날에도 최고의 지성이 활동적이고 능률적인 일상의 의무 수행과 양립할 수 있다는 예증은 얼마든지 있다. 위대한 그리스 역사가 그로트는 런던의 은행가였다. 당대 최고의 사상가의 한 사람이었던 존 스튜어트 밀은 동인도회사의 심사부에서 근무했을 때 직원들의 찬사와 존경을 한몸에 받았는데, 그것은 그의 철학 식견이 뛰어나서가 아니라 그가 근무 중에 보여준 높은 능률과 극히 만족스러운 일솜씨 때문이었다.

수고를 통해 얻는 쾌락

사업에서 성공에 이르는 길은 동시에 상식을 터득하는 길이기도 하다. 여기서도 지식의 획득이나 과학연구와 마찬가지로, 끈기 있는 노력과 근면이 반드시 필요하다. 그리스의 옛 격언에 이런 말이 있다. "어떤 직업에서든 성공하기 위해서는 다음의 세 가지가 있어야 한다. 그것은 천성과 공부, 그리고 실천이다." 비즈니스에서는 머리를 사용하여 열심히 실천하는 것이 성공의 비결이다. 때로는 요행수가 들어맞기도 하지만 그것은 도박에서 번 불로소득처럼 인간을 현혹하고 파멸시킬 뿐이다.

베이컨은 때때로 비즈니스를 길에 비유하여 이렇게 말했다.

"거리가 가장 짧은 지름길은 대부분 가장 나쁜 길이다. 그러므로 가장 좋은 길을 가고 싶으면 조금이라도 길을 돌아가지 않으면 안 된다."

길을 돌아가는 여행은 분명히 시간이 더 많이 걸린다. 그러나 긴 고생 끝에 큰 성과를 얻으면, 그때는 진정한 기쁨을 얻을 수 있다. 아무리 평범하고 하찮은 일이라도 정해진 일을 착실하게 처리해 나가면, 나머지 인생은 그만큼 더 멋진 것이 된다.

멜번 경의 편지

불사의 몸이 되기 위해 12공업(功業)에 도전한 헤라클레스의 우화는 모든 인간들에게 행동의 본보기가 된다. 특히 젊은이는 인생의 행복과 번영이 타인의 도움이나 지원이 아니라 자기 자신의 힘에 의해 쟁취된다는 것을 똑똑히 자각하지 않으면 안 된다. 시인 무어가 존 러셀을 통해 멜번에게 아들을 도와 달라고 부탁했을 때의 얘기이다. 멜번은 러셀에게 보낸 답장에서 참으로 유익한 충고를 하고 있다.

"친애하는 존에게. 무어 씨의 편지는 돌려주겠네. 남을 도와줄 만한 재력은 있으니 나도 자네의 부탁을 들어주는 데 인색해야 할 이유는 없어. 하지만 내가 도움을 주어야 한다면 무어 씨 본인을 돕는 것이 이치에 맞는다고 나는 생각하네. 그의 아들 같은 젊은이에게 조금이라도 도움을 준다는 것은 아무리 생각해도 옳은 방법이 아닌 것 같아. 오히려 그 젊은이에게 그릇된 생각만 심어주게 될 것일세. 실제보다 많은 것을 가지고 있다고 생각하면, 젊은이는 틀림없이 노력을 하지 않을 것이네. 그래서 그들에게는 이러한 조언을 하는 것으로 충분할 걸세. '자신의 길은 스스로 개척하라. 굶주리든 굶주리지 않든, 모든 것은 자기 자신의 노력에 달려 있다' — 내가 하는 말을 믿어주게……"

맨몸에서 의욕이

머리를 움직여서 열심히 노력하면, 반드시 거기에 합당한 성과가 나타난다. 근면은 인간을 전진시키고 개성을 이끌어내며 타인의 행동도 자극한다. 모든 사람이 똑같이 입신출세할 수 있는 것은 아니지만, 전체적으로 사람은 각자의 노력에 따라 향상하게 마련이다. 이탈리아 토스카나 지방의 속담처럼, "모든 사람이 광장에서 살 수 있는 것은 아니지만, 햇빛은 모든 사람들을 공평하게 비춘다."

일반적으로 말해, 너무 평탄하고 순조로운 인생은 인간을 못 쓰게 만든다. 무엇 하나 부족한 것이 없고 살아가는 데 어려움이 없는 생활보다, 필요에 쫓겨 열심히 일하며 검소한 생활을 하는 것이 더 바람직하다. 상당히 어려운 처지에서 맨몸으로 시작하는 인생일수록 노동의욕이 솟아난다. 그런 의미에서 빈곤은 인생에서 성공의 필수조건의 하나라고 할 수 있다. 법조계에서 성공한 비결에 대한 질문을 받은 한 저명한 판사는 다음과 같이 대답했다.

"뛰어난 재능 덕분에 성공한 자가 있는가 하면, 연줄이나 그야말로 신기한 운명에 의해 성공한 자도 있다. 그러나 대다수는 아무것도 가진 것이 없는 처지에서 필사적으로 노력하여 오늘의 지위에 오른 사람들이다."

어느 건축가의 미담

어느 실력 있는 건축가에 대해 이런 얘기가 전해지고 있다. 그 사람은 오랫동안 건축 공부를 하여 실력을 키우고 여러 나라를 여행하며 견문을 넓힌 뒤, 귀국하여 일을 시작하려고 했다. 그는 일거리만 구할 수 있다면 무슨 일이든 하겠다고 결심하고 있었다. 맨 처음 맡은 것은 폐가를 수리하는 일이었는데, 그것은 건축업 중에서 가장 하찮은 일로 치는 것이었고 금전적인 면에서도 수지가 맞지 않는 일이었다. 그러나 분별심이 있는 그는 결코 분수에 넘치는 것을 바라지 않았다. 그는 이렇게 결심했다.

"아무튼 제대로 된 직장을 얻었으니 열심히 일해서 언젠가 가장 멋진 일을 할 수 있도록 노력하자."

무더운 7월의 어느 날, 그는 한 채의 낡은 집 지붕 위에 올라가 일을 하고 있었다. 그때 마침 친구가 지나가는 것이 보여, 그는 이마의 땀을 손으로 닦으면서 지붕위에서 소리쳤다.

"그리스 전역을 둘러보고 다녔던 내가 이런 일을 하다니, 참 한심한 꼴 아닌가!"

그러나 그는 아무리 하찮은 일이라도 소홀히 하지 않고 훌륭하게 해냈다. 그렇게 끈기 있게 열심히 일하면서, 서서히 더욱 좋은 일감으로 옮겨갔다. 그리하여 그는 이윽고 초일류 건축가의 대열에 들어서게 되었다고 한다.

노력이 없으면 희망도 없다

라마르틴

실제로 노력은 개인의 진보와 한 나라의 문명의 발전에 바탕이 된다. 노력하지 않아도 어떤 소망을 이룰 수 있다면, 사람은 아무것도 바라지 않고 그것을 얻으려고 필사적으로 노력하지 않을 것이다. 그것은 절대로 피해야 할 최악의 삶이다. 인생에 한 가지 목적도 행동의 필요성도 없는 것은, 적어도 이성이 있는 인간이라면 생각만 해도 견딜 수 없는 고통이다.

오라스 비어 경의 형이 죽었을 때 스피노자 후작이 사인을 묻자, 비어는 이렇게 대답했다.

"형님이 죽은 것은 아무것도 할 일이 없었기 때문입니다."

그러자 후작이 말했다.

"안됐군요. 아무 일도 하지 않으면, 아무리 유능한 장군이더라도 몸을 해치게 마련이지요."

일의 성패에는 반드시 이유가 있다

인생에 좌절한 사람은 흔히 자신을 운 나쁜 피해자로 간주하고, 자신의 불행을 모두 타인 탓으로 돌린다. 예를 들면 한 고명한 작가는 저서 속에서 자신이 지금까지 수많은 사업에 실패한 것에 대해 얘기했는데, 그는 그 이유로 자신이 손득계산에 완전히 무지했던 점을 솔직하게 인정하면서도, 결국은 좌절의 진정한 원인을 당시의 황금만능주의 풍조에 전가하고 있었다.

프랑스의 뛰어난 저술가 라마르틴도 주저하지 않고 산수에 대한 멸시를 공언했다. 그러나 그가 산수를 그렇게 멸시하지 않았더라면, 우리는 이 뛰어난 사람을 숭배하는 사람들이 만년에 그를 부양하기 위해 모금을 하는 따위의 보기 흉한 꼴은 보지 않아도 되었을 것이다.

스스로 불행하다고 한탄하는 세상 사람의 어리석음과 존슨의 명언

또 자신이 불행한 운명을 타고 태어났다고 생각하는 사람도 있다. 그들은 자신에게는 아무 잘못이 없는데 세상이 언제나 이쪽의 생각과는 반대방향으로 돌아가고 있다고 믿고 있다. 그러한 사람들 중에는, "내가 모자장수가 된다 해도, 그때가 되면 세상 사람들이 모두 머리털 없이 태어날 테니까 어차피 성공할 리가 없다"며 미리 포기하는 자들도 있다. 그러나 러시아 속

워싱턴 어빙

담에 따르면 '불행한 자와 어리석은 자는 이웃사촌'이라고 한다. 언제나 자신의 불행을 한탄만 하는 사람들은, 대부분 자신의 게으름과 부주의, 무분별함, 그리고 노력부족에 대한 대가를 치를 뿐이다.

존슨 박사가 런던에 갔을 때, 주머니 속에는 겨우 1기니짜리 동전 하나밖에 없었다고 한다. 어떤 귀족에게 보낸 편지에도 자신의 이름 대신 '굶주리는 인간'이라고 서명했을 정도였다. 그러나 그는 다음과 같이 분명하게 지적하고 있다.

"세상을 향해 이러니저러니 불평불만을 터뜨리는 것은 커다란 잘못이다. 어딘가 장점이 있는 인간이라면 언제까지나 무시만 당할 리가 없다. 성공을 붙잡지 못하는 사람은 대부분 그 사람 본인에게 원인이 있다."

워싱턴 어빙, 짖는 개의 비유

미국의 작가 워싱턴 어빙도 존슨 박사와 같은 생각을 가지고 다음과 같이 말했다.

"인간들 중에는 한두 가지 장점으로는 아무도 상대해주지 않는다고 억지 주장을 하는 사람들이 있는데, 그것은 완전히 틀린 생각이다. 그런 사람들은 대부분 자신의 게으른 습관과 우유부단한 태도는 생각하지 않고, 성공하지 못한 것을 세상 탓으로 돌리고 싶어하는 것뿐이다. 물론 인간의 장점도 천차만

별이어서 그 대부분은 어중간하고 하찮은 것일 수도 있다.

그러나 정말로 잘 다듬어진 뛰어난 장점을 가지고 있고, 그것을 유감없이 발휘하는 사람이라면 세상이 그를 놓칠 리가 없다. 다만 아무리 장점이 있어도, 집안에 틀어박혀서 기회가 찾아오기만 기다려서는 얘기가 되지 않는다. 억지가 강하고 뻔뻔스러운 사람은 성공하기 쉽지만, 재능이 있어도 내성적인 사람은 아무도 돌아보지 않는다는 얘기도 흔히 듣는다. 이것도 터무니없는 얘기가 아니다. 억지가 강한 사람은 재빨리 행동할 수 있는 귀한 자질을 갖추고 있다. 이것이 없으면 아무리 뛰어난 장점을 가지고 있어도 발휘하지 못하고 썩힐 뿐이다. 짖는 개가 잠자고 있는 사자보다 쓸모 있는 경우가 많다.”

6가지의 자질 및 작은 것을 소홀히 해서는 안 된다

어떤 비즈니스에도, 그것을 효율적으로 운영하려면 반드시 있어야 할 자질이 6가지 있다. 그것은 주의력, 근면성, 정확성, 체계성, 철저한 시간관념 그리고 신속성 등이다.

이 6가지 자질은 얼핏 하찮은 것처럼 생각되기 쉽지만, 실제로는 인간이 세상에 뭔가 보탬이 되고 행복과 번영을 얻는 데 지극히 중요한 의미를 가지고 있다. 이 6가지는 분명히 사소한 사항이지만, 인간의 생활은 본디 비교적 사소한 사항들로 성립되어 있다. 자잘한 행동의 반복이 인격을 구성할 뿐만 아니라 국민성을 결정짓는다. 타락한 인간과 쇠퇴한 국가에서는 거의 어김없이 사소한 사항을 무시한 흔적을 볼 수 있다. 사람은 누구나 각자에 따른 의무가 있다. 그러므로 그 의무를 실행하기 위한 능력을 갈고 닦을 필요가 있다. 그것은 가정을 꾸려가는 것이나 비즈니스와 학문연구에 있어서나, 또 한 나라의 정치에 있어서도 모두 마찬가지이다.

정확성

우리는 지금까지 산업과 예술, 학문의 분야에서 위대한 업적을 이룬 사람들의 예를 수없이 보았다. 그러므로 어떠한 직업이든 끈기와 근면이 중요하다는 점에 대해서는 더 이상 설명이 필요하지 않을 것이다. 나날의 경험이 가르쳐 주는 것처럼, 사소한 것에 부단한 주의를 기울이는 것은 인간이 진보하기 위한 전제조건이다. 그러므로 노력은 행운을 낳는 어머니라고도 할 수 있는 것이다.

정확성도 매우 중요한 사항이다. 그 사람이 충분한 수양과 훈련을 쌓았는지 여부를 판단하는 결정적 근거가 된다. 사물을 관찰하거나 사람들 앞에서 얘기를 하고 사무를 처리할 때는 정확함이 무엇보다 중요하다. 비즈니스에서는 주어진 책임을 훌륭하게 완수하는 것이 요구된다. 작은 일을 완벽하게 해내는 것이, 그 10배의 일을 어중간하게 하는 것보다 낫다.

어떤 현인은 언제나 이렇게 말했다.

"일을 조금이라도 빨리 마치고 싶다면, 잠시 쉬는 것이 좋다."

그러나 현실적으로는 정확성이라는 매우 중요한 자질에 대해서는 거의 관심을 가지고 있지 않다. 한 저명한 과학자는 이렇게 말했다고 한다.

"놀랍게도 사물을 정확하게 파악하는 사람은 지금까지 거의 본 적이 없다."

비즈니스에서는 사소한 사항을 어떻게 처리하는가를 가지고 그 사람의 성향과 역량을 판단한다. 가령 인덕이 두텁고 다른 면에서는 훌륭하게 행동해도, 일을 정확하게 처리하지 못하면 신뢰를 얻을 수 없다. 그래서 그런 사람에게 지시한 일은 다시 점검하지 않으면 안 된다. 그것은 더할 수 없이 귀찮고 힘든 작업이다. 그러므로 그런 사람은 남에게 점점 외면당하게 된다.

사소한 일에도 온갖 노력을 기울인 폭스

찰스 제임스 폭스의 특질 가운데 하나는 모든 일에서 지극히 근면하다는 것이었다. 그는 국무장관으로 재임할 때 자신의 글씨가 형편없다는 사람들의 말에 자극을 받아, 초등학교 학생처럼 글씨 공부를 하여 마침내 훌륭하게 글씨를 쓸 수 있게 되었다. 그는 비대한 몸으로 상대방이 내려친 테니스 공을 멋지게 받아치곤 했는데, 사람들이 어떻게 그처럼 잘 받아낼 수 있느냐고 물으면 농담조로 다음과 같이 대답했다.

"그야 내가 노력하는 사람이기 때문이겠지."

그는 이렇게 중요한 일뿐만 아니라 사소한 부분에까지 한결같은 정확성을 보여주었다. 이리하여 '아무것도 소홀히 하지 않아서' 유명해진 화가처럼 그도 명성을 얻게 된 것이다.

체계성

체계성도 비즈니스에서는 없어서는 안 되는 중요한 요소이다. 이 능력이 있으면 아무리 일의 양이 많더라도 군더더기 없이 처리할 수 있다. 성직자인 리처드 세실은 다름과 같이 말했다.

"체계성은 물건을 상자에 담는 것과 같다. 짐을 잘 꾸리는 사람은 서툰 사람보다 거의 2배나 많은 짐을 넣을 수 있다."

세실은 일을 신속하게 처리하는 데 비범한 재능을 발휘했다. '많은 일을 처리하는 가장 빠른 지름길은 한 번에 한 가지 일만 하는 것'이라고 그는 말했다. 게다가 그는 한 가지 일을 시작하면, 하다가 중단한 뒤 나중에 틈이 날 때 다시 정리하는 어설픈 짓은 절대로 하지 않았다. 긴급한 경우라면 그 일부를 생략하는 것보다는 식사시간이나 잠을 줄이는 편을 선택했을 정도이다.

네덜란드의 정치가 드 비트의 좌우명도 세실과 비슷하다.

"한 번에 한 가지 일만 하라. 만약 그 일을 서둘러 마쳐야 한다면 일이 끝날 때까지 다른 것은 일체 생각하지 않는다. 집안이 복잡해질 것 같으면 더더욱 단숨에 해치워야 한다."

프랑스의 한 장관 이야기

프랑스의 한 장관은 사무처리가 매우 신속하기로 이름이 알려졌다. 그런데 그는 하루도 거르지 않고 환락가에 얼굴을 내미는 것으로도 유명했다. "양쪽을 다 잘 해낼 수 있는 이유는 무엇인가?" 하는 질문에 그는 이렇게 대답했다.

"오늘 해야 할 일을 내일로 미루지 말라는 가르침을 충실하게 지키고 있을 뿐이오."

브루엄 경은, 영국의 어느 장관은 이 순서를 완전히 반대로 하고 있다고 말했다. 즉 '오늘 처리하지 않아도 되는 일은 내일로 미룰 수 있다'고 생각한다는 것이다. 이 가련한 정치가의 이름은 지금은 잊혀졌지만, 이런 사람들도 꽤 많다.

오늘의 과제를 어물거리다 다음날로 미루는 것은 게으름뱅이나 패배자가 들이는 습관이다. 그런 사람들은 자신의 일을 쉽게 남에게 맡기려 한다. 그러나 남을 지나치게 믿으면 큰코다치는 수가 있다. 특별히 중요한 일은 자신이 직접 챙겨야 한다. 격언에도 있듯이, '반드시 해야 할 일은 자신이 직접 하고, 아무래도 상관없는 일을 남에게 맡겨야' 하는 것이다.

게으른 지주 이야기

어떤 지방에 게으른 지주가 살고 있었다. 자신이 소유한 토지에서 1년에 500파운드의 토지세를 받고 있었는데, 점차 빚이 늘어나서 토지의 반은 팔고, 나머지 반은 부지런한 농민에게 20년 계약으로 빌려주었다. 계약기한이 끝나갈 무렵 그 농민이 지주를 찾아와 토지세를 지불하면서, 땅을 자기에게 팔지 않겠느냐고 물었다.

"자네가 땅을 사겠다고?"

지주가 놀라며 되묻자 농민은 태연한 얼굴로 이렇게 대답했다.

"그렇습니다. 가격만 적당하다면요."

"아무래도 이해가 안 가는군……"

지주는 의아해하며 말을 이었다.

"내가 지금의 두 배나 되는 땅을 갖고도 제대로 돈을 벌지 못했는데 자네는 20년이나 나에게 토지세를 내고도 땅을 살만한 돈을 저축했다고 하니 도대체 어떻게 된 일인가?"

"뭐 특별한 이유가 따로 있겠습니까? 나리는 언제나 놀고 먹으면서 재산을 축내고 있었고, 저는 매일 아침 일찍 일어나 들에서 열심히 일을 했지요. 차이는 그것뿐입니다."

스콧의 편지

취직을 눈앞에 둔 한 청년이 시인 월터 스콧에게 조언을 청했다. 스콧은 그 젊은이에게 보낸 편지에서 다음과 같이 말했다.

"시간을 잘 활용하지 않으면 점점 나쁜 버릇이 생기게 된다네. 하루 종일 빈둥거리게 되는 거지. 그런 악습에 빠지지 않도록 주의하게. 자네는 '근면'을 좌우명으로 삼아야 할 것이네. 해야 할 일은 즉시 하고, 노는 건 일이 끝난 뒤로 미뤄야 하네. 일을 미뤄두고 놀아서는 안 되네. 군대가 행군하는 중에 후속부대가 혼란에 빠지는 것을 흔히 볼 수 있는데, 이것은 선두부대의 걸음걸이가 어지러워져서 행군이 지체되어버리기 때문일세. 비즈니스도 마찬가지일세. 최초의 일에 즉시 뛰어들어 하나하나 완벽하게 처리하지 않으면 다음 일이 정체되기 시작하여, 나중에는 누적된 과제에 눌려 사태를 수습할 수 없게 되어버릴 것이네."

시간은 산업이다

시간이 갖는 가치를 올바르게 이해하면 행동이 저절로 빨라진다. 이탈리아의 한 철학자는 '시간은 재산'이라고 입버릇처럼 말했다. 그 재산은 잘못 사용하면 한 푼의 가치도 생기지 않지만, 잘만 사용하면 반드시 행운을 가져다준다는 얘기이다. 실제로 시간을 낭비하고 있으면 정신 속에 해로운 잡초가 퍼질 뿐이다. 아무것도 생각하지 않는 머리는 악마의 일터가 되고, 게으른 자는 악마의 머리를 받쳐주는 베개가 되어버린다. 바쁘게 활동하는 것은 남에게 빈집을 빌려주는 것과 같고, 반대로 빈둥빈둥 놀기만 하는 것은 집을 비워두고 있는 것과 같다.

빈집이 된 정신에는 망상의 문이 열리고, 그 문으로 유혹이 몰래 다가와서 사악한 생각이 떼를 지어 비집고 들어온다. 항해에서도 선원은 시간이 남아돌수록 불평불만이 높아져 급기야 선장에게 칼을 겨누게 된다. 그것을 잘 알고 있었던 한 노(老)선장은 할일이 아무것도 없으면 반드시 "닻을 반짝반짝하게 닦아라!" 하고 선원들에게 명령했다 한다.

15분의 시간

비즈니스에 종사하는 사람은 '시간은 돈'이라는 속담을 자주 인용한다. 그러나 더 정확하게 말하면 '시간은 돈 이상'이다. 시간을 올바르게 활용하면 자기를 계발하고 인격을 향상시키며 개성을 펼쳐나갈 수 있다. 만약 매일 하찮은 일을 하느라 시간이 낭비되고 있다면, 그 중의 1시간만이라도 자기계발을 위해 할애해야 한다. 그러면 아무리 무지한 인간도 몇 년 만에 현명한 인간으로 바뀌게 된다. 훌륭한 일을 위해 시간을 사용하면 결실이 풍부한 삶이 되어, 죽을 때까지 유익한 성과를 많이 올릴 수 있을 것이다. 1시간이 아니라 하루에 15분이라도 좋으니 자기수양에 투자해 보라. 1년 뒤에는 틀림없이 효과가 나타날 것이다.

뛰어난 사상과 고생하며 얻은 경험은 보관하는 데 장소가 필요하지 않고, 어디에 가지고 다녀도 돈이 들지 않으며, 걸리적거리지도 않는다. 시간을 경제적으로 사용하는 것은 여가를 얻을 수 있는 진정한 길이다. 시간을 잘 꾸리면 일에 쫓기지 않고 과제를 완전히 해내는 것은 물론이고, 미리 다음 일을 시작할 수도 있다. 그런데 반대로 시간을 잘못 사용하면 늘 바쁘고 어수선한 나날을 보내다 결국은 이러지도 저러지도 못하게 된다. 임기응변으로 하루하루 때우는 생활은 언젠가 큰 재앙을 가져온다. 넬슨 제독은 이렇게 말했다.

"내가 성공한 것은 무슨 일이든 정각 15분 전부터 일을 시작한 덕분이다."

돈을 다 써도 그 고마움을 깨닫지 못하는 사람이 많다. 하물며 시간에 대해서는 더 말할 것도 없다. 게으른 생활에 푹 빠져 살다가 인생이 얼마 남지 않아서야 간신히 '시간을 더 현명하게 사용했어야 하는데' 하고 깨닫는 사람이 얼마나 많은가! 그러나 그때는 이미 게으르고 나태한 생활습관을 바꿀 수도 없고, 스스로 찬 족쇄를 벗어버리는 것도 불가능하다. 잃어버린 재물은 근면에 의해 원래대로 회복할 수 있을지도 모른다. 잃어버린 지식은 열심히 공부하여 보충할 수 있고, 잃어버린 건강은 절제와 약으로 되찾을 수 있다. 그러나 잃어버린 시간만은 영원히 되돌릴 수 없다.

약속시간을 엄수하는 미덕

시간의 가치를 올바르게 이해하면 시간을 지키는 습관도 자연히 몸에 배게 된다. 루이 14세는 '시간 엄수는 국왕으로서의 예의'라고 말했는데, 그것은 동시에 우리의 의무이고 비즈니스에 종사하는 사람에게는 필수조건이기도 하다. 이 미덕을 지키면 누구보다 빨리 신용을 얻을 수 있고, 반대로 이 미덕이 없으면 당장 신용을 잃게 된다. 타인과의 약속을 지키고 약속시간에 늦지 않는 사람은 자신의 시간뿐만 아니라 상대방의 시간도 존중하는 것이다. 따라서 누군가를 일 때문에 만나는 경우에도, 그 사람이 시간에 엄격한지 느슨한지를 보면 그가 존경할 만한 사람인지 아닌지 알 수 있다.

시간 엄수는 또 인간의 양심 문제이기도 하다. 약속이라는 것은, 확실하게 문서로 정한 것이든 임시적인 것이든 하나의 계약이다. 약속을 지키지 않는 사람은 상대방의 시간을 부당하게 빼앗고 있을 뿐만 아니라, 성의를 외면하는 배신행위를 범하는 것과 같다. 그런 사람은 반드시 세상의 평판을 떨어뜨리게 된다.

그렇게 생각하면 당연히 하나의 결론에 이른다. 즉 시간에 무신경한 사람은 비즈니스에도 무신경하고, 그런 사람에게 중요한 일을 믿고 맡길 수 없다는 것이다. 워싱턴 대통령은 비서가 지각을 하고서는 시계 탓을 하자 이렇게 대답했다고 한다.

"그렇다면 당장 시계를 바꾸게. 안 그러면 내 쪽에서 비서를 새로운 사람으로 바꿔야 할 테니까."

시간을 무시하고 그 사용법을 전혀 고려하지 않는 사람은 타인의 평화롭고 조용한 생활까지 어지럽히기 쉽다. 체스터필드는 뉴캐슬의 한 노공작(老公爵)에 대해 이런 우스갯소리를 한 적이 있다.

"공작께서는 아침에 반드시 1시간을 헛되이 보내고는, 하루 종일 그 잃어버린 시간을 찾으려고 온 집 안을 뒤지고 다니지."

시간을 지키지 않는 사람을 대하면 누구나 기분이 상하고 만다. 그들은 상습적으로 지각하고, 불규칙한 생활을 당연히 여겨 어떻게 할 도리가 없다. 약속 장소에는 어김없이 늦게 나타나고, 기차가 떠난 뒤에 겨우 역에 들어서며, 집배원이 다녀간 뒤에 우편함에 편지를 넣는다. 이렇게 일을 엉망으로 뒤엉키게 해서, 관련된 사람들은 모두 울화통을 터뜨린다. 이렇듯 시간에 늦는 사람이 성공에도 지각하는 것은 당연하다. 그래서 세상의 지탄을 받게 되면 운명의 신에게 불평불만을 터뜨리기 시작한다. 유감이지만 우리 주위에도 그런 사람들이 상당히 많이 있다.

사무처리를 할 줄 모르면 3군의 장이 될 수 없다

이제까지 설명한 것처럼 주의력, 근면성, 정확성, 체계성, 시간관념, 그리고 신속성이라는 6가지 조건은 비즈니스맨에게는 없어서는 안 되는 것들이다. 그러나 1급 비즈니스맨을 지향한다면 더욱 재빠른 직관력과 결단력으로 계획을 단호하게 실천해야 한다. 그것과 아울러 세상을 살아가는 데 재치도 중요한 몫을 한다. 이 재치는 타고난 재능에 의하기도 하지만, 관찰과 경험을 통해 그것을 갈고 닦아 키워갈 수가 있다. 재치가 있는 사람은 적절한 행동패턴을 재빨리 판단할 줄 안다. 그래서 목표만 확실하게 정하면, 맡은 일을 빠른 시일 안에 성공적으로 이끌 수 있는 것이다.

날카로운 직관력과 결단력 그리고 재치—이 세 가지 자질은 전장에서 전군을 이끄는 장군처럼 많은 부하를 지휘하는 사람에게는 없어서는 안 되는 자질이다. 장군의 자리에 있는 자는 병사로서 뛰어나야 하는 것은 물론이고, 실무가로서도 탁월한 수완을 가지고 있지 않으면 안 된다. 왜냐하면 병사들이 승리의 그날까지 싸움에 전념할 수 있도록 식량과 의복, 그 밖의 무엇이든 필요한 물자를 충당하고, 세심하게 돌보지 않으면 안 되기 때문이다. 그래서 장군에게는 풍부한 기지와 인간의 성정에 대한 깊은 통찰력 그리고 전군의 움직임을 파악하는 능력이 요구된다. 이점에서 나폴레옹과 웰링턴은 실무가로서도 초일류의 인물이었다.

군중에서도 세무업무를 처리한 나폴레옹

나폴레옹은 무척 치밀한 사람이었지만, 한편으로 상상력이 뛰어나 폭넓은

마담 드 스탈

안목으로 올바르게 판단하고, 신속하게 그 세세한 점들을 큰 스케일에 따라 다룰 수 있는 능력이 있었다. 사람을 보는 눈이 비상하여, 자신의 계획을 실행할 수 있는 가장 적합한 인재를 뽑는 데 거의 실패하지 않았다. 그러나 큰일의 성패가 좌우되는 중요한 사항을 부하들에게 맡기는 경우는 극히 드물었다. 그의 이러한 특성을 가장 잘 설명해 주고 있는 것이 《나폴레옹의 서한》인데, 그 중에서도 특히 제 15권에 있는, 아일라우 전투에서 승리한 직후인 1807년 폴란드 국경의 조그마한 성 핀켄스타인에서 그가 쓴 편지 —하달한 일반 명령, 긴급 명령 등—에 잘 나타나 있다.

이때 프랑스군은 파사지 강을 따라 진을 치고 있었는데 전면에는 러시아군대, 오른쪽에는 오스트리아 군대, 후방에는 정복된 프로이센 사람들이 있었다. 적국을 거쳐야 프랑스 본국과 통신을 할 수 있었지만 철저하게 주의하여 관리했기 때문에 나폴레옹은 편지 한 통도 잃은 적이 없었다. 군대의 이동, 멀리 떨어진 프랑스와 에스파냐, 그리고 이탈리아와 독일에서 올 증원군, 폴란드와 프러시아의 산물을 아군의 군영까지 손쉽게 수송하기 위한 운하의 개설과 도로 정비—이러한 모든 일을 세부에 이르기까지 만반의 주의를 기울였다.

말을 매 둘 장소를 지시하고, 안장을 충분히 확보하기 위한 조치를 철저히 하고, 병사들의 군화를 주문하고, 직접 군영으로 가져오거나 군대 창고에 저장해 둘 빵과 비스킷, 그리고 주류의 수를 명시하는 따위의 모든 일을 조금도 소홀히 하는 일이 없었다.

그뿐만 아니라 파리에 서한을 보내어 프랑스 대학의 기구 개편을 지시하고, 국민 교육의 방도를 검토하면서, 〈모니퇴르〉 지에 실을 공시문과 기사를 불러 주었다. 국가 예산의 세밀한 부분까지 손질을 가하고, 건축가들에게 튀를리 궁전과 마들랭 교회의 개수 지시서를 하고, 때때로 여류 작가 마담 드 스탈과 파리의 각 신문·잡지에 대해 풍자의 말을 퍼붓기도 했다. 또한 국립 오페라를 둘러싸고 일어나는 말다툼을 화해시키느라 한몫 끼어 들고, 터키 왕 및 페르시아의 왕과 서신을 교환하니, 몸은 비록 핀켄스타인에 있었지만 마음은 파리와 유럽 그리고 전세계를 달리고 있었던 것이다.

나폴레옹의 문서

네이(유명한 군인)에게는 보낸 소총을 잘받았느냐는 서한을 보내는 한편, 제롬 공작에게는 뷔르템베르크 연대에서 쓸 병사용 내의, 외투, 제복, 군화, 군모 그리고 무기에 관한 지시를 보냈다.

또 캉바세레스에게 통신을 보내 많은 군량을 보내라고 호통을 쳤다. "만일 '어떻다면'과 '그러나 어째서' 따위의 말은 통하지 않는다. 무엇보다도 지시받은 사항을 신속하게 수행하라"고 그는 말했다.

그리고 다루에게 지금 군이 내의를 필요로 하는데 도착하지 않고 있다고 알려주었다. 마세나에게는 다음과 같은 서한을 보냈다.

"비스킷과 빵이 준비되었는지 알려달라."

베르크 대공에게는 중기병의 군장에 관한 지시를 내렸다.

"군도(軍刀)가 모자란다고 불평이 대단하다. 장교 한 명을 포젠에 보내 군도를 확보하도록 하라. 투구도 부족하다니 즉각 에블링에 제조명령을 내려라. 잠만 자서는 되는 일이 아무것도 없다."

이와 같이 모든 세세한 부분까지 주의를 기울였으며, 그 모든 정력이 하나로 합쳐 행동으로 나타날 때 폭발적인 힘을 발휘했다.

군대의 검열—이 때문에 때로는 하루에 30리그(약 3마일)에서 40리그를 말을 타고 다녀야 했지만—과 열병(閱兵) 그리고 내방객의 영접과 국가적인 행사로 많은 시간이 소요되어 다른 일을 볼 시간이 거의 없었으나, 그것 때문에 다른 일을 소홀히 하지는 않았다. 즉 필요하면 밤을 새서라도 국가 예산을 검토하고, 긴급 지시를 내리고, 제국의 정부를 움직여 나가는 데 필요한 그 수많은 작은 일에까지 머리를 썼으니, 그의 머리는 대부분 정부의 살림 걱정으로 가득 차 있었던 것이다.

철저하게 사무를 처리한 웰링턴

웰링턴 공작도 나폴레옹처럼 일류 사업가였다. 사실 공작이 전쟁에서 한 번도 패한 적이 없는 원인은 대부분, 거의 천재에 가까운 사업 능력 덕분이었다고 해도 과언이 아닐 것이다. 중위로 재임할 때 승진이 느린 것을 못마땅하게 여기고 승진도 없이 두 번이나 보병에서 기병으로, 다시 기병에서 보병으로 전보되자 당시의 아일랜드 총독 캠던 경에게 세입 관리 또는 재무관으로 채용해 줄 것을 요청한 일도 있었다. 만일 그것이 받아들여졌다면 그는 틀림없이 그 방면에서도 일류 관리가 되었을 것이다. 그는 상인이 되었어도 일류 상인이 되었을 것이고, 제조업자가 되었어도 일류 제조업자가 되었을 것이 분명하다. 그러나 그의 요청은 받아들여지지 않았고, 그는 계속 군대에 남아 마침내 가장 위대한 영국의 장군이 되었던 것이다.

웰링턴은 요크공과 월모던 장군의 지휘 아래 플랑드르 및 네덜란드와의 전쟁에 참여하여 군인으로서 첫발을 내딛었다. 이 싸움은 영국군의 불행한 패배로 끝났지만, 그곳에서 그는 군에서의 미숙한 실무처리와 통솔력 부족이 장병들의 사기를 꺾는 원인이 된다는 것을 온몸으로 배울 수 있었다. 군대에 들어간 지 10년, 웰링턴은 대령이 되어 인도로 파견된다. 상관의 보고에 따르면, 그는 지칠 줄 모르고 정력적으로 일하는 근면한 장교였다. 군무에 대해서는 지극히 사소한 일까지 직접 장악하고, 부하의 규율을 최고 수준으로 끌어올리려고 애썼다. 1799년에 해리스 장군은 편지에 이렇게 쓰고 있다.

"웰링턴 대령의 연대는 전군의 모범이다. 군인으로서의 태도, 규율, 교육과 질서 그 어느 것도 나무랄 데가 없다."

이리하여 군의 중추로부터 신뢰를 얻은 웰링턴은 곧 마이소르 주 주도(州都)의 사령관으로 임명된다.

말라타족과의 싸움에서 처음으로 군을 지휘한 그는, 불과 1500명의 영국병과 5천 명의 세포이병으로 구성된 혼성부대를 이끌고, 2만의 보병과 3만의 기병으로 구성된 말라타족을 격파한다. 이것이 유명한 '아세이 전투'이다. 당시 그는 34살의 젊은이였지만 이 영광의 승리에도 결코 우쭐하지 않았고, 또 성실 그 자체인 인품도 전혀 달라지지 않았다.

말라타족과의 전투 직후, 웰링턴은 통치자로서 찬양할 만한 수완을 발휘할 기회를 얻는다. 전쟁이 끝나 한 중요한 지역의 지휘관에 임명된 그는, 통솔하는 군대에 엄격한 규율을 세우는 것을 첫 번째 목표로 정했다. 전쟁의 승리에 완전히 도취한 병사들이 상관의 명령을 듣지 않고 거의 폭도가 되어가고 있었기 때문이다.

"헌병사령관을 파견하여 저의 지휘 하에 넣어 주십시오. 약탈자를 몇 명 교수형에 처하지 않는 한, 질서와 안전을 보장할 수 없습니다."

그는 본부에 이렇게 편지를 보냈다. 좀 무서운 얘기이기는 하지만, 전쟁터에서 이렇게 엄격한 태도로 일관했기 때문에 그의 부대는 수많은 전쟁에서 살아남을 수 있었다.

이어서 웰링턴은 시장을 활성화시켜 생활필수품 공급을 궤도에 올리려 했다. 해리스 장군은 총독에게 보낸 편지 속에서 웰링턴의 시장통제 솜씨를 높이 평가하여 이렇게 말했다.

"그가 물자 공급에 대해 현명하고 단호한 조치를 취한 덕분에 마음껏 상품을 매매할 수 있게 되었습니다. 시장에는 물자가 넘쳐나고 있고, 상인들도 우리를 신뢰하기 시작했습니다. 그의 일처리 솜씨는 참으로 훌륭하다고밖에 할수 없습니다."

이렇게 인도 체재 중의 웰링턴은 일관되게 세세한 사항에도 철저히 주의를 기울여 모든 지시를 내리고 있었던 것이다.

그가 클리브 경에게 보낸 훌륭한 보고서는 전투의 실제 내용을 상세히 담고 있었다. 이것은 매우 우세한 둔디아 부족 군대가 건너편 둑에 진을 치고 있는 가운데 부대를 지휘하여 톰부드라 강을 건너면서, 또한 부대장으로서 수천 가지의 작은 일까지 염려하면서 쓴 보고서였다는 점에서 주목할 만하다. 이렇듯 눈앞에 벌어지고 있는 일에서 잠깐 벗어나 그와는 전혀 다른 일에 정력을 쏟을 수 있는 것이 그의 뛰어난 특성 가운데 하나였으니, 이런 경우 자기가 아무리 어려운 처지에 있다 하더라도 결코 당황하거나 두려워하는 법이 없었다.

비범한 지도력을 인정받은 웰링턴은 귀국하자마자 다음 임무를 명령받았다. 당시 나폴레옹이 이끄는 프랑스군에 점령되어 있던 포르투갈을 해방하기 위해 1808년 영국에서 원군이 파견되었는데, 그는 그 가운데 1만 명의 부대를 지휘하는 책임을 맡은 것이다. 그는 포르투갈에 상륙하여 두 번의 전투에서 승리를 거두었다. 전군의 지휘관인 존 무어가 사망한 뒤에는 새로운 포르투갈 원정군의 총대장에 발탁되었다. 그러나 반도 전쟁(프랑스군과 에스파냐, 포르투갈, 영국 연합군의 전투)에서 웰링턴은 처음에 고전을 면치 못했다.

1809년부터 1813년에 걸쳐, 그의 부대는 내내 3만 명도 채 되지 않았지만, 상대하는 프랑스군은 전군 35만 명이 전부 노련한 용사들이며 나폴레옹 밑에서 유능한 장군들이 지휘를 하고 있었다. 이만한 강적을 상대하여 어떻게 싸워야 승리의 가능성이 열릴 것인가? 당시 에스파냐 군은 프랑스군을 사방이 탁 트인 평야에서 맞이하여 그때마다 고배를 마시고 있었다. 웰링턴은 이 사실을 너무나 잘 알고, 있었기에 에스파냐 군과는 다른 작전을 세울 필요가 있다고 판단했다. 강대한 적과 대항할 수 있는 힘을 가진 군대를 만들어내는 것이 가장 급한 일임을 깨달은 것이다.

그것은 상식적인 생각이지만 정확한 판단이었다. 그는 포르투갈 군을 영국 사관의 지휘 아래 두고, 영국군과 포르투갈 군이 공동작전을 취하도록 훈련을 개시했다. 그리고 양군의 균형이 맞춰질 때까지 프랑스군과의 무모한 전투는 될 수 있으면 피했다.

'프랑스군은 전투에 이기는 것에 자긍심을 가지고 있다. 굳이 말하면 오직 전쟁을 위해 존재하고 있는 것이나 다름없다. 그러므로 우리군이 싸움을 걸지 않으면 그들은 사기가 꺾일 것이다. 우리군은 전투 태세를 갖추어, 적이 싸울 의욕을 잃은 시점에 단숨에 돌진해야 한다.'

그는 이렇게 생각했다.

상황은 웰링턴의 예상대로 돌아가, 그의 군대는 프랑스군에 대승리를 거둔다. 그러나 그는 이 전쟁기간 중에 온갖 방해와 반대에 시달리고 있었다. 그것은 그가 구하려 한 에스파냐인과 포르투갈인의 무질서와 두려움 그리고 허영심 때문만은 아니었다. 영국 정부가 이 전쟁에서 무능함을 드러내어, 허위와 음모가 난무하는 상황을 연출하고 있었다. 그런 상황에서도 그가 전쟁을 수행할 수 있었던 것은, 실의 속에서도 자신을 신뢰하고 자신의 의지를 단호하게 관철할 수 있었기 때문이다.

그는 나폴레옹이 지휘하는 군대와 싸울 뿐만 아니라, 에스파냐와 포르투갈 정부도 제압해야 했다. 병사들의 식량과 의복의 확보도 여의치가 않았다. 탈라베라 전투 중에는, 달아난 에스파냐 병사들이 같은 편인 영국 진영을 습격하여 물자를 약탈하는 믿을 수 없는 사태까지 발생했다. 그러나 웰링턴은 이런저런 곤경을 극복할 수 있는 강한 인내심과 자제력을 가지고 있었다. 그는 배은망덕한 행동과 배신, 반대에 직면하면서도 꿋꿋하게 자신의 길을 계속 걸어갔다.

그는 또 군대 안의 세세한 실무까지 혼자서 도맡아 했다. 영국에서의 식량 조달이 여의치 않자 모든 것은 자신의 능력 하나에 달려 있다는 것을 알고, 즉각 장군에서 곡물상인으로 변신했다. 그리고 리스본의 영국대사와 손을 잡고 식량 확보에 성공한다. 또 약속어음을 발행하여 지중해와 남미의 항구에서 곡물을 사들였다. 이리하여 저장고를 가득 채운 뒤, 남는 것은 포르투갈 상인에게 매각했다.

웰링턴은 모든 것을 운에 맡기지 않고, 불의의 사태에도 대비를 게을리 하지 않았다. 이 뛰어난 실무능력은 모든 국면에서 효과를 발휘하여 그를 성공으로 이끌어갔다.

"나의 군대는 어디에 내놓아도 부끄럽지 않다."

그는 이렇게 단언했는데 이러한 그의 비범한 통솔력은 경험이 부족한 소집병들을 유럽 최강의 군대로 바꾸었다.

빚을 두려워한 웰링턴

웰링턴의 실무가로서의 뛰어난 능력은 그의 지나치게 고지식한 성격에서도 볼 수 있다. 당시 전투에서, 프랑스의 술트 장군은 에스파냐에서 값비싼 그림을 수없이 강탈하여 본국으로 가지고 갔다. 그러나 웰링턴은 아무리 작은 것이라도 재산이라는 이름이 붙은 것은 털끝하나 건드리지 않았다. 그가 4만 명의 에스파냐병을 이끌고 프랑스 국경을 넘었을 때, 병사들은 여기서 한 몫 잡아야 한다는 듯이 약탈과 강도를 되풀이했다. 그는 먼저 에스파냐인 사관을 질책했지만 그다지 효과가 없었다. 그래서 결국 에스파냐병을 전원 본국으로 돌려보냈다.

또 영국군이 프랑스 국내에 진군했을 때도, 현지 농민들은 자국인의 손을 피해 적군인 영국군 진내로 달려와서, 자신들의 귀중품을 맡기며 보호를 부탁했다고 한다. 그 정도로 웰링턴의 군대는 신뢰받고 있었던 것이다. 그런데 같은 시기에 웰링턴은 본국 정부에 이런 편지를 써 보냈다.

"우리는 빚더미 위에 앉아 있으며, 저는 떳떳하게 외출도 하지 못하고 있습니다. 밖에서 채권자들이 빚을 갚을 것을 요구하며 만반의 준비를 하고 기다리고 있기 때문입니다."

쥘 모렐은 웰링턴의 사람됨을 평할 때, 이 편지를 증거로 제시하며 다음과 같이 말했다.

"이보다 더 위대하고 고귀하며 신선한 고백이 또 있을까요? 30년 동안 전쟁터에서 잔뼈가 굵은 노병, 강철의 사나이, 또 백전백승의 장군인 그가 대군을 이끌고 적지에 진을 치고 있으면서, 채권자들 앞에서 고개를 들지 못하고 있으니……! 이제까지의 정복자와 약탈자 중에서 이러한 불안에 속을 끓인 사람은 아마 한 사람도 없을 것입니다. 전쟁의 역사를 낱낱이 더듬어보아도, 그만큼 숭고하고 순수한 마음을 지닌 사람은 아마 없을 겁니다."

하지만 당사자인 웰링턴이 이런 찬사를 직접 들었으면 그 자리에서 고개를 저었을 것이다.

"특별히 당당하게 행동하겠다거나, 고결하게 보이자는 생각에서 그런 것은 아닙니다. 다만 빚쟁이들에게 꼬박꼬박 돈을 갚아 나가는 것이 실무상 최선의 방법이라고 생각했을 뿐입니다."

그는 아마 이렇게 대답하지 않았을까?

정직은 최상의 전략

하루하루의 생활 경험을 통해 우리는 '정직은 최상의 전략'이라고 하는 옛말이 올바르다는 것을 알게 되는데, 정직과 성실은 모든 일에서도 그렇지만 사업에서도 성공의 요건이다. 휴 밀러의 유능한 백부는 그에게 늘 다음과 같이 깨우쳤다.

"이웃 사람과 거래를 할 때는 아껴서는 안 된다. 넉넉하게 수북이 담아 흘러넘치도록 해라. 그렇게 하면 결국은 너의 이득으로 돌아올 것이다."

한 유명한 맥주회사 사장은 자기가 성공한 것은 누룩을 아끼지 않고 많이 썼기 때문이라고 했다. 그는 직접 양조장에 가서 통에 든 원료를 맛보고 이렇게 지시를 하곤 했다.

"아직도 묽어, 누룩을 좀더 넣게."

그의 너그러운 성품이 이 양조장에서 나오는 맥주에도 전해진 것인지, 그의 사업은 영국과 인도 그리고 여러 식민지에서 대호평을 받아 막대한 재산을 모을 수 있었다.

군인에게는 명예가 필요하고 그리스도교 신자에게는 자비심이 필요한 것처럼, 상인과 제조업자들에게는 성실성이 필요하다. 아무리 미천한 직업이라도 언제나 곧은 성격을 발휘할 기회가 있다. 휴 밀러는 자기와 함께 견습생활을 했던 어느 석공에 대해 다음과 같은 말을 한 적이 있다.

"그는 자기가 새기는 모든 돌에 자신의 모든 양심을 쏟아 넣었다."

그러므로 진정한 기계공은 자신이 만든 제품이 완전하고 튼튼한 것을 자랑하고, 고상한 기품의 계약자는 자기가 하는 일이 사소한 부분까지 정직한 것을 자랑한다. 성실한 생산업자는 자기가 생산하는 물건이 가짜가 아니라는 점에서, 그리고 상인은 판매 상품이 겉과 속이 같다는 정직성에서 명예와 명성뿐 아니라 실속 있는 성공을 거두게 될 것이다.

뒤팽 남작은 영국 사람들이 성공한 주요인은 국민의 청렴에 있다고 하면서 이렇게 말했다.

"사기나 우연 또는 폭력에 의해 성공할 수 있을지 모르나, 우리는 그와 정반대의 방법으로 영원한 성공을 얻어야 한다. 상인과 생산업자들이 생산품의 좋은 품질로 국민의 체면을 높이는 것은 특히 용기와 총명함과 활동력이 필요하지만, 그보다 훨씬 더 중요한 것은 지혜와 절약과 청렴이다. 또 그중에서도 가장 소중한 것은 청렴이다. 지금은 영국의 배들이 전세계와 교역하여 귀한 산물을 싣고 온 바다를 뒤덮고 있지만, 만일 영국과 다른 나라에서 상인과 생산업자들이 미덕을 잃는다면, 당장 교역의 길이 끊겨 타락한 상업 근성을 가진 선박들은 어느 나라 어느 항구에서나 쫓겨나 이내 바다에서 그 자취를 감추게 될 것이다."

성실하고 정직한 장사

아마도 장사는 어느 다른 생업보다 인격에 가혹한 시련을 줄 것이다. 장사하는 사람은 그의 정직성과 극기심, 정의감, 그리고 진실성에 대해 극심한 시련을 받게 된다. 그러므로 그러한 시련을 겪은 사람들은 전투의 화염과 위험 속에서 용기를 증명한 군인들처럼 위대한 명예를 얻을 수 있다. 다양한 종류의 장사에 종사하는 수많은 사람들에게 명예로운 이야기이지만, 대체로 그들은 그 시련을 고상한 정신으로 견디고 있음을 우리는 인정해야 한다. 남의 고용살이를 하는—아마 자신은 별로 가진 것도 없이, 자기 손으로 매일같이 거액의 돈을 취급하고 있는—대리점 주인, 중개업자, 은행원 같은 사람들은 자신들의 손에서 손으로 그토록 많은 돈이 오가는데도, 돈을 눈앞에 보면서 일으키기 쉬운 모든 유혹 속에서 신용을 잃는 일이 없다는 사실을 보아도, 이 성실한 행동의 정직성이 인간 생활 중에서 가장 명예로운 것—정직은 우리에게 그것을 자랑하도록 유혹하지도 않지만—임을 알 수 있을 것이다.

사업가들은 신용제도가 있어 서로 믿고 거래하고 있으니, 그 바탕은 주로 명예를 지키는 데 있으며, 그것은 일반 사업거래에서 놀라울 만큼 잘 이뤄지고 있다. 찰머스 박사가 다음과 같이 말한 것은 극히 지당하다.

"상인들은 지구 건너편에 멀리 떨어져 있는 한 번도 만나본 적이 없는 거래자에게 오로지 그의 인격만을 믿고 막대한 돈을 보내는 경우가 많은데, 이러한 말없는 가운데서의 믿음이야말로 우리 인간들이 서로 베풀 수 있는 가장 훌륭한 존경의 표시일 것이다."

정직하지 않은 이익을 챙겨서는 안 된다

다행히도 일반적인 정직이 아직 서민들의 생활 속에서 높은 수준에 있다. 저마다 직업에 정직한 마음을 기울여 영국의 산업계가 아직 건전한 상태에 있다. 그러나 늘 있던 일이지만 하루아침에 거부가 되고자 하는 야욕에서 염치없고 시기심이 강하고, 지독히 이기적인 사람들이 고약한 부정과 사기를 행하는 경우가 불행히도 너무 많다. 상품에 좋지 않은 물건을 섞는 상인들, 계약한 일을 허술하게 해치우는 청부업자들, 양모 대신 재생한 털, 면포 대신에 붕대, 강철 대신 주철 도구, 귀 없는 바늘, 오직 팔아먹기 위한 형편없는 면도칼, 그 밖에 온갖 가짜를 팔면서 남의 눈을 속이는 자가 있다.

그러나 우리는 이러한 것을 천하고 욕심 많은 사람들의 특수한 경우라고 생각해야 한다. 비록 그들이 부를 얻는다 해도 아마 그 부를 즐기지는 못할 것이고, 결코 정직한 사람이 되지 못할 것이며, 마음의 평화—그것이 없으면 부도 명예도 아무 소용이 없는—도 영영 얻지 못할 것이다.

어느 칼 장수가 1페니짜리 칼을 자기에게 2페니에 판 사실을 알았을 때, 주교 레티머는 다음과 같이 말했다.

"그 자는 나를 속인 것이 아니라 자신의 양심을 속인 것이다."

구두쇠 짓을 하거나 속이고 사기를 쳐서 번 돈은 잠시 동안 생각 없는 자들의 눈을 현혹시킬지 모르나, 그런 염치없는 악당들이 분 비눗방울은 그것이 너무 크게 부풀 경우, 잠깐 빛을 내다가 결국에는 터지게 될 뿐이다. 새들리어, 딘 폴, 그리고 레드파드 계통의 상사들을 보라. 이런 세상에서도 그들은 대부분 비극적인 종말을 맞이했다. 설사 누가 사기를 잘 쳐서 발각이 되지 않아 그 불의의 소득을 지닐 수 있었다 해도, 그것은 불행의 씨앗이지 결코 축복이 되지는 않을 것이다.

품행은 재산이기도 하다

지나치게 정직한 사람은 염치없고 정직하지 못한 사람만큼 빨리 부를 얻지 못할지 모르나, 사기나 부정 없이 얻은 성공만이 참다운 성공이다. 비록 오랫동안 성공하지 못한다 해도 우리는 더욱 더 정직해야 하며, 모든 것을 다 잃어도 인격만은 지켜야 한다. 인격 그 자체가 하나의 재산이기 때문이다. 고결한 신념을 지닌 사람이 용감하게 자신의 신념을 지켜 나간다면 반드시 성공하게 마련이요, 그에게는 최상의 보상도 끝까지 기다려 줄 것이다.

워즈워스의 다음과 같은 시 〈행복한 용사〉가 그것을 멋지게 묘사하고 있다.

그는 자신이 원하는 바를 알고
하나의 목표를 믿어 의심치 않는다
부와 명예와 세속의 지위를 구하여
무릎을 꿇고 몸을 엎드리지는 않는다
그러한 덕은 그에게 저절로 찾아온다
마치 은총의 비가 머리 위에 내리듯이

데이빗 바클레이

데이빗 바클레이는 유명한 《퀘이커 교도들에 대한 사과》의 저자 로버트 바클레이의 손자이며 기품이 고상한 상인으로 또한 곧은 경영 훈련을 받고 모든 일을 정당하고 진실하게 대했던 출중한 사람의 본보기이다.

여기서 잘 알려져 있는 그의 생애를 짤막하게 살펴보는 것도 의미가 있을 것이다. 여러 해 동안 그는 칩사이드에 대규모 업체를 차려 놓고 주로 미국을 상대로 무역을 하고 있었는데, 그랜빌 샤프처럼 미국 식민지와의 전쟁을 강력히 반대하는 입장에 있었으므로 그 무역에서 완전히 손을 떼게 되었다.

장사를 하는 동안 그는 재능과 지식 그리고 성실과 정력에서 탁월했으며, 나중에는 그의 애국심과 아낌없는 자선 행위로 출중한 면을 보여주었다. 그는 진실성과 정직성의 귀감이었다. 선한 그리스도교 신자이자 진정한 신사로서 부끄럽지 않게 언제나 약속을 지켰다. 그의 위치와 높은 인격으로 인해 당시의 장관들은 자주 그의 조언을 듣고 싶어 했고, 미국 문제에 대해 하원에서 심문을 받았을 때도 그는 확고한 견해를 표명했다.

그때 표명한 그의 충고가 그 명분과 함께 상당한 정당성이 있었기 때문에, 노드 경 같은 이는 반역자가 아닌 사람들의 의견 중에서 데이빗 바클레이의 의견이 가장 깊은 내용을 담고 있다고 공언했다. 그가 사업에서 은퇴한 것은 사치스럽고 편안한 생활을 하려는 생각에서가 아니라 남을 위해 일해 보려는 의도에서였다. 넉넉한 재산이 있었으므로 사회에 좋은 모범을 보여줄 의무가 있다고 생각한 것이다. 월담스토에 있는 자기 집 근처에 공장을 하나 지어 처음 몇 해 동안 막대한 비용을 들여 지원을 해주었는데, 그것이 성공하여 마침내 근처에 사는 착하고 가난한 사람들에게 자립과 안락의 원천이 되었다. 자메이카에 있는 땅이 손에 들어오자 거의 1만 파운드의 비용을 들여서 그 지역에 사는 모든 흑인들에게 자유를 주었다. 대리인을 파견하여 배를 한 척 세내어 그 작은 노예 집단을 미국의 자유주로 보냈고, 그들은 그곳에 정착하여 번영하며 살 수 있었다. 바클레이도 처음에는 흑인들은 너무 무지하고 야만적이어서 자유를 줄 수 없다고 믿었다. 그것은 실제로 자신의 믿음이 그릇된 것이었음을 보여준 것이다.

그 많은 재산을 처리할 때도 죽을 때 그것을 친척들에게 나누어 주는 방식을 취하지 않고, 자기 자신이 직접 자신의 유언 집행자가 되었다. 즉, 자기가 살아 있는 동안 친척들에게 아낌없이 돈을 주어 각자가 그것을 꾸려가는 것을 지켜보며 그들이 기반을 잡을 수 있도록 도와줬을 뿐만 아니라, 생전에 그것이 런던에서 가장 크게 번창하는 사업체로 성장하는 것을 지켜보았던 것이다. 당대에 가장 유명한 상인들 중 몇몇—예를 들면 거니, 핸버리, 벅스턴 같은 회사의 대표자들—은 그들이 처음 사업을 시작할 때 바클레이한테서 얻은 돈, 그리고 그의 고마운 충고와 격려를 잊을 수 없는 은혜로 여기며 감사하는 동시에 자랑으로 여겼다. 이러한 사람은 상인으로서 자기 나라의 정직성과 성실성을 상징하는 것으로, 앞으로 사업에 종사할 모든 사람들에게도 좋은 모범이 되는 것이다.

10 돈의 올바른 사용과 남용
돈을 하나의 인격체로 다루어라

돈이란 울타리 안에 감출 것도 아니고
줄지어 늘어선 종자들을 위한 것도 아니며
오직 자립해 살 수 있는
영광의 특권을 위한 것이다.   번스

돈은 꾸지도 말고 꾸어 주지도 말라.
꾸어주는 사람은 돈 잃고 친구 잃기 쉬우며
남의 돈을 꾸어 쓰면 집안 살림 무너진다.   셰익스피어

돈을 가볍게 다루지 말라—돈은 인격이다.   E. 불워 리튼

돈을 사용하는 것은 정당한 방법으로

돈을 어떻게 다룰 것인가? 어떻게 벌고, 모으고, 쓸 것인가? 이것은 우리가 인생을 살아가는 지혜를 가지고 있는지 그 여부를 판단하는 가장 큰 시금석이다. 물론 돈을 인간생활의 첫 번째 목적이라고 생각해서는 안 된다. 그러나 물질적 안정이나 사회 번영의 대부분이 돈으로 지탱되고 있다는 사실을 생각하면, 돈을 하찮게 여겨서도 안 되고 마치 성인인 것처럼 경멸하는 것도 옳지 않다. 실제로, 인간의 우수한 자질 몇 가지는 돈의 올바른 사용법과 밀접한 관계를 가지고 있다. 관용, 성실, 자기희생 등은 물론이고, 절약과 장래에 대한 배려 같은 현실적인 미덕까지 돈과는 떼려야 뗄 수 없는 사이에 있다.

한편 돈벌이에 혈안이 된 인간에게는 욕심과 사기, 부정, 이기심이 따르게 마련이다. 또 하늘이 점지해 주신 돈을 남용하는 자들은 낭비와 부절제, 내일도 모르는 방탕의 구렁텅이에 빠져든다. 즉 악덕도 돈이 시키는 것이다.

《인생 노트》에서 헨리 테일러는 다음과 같은 지혜의 말을 들려준다.

"돈벌이와 저축, 돈을 주고받고, 빌려주고 빌리고, 물려주는 등의 행위가 정당하게 이루어지고 있는지 여부를 보면, 그 사람의 인격의 완성도를 거의 짐작할 수 있다."

세속적인 의미에서의 쾌적한 생활을 정당한 수단으로 얻으려는 것은 결코 잘못된 일이 아니다. 쾌적한 생활이 가져다주는 물질적 충족감은 인간성을 높여주는 보장이 되고, 생활에 불편함이 없으면 가족도 너끈히 부양할 수 있다. 그리스도의 12사도 중 한 사람이 말했듯이, 가족도 제대로 부양하지 못하는 사람은 '이교도보다 나을 것이 없는 자'이다.

또 인생의 향상에 기여하는 기회를 어떻게 이용했는지에 따라 세상이 그 사람에게 가지는 존경의 크기도 크게 달라진다. 그러므로 우리는 쾌적한 생활을 누리는 데 무관심할 수가 없다. 인생에 성공하여 무엇 하나 부족함이 없는 생활을 누리고자 노력하는 것은 그 자체가 하나의 교육이다. 그 노력은 인간의 자존심을 불러일으키고 실무능력을 이끌어내며, 인내와 지구력이라는 미덕을 단련시켜준다. 선견지명이 있고 세심하게 주의를 기울이는 사람은 틀림없이 사려분별이 뛰어난 사람이다.

현재의 생활에만 매달려 있지 않고 앞날을 내다보고 대비하는 사람 중에 천박한 생각의 소유자는 한 사람은 없다. 그런 사람은 절제할 줄 알고 유감없이 극기의 미덕을 발휘한다. 이 극기심이라는 미덕만큼 인격 형성에 강한 힘을 주는 것은 없을 것이다. 평론가 존 스털링은 이렇게 말했다.

"굳건한 의지를 가르치는 최악의 교육이 굳건한 의지를 제외한 다른 모든 것을 가르치는 최고의 교육보다 낫다."

'미래를 위해 현재의 만족을 희생시키는' 극기 정신은, 배우고 싶다 해서 간단하게 터득할 수 있는 것이 아니다. 생활이 힘든 사람이라면 당연히 이마에 땀 흘리며 일하여 번 돈을 무엇보다 소중하게 여길 것 같지만, 실제로는 그렇게 번 돈을 먹고 마시는 데 다 써버리고 결국 무력한 사람이 되어, 절약하는 사람들의 인정에 의존하려는 사람들이 상당히 많다. 또 누구의 신세를 지지 않아도 편안하게 생활할 수 있는 자산을 가지고 있으면서도, 미래에 대한 대비가 없어 막상 필요할 때는 진짜 가난뱅이와 별 차이가 없는 신세가 되는 사람도 있다.

노동자를 대표하는 사람들이 존 러셀 경을 찾아가 노동자에게 부과된 세금에 대해 의견을 물었을 때, 이 고상한 지도자는 다음과 같이 대답했다.

"정부가 노동자층 국민에게 부과하는 세금은, 다른 것은 제쳐놓고라도 그들이 술을 마시는 데 쓰는 돈보다도 적을 것이오!"

사회 문제 중에서 아마 이보다 더 중요한 것은 없을 것이며, 더 많은 사람들이 일을 하도록 외치는 것만큼 위대한 혁신 작업도 없다. 그러나 '극기와 자조'는 국회의원 후보자들의 연설 구호로서는 그다지 환영받지 못한다. 산업층의 진정한 자립은 저마다의 절약과 앞날에 대한 준비 등의 미덕을 실천해야 얻을 수 있는 것인데, 이러한 일반적인 미덕을 오늘날 애국한다는 사람들이 별로 중요하게 생각하지 않는 것은 걱정스러운 일이다.

게다가 그들은 세금 같은 사회제도상의 문제에만 눈을 돌려, 극기심과 자조 정신의 중요성은 거의 돌아보지 않는다. 진정한 자립을 쟁취하려면 한 사람 한 사람이 절약과 미래에 대한 대비에 힘쓰는 것이 가장 중요한데도, 아무도 그 점에 관심을 기울이려 하지 않는다.

철학자이자 제화업자인 새뮤얼 드루는 이렇게 말했다.

"사려분별과 검소함, 그리고 뛰어난 관리는 불경기를 호전시키는 탁월한 달인이다. 이 달인은 평소에는 집안 한구석에서 조용히 지내고 있지만, 유사시에는 지금까지 의회를 통과한 어떤 법률보다 솜씨 좋게 생활의 어려움을 타개해 줄 것이다."

소크라테스 또한 "세계를 움직이고 싶다면, 먼저 자기 자신부터 움직여라" 라고 말했다. 또 다음과 같은 옛 시도 있다.

모든 사람이 주의하여
각자의 혁신을 꾀한다면
나라를 개혁하는 것은
얼마나 쉬운 일일까.

그러나 세상 사람들은 자신의 악습을 조금이
라도 개선하기보다 국가와 교회를 고치는 편이
간단하다고 생각하는 경향이 있다. 일반적으로
말해, 사람은 자신의 잘못을 고치기보다 이웃의
잘못에 대해 이러쿵저러쿵 말하는 것이 상당히
취향에 맞는 모양이다.

소크라테스

콥덴이 말한 두 가지 형의 사람

하루 벌어 하루 사는 생활에 쫓기는 사람은, 언제까지나 밑바닥 생활의 고
통에서 헤어나지 못한다. 기댈 곳이 없는 무력한 생활은 끝도 없이 계속되고,
이윽고 사회의 구석으로 내쫓겨 시대의 거친 파도에 이리저리 쓸려간다. 자존
심 따위는 저멀리 사라지고, 따라서 주위의 존경도 받을 수 없다. 불경기가 닥
치면 당장 궁지에 빠져버린다. 조금이나마 저축이 있으면 의욕도 생기련만, 그
것조차 없어서 남이 시키는 대로 움직이지 않을 수 없다. 그나마 생각이 있다
면, 이런 생활 앞에서 처자식의 앞날을 생각하고 당장 공포에 떨지 않을 수 없
을 것이다.

옛날의 정치가 콥덴은 하더스필드의 노동자들 앞에서 이렇게 말했다.

"예로부터 세상에는 두 가지 형의 사람이 있다. 돈을 저축하는 인간과 돈을
쓰는 인간 ― 즉 절약가와 낭비가이다. 절약가는 집과 공장과 다리를 건설하
고, 나아가서 수많은 위대한 일을 이룩하여 우리에게 문명과 행복을 가져다주
었다. 한편, 자신의 재산을 헛되이 낭비한 사람은 언제나 자신의 노예였다. 어
느 시대에나 그것은 자연의 이치이고 신의 법칙이다. 만약 내가 '미래를 전혀
생각하지 않고 빈둥거리며 하루살이처럼 살아도 성공할 수 있다'고 약속한다
면, 무지막지한 사기꾼의 오명을 쓰게 될 것이다."

1847년, 급진적인 정치가 존 브라이트가 로치데일에서 직공들을 모아놓고 한 충고의 말도 건전하다. 그는 먼저 다음과 같은 소신을 밝혔다.

"정직은 어느 계층에서나 똑같이 갖추어야 할 공통의 덕목이다."

그리고 이렇게 말을 이었다.

"현재 차지하고 있는 자리가 좋은 자리라면 어떤 사람이든 또는 어느 부류에 속하는 사람이든 그것을 유지할 수 있는 단 하나의 방법, 그리고 현재의 자리가 좋지 않은 자리일 때 더 좋은 자리로 오를 수 있는 단 하나의 방법이 있는데, 그것은 바로 근면, 검소, 절제 그리고 정직의 미덕을 실천하는 것이다. 정신적으로 또는 육체적으로 불편하고 만족을 느끼지 못하는 자리에서 더 높은 상태로 오를 수 있는 지름길이 따로 있는 것이 아니며, 그 길은 오로지 이러한 미덕의 실천뿐이다. 여러분들 주변에서도 이런 미덕의 실천으로 나날이 향상하고 있는 사람들을 많이 볼 수 있을 것이다."

노동자는 절약을 실천하고 품행을 높여야 한다

일반 노동자라고 해서 사회에 공헌하여 명예와 존경을 얻으며 행복한 삶을 누리지 못할 이유는 없다. 극소수의 예외는 있지만, 지금까지 그래왔듯이 노동자들도 누구나 검소한 미덕과 넓은 견문을 가질 수 있으며, 좋은 환경에서 살 수도 있다. 몇 사람이 그렇게 할 수 있는 일이라면 어느 누구라도 어렵지 않게 그렇게 할 수 있지 않을까? 같은 방법을 쓰면 같은 결과를 얻을 수 있을 것이다.

어느 나라든지 그날 벌어 그날 써 버리는 사람들이 있는 것은 하느님의 법칙이요, 또한 확실하고도 현명하면서 정당한 일이다. 그런데 그들이 절약하지 않고 무지와 불행에 시달리며 그런 자신들의 처지에 불만만 더해간다면, 그것은 오로지 그들의 나약함과 방종과 고집 때문이다.

일하는 사람들의 건전한 자조 정신은, 그 어떤 방법보다 그들을 높은 지성과 미덕에 찬 생활로 이끄는 데 도움이 될 것이다. 더욱이 그것은 남을 떨어뜨리는 것이 아니라 더 높은 곳으로 계속 전진하는 종교와 지혜와 미덕의 수준으로 끌어 올려서 그 목적을 이루는 것이다. 몽테뉴는 다음과 같이 말했다.

"모든 도덕 철학은 가장 뛰어난 사람들뿐 아니라 보통 서민의 생활에도 적용될 수 있다. 사람은 누구나 자기 속에 인간으로서 살기 위한 조건을 완전히 갖추고 있는 것이다."

3가지 우연한 재난

미래를 생각하며 살기 위해서는 실업, 질병, 죽음 같은 뜻밖의 재난에 대한 대비를 게을리 해서는 안 된다. 이 가운데 처음의 두 가지는 피할 수도 있지만, 죽음만은 인간의 힘으로는 어쩔 수 없다. 그러나 사려 깊은 사람이라면 갑자기 어떤 재난이 닥쳐와도 고통을 줄일 수 있도록, 또 자신을 의지하여 사는 사람에게 영향이 미치지 않도록 미리 대비에 만전을 기하여 생활할 것이다. 이 점에서 볼 때 가장 중요한 것은, 정직한 수단으로 돈을 벌고 그것을 절약하면서 사용하는 것이다.

정직하게 돈을 번다는 것은 유혹에 빠지지 않고 노력과 근면으로 희망을 이루는 것을 말한다. 돈을 절약하여 사용한다는 것은, 뛰어난 인격자의 기초가 되는 자질 — 즉 분별심이나 선견지명, 극기심을 갖추고 있다는 증거이다.

물론 돈이 다는 아니지만 의복, 식량 등 생활의 만족은 물론이고, 자존심과 자립심 등 인간에게 매우 귀한 것을 주는 것도 돈의 힘이다.

그러므로 저축은 일하는 사람들에게 언젠가 닥쳐올 겨울철에 대비하는 방패와 같은 것이다. 그것을 발판으로 쾌적함과 희망 속에서 더 나은 시절이 올 때까지 기다릴 수 있기 때문이다. 사회에서 더욱 확고하게 자신의 발판을 굳히려는 노력만으로도 충분히 존경할만한 가치가 있다. 사람은 그런 노력을 통해 향상되고 더욱 강해진다. 또 우리에게 더 큰 행동의 자유를 주고, 내일을 살아갈 수 있는 새로운 힘을 길러준다.

그러나 언제나 궁핍 속에서 허덕이는 사람은 사실상 노예 신세와 거의 다를 바가 없다. 그런 사람은 자신의 행동조차 스스로 결정하지 못하고 자칫하면 남에게 속박되어, 남이 시키는 대로 움직여야 하는 따분한 처지가 되어야 한다. 따라서 그런 사람은 비굴해질 수밖에 없으니, 그것은 얼굴을 들고 세상을 정면으로 대할 수 없기 때문이다. 그리고 곤경에 처하면 남의 도움이나 빈민 구호금에 매달리는 신세가 된다. 직장을 잃으면 다른 일자리를 구할 엄두도 내지 못하고, 삿갓조개가 바위에 꼭 달라 붙어 있듯이 꼼짝하지 않고 빈민 행정교구에 눌러 앉아 다른 곳으로 가는 것은 생각도 하지 못한다.

절약은 집안일을 다스리는 정신

자립하는 데 필요한 것은 오직 절약의 실천뿐이다. 절약을 실천하는 데 남다른 용기나 특출한 미덕은 필요치 않으며, 보통의 정신력과 약간의 각오만 있으면 된다. 절약의 근본은 모든 집안일을 처리하는 데 있어서 절제의 정신을 발휘하는 것이며, 절약은 올바르게 관리하고 알뜰하게 꾸리며 신중하게 낭비를 줄여가면 되는 것이다.

그리스도는 다음과 같은 말로 절약의 정신을 표현했다.

"남은 조각을 거두고 버리는 것이 없게 하라."(요한복음 6 : 12)

전능한 힘을 가진 그리스도조차 생활상의 작은 것들을 소홀히 하지 않고, 인간에게는 모름지기 깊은 사려가 있어야한다는 의미심장한 가르침을 주었으니, 깊은 사려가 세상사람 모두에게 매우 필요하기 때문이다.

절약은 고마운 보호자

절약은 또한 미래를 위해 오늘의 만족을 버리는 힘을 의미하며, 그 점에서 이성이 동물적인 본능을 억누르는 것을 말한다. 절약은 인색함과는 전혀 다른 것이니, 우리는 절약을 통해 가장 너그러울 수 있기 때문이다. 절약은 돈을 우상으로 섬기는 것이 아니라 오히려 쓸모 있는 심부름꾼으로 보는 것이다. 딘 스위프트가 말했듯이, 우리는 돈을 떠나서는 살 수 없으나 돈이 숭배의 대상이 되어서는 안 된다. 절약은 말하자면 사려분별의 딸이요, 절제의 누이이며, 또한 자유의 어머니라고 할 수 있을 것이다. 분명히 그것은 인격과 가정의 행복, 사회적 안녕의 보호자이며, 요컨대 가장 좋은 형태의 자조 정신의 표현이다. 프랜시스 호너는 사회생활을 처음 시작하는 아들에게 다음과 같이 충고했다.

"모든 점에서 네가 안락하게 살기를 바라지만, 절약의 중요성만큼은 아무리 가르쳐도 지나치지 않을 것이다. 절약은 모든 사람에게 필요한 미덕이다. 천박한 사람들이 아무리 그것을 경시한다 해도, 절약을 통해 우리는 틀림없이 자립할 수 있기 때문이다. 그러니 자립이야말로 고상한 정신을 가진 모든 사람들의 인생 최고의 덕목이라고 할 수 있지 않겠느냐."

본장 첫머리에 인용된 번스의 시구는 지당한 내용이지만, 불행히도 그의 일생생활은 그의 시 정신을 따르지 못했고, 그의 습관은 그 이상에 미치지 못했다. 임종의 자리에서 그는 한 친구에게 다음과 같은 글을 썼다.

"아, 클라크! 나는 지금 최악의 상태에 있네. 내 아내는 불쌍한 과부가 될 것이고, 여섯이나 되는 어린 아이들은 의지할 데 없는 고아가 될 걸세. 그런데 나는 무력해서 아무것도 해줄 수가 없네그려. 그만 해두지. 내 병은 이 정도일세."

절약은 정직의 본질

사람은 자기 수입에 맞게 살아야 한다. 그것을 실천하는 것이 바로 정직의 근본이다. 정직한 가운데 자기 분수에 맞게 살지 않으면, 남에게 의존하는 부정적인 생활을 하게 되기 때문이다. 돈의 지출에는 조심성이 없고, 남에게 주는 피해는 아랑곳하지 않고 자신의 만족만 생각하는 사람들은 대체로 이미 손을 쓸 수 없는 지경까지 가서야 돈의 진정한 가치를 알게 된다.

그들은 시간과 돈을 낭비하며 앞으로 벌 돈을 예상하여 약속어음을 남발하다가, 마침내 산더미 같은 빚과 의무만 잔뜩 지고 독립적인 자유인으로서 마음대로 행동할 수 없는 처지가 된다.

작은 이득으로 다투기보다 절약하면서 베푸는 삶이 낫다

"경제 사정이 긴박해져서야 비천하게 하찮은 수입을 얻는 것보다 조금씩 미리 저축하는 것이 낫다."

베이컨 경의 금언이다. 많은 사람들이 쓸데없는 것에 푼돈을 막 써 버리는데, 사실은 그런 푼돈이 재산과 생활 자립의 기초가 될 수 있다. 낭비하는 사람들의 가장 큰 적은 바로 자기 자신이며, 대개 세상이 불공평하다고 투덜거리는 부류 가운데 그런 사람들을 볼 수 있다. 자기 스스로 자신의 편이 되어주지 않는데, 어떻게 남이 자기 친구가 되어주기를 바랄 수 있겠는가?

보통 정도의 재산을 가진 규칙적인 사람들을 보면, 주머니에 언제나 남을 도와줄 수 있는 얼마간의 돈이 있으나, 가지고 있는 돈을 몽땅 다 써 버리는 조심성 없고 방종한 사람들은 결코 누구를 도와주는 일이 없다. 그러나 구두쇠같이 돈을 움켜쥐고 있는 것은 올바른 절약이 아니다. 생활과 상업 거래에서 인색하게 처신하는 것은 대체로 앞을 내다보지 못하기 때문이며, 결국 그것 때문에 실패하게 된다.

"1페니짜리 마음은 결코 2페니짜리 마음이 되지 못 한다"는 말이 있다. 아량과 너그러움이 결국은 정직처럼 최상의 전략이다. 《웨이크필드의 목사》*¹에 나오는 젠킨슨은 이모저모로 마음씨 착한 이웃사람 플램버러를 속였지만, "플램버러는 점점 부자가 되어 가는 반면, 나는 갈수록 가난해져서 마침내 감옥살이까지 하게 되었다"고 말했다. 우리 주변사람들의 실제 생활을 보면, 관대하고 정직한 길을 따라 나아가 나중에 찬란한 결과를 맺는 예가 얼마든지 있다.

돈을 빌리는 것은 위험하다

속담에 "빈 자루는 똑바로 서지 못한다"는 말이 있듯이, 빚을 진 사람은 바른 생활을 할 수 없다. 빚더미에 앉아 있는 사람이 진실해진다는 것은 매우 어려운 일이기에 거짓말이 빚을 타고 다닌다는 말도 있는 것이다. 빚진 사람은 빚의 반환날짜를 미루기 위해 채권자에게 뭔가 구실을 대야 하니 거짓말을 꾸미지 않을 수 없다. 빚이 전혀 없는 사람이 애당초 빚을 안 지고 살겠다는 결심을 하기는 쉬운 일이다. 그러나 한 번 쉽게 남의 돈을 빌려 쓴 사람은 또다시 빌려 쓰고 싶은 유혹에 빠지기 쉽고, 그렇게 해서 빚이 많이 쌓이면 뒤늦게 아무리 부지런히 일해도 빚에서 헤어날 수 없게 된다. 빚에 한 걸음 발을 들여놓는 것은 거짓 속에 한 걸음 발을 들여놓는 것과 같아서, 계속 같은 길을 걷지 않을 수 없게 되며, 따라서 계속 빚을 지고 거짓말을 반복하게 된다.

화가 헤이든은 자기가 처음으로 남에게 돈을 꾼 날부터 집안이 기울어지기

---

*1 아일랜드 태생의 영국 소설가 올리버 골드스미스의 소설.

시작했다고 말했다. 그는 "돈을 꾸는 사람은 슬픔의 길을 걷게 된다"는 격언의 진실성을 깨달았다. 그의 일기장에는 다음과 같은 의미심장한 글이 실려 있다.

"그날부터 나는 빚을 지기 시작했다. 내가 살아 있는 동안 나는 이 빚에서 영영 헤어나지 못할 것이다."

금전 문제로 어려운 일을 당하면 얼마나 심한 마음의 고통을 받게 되며, 그것 때문에 일을 전혀 못하게 되어 늘 굴욕 속에서 살아야 한다는 것을 그의 자서전에서 뼈저리게 느낄 수 있다. 그는 해군에 입대하는 어느 청년에게 다음과 같이 충고했다.

"남의 돈을 꾸어야만 얻을 수 있는 즐거움은 결코 얻을 생각을 하지 말게. 남에게 돈을 꾸어서는 안 되네. 그것은 사람의 품위를 떨어뜨리기 때문이네. 은행돈까지 빌려 쓰지 말라고 하진 않겠으나, 그것도 나중에 갚을 자신이 없으면 빌리지 않도록 하게. 무슨 일이 있어도 개인의 돈만은 꾸어 쓰지 말게."

피히테는 가난한 학생 시절, 자기보다 더 고생하며 사는 부모님이 보내주는 선물도 거절했다. 존슨 박사는 초년에 진 빚은 파멸의 근원이라고 주장했다. 이 문제에 대한 그의 말은 명심해 둘 만하다.

"빚을 그저 신세를 지는 정도로 가볍게 생각해서는 안 된다. 빚은 하나의 재앙이다. 빈곤은 선행을 할 수 있는 수단과 자연적이고 도덕적인 악에 저항할 수 있는 능력을 빼앗아가므로 모든 방법을 써서 가난만은 피해야 한다. 그러므로 무슨 일이 있어도, 누구에게든 빚을 지지 않도록 조심하라. 절대로 가난해지지 않겠다고 굳게 결심하라. 그러기 위해서는 얼마의 돈이든 아껴 써야 한다. 빈곤은 인간의 행복에 가장 큰 적이다. 즉 빈곤은 반드시 자유를 파괴하고 미덕을 실천할 수 없게 만들며, 그 밖에 모든 일이 빈곤 때문에 곤란하게 된다. 절약은 평화로운 생활의 기초일 뿐 아니라 자선의 원천이기도 하다. 자기 자신을 돌보지 못하는 사람은 남도 돌볼 수 없고, 자기가 충분히 아껴야 남에게 나누어 줄 수도 있는 것이다."

빚지는 것을 두려워 한 웰링턴과 워싱턴

누구나 자기가 하고 있는 일을 정신 차려서 잘 살피고, 금전의 수입과 지출은 일일이 기록해두어야 한다. 이와 같이 간단하게 적어두면 그것이 나중에 큰 가치를 발휘할 것이다. 신중한 사람이라면 생활수준을 자신의 경제력보다 높게 잡지 말고 조금 아래로 끌어내려야 한다. 그것은 평소에 수입과 지출이 맞도록 충실하게 생활해야만 가능하다. 존 로크는 그러한 생활 태도를 강력히 권장했다.

"자기가 하고 있는 일의 회계를 늘 정상적으로 유지하는 것이 사람의 욕망을 적절하게 조절할 수 있는 최상의 방법이다."

웰링턴 공작은 금전의 수입과 지출을 늘 정확하고 상세하게 기록했다. 그는 글레이그에게 다음과 같이 말했다.

"나에게 온 청구서는 내가 직접 가서 지불하고 있고, 내 주변에 있는 모든 사람들에게 그렇게 하도록 권하고 있네. 전에는 내가 믿고 있던 하인을 시켜 지불했는데, 어느 날 아침 어이없게도 1년 또는 2년 전에 다 정산한 청구서를 다시 받고나서는 하인에게 그런 일을 시키는 어리석은 짓은 하지 않기로 했네. 하인이 그 돈을 가지고 노름을 하고서는 갚지 않았던 거라네."

빚에 대한 그의 견해는 이와 같았다.

"빚은 사람을 노예로 만든다. 나는 가끔 돈이 떨어진 적은 있어도 결코 빚을 져본 적은 없다."

워싱턴도 세밀한 일 처리에 있어서 웰링턴만큼 까다로운 사람이었다. 미국의 대통령이라는 지위에 있으면서도 자신의 수입 한도 안에서 살겠다는 굳은 결심을 하고, 가정에서 쓰는 사소한 비용까지 꼼꼼하게 따진 것은 주목할 만한 사실이다.

초년에 가난과 싸운 저비스

세인트 빈센트 백작인 저비스 제독은 자신이 젊었을 때의 노력, 특히 빚을 지지 않고 살겠다는 굳은 결심에 대해 다음과 같이 얘기했다.

"우리 집은 식구는 많은데 아버지의 수입은 그리 신통치 않았다. 내가 사회에 첫 발을 내디딜 때 아버지는 내게 20파운드를 주셨는데, 그때부터 오늘에 이르기까지 아버지가 나에게 주신 돈은 그것이 전부였다. 한동안 바다 생활을 한 뒤, 한 번은 나의 지불 능력보다 20파운드가 넘는 수표를 끊은 적이 있었는데, 그것이 결국 부도가 나서 나에게 되돌아왔다. 나는 그 일에 굴욕을 느꼈고, 앞으로는 지불 능력이 없는 수표는 절대로 끊지 않겠다고 결심한 이후 지금까지 그것을 지키고 있다.

아무튼 나는 즉시 생활방식을 바꿔 여럿이 회식하는 것을 피하고 혼자서 선상 급식에 만족했다. 옷도 내 손으로 빨고 내 손으로 고쳤으며, 시트천으로 바지를 지어 입었다. 이렇게 해서 나의 명예를 되찾을만한 돈이 모였을 때 나는 부도난 수표를 청산했다. 이때부터 나는 특별히 주의를 기울여 내 분수에 맞게 살려고 노력하고 있다."

6년 동안 궁핍한 생활을 참고 성실을 지켜 충실하게 자신의 직분을 완수한 저비스는, 그 공적과 용기를 인정받아 꾸준히 승진하여 마침내 해군 최고의 계급으로 올랐다.

허례허식의 폐해

조지프 흄이 일찍이 하원에서 영국 사람들의 생활수준이 대체로 너무 높다는 말을 한 적이 있는데, 이때 동료 의원들은 비웃었지만 사실 정곡을 찌른 말이었다. 중류 계급 사람들이 설령 그들의 수입 이상의 수준으로 살지는 않는다 하더라도 시대의 풍조에 따라 사느라 한 푼도 남기지 않는 경향이 있고, 그러한 경향이 일반 사회에 끼치는 영향은 매우 건전하지 못한 것이다.

아이들을 신사나 신사인 척하는 사람으로 만들어보려는 야망이 대단한데, 그러다가 아이들을 사이비 신사로 만드는 수가 많다. 아이들은 옷, 유행, 사치, 오락—이런 것은 진정한 남자 또는 신사의 인격을 이루는 데 꼭 필요한 것도 아니건만—따위에 주로 신경을 쓰게 된다. 이리하여 허울뿐인 젊은 신사들이 수없이 사회에 진출하게 되는데, 이런 젊은이들은 때때로 갑판 위에 원숭이 한 마리만 남은 채 바다에서 발견되는 빈 배와 같은 느낌을 준다.

모두들 '신사인 척'하려는 무서울 정도의 야망을 품고 있다. 또 우리는 때때로 정직을 버리면서까지 체면을 차리려 하거나 부자가 아니면서도 부자인 척하려고 한다. 한낱 속된 겉모습으로 가장 천박한 의미의 이른바 '존경'이라도 받고 싶어 한다. 하느님이 우리에게 맡긴 생업을 참을성 있게 완수해 나갈 용기는 없이 어리석게도 세상의 유행만 따르며 살려 하고, 실속 없이 신사인 척하는 이 사회의 허영을 충족시키려 한다. 사회라고 하는 원형 경기장의 앞자리를 차지하려고 서로 숨 가쁘게 싸우는 속에서 모든 고상한 극기심은 짓밟히고, 인간이 지닌 많은 훌륭한 면은 어쩔 수 없이 짓눌려 사라지게 된다. 겉만 번지르르한 세속적 성공에 눈이 먼 그릇된 야망이 얼마나 많은 낭비와 불행, 파산이라는 결과를 불러오는지 굳이 설명할 필요도 없다. 그 해로운 결과는 수많은 면에서 나타나는데, 예를 들면 가난을 숨기고 감히 부정직한 짓을 하는 고약한 사기꾼과 필사적으로 일확천금을 노리는 자들의 경우다. 사실 이런 경우 불쌍한 사람은 실패하는 장본인이 아니라 죄 없이 함께 고통받게 되는 수많은 가족들인 것이다.

군관의 빚을 경계한 네이피어

찰스 네이피어 경은 인도 주둔군 최고 사령관의 자리를 떠나면서 대담하고도 정직한 마지막 명령서를 장교들에게 공표했는데, 그 명령서의 내용은 부대 내의 젊은 장교들의 방종한 생활을 나무라며, 그런 생활을 그만두지 않으면 반드시 수치스러운 빚을 지게 된다는 것이었다. 찰스 경은 이 유명한 명령서—지금은 사람들의 기억에서 거의 사라진 문서이지만—를 통해 다음과 같이 일침을 가했다.

"정직은 교양 있는 신사의 인격과는 떼려야 뗄 수 없는 관계이다. 돈을 안 내고 샴페인과 맥주를 마시거나, 돈을 안 내고 말을 타는 것은 사기꾼이 할 짓이지 결코 신사가 할 일은 아니다."

분에 맞지 않게 돈을 쓰고 지나치게 사치스러운 생활을 하다가 하인들에게 빚을 지고 재판정에 불려가는 자들은, 임관을 했으니 장교일지는 모르나 절대로 신사는 아니다. 늘 빚을 지고 있으면 신사로서의 올바른 정서를 잃게 되는 것이라고 최고 사령관은 주장했다.

전투만 잘한다고 장교가 아니다. 싸움은 불도그도 잘 한다. 한 번 말한 것을 어기지 않고 잘 지켰는가? 빚을 갚았는가? 이러한 것이 진정한 신사이자 군인의 이름을 빛내주는 명예라고 그는 말했다. 베이야르*²가 분별심이 있던 것처럼 찰스 네이피어 경은 모든 영국군 장교가 분별심이 있기를 바랐다. 그는 장교들이 '두려움이 없다'는 것은 알고 있었으나, 또한 그들이 '남에게 비난을 받지 않는 사람'이 되어주기를 원했다.

인도에도 빗발치듯 내뿜는 적군의 포화 속에서 성벽의 돌파구로 뛰어오르며, 생명을 내거는 지극히 용감한 전투를 할 수 있는 많은 용감한 젊은 장교들이 있다. 그런데도 이 용감한 젊은이들은 시시한 관능의 유혹을 물리칠만한 도덕적인 용기를 발휘하지 못하거나 아예 발휘하려 하지 않는다. 쾌락과 향락의 유혹이 있을 때 '안 된다'거나 '나는 그런 행동을 할 여유가 없다'는 야무진 말을 못하는 것이니, 이런 사람들은 죽음과는 맞서서 용감히 싸우면서도 유혹의 어리석음을 물리치지 못하는 것이다.

유혹에 저항해야 한다

젊은이는 인생을 살아가는 동안 양쪽에 유혹이 허다한 길을 걸어가야 한다. 이 유혹에 빠졌을 때 필연적으로 생기는 결과는 크든 작든 품위를 추락시킨다. 유혹에 빠지다 보면 하느님이 주신 훌륭한 성질의 빛이 자기도 모르게 조금씩 퇴색되어 간다. 그러므로 이러한 유혹을 물리치는 유일한 방법은 단호하게 "안 된다!"고 말하고, 그것을 끝까지 지키는 것이다. 이것저것 생각하고 따질 것 없이 결단을 내려야 한다. 이래저래 생각하는 여인처럼 결단을 내리지 못하는 젊은이는 패배하게 마련이다. 많은 사람들이 결단을 내리지 못하고 쓸데없이 생각만 많이 하는데, 그것은 결국 허물어진다는 뜻이다. "우리를 유혹에 빠지지 않게 하시고" 하는 주기도문 속에 인간이 배워야할 완전무결한

---

*2 기사의 귀감으로 일컬어지던 중세의 프랑스 사람.

가르침이 있다.

그러나 유혹은 늘 젊은이의 인내력을 시험하는 것으로, 한 번 유혹 앞에 굴복해버리면 저항력이 점점 더 약해진다. 한 번 굴복하면 미덕 한 가지가 떨어져 나간다. 그러므로 남자답게 물리쳐라. 그러면 그 첫 번째 결단이 평생 동안 힘이 되어주고 그것이 반복되는 가운데 완전히 습관이 될 것이다.

진정한 결단력은 초년에 형성된 좋은 습관에 있으며, 도덕의 힘은 주로 습관이라는 수단을 통해 그 속의 위대한 원리가 닳고 헤어지는 것을 막을 수 있다. 진실로 인간의 도덕적 행위의 가장 중요한 부분을 형성하는 것은 좋은 습관이다. 그것은 인간의 수많은 사소한 행동 속에 은근히 스며들기 때문이다.

술을 끊은 휴 밀러

휴 밀러는 고생을 겪은 사람들에게 흔히 있을 수 있는 어떤 강한 유혹을 청년다운 결단으로 물리쳐, 결국 그 유혹에서 자기 자신을 구출한 이야기를 했다. 그는 석공으로 일하던 시절, 가끔 동료들끼리 서로 술대접을 하는 경우가 있어 어느 날 위스키 두 잔을 마신 적이 있었다. 집에 돌아와 자신이 즐겨 읽는 책 《베이컨 수필집》을 읽기 위해 펼쳐보니, 인쇄된 글자가 눈앞에서 춤을 추고 있고 도저히 정신을 차릴 수가 없었다. 그는 그때의 상황을 이렇게 말했다.

"이런 상태가 바로 타락의 상태이구나 하는 생각이 들었다. 그때 나는 나 자신의 행위로 인해 내가 본디 가질 수 있는 지성보다 낮은 수준의 지성으로 타락한 것이다. 뭔가 결심을 할 수 있는 좋은 상태는 아니었지만, 나는 그 순간 다시는 술 마시는 버릇 때문에 나의 지적 능력을 희생시키지 않으리라고 결심했다. 그리고 하느님이 도와주신 덕분에 그 결심을 지킬 수 있었다."

이와 같은 결심은 때때로 한 사람의 인생에 전환기를 마련해주고, 그것은 더 나은 인격의 기초가 된다. 만일 휴 밀러가 제때에 그것을 피하려고 도덕적인 힘을 기울이지 않았더라면 거기에 부딪쳐 난파했을지도 모르는 그 바위를, 바로 모든 젊은이와 어른들은 다 같이 언제나 경계하지 않으면 안 된다. 술을 마시는 것은 낭비인 동시에 젊은이들의 길에 놓여 있는 가장 나쁘고 치명적인 유혹이다.

월터 스콧은 늘 이렇게 말하곤 했다.

"음주는 위대함과 가장 어울리지 않는 악덕이다."

뿐만 아니라 음주는 절약, 품위, 건강, 그리고 정직한 생활과도 양립할 수 없다. 술을 절제할 수 없는 젊은이는 아예 끊어야 한다. 그런 경우가 많이 있는데, 그 중의 하나가 존슨 박사의 경우이다. 그는 자신의 습관에 대해 다음과 같이 말했다.

"나는 술을 끊을 수는 있어도 절제하는 것은 도저히 불가능하다."

높은 수준에 눈을 두고 악습을 고쳐야 한다

나쁜 습관과 힘차게 싸워 이기려면, 세속적인 의미의 편의만을 위하는 낮은 수준에서 생각하는 데—이것도 아주 소용이 없는 것은 아니지만—만족할 것이 아니라, 더욱 높은 수준에서 생각해야 한다. 일반적인 맹세는 어느 정도 유용할지 모르지만, 높은 사고와 행동 수준을 세워 습관을 고치는 동시에, 원칙을 강화하고 순화시키려는 노력이 더 중요하다. 그 목적을 위해 젊은이는 늘 자기 자신을 살피고 자신의 발자취를 돌아보며, 사고와 행동이 과연 자신이 세운 규칙에 일치하고 있는지 비교해보아야 한다. 자기 자신에 대해 많이 알면 알수록 그만큼 더 겸손해져서 아마 자신의 힘을 과신하지 않게 될 것이다. 앞날의 더 크고 더 높은 만족을 얻기 위해 오늘의 작은 만족을 물리쳐 얻는 수양은 언제나 귀중한 것이다. 그것은 자기 교육 중 가장 고상한 것이니, 그 이유는 다음과 같다.

진정한 영광은
묵묵히 우리 자신을 극복하는 데서 생기는 것이니
그렇지 않으면 정복자도
오직 노예나 다름없다.

돈을 버는 대단한 비결을 대중에게 알려준다는 명목으로 많은 책들이 출판되어 인기를 끌었다. 그러나 다음과 같은 여러 나라의 격언이 충분히 입증해주듯이, 돈을 버는 데는 무슨 비결이 있는 것이 아니다. "푼돈을 소중히 하면 큰 돈은 저절로 모인다." "근면은 행운의 어머니." "수고가 없으면 대가도 없다." "땀 흘리지 않으면 즐거움도 없다." "일하라. 그러면 얻는 것이 있으리라." "세상은 인내하며 부지런히 일하는 자의 것이다." "새벽에 빚을 질 바에는 저녁을 굶고 잠자리에 드는 것이 낫다."

이러한 격언들이 모두 널리 알려진 교훈의 예인데, 절약해서 번창하는 최선의 방법으로 여러 세대가 쌓은 경험을 구체적으로 표현해주는 것들이다. 이런 격언은 책이 나오기 오래 전부터 이미 사람들의 입에서 입으로 전해내려 온 것으로, 널리 퍼져 있는 다른 격언들과 같이 대중 윤리의 첫 번째 조항이었다. 게다가 오랜 세월의 검증을 거쳤으며, 오늘날에도 일상생활의 경험이 이 격언들의 정확성과 지배력 그리고 건전함을 증명해준다.

솔로몬의 다음과 같은 금언들은 근면의 힘과 돈의 올바른 사용과 남용에 관한 지혜로운 충고로 가득 차 있다. "게으른 자와 낭비하는 자는 형제간이다." "게으른 자여, 개미의 생활 방식을 보고 지혜를 얻어라." "빈곤은 나그네처럼 게으른 자에게 찾아와 무장한 악한처럼 못살게 군다."

그리고 근면하고 정직한 사람에 대해서는 이렇게 말하고 있다. "근면한 사람은 자신의 노력으로 부자가 된다." "주정뱅이와 대식가는 가난해지고, 일하지 않는 자는 누더기를 입게 된다." "자기 일을 부지런히 하는 사람을 보았는가? 그런 사람은 왕 앞에서도 부끄러울 것이 없다."

그러나 많은 격언들 중에서도 가장 뜻 깊은 것은 다음과 같은 것이다. "황금보다 지혜를 얻는 편이 낫다. 지혜는 루비보다 나은 것이니, 인간이 소망하는 어떠한 것도 지혜에 비길 수는 없기 때문이다."

고상한 뜻을 품고 근검을 실천해야 한다

부지런히 일하고 절약하기만 하면, 어느 정도 일할 능력이 있는 사람은 누구든지 비교적 자립생활을 할 수 있다. 지니고 있는 것을 주의 깊게 관리하고, 적은 돈이라도 헛되이 쓰지 않도록 조심하면 노동자도 자립할 수 있는 것이다. 한 푼은 무척 적은 돈이지만, 수많은 가정의 안녕이 작은 푼돈을 올바르게 쓰고 저축하는 것에 달려 있다. 만약 애써서 번 한 푼 한 푼의 돈을 맥줏집에 가서 맥주를 마시거나 그 밖의 하찮은 짓을 하느라고 낭비해 버린다면, 결국 참으로 고달프고 힘든 삶을 살게 될 것이다.

반면에 적은 돈이나마 주의를 기울여, 그 중 얼마는 매주 공제 조합이나 보험의 불입금으로 넣고 얼마는 저축하고 나머지는 가족의 안락한 생활과 교육을 위해 잘 쓰라고 아내에게 맡긴다면, 조그마한 일에 대한 이런 세심한 주의가 곧 그에게 풍요로운 보답으로 돌아올 것이니, 재산은 증가하고 가족들은 더욱 안락하게 살게 되며 앞날에 대한 걱정도 대부분 사라질 것이다. 그리고 만약 일하는 사람에게 고상한 뜻이 있고 모든 세속적인 재산을 훨씬 능가하는 재산인 마음의 윤택함이 있다면, 자기 자신을 도울 수 있을 뿐만 아니라 자신의 인생을 살아가면서 남들도 유익하게 도와줄 수 있다. 그것은 공장에서 일하는 일반 노동자에게도 불가능한 일이 아니며, 그 실례를 맨체스터 토머스 라이트의 경우에서 볼 수 있다.

죄인을 교화한 토머스 라이트

그는 주조 공장에서 주급을 받고 일하는 처지에서도 수많은 죄인들을 교화하는 데 성공한 사람이다. 토머스 라이트는 우연한 기회에 감옥에서 나온 전과자들이 다시 정직한 생업을 얻는 데 많은 어려움을 겪고 있다는 사실을 알게 되었다. 그의 마음은 곧 이 문제에 사로잡혀서, 마침내 그것을 바로잡는 것을 인생의 목표로 삼게 되었다. 그도 아침 6시부터 저녁 6시까지 일을 해야 하는 어려운 처지였지만, 그래도 자기 시간이라고 할 수 있는 여가, 특히 일요일 같은 날을 이용하여 죄인들을 위해 봉사했다. 당시의 죄인들은 오늘날의 죄인들보다 훨씬 더 사회의 냉대를 받았기 때문이다.

하루의 단 몇 분이라도 매일 유용하게 쓰면 큰일을 이룰 수 있다. 그 증거로, 거의 믿을 수 없는 일이지만 이 일꾼은 10년 동안 자신의 목적을 꾸준히 추구한 결과, 300명이 넘는 중죄인들을 도와 다시는 죄를 짓지 않도록 하는 데 성공했다. 세상 사람들은 토머스 라이트를 맨체스터 올드 베일리의 도덕 의사로 추앙하기에 이르렀다. 교화 목사와 기타 여러 사람들이 하다하다 못한 일도 그가 하면 성공하는 경우가 많았다. 많은 아이들이 이와 같은 그의 교화를 받아 다시 부모의 뜻을 따랐다. 길거리를 헤맸을 아들딸들이 그의 교화로 다시 가정으로 돌아왔으며, 감옥에서 나온 수많은 전과자들이 마음을 잡아 정직하고 근면하게 생업에 종사하게 되었다.

하지만 이 일은 결코 쉬운 일이 아니었다. 돈, 시간, 정력, 그리고 무엇보다도 덕성과 자신감이 있어야 사람들이 따르게 마련이다. 가장 주목할 만한 것은 라이트가 주조공장에서 버는 얼마 안 되는 임금으로 버림받은 가엾은 사람들을 많이 도와주었다는 점이다. 이렇게 좋은 일을 하는 동안, 그가 공장에서 임금으로 받은 돈은 1년 평균 100파운드도 되지 않았다. 그러나 그 돈으로 그는 죄인들에게 실질적인 도움을 주었고—그가 죄인들에게서 받은 대가라고는 서로간에 누구나 베풀 수 있는 친절뿐이었지만—그러면서도 가족을 안락하게 부양하고, 검소함과 신중함으로 노년에 대비하여 약간의 돈도 저축할 수 있었다. 매주 임금을 받으면 일부는 꼭 필요한 의식비(衣食費)로, 일부는 집 주인에게 낼 집세로, 일부는 교육비로, 일부는 가난하고 궁핍한 사람들을 도와줄 돈으로 신중하게 할당하고, 한 번 그렇게 정해 놓은 것은 엄격하게 지켰다. 이러한 방법으로 이 검소한 직공은 자신의 위대한 사업을 계속했고, 그 결과는 앞에서 이야기한 바와 같다.

우리는 이러한 그의 생애에서, 인간의 의지의 힘과 주의 깊고 꾸준히 축적된 적은 돈의 힘, 그리고 무엇보다 정력적이고 곧은 인격이 여러 사람의 생활과 행동에 좋은 영향을 미치는 가장 뛰어나고 현저한 실증 하나를 볼 수 있다.

정당한 직업은 비천하다 해도 부끄러워할 것이 없다

땅을 갈든, 연장을 만들든, 또는 직물을 짜거나 계산대 뒤에 서서 물건을 팔든, 근면하고 정직하게 일하는 것은 명예로운 일이다. 젊은이가 자를 들고 조각 리본의 치수를 재는 일을 하더라도, 자처럼 소견이 짧고 리본처럼 생각이 좁은 사람이 되지 않고 그 이상의 것을 생각할 수 있는 마음의 여유가 있다면 조금도 부끄러울 것이 없다.

"정당한 직업이 없는 사람이 부끄러운 것이지, 정당한 직업이 있는 사람은 부끄러울 것이 없다."

침례교회의 목사 풀러가 한 말이다.

또 홀 주교는 다음과 같이 말했다.

"머리를 쓰는 일이든 마음을 쓰는 일이든, 모든 직업에서 노력하여 얻는 열매는 달콤하다."

미천한 직업에서 시작하여 출세한 사람은 부끄러워할 필요가 없고, 오히려 자신이 많은 어려움을 극복한 것을 자랑스럽게 여겨야 한다. 어느 미국 대통령은 그의 가문의 문장(紋章)이 뭐냐는 질문에, 일찍이 벌목꾼으로 일했던 사실을 회상하며 '땀에 젖은 셔츠 소매'라고 대답했다. 어느 프랑스 의사가, 청년 시절에 양초 제조공으로 일했던 니스메의 주교 플레시에를 출신이 천하다고 조롱하자, 플레시에는 이렇게 맞받아쳤다.

"만약 당신이 나와 같은 처지에 있었더라면, 아마 지금도 양초를 만들고 있었겠지요."

구두쇠가 되어서는 안 된다

어떤 다른 높은 목적이 없이 돈을 버는 것만이 목적이라면 정력만 있으면 된다. 돈을 버는 데 전심전력을 기울이는 사람은 반드시 부자가 되게 마련이다. 굳이 머리를 쓸 필요도 없다. 많이 벌어 조금만 쓰면서 한 푼 두 푼 모아나가면 된다. 그렇게 긁어모아 저축하면 점차 황금이 수북이 쌓이게 될 것이다. 파리의 은행가 오스터왈드는 가난한 청년 시절을 보냈다. 그는 매일 저녁 주막집에 가서 저녁 식사 대신 맥주를 마시면서, 바닥에 떨어져 있는 코르크마개를 눈에 띄는 대로 주워 주머니에 챙겨 넣었다. 8년 동안 그렇게 모아 판 돈이 8루이*³에 이르렀다. 이 돈이 그의 재산의 기초를 이루었고—대부분 주식 매매로 벌었지만—그가 세상을 떠날 때 남긴 돈은 약 300만 프랑에 이르렀다.

수필가이자 성직자인 존 포스터는 돈을 벌겠다는 결심이 어떤 효과를 나타내는지에 대한 좋은 사례를 들려주었다. 상속받은 재산을 방탕한 생활로 다 써 버리고 마침내 완전 무일푼이 되어 절망에 빠진 한 청년이 있었다. 그는 집

---

*3 프랑스혁명 전에 유통된 프랑스 금화.

에서 뛰쳐나가 자살하려고 높은 언덕에 올라갔다. 그는 거기서 드넓은 예전의 자기 땅을 내려다보다가, 깊은 감회에 젖어 자살할 생각을 다시 되돌렸다. 그는 그 자리에 주저앉아 한참 동안 생각에 잠겨 있다가 그 땅을 되찾고 말겠다는 굳은 결심을 하고 일어났다. 거리로 돌아가 어느 집 앞에 이르렀을 때, 석탄을 마차에서 내리는 것을 보고 자청하여 석탄 나르는 일을 시작하게 되었다. 그리고 고기와 음료를 조금 얻어서 배를 채웠고, 벌어들인 몇 푼의 돈은 조금씩 저축해 나갔다.

이런 비천한 일을 하여 조금씩 번 돈을 모아 어느 정도 돈이 쌓이자, 약간의 가축을 사서 이윤을 붙여 팔았다. 그리고 점차 더 큰 거래를 하여 마침내 큰 부자가 되었다. 이리하여 그는 자기의 옛 재산을 되찾았을 뿐만 아니라 대단한 구두쇠라는 소리를 들으며 세상을 떠났다.

그러나 그렇게 해서 땅에 묻혔으니, 그저 흙에서 태어나 흙으로 돌아간 결과밖에 되지 않았다. 더욱 고귀하고 높은 정신과 결단력이 있었더라면, 자기 자신뿐만 아니라 남에게도 유익한 인간이 될 수 있었을 것이다. 이 사람의 경우에는 삶도 죽음도 결국 추한 것이 되고 말았다.

인색에 대하여

남을 돕고 가족을 부양하며 노후의 안락과 자립에 대비하는 것은 명예로운 일이며 매우 칭찬할 만한 일이다. 그러나 오직 재산을 위해 재산을 모으는 것은 소견이 좁고 인색한 사람들에게서 볼 수 있는 특성이다. 현명한 사람이 경계해야 할 것은 바로 이와 같이 무턱대고 돈을 쌓아두는 버릇이다. 그렇지 않으면 젊은 시절에 순진한 마음에서 절약하던 버릇이 노년에는 탐욕으로 변할 수도 있고, 젊은 시절에 하나의 의무였던 절약이 노년에는 악덕이 될 수도 있다.

악의 근원은 돈 자체가 아니라 돈에 탐닉하는 것이니, 이러한 탐닉은 사람의 마음을 편협하게 하여 관대한 삶과 행동에 이르는 문을 닫아 버린다. 그러므로 월터 스콧 경의 다음과 같은 말 속에서 그의 인격의 일면을 엿볼 수 있다.

"금전은 칼집에서 빼든 칼이 사람의 몸을 벤 것보다 더 많은 사람의 정신을 죽였다."

덕이 없는 부자

좁은 생각으로 오직 한 가지 일에만 마음을 쓰다 보면 자기도 모르는 사이에 성격이 기계처럼 되는 경향이 있다. 이런 사람은 일정한 틀에 박혀 먼 곳을 보지 못한다. 자기 생각만 하고 세상을 살면, 자기에게 쓸모가 있는 범위에서만 남들을 보게 된다. 남들이 사는 모습도 살펴보고 그들의 생각도 이해해야 하는 것이다. 돈을 얼마나 많이 가지고 있는지를 보고 측정하는 세속적인 성공은 틀림없이 사람들의 눈을 현혹시킨다. 사람은 모두 천성적으로 다소의 세속적인 성공을 꿈꾼다. 그러나 참을성이 강하고 예리하며, 재주 있고, 더욱이 염치없는 습성을 가진 사람들이 주의를 게을리 하지 않고 기회를 잡아 '성공'은 할 수 있을지 모르나, 인격이 전혀 향상되지 않고 참다운 선을 조금도 얻지 못할 수도 있다.

돈벌이 이상의 뭔가 더 높은 차원을 깨닫지 못하는 사람은, 매우 큰 부자가 된다 하더라도 늘 불행한 인간의 처지에서 헤어나지 못한다. 부가 도덕가치를 증명하지는 않기 때문이다. 개똥벌레의 반짝이는 빛이 벌레의 정체를 밝혀주는 것처럼, 부의 광채는 다만 그 주인의 보잘것없는 참모습을 드러내 줄 뿐이다. 많은 사람들이 부자가 될 욕심에 희생되는 모습은 우스꽝스럽게도 우리 인간을 닮은 원숭이의 탐욕과 비슷한 데가 있다.

욕심이 화를 부른다

알제리의 카바일족 농부는 호리병박을 나무에 단단하게 붙들어 매놓고 그 속에 쌀을 조금 넣어둔다. 호리병박에는 꼭 원숭이의 손 하나가 들어갈만한 구멍이 뚫려있다. 밤이 되면 원숭이가 몰래 나무에 다가가서 손을 넣고 쌀을 집는다. 다시 손을 빼려고 하지만 주먹을 쥐고 있기 때문에 빠질 리가 없다. 이 원숭이에게는 쌀을 놓고 손을 뺄 지혜가 없다. 다음 날 아침까지 바보처럼 여전히 손에 쌀을 쥐고 있다가 잡히고 마는 것이다.

세상 사람들도 이렇게 재물을 탐하는 것이 화근이 되어 신세를 망치는 일이 참 많으니, 이 원숭이와 무엇이 다르겠는가.

빈부에 구속되지 않은 브라더튼

돈의 힘은 대체로 과대평가되고 있다. 지금까지 세상에서 이루어진 위대한 일들은 부자들이나 기부자 명단에 이름이 오른 사람들이 한 것이 아니라, 대부분 가난한 사람들이 이룬 것이다. 기독교가 온 세상에 널리 퍼진 것도 가난한 사람들의 힘이었고, 위대한 사상가, 발견자, 발명가 그리고 예술가들은 보통의 재산을 가진 사람들이었으며, 그들의 대부분은 노동을 해야 하는 환경에서 자란 사람들이었다. 부는 활동에 대한 자극제이기보다는 오히려 방해가 되는 수가 많고, 많은 경우에 축복인 동시에 불행이기도 하다. 많은 재산을 물려받은 청년은 인생을 너무나 쉽게 생각해서, 그 어떤 소망도 없이 많은 재산에 구속을 받는다. 특별히 목표로 삼고 싸워 나가야 할 것이 없으므로 시간이 느리게 가고 모든 것이 지루하기만 하다. 도덕적으로나 정신적으로나 늘 잠들어 있는 상태로, 사회에서 차지하는 그의 위치는 흘러가는 물결 위에서 조용히 떠 있는 부평초의 처지나 다름없다.

> 그가 하는 일이란 세월을 허송하는 것뿐이요,
> 그에게 노동은 오직 귀찮고 괴로운 재난이다.

그러나 부자에게도 올바른 정신이 깃들면 인간답지 못한 게으름을 쫓아낼 수 있다. 만일 그가 부와 재산에 따르는 책임을 깨닫는다면, 그는 가난한 사람들보다 더 많은 사명감을 느끼게 될 것이다. 그러나 부자들의 대부분이 그렇지 못하다는 사실을 우리는 인정할 수밖에 없다. 만약 우리가 그 뜻을 깊이 이해하기만 한다면, 아골[4]의 훌륭한 기도문 중의 다음과 같은 중용지도(中庸之道)가 최고일 것이다.

"나로 가난하게도 마옵시고 부하게도 마옵시고, 오직 필요한 양식으로 내게 먹이소서."(잠언 30 : 8)

국회의원이던 조지프 브라더튼은 맨체스터 필 공원에 있는 그의 비석에 멋

---

*4 잠언 30장을 기록한 사람.

진 좌우명을 남겨 놓았다. 그의 교훈은 더할 나위 없이 마땅하다.

"나의 부는 재산이 많은 데 있지 않고, 부족함이 적은 데 있었다."

그는 공장 노동자라는 미천한 신분에서 시작하여 높은 지위에 올라 유익한 인물이 되었는데, 오직 정직과 근면 그리고 시간 엄수와 극기의 실천으로 이와 같은 결과를 맺은 것이었다.

그는 말년에 의원직을 그만두고 자기가 다니

로드 콜링우드

는 맨체스터의 조그마한 교회에서 목사직을 맡았다. 그를 가까이 접했던 사람들의 말에 따르면, 그가 바라던 영광은 사람들에게 잘 보이는 것도 찬양을 받는 것도 아니라, 지극히 비천하고 작은 일에 이르기까지 하루하루의 의무를 성실하고 올바르게 애정을 가지고 양심적으로 수행하는 것이었다고 한다.

진정한 체면

체면을 유지하며 남의 존경을 바라는 것은 좋은 일이다. 그러나 존경받기 위해 체면만 차리는 사람은 두 번 다시 쳐다볼 가치도 없다. 못된 부자보다 선량한 가난뱅이가 훨씬 훌륭하고 존경받을 가치가 있다. 나쁜 짓을 하면서 비위를 잘 맞추는 건달보다는 겸손하고 말 없는 사람이 낫다. 어떤 지위에 있든 유익한 목적을 가지고 있는 인생에게는 세속적인 체면보다 균형잡힌 마음과 풍요로운 정신이 훨씬 더 중요하다.

우리가 인생의 최고 목표로 삼아야 할 것은 부끄럽지 않은 인격을 형성하여 육체와 정신—마음, 양심, 인정, 기상—을 가능한 최선의 상태로 계발하는 것이다. 이것을 목적으로 삼고 다른 모든 것은 한낱 수단으로 보아야 한다. 그러므로 인생에서 최고의 성공은 가장 좋은 쾌락, 가장 많은 돈, 가장 강한 권력과 지위 또는 명예와 명성을 얻는 것이 아니라, 가장 훌륭한 인간성을 갖추고 가장 많은 유익과 인간의 의무를 다하는 것이다. 물론 돈이 어느 정도 힘이 될 수는 있으나, 지성과 공공 정신 그리고 도덕은 오히려 더 고상한 힘이 된다.

로드 콜링우드 경이 친구에게 보낸 편지 속에는 다음과 같은 구절이 있다.

"연금을 달라고 탄원하는 따위의 일은 다른 사람들에게 하라고 하게. 나는 무슨 일이 있어도 빈곤을 극복하려고 노력하면 돈이 없어도 윤택한 마음으로 살 수 있다고 믿네. 여태까지 조국을 위해 봉사한 나의 생애를 금전이 관련된 문제로 더럽히고 싶지 않네. 우리 집의 늙은 정원사 스콧과 나는 별로 많지 않은 돈으로 채소밭을 가꾸면서 살아갈 수 있네."

또 이런 말을 한 적도 있었다.

"내 행동의 동기는 아무리 많은 연금을 준다 해도 바꾸고 싶지 않네."

콜링우드의 취미는 정원 가꾸기였다. 트라팔가 해전이 끝나고 얼마 뒤 한 제독이 그를 방문한 적이 있는데, 정원을 샅샅이 살펴보아도 찾지 못하다가 마침내 깊은 도랑 속에서 그를 발견했다. 그는 늙은 정원사 스콧과 함께 열심히 땅을 파고 있었던 것이다.

진실로 존경을 받는 사람

돈을 많이 벌면 사교계에 들어갈 수는 있을지 모르지만, 사교계에서 존경을 받으려면 훌륭한 마음가짐과 예절 그리고 올바른 심성을 갖추어야 한다. 그것이 갖추어지지 않으면 한낱 돈 많은 사람일 뿐, 그 이상 아무것도 아니다. 이른바 '사교계'에서 이름을 날린 사람들을 보면, 크로이소스*⁵처럼 부자이기는 하지만 몸가짐을 조심하지 않아서 사회의 존경을 받지 못한 사람들이 많다. 왜 그럴까? 그들은 다만 돈보따리에 지나지 않으며, 모든 것을 그것에 의지하고 있기 때문이다. 사회에서 뛰어난 사람들, 즉 여론의 방향을 잡고 여론을 이끌어 가는 사람들과 진정으로 성공했다고 할 수 있는 유능한 사람들은 반드시 부자가 아니다. 그들은 신뢰할 수 있는 인격과 규율 그리고 훌륭한 도덕심을 지닌 사람들이었다.

---

*5 리디아의 왕. 큰 부자를 일컫기도 함.

토머스 라이트처럼 세속적인 재물은 별로 없는 가난한 사람도 천성을 계발하고 기회를 올바르게 이용하며, 적지만 자신이 가진 재산과 능력을 최대한 활용한다면, 한낱 세속적인 성공에 만족하는 사람, 다시 말해 돈 보따리와 땅만 끼고 있는 사람을 한 치의 부러움 없는 눈길로 내려다볼 수 있을 것이다.

11 자기수양—편안할 때 곤란할 때
먼저 나를 이겨야 세상을 이긴다

모든 사람에게는 두 가지 교육이 있으니, 하나는 남에게서 받는 교육이요, 또 하나는 자기 스스로 이루는 교육이다. 남에게서 받는 교육보다 스스로 이루는 교육이 더 중요하다.   기번

어려움에 부딪치면 용기가 꺾이고 폭풍 앞에서는 무릎을 꿇는 자가 있는가? 이런 자는 큰일을 하지 못하리라. 정복하려는 의지로 가슴이 부푸는 사람이 있는가? 이런 사람은 결코 실패하지 않으리라.   존 헌터

스스로 교육해야 한다
"사람이 받는 교육 중에 가장 좋은 것은 스스로를 가르치는 교육이다."

월터 스콧이 한 말이다. 벤야민 브로디 경은 이 말을 즐겨 인용했으며, 자신은 직업상의 모든 것을 스스로 배워 얻었다며 기뻐했다. 또한 문학, 과학, 예술에서 뛰어난 사람들도 모두 스스로 배웠다. 대학까지 포함하여 학교에서 받는 교육은 단지 기초에 지나지 않으며, 그것은 마음을 훈련시켜주고 계속 공부에 전념할 수 있는 습성을 길러준다는 점에서만 가치가 있다. 남이 우리에게 가르쳐주는 것은, 근면과 인내의 노력으로 우리 스스로 얻는 것보다 언제나 가치가 떨어진다.

노력해서 얻은 지식은 하나의 소유물, 즉 완전한 우리의 재산이 된다. 그렇게 얻은 지식은 더욱 생생하고 오래 지속되는 인상을 주므로 마음속에 깊이 새겨지지만, 남에게서 받은 지식은 도저히 그렇게 되지 않는다. 이런 자기 수양은 스스로 힘이 나게 하고 그 힘을 더욱 계발시켜 준다. 하나의 문제를 풀면 또 다른 문제를 풀게 되고, 그것이 반복되는 가운데 지식은 능력이 된다.

무엇보다도 우리 자신의 활동적인 노력이 가장 중요하다. 재능이나 책, 교사, 기계적으로 외워 얻는 배움이 아무리 많다 해도 배우는 사람의 노력이 없으면 아무 소용이 없는 것이다.

아놀드 박사

훌륭한 교사들은 언제나 자기 수양의 중요성을 인식하고, 자신의 능력을 적극적으로 발휘해서 지식을 얻도록 하라고 학생들을 격려한다. 이런 교사들은 '말'로 하는 가르침보다 '훈련'에 더 많은 중점을 두고 공부에 학생들을 적극적으로 참여시킨다. 그러므로 이것저것 그러모아 놓은 단편적인 지식을 그저 수동적으로 받아들이는 것보다 훨씬 차원 높은 공부가 되는 것이다.

위대한 아놀드 박사의 교육 정신은 이런 것이었다. 그는 학생들에게 자립심을 갖게 하고, 학생들 자신의 활동적인 노력으로 힘을 기르도록 하며, 자신은 그저 방향을 잡아주고 격려와 용기를 주는 데만 그쳤다. 그는 이렇게 말했다.

"나는 아이를 옥스퍼드에 보내어 사치 속에 살게 하는 것보다는, 차라리 반디멘즈 랜드*1로 보내어 제 손으로 일하여 먹을 것을 벌도록 하는 게 낫다고 생각한다."

또 이런 말을 한 적도 있었다.

"이 지상에 참으로 찬양할 만한 것이 하나 있다면, 남보다 못한 능력을 타고난 사람들이 열심히 노력하여 마침내 하느님의 지혜로 축복을 받게 되는 광경을 보는 것이다."

이와 같이 찬양할 만한 인격을 가진 학생 앞에서는 모자를 벗고 경의를 표하고 싶다고 그는 말했다. 일찍이 그가 랄래햄에서 교편을 잡고 있었을 때의 이야기인데, 한 번은 머리가 좀 좋지 않은 학생을 심하게 나무란 적이 있었다. 이때 학생이 그를 바라보며 이렇게 말했다.

---

*1 오스트레일리아 남쪽의 섬. 오스트레일리아 연방의 한 주.

"선생님, 왜 그렇게 화를 내십니까? 저는 정말 제가 할 수 있는 만큼 최선을 다 하고 있습니다."

뒷날 그는 그 이야기를 자기 아이들에게 자주 말하면서 이렇게 덧붙였다.

"나는 그때 참으로 충격을 받았다. 그때 그 학생의 표정과 말은 지금도 잊혀지지 않는다."

운동의 좋은 점

비천한 출신의 사람들이 과학이나 문학 분야에서 뛰어난 일을 한 예를 위에서 많이 들었으므로, 노동도 최고의 지적인 문화와 양립할 수 있음을 분명히 알 수 있을 것이다. 적당한 노동은 육체를 상쾌하게 해 주며 건강에도 좋다. 공부가 마음을 계발해 주듯이 노동은 육체를 튼튼하게 해준다. 가장 이상적인 사회는 사람들이 여가 시간에 뭔가 할 수 있고, 일하는 사이사이에 휴식을 가질 수 있는 사회이다.

유한계급의 사람들도 어느 정도의 일은 해야 한다. 때로는 권태를 못 견뎌하기도 하지만, 대부분의 경우 어쩔 수 없는 본능을 충족시키기 위해 활동하는 것이다. 시골로 여우 사냥을 떠나거나, 엽총을 들고 스코틀랜드의 산으로 뇌조(雷鳥) 사냥을 가는 사람들도 있고, 여름마다 스위스의 산에 오르기 위해 길을 떠나는 사람들도 있다. 영국의 소년들은 고등학교에서 조정, 달리기, 크리켓 등과 그 밖의 여러 가지 육상경기를 통해 건전한 심신을 단련하기도 한다.

웰링턴 공작은 일찍이 자신이 소년 시절의 대부분을 보낸 이튼 학교 운동장에서 놀고 있는 소년들을 내려다보며 다음과 같이 말했다고 한다.

"워털루 전투에서 이길 수 있게 해준 것은 바로 이 운동장이었다."

다니엘 맬서스는 대학에 다니는 자기 아들에게 지식 계발에 부지런히 힘쓰는 동시에 씩씩한 운동을 게을리 하지 말라고 주의를 주었다. 운동은 마음에 즐거움을 주고 발랄한 심성을 유지하게 하는 최고의 수단이라는 것이었다. 그는 다음과 같이 말했다.

"모든 지식 그리고 자연과 학문에 대한 이해는 네 마음을 즐겁게 해주고 힘을 줄 것이다. 너의 두 팔과 두 다리로 힘차게 크리켓을 하면 즐거움과 힘을 얻게 될 게다. 네가 남보다 운동을 잘 하는 것을 보고 싶구나. 사람은 두 다리로 일어서서 활동할 때 가장 큰 즐거움을 얻을 수 있단다."

노동의 좋은 점을 강조한 제레미 테일러

위대한 성직자 제레미 테일러는 활동적인 일이 가져다주는 더 중요한 유익함을 다음과 같이 말했다.

"게으름을 피우지 말고 당신의 한가한 시간을 유익한 즐거움으로 엄격히 채워라. 마음에 생각이 없고 몸이 한가하면 번뇌가 그 사이를 비집고 들기 쉬워서, 몸이 건강하면서도 편안함만 찾는 게으른 사람이 유혹을 물리친 경우가 없기 때문이다. 육체적 노동은 악마를 물리치는 데 가장 쓸모가 있다."

인생에서 실제적인 성공은 일반 사람들이 생각하는 것 이상으로 신체 건강에 달려 있다. 유명한 호드슨 경기병대의 호드슨은 고향에 있는 친구에게 다음과 같은 편지를 보냈다.

"인도에서 나는 내 의무를 잘 수행하고 있네. 모두 나의 왕성한 소화력 덕택일세."

어떤 일에 끊임없이 왕성한 노력을 기울일 수 있는 능력은 주로 건강에 달려 있으므로, 머리를 쓰는 일을 하는 사람들도 건강에 주의를 기울일 필요가 있다.

학생들에게서 흔히 불만, 불행, 게으름, 몽상의 경향을 볼 수 있는데, 그 원인은 아마도 신체 운동을 소홀히 한 것에 원인이 있을 것이다. 이런 학생들에게는 현실 생활을 멸시하고 인간의 바른 길을 혐오하는 버릇이 있으니, 그것을 바로 영국에서는 바이러니즘, 독일에서는 베르테리즘이라고 한다. 채닝 박사는 미국에서도 그러한 경향이 퍼지는 것을 개탄하며, "너무나 많은 이 나라의 젊은이들이 절망이라는 학교에서 자라고 있다"고 말했다. 젊은이들의 이런 위황병(빈혈증)을 고치는 유일한 치료법은 육체의 운동, 즉 활동, 작업 그리고 육체노동이다.

노동이 참으로 좋은 점

아이작 뉴턴 경은 일찍이 소년 시절부터 스스로 기계를 만지곤 했다. 학생인 그는 별로 솜씨가 좋지는 않았으나, 톱이나 망치 또는 손도끼를 들고 방안에서 열심히 두드리고 때리며 풍차와 마차의 모형 그리고 여러 가지 기계를 만들었다. 차츰 나이가 들면서 친구들을 위해 작은 책상과 찬장을 만들어 주기를 좋아했다. 스미턴, 와트, 스티븐슨도 소년 시절에 도구를 만지기 좋아했으니, 만약 그들에게 소년 시절의 이와 같은 자기 수양이 없었더라면 뒷날 그처럼 큰일을 이루지 못했을 것이다.

지금까지 살펴본 수많은 위대한 발명가와 기술자들도 어린 시절부터 이러한 훈련을 쌓았던 사람들로, 어릴 때부터 꾸준하게 쌓아올린 손의 훈련을 통해 창의력과 지능도 실제적인 발전을 이룰 수 있었던 것이다. 노동자였다가 나중에 출세하여 순전히 머리만 쓰는 일을 하게 된 사람들도 어린 시절에 이런 훈련을 한 것이 뒷날의 직업에 많은 도움이 되었음을 알 수 있다. 대장장이 출신으로 학자가 된 엘리후 버릿은 힘든 노동을 해 본 사람이라야 나중에 효과적으로 학문 연구를 할 수 있다고 말하며, 학교 교사가 된 뒤에도 몸과 마음의 건강을 위해 가끔 연구를 중단하고 철공장으로 가서, 가죽 앞치마를 두르고 용광로 앞에서 모루를 두들기곤 했다.

연장을 다루는 훈련은 젊은이들에게 자기 주변의 일을 처리할 수 있는 힘을 길러줄 뿐만 아니라 손과 팔을 쓰는 법을 가르쳐 주고, 건전한 노동에 익숙하게 한다. 또 실질적이고 현실적인 일에 대한 능력을 발휘하게 하며, 기계에 대해 잘 알고 유용하게 쓸 수 있는 능력을 줄 뿐만 아니라 참고 견디며 노력하는 습성을 심어준다. 이런 점에서 노동자 계층이 다른 계층에 있는 사람들보다 확실히 더 유리하다고 할 수 있다. 그것은 어릴 때부터 여러 가지로 노동하며 기계를 다루는 일에 전념해야 하므로 훌륭한 손재주와 체력의 이용법을 터득하기 때문이다.

노동에 따르는 안좋은 점은 그들이 노동을 하는 데 있는 것이 아니라 일을 하면서 그들의 도덕성과 지적인 능력을 키우는 데 소홀히 하게 되는 것이다.

돈 많은 유한층 젊은이들이 노동은 모욕이라는 교육을 받고 노동을 기피하면서 실제적으로 노동에 대해 아무것도 모르고 자라는 반면, 가난한 계층의 젊은이들은 늘 일만하고 사는 까닭에 대부분 글도 제대로 배우지 못하고 자라게 된다. 그러나 신체훈련과 육체노동을 지적인 교양과 결합시키면 두가지의 폐단을 모두 피할 수 있다. 외국에서도 차츰 이러한 더 높은 차원의 교육 제도를 다양하게 채택하고 있는 것 같다.

신체 건강은 직무를 수행하는 필수조건

전문직을 가진 사람들의 성공도 그들의 신체 건강에 달려 있다. 한 유명한 작가는 이런 말까지 했다.

"위인의 위대함은 정신의 소산인 것만큼 육체의 소산이기도 하다."

성공을 꿈꾸는 법률가나 정치가는 교양 있는 지성과 동시에 건강한 호흡 기관이 절대적으로 필요하다. 그들이 활력을 유지하려면 혈액이 힘차게 돌아서 폐 속의 가스교환이 활발하게 이루어져야 하는데, 왕성한 체력으로 머리를 쓰는 데 그것이 큰 역할을 하기 때문이다.

판사는 밀폐되어 무덥고 답답한 법정 안의 높은 판사석까지 올라가야 하고, 정치 지도자는 사람들로 가득한 의사당 안에서 오랜 시간이 걸리는 진지한 정치 토론의 피로와 흥분을 견뎌야 한다. 그러므로 모든 정력을 기울여 일하는 법률가와 의회 지도자는 일반 지성인들보다 더 특별한 육체적 인내와 활동이 요구된다. 그러한 힘을 탁월하게 발휘한 사람들을 들면, 법조인으로는 브루엄, 린더스트, 캠벨 등이 있고, 의회 지도자로는 필, 그래엄, 그리고 파머스턴 등이 있으며, 이들은 모두 가슴이 떡 벌어진 건장한 사람들이었다.

젊어서 노동을 즐긴 유명한 학자와 문인들

월터 스콧 경은 에든버러 대학에 다닐 때, 그의 튼튼한 신체에 빗대어 '그리스의 돌머리'라는 이름으로 통했다. 비록 절름발이였지만 뛰어나게 건강한 청년으로 튀드 강에서 일류 고기잡이들과 함께 작살로 송어를 잡기도 하고, 어느 사냥꾼 못지않게 사나운 말을 타고 애로강까지 달릴 수 있었다. 나중에 작

아이작 배로

품을 쓰느라 여념이 없을 때도 월터 경은 운동에 대한 취미를 버리지 않고, 오전에는 《웨이벌리》*²를 쓰고 오후에는 토끼 사냥을 하곤 했다.

윌슨 교수는 대단한 운동가로서 웅변과 시(詩)의 재능이 비상했던 것처럼 해머던지기 실력도 뛰어났다. 번스는 청년 시절에 특히 넓이뛰기, 야구, 씨름을 뛰어나게 잘했다.

영국의 이름 높은 성직자들 중에도 청년 시절에 운동으로 이름을 날렸던 사람들이 있었다. 아이작 배로는 차터하우스학교에 다닐 때 싸움 잘 하는 학생으로 악명이 높아 걸핏하면 코피를 흘렸고, 앤드루 풀러는 소암에서 농부로 일했을 때 권투를 잘 해서 유명했다.

아담 클라크는 소년 시절에 '커다란 바윗돌을 이리저리 굴리는' 엄청난 힘을 보여주었는데, 아마도 이런 힘을 바탕으로 뒷날 어른이 되어 높은 사상이 담긴 말을 우렁찬 목소리로 발표할 수 있었던 것이다.

노력은 모든 것을 정복한다

무엇보다 먼저 튼튼하고 건강한 신체를 기르는 것이 필요하지만, 학생들의 교육에는 정신적으로 전념하는 습성을 기르는 것 또한 반드시 필요하다.

"노력은 모든 것을 정복한다."

이 금언은 특히 지식의 정복에 적용되는 말이다. 배움의 길은 그것을 얻기에 필요한 노력과 탐구를 바치는 모든 사람들에게 공평하게 문이 열려 있으니, 굳은 의지를 가진 학생이 극복하고 정복하지 못할 큰 어려움은 없다.

채터튼은 하느님이 사람들이 간절히 원하기만 하면 무엇이든 잡을 수 있는 긴 팔을 주셨다는 특이한 말을 했다. 사업에서처럼 학문 연구에도 정력이 있

＊2 스콧이 쓴 일련의 역사 소설.

어야 한다. '열성을 기울이는 노력'이 있어야 하니, 쇠가 뜨겁게 달아 있을 때 쇠를 치는 것이 아니라 쇠를 쳐서 달게 만들어야 하는 것이다.

기회를 신중하게 이용하고, 게으름뱅이들이 흔히 낭비해 버리기 쉬운 작은 여가도 유용하게 쓰며, 정력적으로 일하고 인내하는 사람들이 이루는 자기 수양의 공적은 실로 놀라울 정도다. 그래서 퍼거슨은 산에 올라가 양가죽을 뒤집어쓰고 천문학을 연구했고, 스톤은 품팔이 정원사로 일하면서 수학을 공부했으며, 드루는 구두를 고치는 틈틈이 철학을 깊이 연구했고, 밀러는 채석장에서 날품팔이를 하며 지질학을 공부했다.

올바른 방향으로 학문에 힘써야 한다

조슈아 레이놀즈 경은 앞에서 이미 살펴본 것과 같이 진심으로 근면의 힘을 믿었기 때문에, 부지런히 일하면서 인내하면 누구나 훌륭한 사람이 될 수 있다고 말했다. 그리고 천재가 되는 길은 고행의 길로, 예술가의 실력에는 한계가 없지만 오직 자신의 근면에 한계가 있을 뿐이라고 주장했다. 이른바 영감이라는 것을 믿지 않았고, 중요한 것은 오직 연구와 노력뿐이라고 생각했다. 그는 이렇게 말했다.

"뛰어남은 노력에 대한 대가로서만 인간에게 주어진다. 만약 위대한 재능이 있다면 근면으로 그것을 완성할 수 있고, 재능이 대단치 않다면 근면으로 부족한 점을 보충할 수 있다. 올바르게 노력을 기울이면 안 되는 일이 없고, 올바른 노력이 없으면 되는 일이 없다."

파월 벅스턴 경도 열심히 공부하면 안 되는 일이 없다고 믿었다. 그는 남들보다 두 배의 노력을 기울이면 자신도 남들처럼 할 수 있을 거라는 겸손한 생각을 했다. 보통의 수단을 가져도 오로지 전념한다면 모든 일을 이룰 수 있다고 굳게 믿었다.

쉬운 것은 어려운 것보다 못하다

로스 박사는 다음과 같이 말했다.

"지금까지 천재가 되리라고 인정받은 몇몇 사람을 만났는데, 그들은 모두 확고한 뜻을 품고 열심히 일하는 사람들이었다. 천재는 그 노력을 보면 알 수 있는 것이니, 노력하지 않는 천재는 맹목적인 믿음이요 말 못하는 예언자와 같다. 가치 있는 작품은 시간과 노력의 소산이지 소망과 의지만 가지고 이룰 수 있는 것이 아니다. 모든 위대한 작품이 나오는 데는 오랜 예비훈련이 필요하다. 노력을 기울여야 실력이 쌓인다. 처음에는 어렵지 않은 것이 없다. 심지어 처음에는 걸음마조차 쉽지 않은 법이다. 순간순간 눈이 섬광처럼 빛나고, 그 입술에서 생각지도 못한 놀라운 지혜와 사람의 마음을 참으로 고상하게 해주는 사상이 홍수처럼 쏟아져 나오는 웅변가도, 반복 연습과 뼈아픈 실패를 거듭한 뒤에 그 비결을 터득한 것이다."

철저한 공부와 투철한 이념

공부에서 주의해야 할 중요한 두 가지는 철저함과 정확성이다. 프랜시스 호너는 정신을 계발시키는 원칙으로서, 무엇이든 한 가지를 철저하게 숙달할 목적으로 집중하여 전념하는 습관을 매우 중요하게 생각했다. 이러한 목적으로 그는 몇 권의 책만 중점적으로 읽었으며, 아무 책이나 마구 읽는 습관이 붙지 않도록 굉장히 조심했다.

지식의 가치는 분량에 있는 것이 아니라 그 쓰임새에 달려 있다. 그러므로 사소한 지식이라도 정확하고 완전하게 아는 것이 겉핥기식 지식보다 실용면에서 더 가치가 있는 것이다.

이그나티우스 로욜라의 금언 중에 다음과 같은 말이 있다.

"한 번에 한 가지 일을 잘하는 사람이 누구보다 많은 일을 한다."

우리의 노력을 너무 넓은 범위로 확대하면 힘이 약해지고 진보가 느리며 기분에 따라 일하는 비능률적인 작업습관이 붙는다.

세인트 레너즈 경은 파월 벅스턴 경에게 자기가 공부한 방법을 애기한 적이 있었는데, 그것이 바로 그가 성공한 비결이었다.

"법률 공부를 처음 시작했을 때, 나는 그날 공부한 내용을 완전히 이해하여 내 것으로 만들기 전에는 절대로 다음 공부로 들어가지 않기로 결심했네. 경쟁자들의 대부분은 내가 일주일 걸려 읽는 것을 하루에 다 읽어 치웠지만, 열두 달이 지난 뒤에 보니 나의 지식은 처음 배울 때와 다름없이 생생한 반면, 그들의 지식은 한 번 번뜩였다가 그대로 사라져버리고 없었다네."

목적을 정하고 책을 읽는다

사람을 지혜롭게 만드는 것은 그가 마친 공부의 양이나 독서의 분량이 아니라 추구하고 있는 목적과 공부의 일치, 연구할 때 주제에 기울이는 집중력 그리고 거기에 전념하는 정도를 규제하는 규율이다.

애버니티는, 정신에도 포화상태가 있어서 받아들일 수 있는 용량 이상의 것을 받아들이면 다른 것은 밀어낼 수밖에 없다고 말했다. 의학 공부에 대해서 그는 이렇게 말했다.

"자신이 무엇을 하고 싶다는 확고한 생각이 있다면, 누구나 그것을 완수하기에 적당한 수단을 틀림없이 선택할 수 있을 것이다."

가장 유익한 학문 연구에는 명백한 목표와 목적이 있어야 한다. 어떤 특정한 분야의 지식을 철저히 터득하면 어느 때나 그것을 이용할 수 있다. 그러므로 그저 책을 가지고 있다거나 어떤 지식이 필요할 때 어디를 읽어야 하는지 아는 것만으로는 부족하다. 인생의 목적을 위한 실제적인 지식은 언제나 우리 곁에 두고 필요할 때마다 이용할 수 있어야 한다.

자기를 믿는 것은 진정한 겸손과 같은 것

집에 아무리 돈을 많이 쌓아 놓아도 당장 주머니 속에 한 푼도 없다면 무슨 소용이 있겠는가. 마찬가지로 우리는 언제 어디서나 바꿔 쓸 수 있는 지식의 잔돈을 늘 지니고 다녀야 한다. 그렇지 않으면 그것을 써야 할 기회가 생길 때 무력한 사람이 되고 만다. 사업에서도 그렇지만, 자기 수양에서도 결단과 신속성이 필요하다.

이것이 장려되어야 하는 이유는, 젊은이들이 자신의 재능에 의존하는 습관을 길러주고 어릴 때부터 가능하면 최대한 행동의 자유를 즐길 수 있도록 해

주는 데 있다. 지도와 구속이 지나치면 자조의 습관이 붙지 못한다. 지나친 지도와 구속은 헤엄을 치지 못하는 사람의 양쪽 어깨에 잡아맨 공기주머니와 같다. 자신이 없다는 것은, 일반적으로 생각하고 있는 것 이상으로 사람의 발전에 큰 장애가 된다.

인생에 실패하는 것은 대부분 뛰는 말을 멈추게 하는 데서 일어난다고 말한다. 존슨 박사는 자기가 성공한 요인은 자신의 실력을 믿은 것에 있었다고 말하곤 했다. 진정한 겸손은 자신의 장점을 올바르게 존중하는 것이지, 모든 장점의 포기를 요구하는 것이 아니다. 아무것도 모르면서 아는 척하며 자기를 속이는 사람들이 있는데, 자신에 대한 믿음이 없고 행동의 신속성이 없다는 것은 하나의 성격 결함이며, 그것은 개인의 진보에 큰 방해가 된다. 일을 성취하지 못하는 이유는 대체로 하려는 의지가 부족한 데 있다.

각고와 심혈을 기울이지 않는 학문은 도움이 되지 않는다

대부분의 사람들에게 자기 수양을 이루어 보려는 소망이 없는 것은 아니지만, 그것을 얻는 데 필요한 대가, 즉 열심히 노력하는 것은 피하려는 경향이 많다. 존슨 박사의 다음과 같은 말은 오늘날에도 적용된다.

"공부를 조급하게 하려는 것이 오늘 세대의 정신적 질환이다."

학문에는 왕도가 없다고 하지만, 모두들 어떤 '유행'에 따르려고 애쓰고 있는 것 같다. 교육 현황을 보더라도, 노력은 하지 않고 과학 공부를 완성하는 지름길을 모색하며, '열두 시간만에' 또는 '교사도 없이' 프랑스어와 라틴어를 배우고 있다. 어느 상류층 여인이 동사와 분사 따위로 자기를 괴롭히지 않는다는 조건으로 개인 교사를 고용했다고 하는데, 우리는 바로 그런 여인을 닮았다.

이와 같이 수박 겉핥기식으로 과학을 공부하고 있으며, 때때로 재미나는 실험을 섞은 짧은 강의를 들으며 화학을 공부한다. 일산화질소를 들이마셔 보고, 파란물이 빨간 빛으로 변하는 것 또는 인(燐)이 산소 속에서 타는 것을 보고 조그마한 지식을 얻고 있는 데, 좋게 말해서 아무것도 안 하는 것보다는 나을지 모르나 사실은 아무짝에도 못 써 먹을 것이다.

이처럼 그저 장난만 치면서 교육을 받고 있다고 생각한다. 이런 식으로 젊은이들에게 연구와 노력이 없는 공부를 시키는 것은 교육이 아니다. 그것은 시간만 보내는 것이지 젊은이들의 마음을 살찌워주지는 않는다. 잠시 동안 자극을 받아 일시적으로 어느 정도 예민하고 영리해질지 모르나, 속에 의지가 없고 한낱 쾌락을 얻겠다는 것 이상의 높은 목적이 없이는 뭔가 알찬 이익을 얻지 못한다. 이런 경우 지식은 다만 잠시 스쳐가는 이상, 즉 어떤 순간적인 기분을 자아낼 뿐 그 이상 아무것도 아니다. 다시 말해, 전혀 지적이지도 않고 그저 감각에만 호소하는 지능의 미식주의(美食主義)에 지나지 않는 것이다.

이리하여 왕성한 노력과 자립적인 행동에 의해 태어나는 최고의 정신 자세는 깊은 잠 속에 빠져, 갑작스러운 재난이나 고통이 거칠게 각성시켜주기 전까지는 되살아나지 못한다. 이런 경우 갑작스러운 재난이나 고통이 오히려 하나의 축복으로서 사람의 용기를 일깨워주는 역할을 하며, 만약 그것이 없으면 그는 계속 깊은 잠 속에 빠져 있게 될 것이다. 장난하듯이 지식을 얻는 습관에 젖은 젊은이는 이내 고생스러운 연구와 노력이 필요한 공부를 멀리하게 된다.

수고를 아끼지 말고 안식을 구하지 말아야 한다

건성으로 지식을 얻으면서 과학을 공부하면, 지식과 과학을 장난감처럼 여기기 쉽다. 그로 인해 일어나는 지적 유희적인 자세는 그들의 정신과 인격의 골수를 빼 버리는 결과를 빚어낸다. 브리턴의 로버트슨은 다음과 같이 말했다.

"잡다한 독서는 흡연처럼 사람의 마음을 약화시키고 동면 상태로 끌어들인다. 그것은 모든 게으름 중에서 가장 큰 게으름이요, 무엇보다도 사람의 정신을 무기력하게 만든다."

악은 점점 성장하여 여러 면에서 해를 끼친다. 악의 가장 작은 해독은 겉핥기식 지식이요, 가장 큰 해독은 그것 때문에 생기는 꾸준한 노력의 기피와 그것이 조장하는 천박하고 허약한 마음 상태이다. 만약 우리가 진정으로 현명하기를 원한다면, 우리의 조상들 못지않게 일에 부지런히 전념해야만 한다.

지금도 그렇고 앞으로도 줄곧 그렇겠지만, 무엇이든 귀중한 것을 얻으려면

컴벌랜드

어쩔 수 없이 노력이라는 대가를 치러야 하기 때문이다. 어떤 목적의식을 가지고 일하면서 참을성 있게 그 결과를 기다리는 데 만족해야 한다. 최고에 이르는 모든 진보는 그 속도는 느리나, 믿음을 갖고 열심히 일하는 사람에게는 때가 되면 반드시 보상이 있게 마련이다. 사람의 일상생활 속에 나타나는 근면 정신은 그 사람에게 점차 자기를 초월한 일들, 즉 더욱 존엄하고 유익한 일에 힘을 기울이게 할 것이다. 그래도 우리가 계속 노력해야 하는 것은 자기 수양에는 결코 끝이 없기 때문이다.

"일을 한다는 것은 행복한 것이다"라고 시인 그레이는 말했고, 주교 컴벌랜드는 다음과 같이 말했다.

"녹슬어 못 쓰게 되기보다는 오히려 닳고 닳아 못 쓰게 되는 편이 낫다."

또 아놀드는 이렇게 말했다.

"어차피 우리에겐 영원한 안식이 기다리고 있지 않은가?"

"휴식은 내세에 가서!"

이것은 윌리엄 더 사일런트[*3]의 정력적이고 근면한 친구이던 마르닉스 드 생 알데공데의 좌우명이었다.

학문은 선량한 마음, 단정한 행동과 하나가 되어야 한다

우리가 정당한 존경을 받는 길은 오직 우리에게 주어진 힘을 잘 이용하는 데 있다. 자신이 가진 한 가지 재능을 올바르게 사용하는 사람은 그 10배의

[*3] 독일 태생의 네덜란드 정치가, 군인. 네덜란드 공화국의 창건자.

재능이 있는 사람만큼 존경을 받을 가치가 있다. 많은 재산을 물려받았다고 해서 그에게 어떤 인간적인 가치를 부여할 수 없는 것처럼, 우수한 재능을 타고 났다고 해서 그 자체에 무슨 훌륭한 가치가 있는 것은 아니다. 우리의 정신은 어떤 유익한 목적이 없이 많은 지식을 쌓을 수 있을지 모르나, 지식이란 선과 지혜와 결합되어 올곧은 인격 속에 나타나야 하며, 그렇지 않으면 없는 것과 마찬가지다.

페스탈로치는 지적 훈련 자체는 해로운 것이라고 주장하면서, 모든 지식은 올바르게 조절된 의지의 토양 속에 뿌리를 박고 거기서 자양분을 얻어야 한다고 말했다. 사실 지식은 생활 속의 비열한 죄악으로부터 인간을 보호해 줄 수 있을지 모르지만, 건전한 원칙과 습성으로 강화되지 않으면 이기적인 악덕을 조금도 막아주지 못한다.

이리하여 우리는 하루하루 살아가는 동안 아는 것은 많지만 인격이 형편없고, 학문은 풍부하지만 실제적인 지혜가 거의 없어, 본받을 만한 모범보다는 경고를 필요로 하는 소행을 보여주는 사람들을 많이 보게 된다. '아는 것이 힘'이라는 말을 자주 하지만, 광신이나 횡포, 야망 같은 말들도 그에 못지않게 많이 하고 있다. 지식은 본디 현명하게 그 방향을 잡지 않으면 나쁜 사람들을 오히려 더 나쁘게 만들 뿐이요, 그것을 최고의 선이라고 볼 때 그 사회를 한낱 아수라장으로 만드는 역할밖에 못할 것이다.

학문과 지식의 차이

오늘날 우리는 학문과 교양의 중요성을 과대평가하고 있다. 도서관, 연구소, 그리고 박물관만 많이 있으면 크게 진보하고 있는 것처럼 생각하기 쉽다. 그러나 이러한 시설은 최고 수준의 개인 수양에 도움이 되는 동시에 또한 방해가 될 수도 있다. 도서관이 있다거나 도서관을 마음대로 이용한다고 해서 바로 배움이 되지 않는 것은, 재산이 있다고 해서 그것이 곧 너그러움을 뜻하지 않는 것과 같다.

확실히 우리는 오늘날 어마어마한 시설을 가지고 있지만, 예나 지금이나 관찰과 주의 그리고 인내와 근면의 길을 통해서만 지혜와 이해가 우리의 것이 될 수 있는 것도 틀림없는 사실이다. 한낱 지식의 재료를 소유한다는 것은 지혜 및 이해와는 다른 것이니, 지혜와 이해는 독서—자기의 것으로 만들려는 적극적인 노력이 없는 까닭에 다른 사람들의 생각을 소극적으로 받아들이는 것에 지나지 않는 독서—이상의 높은 훈련을 통해서 얻을 수 있는 것이기 때문이다.

그러므로 오늘날 우리가 아무리 많은 독서를 해도 마치 홀짝홀짝 술을 마시듯 잠시 동안의 기분 좋은 흥분을 얻기 위해 단편적인 지식을 탐하는 것과 다름없으며, 정신을 향상시키고 윤택하게 하거나 인격을 높이는 데는 아무런 효과가 없다. 이리하여 많은 사람들은 보잘것없는 일로 시간만 보내면서 자기네들 나름대로 교양을 쌓고 있다는 착각에 빠져 있으니, 그들이 하고 있는 일은 아주 좋게 말해서 더 나쁜 짓을 못하게 하는 효과밖에 없다.

책에서 얻는 경험이 가치 있는 것도 많지만 어디까지나 학문이 성질을 띠고 있는 것인 반면, 실제생활에서 얻는 경험은 슬기로운 성질을 띠고 있다. 따라서 조금이라도 경험을 얻는 것이 학문을 많이 얻는 것보다 훨씬 더 가치가 있다는 것을 우리는 명심하여야 한다. 볼링브루크 경의 다음과 같은 말은 참으로 귀담아 들을 만한 말이다.

"공부를 해서 사람이 직접적으로나 간접적으로 더 나은 인간, 더 나은 시민이 될 수 없다면, 그 공부가 무엇이든 그것은 기껏해야 허울 좋고 꾀부리는 나태에 지나지 않으며, 그렇게 얻은 지식은 탄식할 정도로 어이없는 무지일 뿐이다."

독서를 학문으로 생각해서는 안 된다

좋은 책을 읽는 것은 유익하고 교훈적인 것이 사실이지만, 정신을 계발시키는 하나의 방법일 뿐 인격 형성에 있어서는 실제적인 경험이나 훌륭한 모범보다 그 효과가 크지 않다.

독서 계층이 있기 오래 전에 영국에는 이미 현명하고 용감하고 진실한 사람들이 있었다. 대헌장은 글을 몰라서 서명 대신 도장을 찍은 사람들의 손으로 만들어졌다. 대헌장의 원칙이 담긴 글을 전혀 해독하지 못했지만, 그래도 그들은 원칙 자체를 이해하고 올바르게 평가했으며 또한 그 원칙을 지키고자 논쟁도 했다.

그리하여 일자무식이었지만 최고의 인격을 지닌 사람들이 영국에 자유의 기초를 세운 것이다. 그러므로 교양의 주목적은 우리의 마음을 다른 사람들의 생각으로 가득 채우고 사물에 대한 남의 인상을 수동적으로 받아들이는 것이 아니라, 우리 모두의 지성을 계발하여 우리를 필요로 할지 모르는 생활 분야에서 더욱 유용하고 능률적인 일꾼이 되는 것이다.

영국의 가장 정력적이고 유용한 일꾼들이라고 해서 반드시 모두 시간을 아껴가며 독서한 사람들은 아니었다. 브린들리와 스티븐슨은 어른이 될 때까지 글을 배우지는 못했으나 위대한 업적을 남기고 인간다운 삶을 살았다. 존 헌터는 어느 목수 못지않게 책상과 의자를 잘 만들 수 있었지만, 20세가 되어서야 겨우 읽기와 쓰기를 배울 수 있었다. 나중에 위대한 생리학자가 된 그는 학생들에게 강의를 할 때, 강의 주제 중 한 부분을 가리키며 다음과 같이 말했다.

"나는 전에 이 부분을 읽지 못했네. 여러분들이 이 전문 분야에서 유명한 사람이 되고 싶으면 잘 연구해 두어야 하는 부분일세."

어떤 사람이 고대어와 라틴어도 모르는 사람이라고 비난하자 그는 이렇게 맞받아쳤다고 한다.

"나는 그 자에게 죽은 시체에 대해 그 자가 고대어로도 현대어로도 배우지 못한 사실을 가르치고 싶군요."

깨달음을 실천하고 생각을 행동으로 옮겨야 한다

중요한 것은 얼마나 많이 알고 있는가가 아니라 그것을 알고 있는 목적이 무엇인가 하는 것이다. 지식의 목적은 지혜를 성숙하게 하고 인격을 높여 우리를 더 훌륭하고 행복한 사람, 그리고 유용한 사람으로 만드는 데 있다. 또한 한 걸음 더 나아가 더욱 자비롭고 정력적이고, 모든 일상사를 처리해가는 더욱더 유능한 사람이 되는 데 있는 것이다. 최근에 나온 〈새터데이 리뷰〉에 다음과 같은 말이 실려 있다.

"사람들이 도덕적인 인격—종교 및 정치적 의견이 도덕적 인격의 구체적인 형태이지만—을 떠나 인간의 능력을 찬양하고 조장하는 습관이 붙게 되면, 그들은 모든 면에서 타락의 길을 걷게 된다."

우리는 우리 자신을 찾고 스스로 행해야 하며, 남들은 전에 어땠고 무엇을 했는지를 책으로 읽고 깊이 생각하는 데만 머물러서는 안 된다. 우리가 얻은 최상의 깨달음을 생활 속에 도입하고, 최고의 생각을 행동으로 옮겨야 한다.
그래서 적어도 리히터처럼 다음과 같은 말을 할 수 있어야 한다.

"나는 내가 타고난 소질로 할 수 있는 모든 것을 다했으므로, 나한테 그 이상의 것을 요구할 수 있는 사람은 아무도 없을 것이다."

사람은 자신의 책임과 타고난 재능에 따라 하느님이 도와주시는 대로 자기를 단련하여 올바른 방향을 찾아 나아가야 한다.

스스로를 존경해야 한다

자기 훈련과 자기 통제는 실제적인 지혜의 첫걸음에 속하며, 그 근본은 자기 존중에 뿌리를 두어야 한다. 희망은 자기 존중에서 솟아나는 것이니, 그것은 힘의 동반자요 성공의 어머니다. 큰 희망을 품고 있는 사람에게는 기적을 행할 수 있는 힘이 생긴다.
가장 비천한 처지에 있는 사람도 다음과 같은 말을 할 수 있을 것이다.

"나 자신을 존중하고 나 자신을 발전시키는 것, 이것이 내 인생의 진정한 의무다. 거대한 사회 조직 속에 없어서는 안 되는 책임 있는 입장에 있다고 자부하는 내가, 육체와 정신 또는 본능을 타락시키거나 파멸시키지 않고 있는 것은 사회와 사회를 만들어 주신 하느님 덕분이다.
타락시키고 파멸시키기는커녕, 나에게는 나의 온 힘을 기울여 나의 육체와 정신을 완전한 상태로 끌어올려야 하는 의무가 있다. 악을 억제할 뿐 아니라, 타고난 나의 성질 가운데 좋은 면을 일깨우도록 노력해야 한다. 나 자신을 존경하는 마음이 있다면 마찬가지로 남들도 존경해야 한다. 그러면 남들도 그들의 입장에서 나를 존경할 것이다."

이리하여 사람 사이에 존경과 정의와 질서가 있게 되는 것이니, 그것을 문서로 기록하여 보장해 주는 것이 바로 법률이다.

피타고라스

피타고라스의 격언과 밀턴의 말

자기 존중은 사람이 입을 수 있는 가장 고상한 옷이요, 사람이 영감을 얻을 수 있는 최고의 감정이다. "자기 자신을 존중하라"는 말은 피타고라스가 학생들에게 늘 하던 말인데, 그것은 그의 황금률의 하나였다. 이러한 높은 이상이 생활의 지주가 되면 음탕한 습성으로 육체를 더럽히지 않을 것이고, 비굴한 생각으로 정신을 더럽히지도 않을 것이다.

매일 이러한 자세로 살아가면 그것은 바로 정결, 존엄, 정절, 종교 등 모든 미덕의 근원이 될 것이다. 그러므로 밀턴은 말했다.

"경건하고 정당한 입장에서 자신을 존경하는 것, 우리는 이것을 가치 있고 찬양할 만한 모든 선행이 솟아나는 근본적인 수원(水源) 같은 것이라고 생각할 수 있다."

자기 자신을 경멸한다는 것은 남에게서 낮은 평가를 받는 동시에 자신이 자신을 낮게 평가한다는 뜻이다. 그리고 행동은 생각하는 대로 나타나게 마련이다. 아래를 내려다보면 큰 뜻을 품을 수 없는 것이니, 오르고 싶은 생각이 있으면 위를 보고 살아야 한다.

아무리 미천한 처지에 있는 사람도 이러한 올바른 정신 자세로 버티고 나갈 수 있다. 우리는 자신을 존중하는 가운데, 빈곤에서 벗어나 밝은 미래를 열어 갈 수 있다. 가난한 사람이 유혹을 물리치고 꼿꼿한 자세를 유지하면서, 부끄러운 행동으로 자신을 더럽히는 것을 거부하는 것은 참으로 고상한 일이다.

자기 수양은 지위와는 상관없다

자기 수양의 품위를 떨어뜨리는 것 중 하나는, 그것을 오로지 출세하는 수

밀턴

단으로 보는 데 있다. 이러한 견지에서 볼 때, 교육이 시간과 노력을 들이는 가장 좋은 투자 중 하나라는 사실은 의문의 여지가 없다. 어느 분야에서든 사람이 총명하면 더 쉽게 환경에 순응할 수 있고, 일을 더 잘할 수 있으며, 모든 면에서 더 적합하고 능숙하며 또한 능률적인 사람이 될 수 있다. 손뿐만 아니라 머리를 써서 일하는 사람은 자기가 하는 일을 더욱 밝은 눈으로 보게 되고, 자신의 힘이 향상되는 것을 의식하게 되는데, 그것은 아마도 인간이 소중하게 간직할 수 있는 가장 즐거운 의식이라고 할 수 있지 않을까.

자조 정신이 점점 강해지고 자기 존중에 비례하면, 천박한 일에 탐닉하고 싶은 유혹을 물리칠 수 있는 힘이 생긴다. 완전히 새로운 관심을 가지고 사회와 그 움직임을 보게 되고, 더 넓고 큰 견지에서 공감을 갖게 되어, 자기 자신은 물론 남을 위해서도 일하고 싶은 마음이 일어나게 될 것이다.

그러나 자기 수양은 위의 여러 가지 경우에서처럼 그 결과가 좋게만 나타나는 것은 아니다. 대부분의 사람들은 아는 것이 아무리 많아도 늘 근면을 필요로 하는 일상의 직업에 종사해야 한다. 사회 전체가 가진 교양이 아무리 크다 해도, 그것이 그 사회가 매일 해야 하는 일상적인 일을 면하게 해주지는 못한다. 일을 하지 않아도 된다면 좋겠지만 현실은 그렇지 못하다. 그러나 우리는 그것도 어떤 면에서는 가능하다고 생각한다. 일에 고상한 생각을 결부시켜 지위를 높일 수 있는 것이니, 고상한 생각이 가장 높은 일뿐만 아니라 가장 낮은 일에도 우아한 품위를 부여하기 때문이다. 초라한 오두막에서 사는 가장 가난하고 미천한 사람도, 동서고금을 통한 위대한 사상가를 맞이하여 얼마든지 오랜 시간 벗하며 함께 즐거운 시간을 보낼 수 있다. 그러므로 올바른 독서 습관은 가장 큰 즐거움과 자기 향상의 근본이 될 수 있고, 인격과 행동 전체의 진로에 원만한 영향력을 미쳐 가장 유익한 결과를 얻게 해준다. 비록 자기 수양으로 부를 얻지는 못한다 해도 고상한 사상과 친교를 맺을 수는 있다. 일찍이 어느 귀족이 현인에게 경멸하는 말투로 이렇게 물었다.

"당신이 학문을 통해 얻은 것이 도대체 무엇이란 말이오?"

현인은 다음과 같이 대답했다.

"적어도 내 안에 친구를 얻었소."

그러나 많은 사람들은 자신들이 바라는 만큼 빨리 출세하지 못한다는 이유로 자기 수양의 과정에서 낙심하거나 용기를 꺾기 쉽다. 도토리를 심기 무섭게 금방 참나무로 자라는 것을 보고 싶어 하는 것이다. 아마도 이런 사람들은 지식을 시장에서 사고 팔 수 있는 상품처럼 여기고 있어서, 예상한 대로 팔리지 않으면 억울해 하는 것 같다. 트리멘히르의 《교육 보고서》(1840~1841) 속에 다음과 같은 내용이 있다. 노퍽에 있는 어느 학교의 학생 수가 급격히 줄어들어, 교사가 학부형들을 찾아가 그 이유를 물어보았더니 대부분이 이렇게 말했다.

"교육을 시키면 전보다 잘살 줄 알았지요. 그런데 교육을 시켜도 아무 소용이 없더군요. 그래서 아이들을 보내지 않은 겁니다. 이제는 그 따위 교육 문제로 골치 아파하지 않기로 했습니다."

자기 수양에 대한 이와 같은 천박한 생각이 다른 계층의 사람들 사이에도 널리 퍼지고 있으며, 많든 적든 사회에 늘 깔려 있는 거짓된 인생관에 의해 조장되고 있다.

자기 수양의 질을 떨어뜨리는 것
자기 수양을, 인격을 높이고 마음을 넓히는 힘으로 보지 않고 남을 밀어내고 출세하는 수단 또는 지적 즐거움으로 본다면, 그것은 자기 수양을 매우 낮은 수준으로 떨어뜨리는 결과밖에 되지 않는다. 베이컨은 이렇게 말했다.

"지식은 물건을 팔아 이익을 올리는 상점이 아니라 하느님의 영광과 인간 정신의 구원을 위해 있는 풍성한 창고다."

사람이 자기 자신을 높이고 더 나은 삶을 살기 위해 힘쓰는 것은 틀림없이 존경할 만한 일이지만, 다만 인간성을 희생시켜 가면서 이루려고 해서는 안 된다. 마음을 한낱 신체의 일꾼으로 삼는 것은 마음을 노예로 부리는 것과 다름없다. 성공하지 못했다고 해서 이리저리 다니며 자신이 불쌍한 사람이라고 못난 소리를 하거나 자신의 운명을 한탄하는 것은 좁은 마음, 천박한 마음의 소유자라고 알리는 것일 뿐이다. 인생의 성공은 결국 지식보다는 근면과 작은 일에도 주의를 기울이는 습관에 달려 있다.

로버트 사우디가 자기에게 충고를 부탁한 친구에게 다음과 같은 편지를 보낸 적이 있는데, 그런 그릇된 기질을 가진 사람에게 줄 수 있는 최고의 충고가 될 것이다.

"만약 도움이 된다면 자네에게 충고의 말을 하겠네만, 스스로 병들기를 원하는 사람은 고칠 방법이 없는 법일세. 선량하고 현명한 사람들도 때로는 세상이 돌아가는 꼴을 보고 화를 내기도 하고 슬퍼하기도 하네. 하지만 자신의 임무를 완수한 사람은 결코 세상에 대해 불만을 품지 않았다는 것을 알아 두게. 만약 교육받은 사람이 건강한 눈과 손, 그리고 시간이 있는데도 어떠한 목적을 얻지 못한다면, 그것은 오직 하느님께서 축복받을 만한 가치가 없는 사람에게 모든 축복을 내리셨기 때문일세."

대중 선정소설의 해악

교육이 창부처럼 더럽혀지는 또 하나의 원인은 그것을 한낱 지적 즐거움의 수단으로 이용하는 데 있다. 오늘날에는 그런 태도로 교육을 다루는 사람들이 많다. 가벼움과 흥분을 추구하는 거의 광증에 가까운 것들이 유행하고 있는데, 그것이 여러 가지 형태로 우리의 대중 문학에서 나타나고 있다. 대중의 입맛에 맞추기 위해 요즈음 나오는 책들은 대부분 재미있고, 우습고, 속어를 거리낌 없이 쓰며, 인간이 만들었거나 하느님이 정한 모든 율법을 어기는 풍조를 보이고 있다.

더글러스 제럴드가 이러한 경향에 대해 다음과 같은 말을 한 적이 있다.

"나는 세상 사람들이 모든 일에 대해 이와 같이 천하게 웃기기만 하는 것에 싫증이 날 거라고 확신하며, 적어도 그러기를 바란다. 결국 인생이란 그 속에 뭔가 진지한 면이 있는 것이다. 인생이 언제나 웃기는 역사일 수만은 없다. 산상수훈을 재미있는 농담처럼 쓰고 싶은 사람들도 아마 있을 것이다. '웃기는 영국 역사', '알프레드에 관한 만담', '토머스 모어 경에 대한 우스운 이야기' 등을 만들어 낼지도 모른다. 그리고 효수당한 아버지의 목을 달라고 애원하고는 관 속에서 그것을 가슴에 안고 있는 딸을 묘사한 희극을 생각해 보라. 틀림없이 이 세상 사람들은 이러한 모독에 대해 진저리를 치게 될 것이다."

존 스털링도 이에 동조하여 다음과 같이 말했다.

"이 세대의 모든 사람들, 특히 아직 정신이 미숙하고 의지가 형성되는 과정에 있는 청소년들에게 요즘 나오는 잡지와 소설들은, 옛날 이집트의 질병과 같거나 그 이상의 해독을 끼치는 것으로, 깨끗한 물을 더럽히고 우리의 방을 오염시키는 세균처럼 해로운 것이다."

일을 하다가 쉬거나 좀 심각한 생각을 하다가 바람을 쐬는 것처럼, 천재 작가가 쓴 명작을 자세히 읽는 것은 차원 높은 지적 즐거움이다. 노인이고 젊은이고 모든 층의 독자들이 마치 강렬한 본능에 끌리듯이 문학 묘사에 이끌린다. 그러므로 어떠한 문학 작품이든 그것을 적당히 즐기는 것은 나쁜 일이 아니다. 그러나 문학 작품만을 학문의 전부로 알고 회람 문고의 책꽂이에 가득 꽂혀 있는 너절한 책들을 마구잡이로 읽으며, 대부분의 소설들에 실려 있는 당치도 않은 인생 이야기를 공부하는 데 많은 시간을 보내는 것은 시간 낭비보다 더 나쁠 뿐 아니라 극히 해로운 일이다. 소설 읽기에 인이 박힌 사람은 소설적인 감정에 너무 깊이 빠져들기 때문에, 건전한 감정이 잘못된 길로 빗나가거나 마비될 위험이 크다.

"저는 결코 비극을 보러 가지 않습니다. 괜히 마음만 상하게 되기 때문이지요."

어느 명랑한 사람이 요크의 대주교에게 말했다. 소설을 읽으면서 생기는 문학적 공감은 실제 행동으로 옮겨지는 것도 아니고, 소설이 불러일으키는 감동 때문에 불편을 감수한다거나 자기희생을 하게 되지는 않는다. 오히려 소설에 너무 자주 감동되면 마침내 현실에 대해서는 아무런 감정을 느끼지 못하게 된다. 강철이 차츰 닳아 어느새 그 힘찬 강도를 잃는 것과 같다. 주교 버틀러는 이렇게 말했다.

"마음속으로 훌륭한 미덕을 상상하며 소설에만 탐닉하는 사람에게는 결코 미덕의 습성이 붙지 못하며, 오히려 그 반대로 마음이 경직되고 점점 더 무감각하게 될 뿐이다."

젊어서 환락에 빠져서는 안 된다

적당한 재미는 건전하므로 권유하고 싶은 일이지만 지나치게 재미에만 빠지는 것은 인간의 건전한 심성을 망치기 쉬우니 상당히 경계해야 한다. "일만 하고 놀지 않으면 바보가 된다"는 격언이 흔히 인용되고 있지만, 놀기만 하고 공부를 하지 않는 것은 더 나쁜 일이다.

정신이 줄곧 쾌락에 빠져 있는 것보다 청년에게 더 해로운 일은 없다. 청년의 가장 좋은 기상이 약해지고, 평범한 일에 대한 흥미를 잃으며, 더 높은 차원의 즐거움을 찾고자 하는 의욕이 없어진다. 그리고 해야 할 일이나 인생의 의무와 부딪치면 언제나 회피하고 싫어하게 된다. '쾌락을 쫓는' 사람들은 삶의 힘을 낭비하고 고갈시키며 진정한 행복의 자원을 메마르게 한다. 청춘기를 헛되이 낭비하면 인격이나 지성은 건전한 발전을 이룰 수 없다. 단순함을 잃은 아이, 순결하지 않은 처녀, 그리고 진실성이 없는 소년은 자기 탐닉 속에 젊음을 낭비해 버린 사람만큼이나 불쌍해 보인다.

프랑스 혁명 때의 정치가 미라보는 스스로에 대해 다음과 같이 말했다.

"나는 젊은 나이에 미리 다가올 앞날을 다 써 버리고 활력의 대부분을 낭비해버렸다."

오늘 어떤 사람에게 나쁜 짓을 하면 다음날 그것이 나에게 돌아오는 것처럼, 젊은 시절에 저지른 죄악은 뒷날 다시 되살아나 우리를 괴롭히게 마련이다. 베이컨이 "젊을 때 기력을 너무 낭비하면 늙을 때까지 그 부담을 느낀다"고 말한 것은, 인생을 살아가는 동안 도덕적인 면뿐만 아니라 육체적인 면에도 많은 주의를 기울여야 한다는 것을 의미한다.

미라보

이탈리아의 시인 주스티는 친구에게 보낸 편지에서 다음과 같은 말을 했다.

"나는 나의 생존에 대해 비싼 값을 치르고 있네. 사실 우리의 인생을 우리가 마음대로 할 수 있는 것은 아니지. 처음에는 자연의 섭리가 우리에게 인생을 거저 주는 척하다가 나중에 가서 청구서를 내미니 말일세."

젊은이가 저지르는 가장 나쁜 무분별한 일은 건강을 파괴하는 것보다 인간성을 더럽히는 것이다. 방탕 속에 사는 젊은이는 썩을 대로 썩어, 나중에 깨끗한 사람이 되려고 해도 깨끗해질 수 없는 경우가 많다. 만약 거기에 대한 치료법이 있다면 단 한 가지, 열심히 의무를 수행하려는 마음으로 유익한 일에 온 힘을 기울여 전념하는 것뿐이다.

너무 일찍 정력을 낭비한 콩스탕

위대한 지적 능력을 타고난 프랑스 사람 벵자맹 콩스탕, 그러나 20세 때 이미 환락에 빠진 그의 인생은 결국 비탄 속에서 끝나고 말았다. 평범한 근면과 자제심만 있었더라면, 그는 위대한 일을 하고 그 수확을 충분히 거두어들일 수 있었다. 그러나 그는 이것저것 많은 일을 하려고 마음만 먹었을 뿐 정작 하나도 이룬 일이 없었으므로, 사람들은 그를 '변덕쟁이 콩스탕'이라고 불렀다.

그는 재기발랄한 작가로, '세상 사람들이 절대로 가볍게 취급할 수 없는' 작품을 쓰겠다는 야망을 품고 있었다. 그러나 콩스탕은 최고의 사상을 지니고 있는 것처럼 보였으나 불행하게도 극히 품위 없는 생활을 했고, 그의 책에 담겨 있는 깊은 선험 철학(비판 철학이라고도 함)도 그의 생활의 천박함을 감싸주지는 못했다. 종교에 관한 저서를 구상한다는 사람이 노름판에 드나들고,

작품 《아돌프》를 쓰면서 남에게 비난받을 불의를 저질렀다.

그는 뛰어난 지성을 소유했음에도 미덕을 전혀 믿지 않았기에 그의 삶은 무기력하기 짝이 없었다. 그는 이렇게 말했다.

"흥! 명성과 체면이 다 뭐란 말이냐? 오래 살아갈수록 명성과 체면이 아무것도 아니라는 것을 더 잘 알 수 있어!"

이것이야말로 불쌍한 사람의 부르짖음이었다. 그는 자기 자신을 "한 줌의 재이자 흙"에 지나지 않는다고 묘사했다.

"나는 불행과 슬픔 속에서 지상을 뒤덮는 그림자처럼 사라질 뿐이다."

그는 천재보다는 볼테르와 같은 정력을 원했으나, 소원만 했을 뿐 의지력이 없었다. 그 정력을 너무 빨리 탕진했으므로 그의 일생은 그저 끊어진 고리가 수북이 쌓인 꼴밖에 되지 않았다. 그는 자기 자신에 대해 발 하나를 허공에 올려놓고 사는 사람이라고 말했다. 그리고 자기에게는 원칙이 없고, 일관성은 더더욱 없다는 것을 인정했다. 그는 그토록 찬란한 재능을 가졌으면서도 아무 일도 하지 못했던 것이다. 그리고 불행하게 살다가 비참한 최후를 맞이했다.

병약한 몸으로 학문에 힘쓴 장님 티에리

《노르만족의 영국 정복사》의 저자 오귀스탱 티에리의 생애는 콩스탕의 생애와는 사뭇 대조적이다. 그는 일생을 통해 인내와 근면, 자기 수양 그리고 지식에 대해 헌신적으로 눈부신 모범을 보여주었다. 지식을 더 얻으려고 애쓰다가 불행하게도 시력을 잃고 건강을 잃었지만 진리를 사랑하는 마음만은 결코 잃지 않았다. 몸이 너무 약해 힘 없는 아기처럼 간호사의 두 팔에 안겨 이 방에서 저 방으로 옮겨질 정도였으나 용기를 잃지 않았다.

눈도 보이지 않고 병약한 몸이었지만 그는 학문하는 사람의 자세를 다음과 같은 고상한 말로 결론지었다.

"만약 내가 생각하고 있는 대로, 학문의 가치를 국가에 공헌한 이익의 분량으로 계산한다면, 나는 조국을 위해 전쟁터에서 손발을 잃은 군인과 맞먹는 봉사를 나라에 바쳤다고 믿는다. 내 노력의 결과가 어떻게 나오든 이 모범이 소용없는 것이 되지 않기를 바란다. 나의 모범이 현세대의 병폐인 도덕적 허약을 이기고, 신념이 없는 것을 불평하면서 무엇을 해야 할지 몰라 방황하며 곳곳에서 숭배와 찬양의 대상을 찾다가 결국 찾지 못하는 심약한 사람들을 다시 올바른 길로 인도해주기를 기원한다.

콜리지

왜 그처럼 비통한 어조로, 이 세상이 잘못되어 있어 폐로 들이마실 만한 공기가 없다고—모든 정신을 받아들일 태세가 되어 있지 않다고—말해야만 하는가? 조용한 마음으로 진지하게 공부할 수 있지 않은가? 누구나 노력하면 도달할 수 있는 안전지대, 희망과 분야가 있지 않은가? 이러한 것을 얻을 때 우리는 별로 무거운 부담을 느끼지 않고 불행한 날들을 넘길 수 있다. 각자가 자신의 운명을 정하고, 각자가 자신의 인생을 고상하게 만들 수 있다.

이것이 내가 이제껏 살아온 방식이고, 또 만약 다시 이 세상에 태어나 처음부터 새로 산다고 해도 나는 이와 똑같은 인생을 살고 싶다. 지금의 나를 만든 똑같은 방법을 택할 것이다. 눈이 보이지 않고 희망도 없고, 거의 끊임없이 고통을 받고 있는 내가 이렇게 증언하는 것이니, 이것을 미심쩍게 생각하는 사람은 아무도 없을 거라고 믿는다. 이 세상에는 관능적인 쾌락보다 낫고, 재물보다 낫고, 건강보다 나은 것이 있으니, 그것은 바로 지식에 대한 헌신이다."

콜리지

콜리지는 많은 면에서 콩스탕과 닮았다. 콩스탕처럼 빛나는 재능이 있으나 그와 마찬가지로 목적의식이 확고하지 않았다. 지적 재능이 그토록 뛰어나면서도 근면성이 없어서 꾸준히 일하기를 싫어했고, 자립정신이 부족해서 아내와 아이들을 사우디[*4]가 먹여 살리도록 내버려 두고도 전혀 부끄러워하지

---

*4 영국의 시인이며 극작가.

않았다.

그는 은퇴하여 하이게이트 그로브로 가서 제자들에게 선험론을 강의하며, 런던의 소음과 매연 속에서 정직하게 일하는 사람들을 멸시했다. 마음만 먹으면 얼마든지 보수가 좋은 일자리를 얻을 수 있는 처지면서도 허리를 굽혀 친구들의 도움을 받고, 그토록 고상한 철학 사상을 지녔으면서 웬만한 노동자도 꺼리는 굴욕의 웅덩이로 떨어진 것이다.

이에 비하면 사우디의 정신은 얼마나 달랐던가? 그는 자기가 선택한 지루하고 재미없는 일을 성실하게 해냈을 뿐 아니라, 끊임없이 지식을 추구하고 쌓았다. 날마다 끊이지 않고 해야 할 일이 있었고, 시간을 지켜 원고를 보내야 할 출판사와의 약속이 있었으며, 대가족을 부양하느라 하루하루 많은 지출이 있었다. 펜을 움직이지 않으면 사우디에게는 수입이 없었다. 그는 늘 이렇게 말하곤 했다.

"나의 인생길은 왕이 걸어가는 대로처럼 넓고, 내가 살아가는 방편은 잉크병 속에 있다."

《콜리지의 회상》을 읽고 로버트 리콜은 친구에게 다음과 같은 편지를 보냈다.

"조금만 정신을 차렸더라면—조금만 더 결의가 있었더라면 그의 재능은 엄청난 힘을 발휘했을 것을, 그게 없어서 얼마나 아까운 재능을 낭비하고 말았던가?"

로버트 니콜

진실하고 용감한 로버트 니콜은 비록 일찍 세상을 떠났으나, 인생의 많은 어려움을 극복한 사람이었다. 사회의 첫출발로 조그마한 서점을 운영하던 중, 겨우 20파운드의 빚 때문에 마치 무거운 돌에 짓눌리는 것 같은 나날을 보냈다. 이때 그는 다음과 같이 말했다.

"마치 나의 목에 이정표가 하나 매달려 있는 것 같은 기분이다. 이 빚을 갚고 나면 다시는 누구한테서도 돈을 빌리지 않을 것이다."

또 어머니에게 보낸 편지에는 이렇게 썼다.

"어머니, 제 걱정은 하지 마십시오. 저는 나날이 강인해져서 더욱 희망에 넘치는 사람이 되어가고 있습니다. 제가 더 많이 생각하고 명상할수록—요새 저는 독서보다 명상을 더 많이 하고 있습니다만—부자가 되든 안 되든 그런 것과는 상관없이 더 현명한 사람이 되어가고 있다는 느낌이 듭니다. 그것은 확실히 부자가 되는 것보다 훨씬 더 나은 일이라고 믿고 있습니다.

이 세상에는 고통, 빈곤, 그 밖의 많은 삶의 난관이 있어 사람들에게 두려움을 주고 있지만, 저는 조금도 위축되지 않고 제 자신을 존중하고 있습니다. 또한 인간의 존엄한 운명과 하느님에 대한 믿음을 잃지 않을 만큼 대담합니다. 거기에 도달하려면 많은 정신적인 고통과 갈등이 필요하지만, 일단 도달하고 나면 높은 산 위에서 햇빛 속을 거니는 나그네처럼, 아우성치는 아래 세상의 소란을 내려다 볼 수 있습니다. 아직 그 지점에 도달하지는 못했지만, 하루하루 가까이 다가가고 있다는 것은 분명하게 말씀드릴 수 있습니다."

고난은 최선의 선생님

사람을 '사람'으로 만들어주는 것은 편안함이 아니라 노력이요, 쉬운 일이 아니라 어려운 일이다. 인생의 어느 단계에서나 극복해야 할 난관이 있으며, 그것을 지나가야 결정적인 성공의 길에 들어설 수 있는 것이다. 실패가 가장 좋은 경험이듯이 인생의 난관은 우리에게 최고의 스승이다.

찰스 제임스 폭스는 순탄하게 성공의 길을 걸어온 사람보다는 실패를 하고도 거기서 쓰러지지 않고 계속 버텨낸 사람이 더 바람직하다고 늘 말하곤 했다.

"어느 젊은이가 훌륭한 첫 연설로 명성을 날리는 것은 참으로 좋은 일이다. 이 젊은이는 계속 성공의 길을 달릴 수도 있고 또는 최초의 승리에 만족하는 데 그칠 수도 있다. 그러나 처음에는 성공하지 못해도 거기에 꺾이지 않고 계속 버티어 나가는 젊은이가 더 마음에 든다. 나는 그런 젊은이의 뒤를 밀어주

험프리 데이비

어, 첫 번째 시도에서 성공한 대부분의 젊은 이들보다 훨씬 나은 일을 하도록 도와주고 싶다."

지식은 실패를 통해서 배운다

우리는 성공보다 실패에서 훨씬 더 많은 지혜를 얻을 수 있다. 우리는 때때로 어떤 어려운 문제를 해결하려고 노력하다가 새로운 방법을 알아내기도 하는데, 실패를 해본 적이 없는 사람은 결코 그런 발견을 할 수 없다.

물이 수면 위로 10미터의 높이에 이르면 펌프가 작동되지 않는 것을 보고, 관찰력이 강한 사람들은 기압의 법칙을 연구하게 되었고, 이어서 갈릴레오, 토리첼리 그리고 보일 같은 천재가 새로운 연구 분야를 개척하게 되었다.

존 헌터는 전문가들이 그들의 성공뿐만 아니라, 실패한 경험도 과감하게 발표해야만 외과 기술이 발전할 것이라고 말했다. 기사 와트는 기계 기술을 공부하는 데 가장 아쉬운 점은 실패한 경험을 기록한 책이 없는 것이라며 다음과 같이 말했다.

"우리에게는 오점을 기록한 책이 필요하다."

험프리 데이비 경은 교묘한 솜씨로 실험하는 것을 보고 이렇게 말한 적이 있다.

"내가 저렇게 교묘한 솜씨로 실험을 하지 못하는 사람이라서 오히려 하느님께 감사한다. 내가 이룬 가장 중요한 발견들은 실패를 통해 암시를 받은 것이기 때문이다."

자연과학 분야의 또 다른 뛰어난 연구자는 연구를 하는 도중, 이건 정말로 극복할 수 없는 장애라고 생각되었을 때마다 극적으로 어떤 발견의 실마리를 찾았다는 기록을 남겼다. 극히 위대한 일들―위대한 사상, 발견, 발명 등―은 흔히 곤경 속에서 영양분을 섭취하고, 설움 속에서 곰곰이 생각하여 마침내 그 곤경을 극복한 끝에 성취되는 경우가 많다. 베토벤은 로시니를 다음과 같이 평했다.

"그는 소질이 있는 사람이어서 어렸을 때 좀 더 엄격한 교육을 받았으면 훌륭한 음악가가 되었을 것이다. 그런데 그는 편안함을 추구한 까닭에 그 소질을 망쳐버리고 말았다."

자신감이 있는 사람들은 자기를 비판하는 말을 두려워할 필요가 없다. 멘델스존이 〈엘리야〉를 처음으로 연주하기 위해 버밍엄의 무대에 나가게 되었을 때, 그의 친구이자 비평가 중 한 사람에게 웃으면서 이렇게 말했다.

"나를 어디 한 번 실컷 할퀴어 보게! 좋은 점은 말하지 말고 나쁜 점만 말해 주게나."

명장은 패전을 통해서 병법을 배운다

장군을 분발시키는 것은 승리보다 패배라는 것은 과연 옳은 말이다. 워싱턴은 승전보다 패전한 경우가 많았지만 결국은 최후의 승자가 되었다. 로마인들이 승전했던 싸움을 보면, 대부분 처음에는 한결같이 패전의 쓴잔을 마셨다. 모로 장군은 그의 친구들에 의해 자주 북에 비유되었는데, 북은 쳐야만 소리가 나기 때문이었다.

웰링턴은 지극한 곤경에 직면했을 때 완벽한 군사적 천재성을 과시했으며, 그 곤경은 그에게 의지를 더욱 굳히고 남아로서 또한 장군으로서 위대한 소질을 발휘할 수 있는 기회가 되었다. 마찬가지로 유능한 선원은 폭풍우 속에서 가장 좋은 경험을 얻는 것이니, 그런 경험을 통해 자기 의존, 용기 그리고 최고의 경지를 얻는 훈련을 할 수 있기 때문이다. 세계에서 으뜸가는 선원으로 일컬어지는 영국 선원들이 가장 좋은 훈련을 받을 수 있었던 것은 거친 바다와 험한 겨울밤 덕택이었다.

가난과 고난은 인간의 좋은 스승

가난은 여교사처럼 혹독할지 모르지만, 대체로 최고의 교사라고 할 수 있다. 시련 앞에서 우리는 주눅이 들게 마련이지만, 이때야말로 남자답고 용감하게 그 시련과 맞서 싸워야 한다.

번스의 다음과 같은 시구는 참으로 올바른 내용을 담고 있다.

> 손실과 고난은
> 몹시 가혹한 교훈이지만
> 거기에 담긴 귀중한 정신을 그대 얻으리니
> 어디서도 이것을 얻지는 못하리라.

"역경의 효과는 참으로 달콤한 것이다."

역경을 통해 우리는 힘과 정력을 얻는다. 인격에 참다운 가치가 있으면, 짓눌릴 때 감초처럼 향기를 풍길 것이다.

옛 격언에 "고난은 하늘로 뻗어 있는 사다리다"라고 했고, 리히터는 다음과 같이 말했다.

"사람이 그것에 짓눌려 늘 불평하게 만드는 빈곤은 도대체 무엇인가? 그것은 처녀가 귀를 뚫어 보석을 달 때 느끼는 고통에 지나지 않는다. 그 고통이 지나면 귀한 보석을 달게 되지 않는가?"

생활 경험을 통해 보면, 혹독한 역경이 주는 건전한 훈련은 흔히 인내의 영향력을 발휘한다. 그러나 많은 사람들이 가난을 굳세게 견디고 쾌활하게 역경을 넘기면서도, 뒷날의 더 위험한 번영의 영향력은 이기지 못하는 경우가 있다. 바람에 외투를 벗는 사람은 아주 나약한 사람에 불과하며, 평범한 힘을 가진 사람은 너무 따뜻한 햇살을 받을 때 그것을 견디지 못하고 외투를 벗는 위험에 빠지게 된다. 그러므로 이따금 역경에 처했을 때보다 순탄한 상황에 있을 때 더 강한 훈련과 더 높은 인격을 필요로 한다.

너그러운 천성을 타고난 사람들 중에는 번영과 더불어 온정이 솟아나는 경우가 있지만, 그렇지 않은 사람들이 더 많다. 품성이 비천한 사람들은 돈이 있을 때 마음이 목석같이 딱딱한 사람이 되고, 천박하고 노예근성이 있는 사람들은 더욱더 천하고 오만해진다. 번영은 사람의 마음을 오만으로 굳어지게 하기 쉬우나, 확고한 결의가 있는 사람에게 역경은 오직 불굴의 정신을 길러주는 역할을 한다.

버크는 이렇게 말했다.

"고난은 하느님이 보내주신 엄격한 스승이다. 부모처럼 우리를 지켜주시는 하느님은, 우리가 스스로 아는 것보다 우리를 더 잘 알고, 우리가 스스로 사랑하는 것보다 더 깊이 우리를 사랑하신다. 그분은 우리와 맞서 싸워 우리의 담력을 길러 주고 우리의 기술을 갈고 닦아 주신다. 그러므로 우리를 거스르는 적대자가 사실은 우리를 도와주는 것이다."

고난에 직면할 필요가 없는 삶은 편할지는 모르나 사람의 가치는 그만큼 떨어질 것이다. 왜냐하면 시련은 고난을 현명하게 극복할 경우, 인격을 높여주고 자조의 길을 가르쳐 주기 때문이다. 그리하여 우리가 아무리 인정하지 않더라도, 고난 자체는 대부분 우리에게 가장 건전한 훈련이 될 수 있다.

용감한 젊은 장군 호드슨은, 인도 주둔군 사령관의 지위에서 부당하게 파직당하고 당치도 않은 비방과 비난에 시달리면서도, 용기를 잃지 않고 친구에게 다음과 같은 말을 했다.

"싸움터에서 적과 대결하는 것처럼, 나는 이 최악의 상태를 당당하게 직시하려고 노력하고 있네. 그리고 현재 내가 맡은 일을 내 능력껏 과감하게 완수하기로 결심했네. 모든 일에는 이유가 있는 법, 지루한 의무라도 잘 해내면 보상이 있을 거라고 스스로 위안하고 있다네. 또 보상이 없다 하더라도 아무튼 의무는 의무가 아니겠나."

고난이라는 학교

인생의 싸움은 대부분 가파른 언덕길을 오르는 것과 같아서, 투쟁하지 않고 얻는 승리에는 명예가 따르지 않는다. 고난이 없으면 승리도 없고, 투쟁의 목표가 없으면 성취할 대상도 없다. 고난은 약자에게 위협이 될 수 있겠지만, 굳은 결심과 용기 있는 사람들에게는 오히려 건전한 자극제의 구실을 할 것이다. 사실상 모든 인생 경험을 통해서 볼 때, 사람이 발전하는 길을 가로 막는 방해물은 꾸준하고 선량한 행위, 진지한 열성, 활동, 인내 그리고 무엇보다도 어려움을 이겨내고 꿋꿋하게 불행과 맞서려는 굳은 결의에 의해 극복할 수 있다.

고난이라는 학교는 개인을 위해서나 국가를 위해서나 도덕적 수양을 얻을 수 있는 가장 좋은 학교이다. 사실상 고난의 역사는 고난을 이기고 완수한 모든 위대한 일들의 역사일 뿐이다. 북유럽 사람들이 다소 거칠고 변덕스러운 기후와 그들에게 가장 혹독한 조건의 하나인 본디 척박한 땅 그리고 일년 내내 끊임없이 겪어야 하는 어려움—따뜻한 곳에서 사는 사람들은 생각도 할 수 없는 어려움—등으로 오히려 덕을 보고 있는 것은 말할 필요도 없다. 그리하여 외국산으로서는 최고의 산물을 만들어내는 경우, 그것을 만드는 데 필요한 기술과 근면은 자연의 섭리가 이 지상에서 가장 훌륭한 사람들을 기르는 데서 나온 것으로 생각한다. 고난을 당할 경우, 사람은 그것 때문에 더욱 나아질 수도 있다.

고난에 부딪치면 사람은 힘을 기르고 기술을 닦을 수 있다. 달리기 선수가 가파른 언덕을 뛰어오르는 훈련을 통해 잘 달리기 위한 힘을 얻는 것처럼, 성공에 이르는 길은 오르기에 너무 가파를지 모르나 그것은 정상에 오르고자 하는 사람의 정력을 시험하고 단련하는 것이다.

그러나 경험을 통해, 우리는 맞서 싸우면 아무리 큰 장애도 극복할 수 있다는 것, 대담하게 움켜잡으면 쐐기풀도 비단처럼 부드러워진다는 것 그리고 목적달성에 가장 효과적인 도움을 주는 것은 그것을 이루고 말겠다는 확고한 신념이라는 것을 알게 된다. 그리하여 고난은 그것을 극복하겠다는 굳은 결의 앞에서 스스로 무너져 버리고 마는 것이다.

시도하기만 하면 많은 일을 이룰 수 있고, 일단 해봐야만 자기가 할 수 있는 일이 무엇인지 알게 되는 것인데도 대부분의 사람들은 남이 강요를 해야 비로소 최선을 기울여 본다. "내가 이러저러한 일을 할 수 있다면 얼마나 좋을까!" 무기력한 청년은 이렇게 말하며 한숨짓는다.

그러나 이와 같은 소원만 가지고는 아무것도 이루어내지 못한다. 소망은 굳은 목적의식과 노력으로 성숙해지는 것이니, 한 번 정력적으로 시도해 보는 것이 천 번 생각하는 것보다 낫다. 가능성의 둘레에 가시 울타리를 치고 실천이나 심지어 시도조차 막는 것은 "만일 이렇다면……" 하는 무기력과 절망의 푸념이다.

"고난은 극복될 수 있다"고 린드허스트 경은 말했다. 고난과 과감히 맞서 싸워라. 그러면 실천과 함께 요령을 터득할 것이요, 반복되는 노력과 더불어 힘과 불굴의 정신이 솟아날 것이다. 그럼으로써 마음과 인격을 닦아 거의 완벽한 수양을 얻게 되고, 우아하고 용감하며 자유롭게 행동할 수 있게 되니, 그것은 경험해 보지 못한 사람들은 거의 이해할 수 없는 일이다.

우리는 하나를 배울 때마다 하나의 고난을 극복하게 되며, 그 고난을 극복하면 또 다른 고난을 극복할 수 있다. 언뜻 보기에 별로 교육적 가치가 없는 것처럼 보이는 것들—예를 들면 고어(古語) 연구나 선과 면의 관계를 고찰하는 수학 공부 같은 것들—이 사실은 매우 가치가 있는 것이니, 이런 것들을 통해 얻는 지식보다 이들로 인해 얻는 발전이 더 중요하기 때문이다.

이러한 공부는 동면 상태에 있을지도 모르는 근면한 노력을 불러일으키고, 목표에 전념할 수 있는 힘을 길러준다. 그리하여 한 가지 일은 또 다른 일을 이끌어내는 것이니, 이러한 작업은 일생을 통해 계속되어야 하며, 사실상 고난과의 대결은 생명이 끝날 때라야 비로소 끝나게 된다. 그러나 실의에 빠져 있을 때는 누구든지 결코 고난을 극복하지 못할 것이다.

수학의 기초 문제가 풀리지 않는다고 불평하는 학생에게 달랑베르는 다음과 같은 지당한 충고를 해주었다.

"계속해 보게. 그러면 믿음이 생기고 힘이 생길 테니."

참을성 있는 반복과 여러 번의 실패를 거듭한 뒤에, 발레 무용가는 발끝을 돌리며 춤을 추고, 바이올린 연주자는 소나타를 연주하는 것이다.

카리시미는 그의 음률이 부드럽고 우아하다는 칭찬을 받고 이렇게 외쳤다.

"아, 여러분은 모르실 겁니다. 내가 이렇게 부드러운 연주를 하기 위해 얼마나 많은 어려움을 겪었는지를!"

조슈아 레이놀즈 경은 어떤 그림을 그리는 데 시간이 얼마나 걸렸느냐는 질문을 받았을 때 "내 일평생이 걸렸습니다"라고 대답했다.

웅변가 클레이와 커란

미국의 웅변가 헨리 클레이는 젊은이들에게 조언을 하면서 자기가 웅변 기술을 터득한 비결을 다음과 같이 설명했다.

커란

"내가 웅변가로 성공한 비결은 특별한 것이 아닙니다. 스물일곱 살 때부터 여러 해 동안, 몇 권의 역사책을 매일 읽고 이야기하는 방법을 계속 연습했습니다. 어떤 때는 옥수수 밭에서, 또 어떤 때는 숲속에서 연습했습니다. 그중에서도 멀리 떨어진 헛간에서 가장 많이 연습했는데, 이때 나의 웅변을 들어주는 청중은 말과 소들이었습니다. 이러한 노력이 결국 나의 모든 운명을 형성하고 결정하게 되었으니, 이 모두가 예술 중의 예술이라 할 수 있는 웅변 연습을 내가 일찍이 시작한 덕분입니다."

아일랜드의 웅변가 커란은 어렸을 때 발음이 어눌해서, 학교에 다닐 때 '말더듬이 잭 커란'으로 불렸을 정도였다. 그가 법률 공부를 하면서 그 결점을 극복하려고 노력하고 있었을 때, 토론 모임의 어느 회원이 '말 못하는 웅변가'라며 그를 비꼬자 이 말에 자극을 받고 열변을 토한 일이 있었다.

그를 '말 못하는 웅변가'라고 한 이유는, 전에 그가 말할 차례가 되었을 때 입도 벙긋하지 못했기 때문이다. 그런데 이 조롱에 자극을 받아 그는 힘찬 달변으로 받아칠 수 있었다.

이리하여 우연히 자기에게도 웅변의 재주가 있다는 것을 알게 된 그는, 이에 용기를 얻고 새로운 정력을 기울여 웅변 공부를 하기 시작했다. 날마다 몇 시간에 걸쳐 유명한 문장들을 큰 소리로 읽으면서 발음을 정확하게 고쳐 나갔고, 거울을 보면서 자신의 볼품없는 외모를 보완해 줄 제스처를 개발했다. 또 스스로 어떤 사건을 꾸며 마치 배심원들 앞에서 연설하는 것처럼 진지하게 연습해 보기도 했다. 커란은 엘던 경이 말한 이른바 '1실링의 가치도 없는' 특징을 얻기 위한 첫 번째 필요 요건을 갖추는 일부터 시작했다.

그는 학생 시절에 토론 모임에서 말을 더듬는 버릇 때문에 실의에 빠졌던 적이 있었다. 그 일로 인해 여전히 자신감을 갖지 못한 채 변호사 일에 정진하던 중, 한 번은 로빈슨 판사의 매우 신랄한 반박으로 큰 자극을 받은 적이 있었다. 서로 논박을 주고받는 중에 커란이 이런 말을 했다.

"저는 판사님이 말씀하시는 그런 법률을 제가 가지고 있는 책 속에서 아직 한 번도 읽어 본 적이 없습니다."

판사는 이 말을 듣자 경멸하는 투로 이렇게 대답했다.

"그럴 거요, 당신의 서재는 보잘것없을 테니까."

판사는 당파심이 강한 사람으로 악명이 높았고, 지극히 독단적인 내용을 담은 몇 권의 소책자를 익명으로 내기도 한 사람이었다. 커란은 그가 자기의 검소한 생활환경을 비웃은 것에 격분하여 이렇게 응수했다.

"판사님, 아닌 게 아니라 전 가난합니다. 그리고 그 때문에 저의 서재가 빈약한 것도 사실입니다. 그러나 제가 가지고 있는 책은 많지 않지만, 저는 매우 좋은 책들만 골라 서재를 채웠습니다. 그리고 저는 그것들을 올바른 마음가짐으로 숙독했다고 자부합니다. 저는 이 존엄한 직업에 종사하기 위해 몇 권의 엄선된 책을 읽었지, 이것저것 여러 가지 잡다한 책을 읽지는 않았습니다. 저는 가난을 부끄럽게 생각하지 않으며, 만일 비굴하고 부패한 자세로 허리를 굽혀 부를 얻었다면 오히려 그것을 부끄럽게 여길 것입니다. 비록 높은 자리에 오르지 못한다 해도 최소한 정직한 사람은 되어야 할 것입니다. 만일 제가 정직한 사람이 되지 못한다면, 많은 사람들의 예를 보건대, 부정한 수단으로 높은 자리에 올라가 봤자 그저 악명이나 널리 알리고 남에게 멸시받는 사람이 될 뿐이겠지요."

가난을 견디며 학문에 힘쓴 머리, 무어, 체임버스

아무리 극심한 가난도 자기 수양에 철저한 사람들에게는 아무런 장애가 되지 않았다. 언어학자 알렉산더 머리 교수는 끝이 불에 탄 히드*5 가지 끝으로 낡아 빠진 양모 판지 위에 글씨를 휘갈기며 글을 배웠다. 가난한 양치기였던 그의 아버지가 가지고 있는 책이라고는 1페니짜리 짧은 교리문답서뿐이었다.

무어 교수는 젊었을 때 너무나 가난하여 뉴턴의 《프린키피아》를 살 수 없어, 책을 빌려와 자기 손으로 책 전체를 베껴 썼다. 수많은 가난한 학생들이 생계 때문에 나날이 힘든 일을 하면서도 여기저기서 때때로 작은 지식들을 얻을 수 있었으니, 그것은 마치 온 들판이 눈으로 덮여 있는 겨울철에 새들이 여기저기서 먹이를 얻는 것과 같았다.

유명한 저자이자 출판업자인 에든버러의 윌리엄 체임버스는 그 도시의 청년들이 모인 자리에서 다음과 같이 짤막하게, 자기가 미천한 집안에서 태어나 성공한 이야기를 들려주며 그들을 격려했다.

"나는 스코틀랜드의 보잘것없는 교구 학교에서 교육을 받았다. 가난한 소년으로서 에든버러에 와서, 낮에는 일을 하고 밤 시간을 이용하여 하느님이 나에게 주신 재능을 계발할 수 있었다. 아침 7시나 8시부터 밤 9시 또는 10시까지 서점의 수습생으로 일했기 때문에, 일을 마친 뒤에야 잠을 줄이고 공부할 수 있었다. 나는 소설은 읽지 않고 주로 자연과학과 그 밖의 실용적인 분야에 관심을 기울였다. 한편으로 프랑스어도 공부했다. 그 시절을 생각하면 너무 즐거워서 다시는 그런 생활을 할 수 없는 것이 섭섭할 정도이다. 우아하고 안락한 방에서 살고 있는 지금보다 주머니에 6페니도 없이 에든버러의 한 다락방에서 공부했을 때가 훨씬 더 행복했기 때문이다."

윌리엄 코벳

자신이 영문법을 배운 과정을 말하는 윌리엄 코벳의 이야기는, 어려움 속에서 공부하고 있는 모든 학생들에게 매우 흥미롭고 교훈적이다.

---

*5 황야에 무성하게 자라는 관목.

"나는 하루에 6페니의 보수를 받는 군대 이등병으로 있으면서 문법을 배웠다. 병영이나 초소의 침대 가장자리가 내 공부방이었고, 배낭이 나의 책가방이요, 무릎 위에 올려놓은 작은 널빤지가 나의 책상이었다. 그 공부는 1년 정도에 끝낼 수 있는 것이 아니었다. 양초나 기름은 돈이 없어 사지 못했고, 겨울철에는 밤이 되면 난롯불이 유일한 불빛이었다. 그나마도 내가 난로 당번이 되었을 때만 가능한 일이었다.

윌리엄 코벳

그러니 내가 그런 환경 속에서 나에게 충고를 해주고 용기를 줄 부모나 친구도 없이 그만큼 공부한 것을 안다면, 아무리 바쁘고 일에 시달리며 거처할 방이나 형편이 불편하다 하더라도 누가 그것 때문에 공부를 못하겠다고 불평할 수 있겠는가? 펜 한 자루, 종이 한 장을 사기 위해 나는 굶주림 속에서도 끼니를 매번 건너뛰어야 했다. 혼자서 공부할 수 있는 시간은 단 한 순간도 없었고 적어도 열 명의, 이 세상에서 가장 생각 없는 사람들이 이야기하고 웃고 노래하고 휘파람을 불며 떠드는 가운데서 책을 읽고 글을 써야 했다. 물론 그들이 그렇게 떠들어대는 것도 모든 통제에서 풀린 자유시간뿐이었지만…….

나는 잉크나 종이를 사려고 때때로 쓴 1파싱*6의 돈도 결코 함부로 하지 않는다. 그 1파싱의 돈이 나에게는 정말 엄청난 돈이었다. 나는 그때도 키가 컸고 건강이 좋은 데다 훈련도 혹독했다. 우리가 쓰지 않고 남기는 돈이 전부 해서 1인당 1주일에 2페니였다. 한 번은 이런 일이 있었다. 나는 그것을 결코 잊지 못할 것이다. 모든 비용을 제하고 금요일에 확인해 보니 반 페니의 돈이 남아 있었다. 그 돈으로 다음 날 아침 훈제 청어를 살 생각이었는데, 배고픔을 억지로 참으면서 밤에 옷을 벗을 때 보니 그 반 페니가 없어진 것이었다. 나는 그 구질구질한 누더기 이불속에 얼굴을 묻고 어린아이처럼 엉엉 울었다.

다시 말하지만, 내가 그런 환경 속에서 모든 것을 참고 나의 일을 이룰 수 있었다는 것을 알면, 오늘날 젊은이들이 공부하지 않는 이유로 도대체 어떤

---

*6 4분의 1페니.

변명을 할 수 있겠는가?"

프랑스인 석공으로 영국에 와서 학자가 된 인물

정치 문제 때문에 런던으로 망명한 어느 프랑스 사람도 인내의 정신으로 학문에 전념한 예가 있다. 그는 본래 석공으로 일했는데 불경기가 닥치자 일자리를 잃었다. 진퇴양난에 빠진 그는 같이 망명하여 프랑스어를 가르치면서 풍족하게 살고 있는 친구를 찾아가, 어떻게 하면 좋겠느냐고 조언을 구했다. 그러자 친구는 이렇게 대답했다.

"교수가 되게!"

"교수라니? 사투리밖에 할 줄 모르는 한낱 석공이 교수가 된다고? 아니, 자네 농담하는 건가?"

"천만에, 난 진담을 하고 있는 걸세. 다시 말하지만 교수가 되게나. 나한테 와, 내가 교수가 되는 방법을 가르쳐줄 테니."

"안 돼, 안 될 말이야. 그건 도저히 불가능한 일이네. 나는 이제부터 새삼스럽게 공부를 시작하기에는 너무 늦었을 뿐 아니라, 도대체 학자로서 소질이 없는 사람일세. 안 돼, 난 교수는 못해."

이렇게 대답하고 그는 다시 석공일을 하려고 일자리를 찾아다녔다. 런던을 떠나 지방으로 돌아다니며 약 100마일의 길을 헤맸지만 자기를 써주겠다는 사람은 아무도 없었다.

그래서 다시 런던으로 돌아온 그는 곧장 전에 교수가 되라고 권했던 친구를 찾아가 다음과 같이 말했다.

"사방을 두루 돌아다니며 일자리를 찾았지만 허탕이었네. 어디 한 번 교수가 되기 위해 노력해 봄세."

그는 먼저 친구의 가르침을 받게 되었는데, 집념이 대단하고 이해가 빠른 데다 총명했기 때문에 문법의 기초와 문장 구조 및 작문도 곧 숙달하고, 그에게 가장 골칫거리였던 표준 프랑스어의 정확한 발음도 배우게 되었다. 그의 친구이자 스승이 이만하면 남을 가르쳐도 되겠다고 판단했을 때, 그는 비어 있는 프랑스어 교수 자리가 있다는 광고를 보고 이에 응모하여 채용되었다.

한낱 석공이 마침내 교수가 된 것이다! 마침 부임하게 된 학교가 우연하게도 그가 전에 석공으로 일했던 런던의 어느 교외에 있었으므로, 아침마다 옷을 갈아입는 방에서 맨 먼저 눈에 들어오는 것이 석공 시절에 자기 손으로 세운 오두막집에 줄지어 있는 굴뚝이었다. 얼마 동안 그는 동네 사람들이 전에 석공으로 일하던 자기를 알아보고, 그것 때문에 명문으로 알려진 학교에 불명예를 끼치게 되지 않을까 걱정했다. 그러나 그런 걱정은 할 필요가 없었으니, 그 자신이 매우 유능한 교수였을 뿐만 아니라, 그가 가르친 학생들이 프랑스어를 잘한다고 여러 번 사람들에게 칭찬을 받았기 때문이다. 그는 또 주변의 모든 사람들—학생들과 동료 교수들—과 가까이 사귀는 가운데 존경도 받을 수 있었다. 사람들은 그의 분투와 고난, 그리고 지난날에 겪었던 여러 가지 일들을 알게 되자, 그를 더욱더 우러러보게 되었다.

새뮤얼 로밀리 경

새뮤얼 로밀리도 자기 수양을 게을리 하지 않은 사람으로 누구 못지않은 불굴의 정신을 지닌 사람이었다. 프랑스에서 온 피난민의 후예인 보석세공인의 아들인 그는 어린 시절에 교육을 별로 받지 못했으나, 지칠 줄 모르는 집념과 한 가지 목적을 향한 끊임없는 노력으로 모든 불리한 조건을 극복했다. 그는 자서전 속에서 이렇게 말하고 있다.

"열다섯인가 열여섯 살쯤 되었을 때 나는 라틴어 공부에 전념해 보리라고 결심했다. 그 당시 나는 누구나 알고 있는 문법 규칙을 조금 알고 있는 것 외에는 라틴어에 대해 아무것도 몰랐기 때문이다. 그래서 3, 4년 동안 열심히 공부를 하고 나니 배로, 콜루멜라, 켈수스 같은 사람들이 쓴 완전히 전문적인 책을 빼놓고는, 정통 라틴어로 쓴 웬만한 산문체의 글은 다 읽을 수 있었다. 리비우스, 살루스트, 타키투스의 책은 모두 세 번씩이나 읽었다. 키케로의 가장 유명한 연설문을 연구하고, 호메로스의 많은 글들을 번역했다. 테렌세, 베르길리우스, 호라티우스, 오비드 그리고 유베날리스의 글도 여러 번 반복해서 읽었다."

그는 또 지리학, 박물학, 철학을 연구하고 일반적인 교양도 많이 쌓았다. 16세 때 수습계약으로 대법관청 서기로 고용되어 열심히 공부한 끝에 변호사가 되었다. 그리고 근면과 인내로 마침내 성공에 이르게 된다. 1806년 폭스 내각의 법무차관이 된 뒤에도 꾸준히 노력하여 결국 법조인으로서 둘째가라면 서러워할 정도의 지위에 올랐다. 그래도 그는 언제나 자기가 부족하다는 생각에 사로잡혀 그것을 개선하려는 노력을 중단하지 않았다. 그의 자서전은 정감이 넘치며 교훈적인 사실로 가득 차있으므로 주의 깊게 정독할 만한 가치가 있다.

월터 스콧 경은 자기가 알고 있는 인내심이 강한 사람들 중 한 사람으로 자신의 젊은 친구 존 레이든을 들곤 했다. 록스버러셔에서도 가장 거친 계곡에서 양치기의 아들로 태어난 그는 거의 독학으로 공부한 사람이었다. 스코틀랜드의 많은 양치기의 아들—예를 들면, 언덕 비탈에서 양떼를 지켜보면서 책의 글씨를 베껴가며 글쓰기를 배운 호그, 래머무어에서 양떼를 돌보며 집념과 근면을 기울여 교수가 된 케언스, 머리, 퍼거슨 그리고 그 밖의 수많은 사람들—처럼, 레이든은 일찍부터 지식을 갈망하는 마음에 사로잡혔다.

가난한 소년 시절에 그는 커크턴의 작은 마을 학교에 가서 글을 배우기 위해 매일 맨발로 6마일에서 8마일이나 되는 황야를 걸어다녔다. 이어서 그는 가난을 무릅쓰고 에든버러의 대학으로 갔다. 처음에는 아치볼드 컨스터블—나중에 유명한 출판업자가 된 사람—이 차려놓은 작은 서점을 자주 찾아다녔다. 높은 사다리에 걸터앉아 커다란 2절판 책을 손에 들면 시간 가는 줄 몰랐으니, 그럴 때는 처량하기 짝이 없는 하숙집에서 그를 기다리고 있는 부족한 빵과 음료 따위는 완전히 생각 밖에 있었다. 그가 원하는 것은 오직 책을 읽고 강의를 듣는 것뿐이었다. 그렇게 학문의 문턱에서 고생하고 노력한 결과, 그의 불굴의 인내심 앞에서 이해되지 않는 것이 없었다.

19세가 되기도 전에 그는 해박한 그리스어와 라틴어 지식, 그때까지 노력하여 얻은 많은 분량의 지식으로 에든버러의 모든 교수들을 놀라게 했다. 그 뒤

인도에 눈을 돌려 그곳의 관리가 되고자 했으나 뜻을 이루지 못했다. 겨우 의무 보조관 자리가 하나 남아 있다는 말을 들었을 뿐이었다. 하지만 그는 의사가 아니었고, 의학에 대해서는 어린아이처럼 아는 것이 없었다. 그러나 배울수는 있을 터였다. 그런데 6개월 안에 의사시험에 합격해야 한다는 것이 아닌가! 그는 조금도 굴하지 않고 남들이 보통 3년 걸려 하는 공부를 6개월 만에끝내기로 결심했다. 결국 6개월 뒤에 좋은 성적으로 의사시험에 합격한 것이다! 그리하여 그는 스콧과 몇몇 친구들의 도움을 받아 인도로 떠나게 되었는데, 떠나기 전에 그의 아름다운 시 〈유아기의 정경〉을 발표했다.

인도에서 그는 동양을 연구하는 가장 위대한 학자가 되겠다는 열망을 품었지만, 밖에 나가 너무 많은 일을 한 탓에 불행히도 열병에 걸려, 그 희망을 이루지 못한 채 일찍 세상을 떠나고 말았다.

리 교수

케임브리지 대학의 히브리어 교수이던 새뮤얼 리 박사의 생애는 학문에서 명예로운 업적을 세우는 데 끈기 있는 인내와 결단력 있는 목적의식이 얼마나 중요한가를 보여주는 오늘날의 가장 뛰어난 사례이다. 그는 슈루즈베리 근처의 로그노어에 있는 자선 학교에서 교육을 받았는데, 공부가 신통치 않아 그의 선생은 자기 손을 거쳐 간 학생들 중에서 가장 우둔한 학생이라고 말했을 정도였다.

그는 수습계약을 맺고 어느 목수 밑에서 일하게 되었고 성년이 될 때까지 그 일을 계속했다. 독서를 하며 여가를 보냈는데, 책 속에 라틴어로 된 인용문이 많이 들어 있어 도대체 그게 무슨 뜻인지 궁금했다. 그래서 라틴어 문법책을 사서 라틴어를 배우기 시작했다. 아질 공작의 정원사 스톤이 오래 전에 "알파벳 스물넉 자만 알면 사람은 자기가 원하는 모든 것을 배울 수 있다"고 말한 것처럼, 리는 아침에 일찍 일어나고 밤에 늦게 자면서 수습계약 기간이 끝나기도 전에 라틴어를 터득할 수 있었다.

어느 날 교회에서 일하던 중 우연히 그리스어로 된 성경책을 발견하자, 이번에는 그리스어를 배우고 싶은 열망에 사로잡히게 되었다. 그리하여 가지고 있던 몇 권의 라틴어 책을 팔아서 그리스 문법책과 사전을 샀다. 배움에서 즐거움을 찾은 그는 이 언어도 곧 마스터해버렸다. 다음에는 그리스어 책을 팔고 히브리어 책을 샀다. 가르쳐주는 사람은 아무도 없고 어떤 명성이나 대가에 대한 기대도 없이, 그는 오직 자신의 재능에만 의존하여 그 언어를 공부했다.

그는 계속해서 칼데아어, 고대시리아어 그리고 사마리아어도 연구했다. 그러나 이런 지나친 공부가 건강을 해치기 시작하여, 오랫동안 밤늦도록 책을 본 까닭에 눈병이 생겼다. 잠시 동안 공부를 중단하고 건강을 회복한 다음, 그는 또다시 매일같이 공부를 계속했다. 목수로서도 뛰어났기에, 일이 번창해서 돈을 벌어 28세에 결혼할 수 있었다. 이제 그는 가족을 부양하는 데 헌신하기로 하고, 학문 같은 사치는 버릴 생각으로 가지고 있던 책을 모두 팔아버렸다.

만일 그의 생계가 달린 목수 연장 상자가 화재로 불타지 않았고, 그래서 빈곤에 빠지지 않았더라면, 그는 일평생 목수 신세를 면치 못했을지도 모른다. 그는 연장을 새로 장만하기에는 돈이 너무 없어서 아이들을 모아 글을 가르칠 생각을 했는데, 그것이 가장 밑천이 들지 않는 일이었기 때문이다.

그러나 비록 그가 많은 언어에 통달했다 하더라도 일반 상식이 너무 부족해서 처음에는 잘 가르칠 수가 없었다. 그러나 굳은 의지를 품고 열심히 산수와 글쓰기를 공부하여 그런 것까지 아이들에게 가르칠 수 있게 되었다. 꾸밈이 없고 단순하며 인격이 온화했던 까닭에 많은 사람들과 가까이 사귀게 되었고, 그리하여 '유식한 목수'의 학식이 널리 알려지게 되었다. 이웃 마을의 목사로 있던 스콧 박사가 그를 슈르즈베리의 자선 학교에 교사로 추천하고 한 유명한 동양학자에게 소개해주었다. 사람들이 책을 얻어주어서 그는 아라비아어와 페르시아어 그리고 힌두스탄어도 터득할 수 있었다.

마침내 그의 친절한 후원자 스콧 박사의 도움으로 케임브리지의 퀸스 대학에 들어갈 수 있었다. 그가 그곳에서 뛰어난 성적으로 수학 공부를 마쳤을 때, 마침 아라비아어와 히브리어를 가르치는 교수 자리가 생겼다. 그리하여 심사위원들의 심사를 거쳐 그 명예로운 자리를 당당하게 차지하게 되었다. 그는 교수로서의 임무를 유능하게 완수했을 뿐만 아니라, 복음을 전하러 동양으로 가는 선교사들에게 자발적으로 각 나라 말을 가르쳐 주느라 많은 시간을 바쳤다. 또한 성경을 아시아 몇몇 나라의 말로 번역하고, 뉴질랜드어를 연구하여 당시 영국에 와 있던 뉴질랜드의 두 장관을 위해 문법과 어휘를 정리해주었다. 그 책이 오늘날에도 뉴질랜드의 각 학교에서 매일 사용되고 있으니, 새뮤얼 리 박사는 참으로 뛰어난 삶을 산 사람이었다. 그러나 영국의 많은 유명한 문학가와 과학자들이 모두 이와 같은 교훈적인 모범을 보여주었으므로, 그의 예는 다만 그 중의 하나일 뿐이다.

만년에 학문을 시작한 인물들

사람들이 흔히 말하는 "배움에는 늦음이 없다"라는 말의 진실성을 증명하기 위해, 그 밖에도 많은 유명한 사람들의 이름을 들 수 있다. 사람은 나이를 먹어도 시작하려는 결심이 굳으면 많은 발전을 이룰 수 있다.

헨리 스펠먼 경은 50대를 넘어서 비로소 과학 공부를 시작했다. 프랭클린은 쉰 살이 넘어 박물학 연구를 시작했고, 드라이든과 스콧이 저자로 알려진 것은 마흔 살이 되었을 때였다. 보카치오가 글을 쓰기 시작한 것은 서른다섯 살 때였고, 알피에리는 마흔여섯 살 때 그리스어 공부를 시작했다. 아놀드 박사는 니부르*7의 책을 원서로 읽기 위해 뒤늦게 독일어를 공부했다.

제임스 와트도 마찬가지로 글래스고에서 도구 제작업을 하면서, 여러 나라의 귀중한 기계학 책들을 정독하기 위해 프랑스어, 독일어 그리고 이탈리아어를 공부했다. 토머스 스콧은 쉰여섯이 넘어서야 히브리어를 배우기 시작했다. 로버트 홀은 노년에 이탈리아어를 배우던 중, 매콜리가 밀턴과 단테를 비교해 놓은 것을 이해하려고 힘든 연구를 하다가 마루 위에 쓰러진 일이 있었다. 헨델은 마흔여덟이 되어서 위대한 작품을 발표하기 시작했다. 이 밖에도 비교적 늦은 나이에 완전히 새로운 길을 걷기 시작하여 성공적으로 공부를 해낸 사람들의 예가 얼마든지 있다. 무기력하고 게으른 사람만이 "난 너무 늙어서 아무것도 배울 수 없어"라고 말한다.

젊었을 때의 우열로 미래를 점치기는 어렵다

앞에서도 말했지만 이 세상을 움직이고 이끌어가는 사람은 천부적인 재능을 타고난 사람들이 아니라, 성실하고 목적의식이 뚜렷하며 불굴의 근면정신을 지닌 사람들이다. 천재가 조숙한 예가 많은 것은 부인할 수 없으나, 일찍부터 영리하다고 해서 반드시 큰사람이 된다고 보장할 수는 없다. 조숙은 때로

---

*7 독일의 역사가·언어학자·평론가.

왕성한 지적 능력의 표시라기보다 질환의 증세로 나타날 수도 있다.

세상을 깜짝 놀라게 한 똑똑한 아이들은 나중에 다 어디로 갔단 말인가? 신동이란 소리를 듣고 우등상을 받았던 소년들은 지금 어디서 무엇을 하고 있을까? 한 번 이들의 생애를 조사해 보라. 그러면 학교에서 형편없던 우둔한 소년들이 이들보다 훨씬 더 출세한 예가 많다는 것을 알 수 있을 것이다. 이해와 배움이 빠른 영리한 소년들이 받는 그러한 상이 반드시 그들에게 도움이 되는 것은 아니다. 비록 남보다 못한 재주를 타고났어도 최선을 다하는 소년을 누구보다 격려해주어야 한다.

어릴 때 우둔하던 위인들의 예

소년시절에는 열등생이고 우둔했으나 뒷날 찬란한 성공을 거둔 사람들에 대한 흥미로운 이야기로 한 장을 채울 수도 있다. 그러나 지면 관계로 몇 사람의 예만 살펴보기로 한다.

화가 피에트로 디 코르토나는 어린 시절, 어찌나 머리가 나쁘던지 '당나귀 대가리'라는 별명을 얻었고, 토마소 귀디는 사람들이 모두 '어수룩한 톰'이라고 불렀지만 근면한 노력을 기울여 마침내 매우 저명한 화가가 되었다. 뉴턴이 학교를 다녔을 때의 성적은 꼴찌에서 두 번째였다. 한 번은 뉴턴보다 공부를 잘하는 소년이 뉴턴을 발로 찬 일이 있었는데, 이때 이 열등생은 용기를 내어 싸워서 그를 때려눕히고 말았다. 이때부터 뉴턴은 굳은 의지를 품고 열심히 공부하여, 마침내 자기 반에서 1등을 하는 학생이 되었다.

영국의 가장 위대한 성직자들이 어린 시절에 모두 모범적인 아이였던 것은 아니다. 아이작 배로는 차터하우스의 학교에 다닐 때 거친 성격과 싸움질하는 습관, 그리고 소문난 게으름으로 악명을 떨쳤다. 어찌나 부모의 속을 썩였는지, 그의 아버지는 늘 이렇게 말했다고 한다.

"하느님께서 굳이 우리 아이들 중 하나를 데려가시겠다면 아이작 놈을 데려가셨으면 좋겠다."

자식들 중에서 아이작을 가장 가망 없는 아이라고 생각했기 때문이다.

애덤 클라크는 소년 시절, 커다란 바위를 굴릴 수 있을 만큼 힘이 셌지만,

아버지한테서 늘 '한심한 멍청이'로 불렸다. 스위프트는 더블린 대학에서 낙제하고, 겨우 옥스퍼드의 '특별 청강생'으로 추천받을 수 있었다. 유명한 차머스 박사와 쿡 박사는 함께 세인트 앤드루 교구 학교에 다녔는데, 아둔한 데다 어찌나 장난이 심했는지 화가 난 학교 당국이 도저히 감당할 수 없는 학생이라고 둘 다 퇴학시켜버렸다.

뒷날 빛나는 인물이 된 셰리든도 소년 시절에는 형편없는 아이여서, 어머니가 개인교사에게 데리고 가서 이 아이는 정말 어쩔 수 없는 열등생이니 잘 좀 가르쳐달라고 특별히 부탁했을 정도였다. 월터 스콧은 초등학교에 다닐 때 열등생에 가까운 편이었고 공부보다는 싸움을 잘하는 소년이었다. 에든버러 대학에 다닐 때 댈젤 교수가 그를 가리켜 이렇게 말했다.

"그는 열등생이고 앞으로도 열등생 신세를 면치 못할 것이다."

채터튼도 '우리로서는 어쩔 수 없는 아이'라며 학교에서 어머니에게 돌려보낸 소년이었다. 번스는 운동만 잘하는 우둔한 소년이었다. 골드스미스는 자기 자신을 꽃이 늦게 피는 식물에 비유했다.

알피에리는 대학을 나와서도 들어갔을 때나 달라진 것이 없었고, 유럽을 절반 이상 돌아다닌 뒤에야 공부를 시작해서 뛰어난 명성을 날렸다. 로버트 클리브는 젊었을 때 망나니까지는 아니지만 둔재였고, 나쁜 짓을 하면서 늘 정력에 넘쳐 있었다. 그의 가족은 그를 내쫓고 싶은 마음에 마드라스로 보냈는데, 거기서 그는 영국의 세력을 인도에 심는 기초를 세웠다. 나폴레옹과 웰링턴도 학교에서 어느 면에서나 두각을 나타내지 못하는 우둔한 소년들이었다. 나폴레옹에 대해 다브랑테 공작부인은 이렇게 말했다.

"그는 건강한 소년이었으나 다른 면에서는 여느 소년과 다른 점이 없었다."

뒷날 미국의 1군 지휘관이 된 율리시스 그랜트를 가리켜, 그의 어머니는 율리시스 그랜트가 아니라 '유슬리스(아무 짝에도 못 쓰는) 그랜트'라고 불렀다. 그는 소년 시절에 몹시 아둔하고 모든 일에 서툴렀던 것이다. 리 장군의 가장 뛰어난 부관이었던 스톤월 잭슨도 젊은 시절에는 아둔한 것으로 유명했다. 그러나 웨스트포인트 육군 사관학교에 다닐 때, 그는 불굴의 전념과 인내로 뛰어난 면을 보여주었다. 어떤 과제가 맡겨지면 끝까지 그 과제를 완수하고야 말았고, 완전히 자기 것으로 소화하지 못한 것은 아는 척도 하지 않았다. 그를 아는 어떤 사람이 그에 대해 다음과 같은 글을 썼다.

"그날 배운 암기문제를 선생님이 질문하시면, 그는 늘 이렇게 대답했다. '선생님, 오늘 배운 것은 아직 공부하지 못했습니다. 어제와 그제 배운 것을 외우는 것도 벅차서요.' 하지만 그는 정원 70명인 학급에서 17번째의 성적으로 졸업했다. 아마도 그는 처음에는 학급에서 가장 성적이 뒤떨어진 학생이었을 것이다. 그러나 끝에 가서는 겨우 16명에게 뒤처졌을 뿐, 53명이나 되는 학생을 뒤로 제친 것이다. 그래서 학우들은, 만일 학교가 4년 과정이 아니고 10년 과정이었다면 잭슨이 1등으로 졸업했을 거라고 말하곤 했다."

유럽 각국의 감옥제도를 개혁한 것으로 유명한 자선가 존 하워드도 이름난 열등생으로, 7년 동안 학교를 다니면서 거의 아무것도 배운 것이 없었다. 스티븐슨은 소년 시절에 공부보다는 주로 포환던지기와 레슬링을 잘했고 자신의 일에 대한 집중력이 조금 뛰어난 정도에 불과했다. 뒷날 저명한 화학자가 된 험프리 데이비 경은 여느 소년보다 특별히 영리한 데가 없는 소년이었다. 그의 스승인 카듀 박사는 그에 대해서 이렇게 말한 적이 있었다.

"그를 가르치는 동안, 나는 그에게서 별로 뛰어난 재능을 발견하지 못했다."

데이비는 뒷날, 학생 시절에 그만큼 게으름을 즐길 수 있던 것을 오히려 다행한 일이라고 생각했다. 와트는 어린 시절에 조숙했다고들 말하지만 실은 우둔한 학생이었다. 그러나 다행히도 근면성과 인내심을 지니고 있었고, 그러한 기질과 주의 깊게 발전시킨 발명의 재능으로 그는 증기기관을 완성할 수 있었다.

어린 시절의 우열에 대해
아놀드 박사가 소년들에 대해 얘기한 것은 어른들에게도 적용할 수 있다.

즉 사람과 사람의 차이는 재능보다는 오히려 활동력에 있다. 인내와 활력을 꾸준히 발휘하다 보면 그것이 곧 습성이 되는 것이다. 열등생이라도 꾸준히 전념하면, 더 똑똑하기는 해도 그런 자질이 없는 우등생을 따라잡게 마련이다. 착실하게 한 걸음 한 걸음 소처럼 묵묵히 나아가면 틀림없이 마지막에 승리를 거둘 수 있다. 인내심이 있느냐 없느냐에 따라서 학교에서의 성적이 사회생활에서 자주 뒤집힌다. 묘한 일이지만 학창 시절에 우수한 아이들이 사회에 나가선 별 볼일 없는 사람이 되는 반면 아무도 눈여겨보지 않았던 열등생들이 느릿느릿 자신의 재능을 꽃피워 사회의 주도적인 위치를 차지하는 것은 참으로 신기한 일이다.

필자가 어렸을 때, 같은 반에 열등생의 표본 같은 소년이 있었다. 선생님들이 차례로 그의 성적을 올리려고 온갖 재주를 다 기울여 가르쳐주었으나 아무 소용이 없었다. 회초리로 때리고, 공부를 못하는 데다 게으르다고 고깔모자를 씌우거나, 살살 달래며 간곡하게 타일러도 전혀 효과가 없었다. 때로는 시험 삼아 학급에서 1등이 되도록 성적을 만들어 보기도 했지만, 보람도 없이 맨 꼴찌로 다시 돌아가는 것이었다. 교사들은 도저히 구제할 수 없는 아이라고 포기했고, 어떤 교사는 심지어 '못 말리는 바보'라는 별명까지 붙여주었다.

하지만 비록 굼뜨긴 했지만 이 열등생은 우직하다고 할 정도로 굳은 의지력을 가지고 있었고, 차츰 성장함에 따라 정신도 함께 성장했다. 그리고 신기한 일이지만, 실제로 사회생활을 시작하게 되자, 이 열등생은 대부분의 학교 친구들을 앞서나가 마침내 그들을 저 멀리 따돌리고 말았다. 필자가 그에 대한 소문을 마지막으로 들었을 때, 그는 고향에서 시장으로 활발하게 활동하고 있었다.

부모는 서둘러서는 안 된다

걸음이 느린 거북이도 올바른 길로 나아가면 잘못된 길을 달리는 토끼를 이길 수 있다. 그러므로 열심히 노력하면 진척이 늦더라도 걱정할 필요가 없다. 너무 빨리 나타나는 재능은 오히려 결점이 될 수 있다. 쉽게 배우는 학생은 쉽게 잊고, 인내와 노력을 계발할 필요를 느끼지 않게 된다. 반면 배움이 느린 젊은이는 이 정신을 발휘하지 않을 수 없다. 그것은 인격을 형성하는 데 매우 귀중한 요소다.

데이비는 "내가 오늘의 지위를 얻은 것은 내가 스스로 만들어낸 결과이다"라고 말했는데, 모든 일을 자신의 노력으로 이루는 정신은 어디에서나 통용될 수 있다. 여기서 결론을 말한다면, 최고의 수양은 학교 다닐 때 선생님한테서 얻는 것이 아니라, 우리가 성인이 되었을 때 우리 자신의 근면한 학습을 통해 얻을 수 있는 것이다.

그러므로 어른들은 아이들을 억지로 꽃피우게 하려고 서두를 필요가 전혀 없다. 참을성 있게 지켜보며 기다린 다음, 훌륭한 모범에 따라 착실하게 훈련을 시켜야 한다. 그리고 나머지는 하느님에게 맡기는 것이다. 자유롭게 신체를 움직여 건강을 유지하게 한 다음, 자기 수양의 길을 걷게 하여 주의 깊게 인내와 노력의 습성을 길러주어야 한다. 그러면 차츰 나이를 먹음에 따라 그에게 적합한 소질이 있다면 스스로 힘차게, 그리고 효과적으로 실력을 다지게 될 것이다.

12 본받을 만한 일들
용기와 명예는 감염되어 닮아간다

같은 피를 받은 우리의 고상한 형제들이 우리 앞에 늘 그림자로 나타난다. 아름다운 표정과 선량한 말씨로 자나 깨나 우리를 감싸 준다.　　존 스틸링

이 세상에서 행하는 인간의 행동은 모두 끝없이 이어지고 있는 결과의 시초가 된다. 그 결과를 내다볼 수 있을 만큼 귀중한 인간의 지혜는 없다.
토머스 말메스버리

가정과 국가에서 가장 중요한 것

모범은 비록 말이 없으나 가장 영향력 있는 교사이다. 실제 생활에서 행동은 언제나 말보다 큰 감화력을 발휘하는 법이다. 가르침은 우리에게 갈 길을 지적해 줄 수 있지만 우리를 감동시키는 것은 모범이다. 모범은 말 없는 가운데 끝없이 이어져 우리에게 습관으로 전달되고 실제로 우리와 함께 살아 숨쉰다. 좋은 충고도 중요하지만, 거기에 좋은 모범이 뒤따르지 않는다면 아무런 영향력도 줄 수 없다.

학교에서 흔히 하는 "내가 하는 대로 하지 말고 내가 말하는 대로 하라"는 말은, 실제 사회생활에서는 보통 반대로 적용된다.

사람들은 귀보다 오히려 눈을 통해 배우기 쉽다. 어린 시절에는 특히 더 그러한데, 눈이 지식을 받아들이는 중요한 창이기 때문이다. 아이들은 무엇이나 눈으로 보는 것을 모방한다. 아이들은 자기도 모르는 사이에 주변 사람들을 닮게 마련인데, 그것은 숲 속의 곤충들이 나뭇잎의 빛깔을 닮는 것과 같다. 그렇기 때문에 가정교육이 매우 중요하다.

학교의 능력이 어떠하든, 가정에서 보여주는 모범은 남녀가 앞날에 갖출 인격을 형성하는 데 언제나 훨씬 더 큰 영향력을 가지고 있기 때문이다. 가정은

사회의 결정(結晶)이요, 국민성의 핵심이다. 그리고 그 원천에서 가정은 순결한 것이든 타락한 것이든 개인 생활뿐만 아니라 사회생활까지 지배하는 습관과 신념과 처세술을 길러준다. 국민성은 국민 각자가 어릴 때 사용하는 방에서 태어난다. 대중 여론도 대부분 가정에서 자라고, 최고의 인간애도 가정에서 시작된다.

"사회 속에서 우리가 속해 있는 최소단위인 가족을 사랑하는 것이 사회 전체를 사랑하기 위한 첫걸음이다."

정치 사상가 버크가 한 말이다. 이 조그만 핵심에서 인간의 공감이 널리 퍼져 마침내 온 세상을 끌어안게 된다. 진정한 인간애는 자선처럼 가정에서 시작되지만, 분명히 가정에서 끝나는 것은 아니기 때문이다.

부모의 모범

그러므로 행동의 모범은 겉으로 보기에는 아주 작은 일이라도 결코 가볍게 생각해서는 안 된다. 그것은 끊임없이 다른 사람들의 생활과 뒤섞여, 더 나은 면으로나 나쁜 면으로나 그들의 성격을 형성하는 데 기여하기 때문이다. 그리하여 어른들의 성격은 언제나 그들의 아이들에게 반복된다. 그리고 부모들이 날마다 보여주는 애정과 규율, 근면, 그리고 자제가 배어 있는 행동은 아이들이 귀로 듣고 배운 그 밖의 모든 것을 잊은 뒤에도 오래도록 남아 작용하게 되는 것이다. 그러므로 현명한 사람은 자기의 아이들을 가리켜 '나의 미래상'이라고 부른다.

부모의 말 없는 행동과 무의식적인 표정조차 아이의 성격에 지울 수 없는 흔적을 남기며, 선량한 부모의 깨끗한 모범으로 얼마나 많은 죄악이 방지되었는지 사람들은 잘 알지 못한다. 아이들은 결코 가치 없는 짓을 하거나 불순한 생각에 탐닉하여 그런 좋은 부모의 추억을 더럽히지는 않는 법이다.

어머니에게 감화를 받은 웨스트와 벅스턴

극히 사소한 일도 사람들의 인격에 중요한 영향력을 끼친다. "어머니의 입맞춤 덕분에 나는 화가가 되었공"고 웨스트는 말했다. 미래의 행복과 성공은 주로 어린 시절에 겪은, 얼핏 대수롭지 않게 보이는 사소한 일들이 인도하는 방향에 달려 있다.

파월 벅스턴은 나중에 유명해져서 당당한 지위에 올랐을 때, 자기 어머니에게 다음과 같은 편지를 보냈다.

"언제나 그렇지만 저는 특히 남을 위해 일하고 헌신할 때, 어렸을 때 어머니께서 제 마음에 심어주신 성실성과 도덕심이라는 미덕의 효과를 느끼게 됩니다."

벅스턴은 에이브러햄 플래스토라는 사냥터지기에게 진 은혜를 평생 잊지 않고 있었다. 그는 소년 시절에 플래스토와 함께 말을 타거나 그 밖의 운동을 하며 놀았는데, 이 사람은 글을 읽지도 쓰지도 못했으나 타고난 분별심과 기지가 풍부한 사람이었다.

뒷날 벅스턴은 플래스토를 평하여 이렇게 말했다.

"그가 지니고 있는 특히 소중한 점은 정직과 명예를 지키는 원칙이었다. 그는 어머니가 계시지 않을 때라도 어머니가 아시면 나무라실 만한 말이나 행동은 하지 않았다. 그는 언제나 최고의 명예를 지켰고, 세네카와 키케로의 글에서 볼 수 있는 내용만큼 순수하고도 관대한 정신을 우리 어린이들 마음속에 불어넣어 주었다. 그는 내가 이 세상에서 만난 최초의, 아니 최고의 스승이었다."

랭데일 경은 어린 시절에 어머니가 보여주었던 훌륭한 모범을 회상하며 다음과 같이 단언했다.

"만약 지구를 저울 한쪽에 올리고 어머니를 다른 쪽에 올려놓는다면, 어머니 쪽이 너무 무거워 지구가 튕겨 나갈 것이다."

심멜 페닝크 여사는 자신의 어머니가 어떤 모임에 참석할 때 그 모임에 끼치는 영향력을 회상하곤 했다. 어머니가 방에 들어서면 바로 대화내용이 고상해져서, 마치 정신적 분위기가 순화된 것처럼 모든 사람들이 더욱 자유롭게 호흡하고 더욱 올바른 자세를 취하는 듯이 보였다고 했다.

모든 사람이 호흡하고 사는 정신적 분위기는 이처럼 정신 건강에 달려 있고, 부모가 아이들 앞에서 날마다 살아 있는 모범을 보여준다면, 그 영향은 참으로 크다. 그러므로 우리는 부모가 아이들을 가장 잘 가르칠 수 있는 방법을 "당신들 자신을 향상시키시오"라는 말로 요약할 수 있을 것이다.

사람의 말과 행동은 반드시 미래와 관련이 있다

사람의 모든 말과 행동이 반드시 알 수 없는 결과를 수반하게 된다는 생각에는 뭔가 엄숙하고 경외할 만한 점이 있다. 이 세상에 살고 있는 사람이라면 누구나 어느 정도는 우리 생활에 감화를 주고, 우리는 우리 자신도 모르게 주변 사람들에게 영향을 미친다.

인간의 말과 행동은 좋은 것이든 나쁜 것이든, 비록 그 결실을 지켜보지 못한다 하더라도 어떻게든 살아있게 마련이니, 아무리 하찮은 사람의 행동이라도 사람들의 생활에 영향을 끼치게 마련이다. 인간의 영혼 또한 죽지 않고 우리 가운데 영원히 살아 움직인다.

디즈레일리는 리처드 콥덴이 세상을 떠났을 때 하원에서 다음과 같은 말을 했는데, 거기에는 훌륭하고 올바른 정신이 담겨 있다.

"콥덴 씨는 이미 고인이 되셨지만 지금도 여전히 우리 하원의 일원입니다. 국회 해산이나 선거구민들의 변덕 그리고 시간의 흐름과도 상관없이, 그는 우리의 마음속에서 영원히 살아계실 것입니다."

사람의 말과 행동은 영원히 죽지 않는다

이승에서도 인간의 생명에는 불멸의 요소가 깃들어 있다. 이 세상에 사는 사람은 누구든 홀로 살아갈 수 없다.

현재는 과거에 뿌리를 두고 있으며, 우리 조상들의 생활과 모범이 아직도 우리 생활에 큰 영향을 미치고 있는 것처럼, 우리도 우리의 일상 행동으로 앞날의 상태와 성격을 형성하는 데 기여하고 있다.

현대에 살고 있는 인간은 지난 세대의 문화에 의해 형성되고 숙성된 열매이니, 아득히 먼 과거와 훨씬 앞의 미래를 행동과 모범을 통해 연결시키는 자석의 역할을 담당하고 있다. 인간의 행위는 결코 사라지지 않는다. 비록 그 육체는 죽어 흙과 공기로 변해도 그 행동은 좋든 나쁘든 반드시 거기에 상응하는 열매를 맺어, 다가오는 세대에 영향을 미친다. 바로 이 중요하고도 엄숙한 사실 속에 인간 존재의 크나큰 책임과 위험이 있는 것이다.

배비지

배비지의 논문 '언행은 죽지 않는다'

배비지가 이러한 생각을 그의 고상한 글속에서 강력하게 표현한 바 있다.

"모든 원자에는 선과 악이 각인되어 있으며, 그것은 학자와 현인들이 밝혀낸 운동성을 지닌 채 온갖 무가치하고 비천한 것들과 수만 가지 방식으로 혼합하며 결합하고 있다. 우리가 마시며 살고 있는 공기 자체가 하나의 거대한 도서관으로, 그 안의 책에는 인류가 말하고 속삭여온 모든 것들이 언제나 기록되어 있다. 한 치의 오차도 없는 불변의 글자들 속에는 죽을 운명에 대한 가장 최근의 한숨소리뿐만 아니라 가장 오래된 탄식과 더불어 보상 없는 서약과 이루어지지 못한 약속이 기록되어 있으며, 각각의 입자가 합쳐져 움직이는 가운데 변하기 쉬운 인간 의지의 증언을 영원히 간직하고 있다.

그러나 만일 우리가 호흡하는 공기가 우리의 생각을 기록해 두는 불멸의 역사가라면, 땅과 하늘과 바다도 마찬가지로 우리 행동의 영원한 증인일 것이다. 그리고 행동과 반응이 동등하다는 똑같은 원칙이 거기에도 적용되므로, 자연의 섭리와 인간의 행동이 남기는 발자취는 결코 지워지지 않을 것이다.……

전능하신 하느님은 최초의 살인자의 이마에 지워지지 않는 범죄의 낙인을 찍고, 또 율법을 정하여 그 뒤에 이 죄를 범하는 사람을 처벌하였다. 이 죄를 범한 사람은 그 육체가 죽어 원질(原質)로 돌아가고, 그 원질이 분열하여 다른 사람의 몸속으로 옮겨가 계속 달라붙고, 원질이 모두 결합하여 그 죄를 범했을 때의 근육의 움직임대로 운동 조직이 만들어진다."

지극히 비천한 사람의 언행 또한 세상에 영향력을 가진다

우리가 보고 듣는 모든 행동과 말, 그리고 우리가 하는 모든 행동과 말은 반드시 영향력을 끼치며, 그 영향력은 우리의 앞날뿐 아니라 사회전체의 구조에까지 그 힘이 미친다.

우리는 이 영향력이 여러 갈래로 갈라져서 우리의 자손과 친구들 속에서 어떻게 작용하는지 그 흔적을 보지 못할지도 모르고 사실 거의 볼 수 없지만, 틀림없이 그 속 어딘가에서 영원한 작용을 하고 있다. 좋은 모범을 보여야 하는 중요성이 바로 여기에 있는 것이니, 그것이야말로 가장 가난한 사람이나 가장 하찮은 사람도 그의 일상생활을 통해 실천할 수 있는 무언의 교훈이기 때문이다.

본디 세상에는 두 종류의 사람들이 있다. 하나는 묵묵히 남에게 감화를 주는 사람이고, 하나는 묵묵히 타인에게 감화를 받는 사람이다. 남에게 감화를 주는 사람보다 고귀한 것은 없고, 남에게서 대가 없는 감화를 받는 사람보다 비천한 것은 없다. 유익한 사람이 되기 위한 조건은 지위에 있지 않고 모범적인 언행에 있다. 그러므로 아무리 미천한 사람이라도 단순하지만 한없이 귀중한 가르침을 사람들에게 줄 수가 있다. 그리하여 가장 미천한 조건도 유용하게 작용할 수 있으니, 낮은 곳에 세워 놓은 불도 높은 언덕 위에 세워 놓은 불처럼 곳곳을 밝은 빛으로 비쳐주기 때문이다.

어디서나, 그리고 아무리 불행한 역경 속에서도—예를 들면 황야의 양치기 오두막집이나 촌구석, 혹은 대도시의 뒷골목에서도—참다운 사람이 나올 수 있다. 간신히 자기 무덤으로 쓸 수 있을 손바닥만 한 땅을 경작하는 사람도 부농의 상속자처럼 훌륭한 뜻을 품고 충실하게 땅을 일굴 수 있다. 그리하여 극히 평범한 일터가 근면과 과학과 선행의 학교가 될 수 있는 동시에 게으름과 어리석음과 타락의 장소가 될 수도 있다. 이 모두는 개인에게 달려 있고, 자신들에게 주어지는 기회를 어떻게 이용하느냐에 달려 있다.

바른 인격을 유지하며 보낸 일생은 자손들과 세상에 남겨줄 수 있는 커다란 유산이다. 그것은 가장 힘차게 미덕을 가르쳐주고 가장 신랄하게 악덕을 나무라는 동시에, 가장 훌륭한 부의 원천으로서 오래오래 지속되는 것이기 때문이다. 하비 경의 빈정거림에 답하여 포프가 말한 것처럼, 다음과 같이 말할 수 있는 사람들은 행복하다 할 수 있을 것이다.

"내 부모님은 훌륭한 분들이어서 그분들 때문에 내가 얼굴을 붉힌 적이 한 번도 없었고, 비록 보잘것없지만 아들인 나 때문에 그분들이 한 번도 눈물을 흘린 적이 없었으니, 이만하면 나는 만족하다고 생각한다."

말이 아니라 실천이 사람을 바꾼다

남에게 무엇을 해야 하는지 말해주는 것으로는 충분하지 않으며, 실제적인 행동모범을 보여주어야 한다. 치솜 여사는 자신의 성공 비결을 스토 여사에게 다음과 같이 말했는데, 그것은 누구에게나 통용된다.

"무슨 일을 이루려면 오직 그 일을 시작하고 행동을 해야지, 말로만 떠들어서는 아무 소용이 없어요. 실천하는 것 외에는 아무 소용이 없는 거죠."

행동하지 않는 사람의 말에는 설득력이 없다. 만일 치솜 여사가 말하는 것에만 만족했다면, 일의 성과는 말의 범위를 넘어서지 못했을 것이다. 치솜 여사는 그것을 알고 있었던 것이다. 그러나 여사가 일을 시작하여 마침내 그것을 완수하는 것을 보자, 사람들은 그때서야 여사의 견해를 이해하고 여사를 도와주러 모여들었다.

그러므로 가장 유익한 일꾼은 말을 잘하거나 극히 고상한 생각을 품고 있는 사람이 아니라, 발 벗고 나서서 행동하는 사람이다. 성실한 사람들은 가장 미천한 처지에서도 모든 열정을 쏟아, 언뜻 보기에는 그들과 어울리지 않는 좋은 일에 추진력을 발휘할 수 있다. 토머스 라이트도 죄인들의 교화에 대해 입으로만 떠들고 아무 일도 하지 않을 수 있었고, 존 파운즈도 빈민 학교에 대해 말만 무성하게 하고 정작 일은 하지 않을 수 있었으나, 이들은 아무 말 없이 오직 해내고 말겠다는 일념으로 일을 시작한 것이다.

구두를 수선하면서 대가 없이 빈민아동을 가르친 파운즈

아무리 가난한 사람이라도 사회에 크나큰 영향을 끼칠 수 있다는 것을, 빈민학교 운동의 선구자인 거스리 박사의 다음과 같은 말에서 알 수 있다. 이 말에서 포츠머스의 미천한 구두 수선공에 지나지 않았던 존 파운즈의 모범이, 거스리 박사의 생애에 얼마나 큰 영향력을 끼쳤는지도 알 수 있을 것이다.

"내가 이 방면에 관심을 갖게 된 계기를 생각하면, 하느님의 섭리 속에서 한 사람의 운명—강물의 흐름과 같은 인생 과정—은 극히 작은 일에서 영향을 받고 결정된다는 것을 알 수 있다. 나에게는 적어도 흥미로운 일이지만, 지금 생각하면 오히려 이상한 느낌이 든다.

내가 처음 빈민학교에 관심을 갖게 된 것은, 토머스 차머스의 탄생지인 포드의 프리드 해안에 있는, 오래되어 우중충하게 퇴락한 작은 자치 도시에서 그림 한 폭을 보고 나서부터였다. 내가 그곳에 간 것은 아주 오래 전의 일이었다. 잠시 쉬려고 어느 여인숙에 들어갔는데, 내가 정한 방에 손잡이가 구부러진 지팡이를 들고 있는 양치는 여자들의 그림과 외출복으로 잘 차려 입은 수병들의 그림이 잔뜩 걸려있는 것을 보았으나 그다지 흥미를 끄는 그림들은 아니었다. 그러나 벽난로 장식 선반 위에 걸려 있는 유달리 큰 그림 한 폭은 좀 달랐는데, 그것은 구두를 수선하고 있는 모습을 그린 그림이었다. 그림 속에 한 구두 수선공이 코에 안경을 걸치고 두 무릎 사이에 낡은 구두를 끼고 앉았는데, 널쩍한 이마와 꼭 다문 입은 굳은 의지를 나타내고 있었고, 숱이 많은 눈썹 밑의 눈은 누더기를 입은 가난한 소년소녀들—바삐 일하는 이 구두 수선공 둘레에 서서 공부를 하고 있었다—을 향해 자애로운 빛을 띠고 있었다. 나는 부쩍 호기심이 생겼다.

그리고 옆에 적혀 있는 제목을 읽고 나서 다음과 같은 사실을 알았다. 존 파운즈라고 하는 포츠머스의 그 구두 수선공이, 목사, 공무원, 그리고 신사 숙녀로 일컬어지는 사람들이 거리에서 쓰러져 죽도록 방치한 수많은 아이들을 가엾게 여기고, 선량한 목자처럼 그 불쌍한 아이들을 모아 하느님의 말씀과 사회에서 살아갈 수 있는 길을 가르쳐주고, 이마에 구슬땀을 흘리며 자신의 빵을 벌어야 하는 처지이면서도 500명이나 되는 아이들을 불행에서 구출하여 사회로 진출시켰다는 것이었다.

그것을 읽고 나는 자신이 부끄러워지는 것을 느꼈고, 그때까지 사회를 위해 일한 것이 아무것도 없는 나 자신을 꾸짖었다. 나는 가슴이 뭉클해졌다. 그분의 업적을 알고 놀란 내가 그 순간의 감동 속에서 친구에게 다음과 같이 말한 것을 아직도 기억하고 있다(나중에 냉철과 침착을 되찾았을 때 생각해 보아도 그렇게 말할 수밖에 없었다). '그분은 인류의 명예를 위해 일하신 분으로, 영국의 어느 위인보다도 더 높은 기념비를 세워드려야 할 분이네.'"

거스리는 존 파운즈의 생애에 대해 이렇게 말했다.

"난 그분의 역사를 받아들이고 나서야 사람들에게 연민의 정을 품으신 하느님의 정신이 살아 있다는 것을 알았다. 존 파운즈는 지혜로운 사람이기도 했다. 아무리 해도 가난한 소년의 마음을 돌릴 수 없을 때는 사도 바울처럼 꾀를 써서 목적을 달성했던 것이다. 선창을 따라 도망치는 누더기 소년을 쫓아다니며 학교에 나오도록 했는데, 경찰 같은 권력으로서가 아니라 방금 찐 따끈한 감자를 한 개 꺼내 보이면서 학교에 가자고 달래는 것이었다. 그분은 아일랜드 사람들이 감자를 얼마나 좋아하는지 알고 있었다. 그럴 때 우리는, 아일랜드 사람들처럼 매우 정열적으로, 자기 자신처럼 누더기 같은 껍질로 덮인 감자를 소년의 코앞에 내밀며 달리는 그분의 모습을 상상할 수 있을 것이다.

마땅히 명예를 돌려야 할 사람에게 명예를 베풀 때가 오면, 시인들이 그 명성을 찬미하며 기념비를 세워주었던 수많은 사람들은 물거품처럼 흩어지고 만다. 그 지방의 위대하고 고상한 권력층의 사람들 또한 잠시 스쳐지나갈 뿐이지만, 이 가난하고 이름도 없는 노인은 그들을 헤치고 앞으로 나와 다음과 같은 하느님의 특별하신 말씀을 듣게 될 것이다. '이 지극히 작은 자 하나에게 한 것이 곧 내게 한 것이니라.'"

좋은 친구를 사귀어라

인격 교육은 누구를 모범으로 삼는가에 따라 결정된다. 우리는 무의식중에 주변사람들의 인격과 예의범절, 습관 그리고 생각을 닮게 된다. 좋은 규범도 큰 역할을 하지만 훌륭한 모범은 더욱더 큰 역할을 한다. 훌륭한 모범 속에는 행동을 이끌어주는 가르침, 즉 실제적인 지혜가 있기 때문이다. 그러므로 특히 젊은 시절에 친구를 주의 깊게 선택하는 것은 매우 중요한 일이다. 젊은 사람들에게는 자석의 인력이 있어서, 자기도 모르게 동화되어 서로 닮아가기 쉽다.

에지워드는 젊은이들이 자기도 모르게 자주 만나는 친구를 모방하고 그 성격을 닮게 된다는 강한 확신을 가지고, 가장 훌륭한 모범을 보여주는 친구를 선택하도록 젊은이들을 지도하는 것이 극히 중요한 일이라고 여겼다.

'좋은 친구를 사귀어라. 그렇지 않으면 아예 친구를 사귀지 말라.'

이것이 그의 좌우명이었다.

콜링우드 경은 어느 젊은 친구에게 보내는 편지에서 다음과 같이 말했다.

"나쁜 친구를 사귈 바에는 차라리 혼자 지내는 편이 낫다는 말을 자네의 금언으로 삼게. 자네와 같거나 자네보다 나은 사람들을 친구로 삼게. 사람의 가치는 늘 사귀는 친구들의 가치로 결정되기 때문이네."

유명한 의사 시드넘 박사는 이렇게 말했다.

"사람은 대화 상대가 좋은 사람인가 나쁜 사람인가에 따라 조만간 좋은 사람이 될 수도 있고 나쁜 사람이 될 수도 있다."

피터 렐리 경이 나쁜 그림을 보면 자신의 화필이 더러워진다고 믿고 될 수 있는 대로 나쁜 그림은 보지 않기로 했던 것처럼, 타락한 사람을 자주 보고 천박한 사람과 사귀게 되면 어쩔 수 없이 조금씩 그 사람의 언행에 물들게 마련이다.

인격자와의 교제가 주는 이익

그러므로 젊은이들은 좋은 친구를 사귀며 언제나 자기보다 높은 수준을 목표로 삼는 것이 바람직하다. 프랜시스 호너는 기품이 고상하고 총명한 사람들과 사귀는 데서 얻는 좋은 점을 다음과 같이 말했다.

"나는 주저 없이 말할 수 있다. 내가 지금까지 읽은 모든 책에서 얻은 것보다 더 큰 지적 진보를 그들한테서 얻었다는 것을."

셸번 경(뒷날의 랜즈다운 후작)은 젊었을 때 존경하는 말제르브를 방문하고 크게 감명을 받은 나머지 이와 같이 말했다.

"나는 여기저기 두루 돌아다니며 많은 사람들을 만났으나 그분보다 나에게 큰 영향력을 끼친 사람은 없었다. 내가 만일 앞으로 살아가는 동안 뭔가 좋은 일을 해낸다면, 말제르브에 대한 회상이 나의 영혼에 생기를 불어넣었기 때문이다."

파월 벅스턴도 어릴 때 자신의 인격을 형성하는 데 거니 일가가 끼친 영향을 늘 고맙게 생각하며 이렇게 말했다.

"그분들이 내 인생을 윤택하게 해주었다."

그리고 더블린 대학에서 연구 목적을 달성한 이야기를 하면서 다음과 같이 인정하기도 했다.

"그것은 오로지 내가 얼햄의 집을 방문한 덕분이었다."

그가 자기 계발에 힘쓸 수 있었던 것은 거니 일가의 감화 덕분이었던 것이다. 좋은 사람들과 가까이 지내면 반드시 좋은 결과가 오고 어떠한 축복이 따르게 마련이니, 그것은 마치 나그네한테서 길가에 피어 있던 꽃과 나무의 향기가 풍기는 것과 같다.

존 스털링과 가까이 지낸 사람들은, 그가 주변의 모든 사람들에게 끼친 유익한 영향력에 대해 언급한 바 있다. 많은 사람들이 그로부터 감화를 받아 처음으로 더 높은 차원의 삶의 의미에 눈을 떴고, 인간이란 무엇이며 무엇을 해야 하는지를 알았다. 트렌치는 존 스털링에 대해 다음과 같이 말했다.

"그의 고상한 인격을 대하면 나 역시도 다소 고상해지는 것 같은 느낌이 들었다. 그를 만난 뒤에는 내가 일상의 유혹에 빠지는 생활보다 더 높은 차원의 목적을 지향하게 됨을 느끼곤 했다."

고상한 인격은 이와 같이 언제나 그 영향력을 발휘하는 것이니, 우리가 고상한 인격을 가진 사람과 가까이 할 때, 우리도 모르는 사이에 인격이 높아지고 저절로 그 사람과 같은 생각을 하게 되며, 같은 견지에서 세상을 보는 습관이 붙게 된다. 서로 감화를 주는 작용과 반작용에는 이렇게 신비로운 효과가 있는 것이다.

자기를 능가하는 자를 흠모하는 예술가들

예술가들도 자기보다 더 위대한 예술가들과 가까이 지내면서 인격이 높아지고 실력이 향상되는 것을 느낀다. 하이든의 재능이 처음으로 불타오르게 된 것은 헨델 덕분이었다. 하이든은 헨델이 연주하는 것을 듣고 작곡에 대한 열정을 느꼈고, 그 자신도 그런 기회가 없었더라면 《천지창조》를 작곡하지 못했을 거라고 믿었다. 헨델에 대해서 그는 이렇게 말했다.

"그가 무엇을 하기로 마음먹고 일하는 모습은 꼭 천둥이 치는 모습과 같았다."

한번은 이런 말도 했다.

"그의 선율은 늘 피를 끓게 한다."

스칼라티 또한 헨델의 열렬한 찬미자로서 이탈리아 순회공연 때마다 헨델을 따라다닌 적이 있었는데, 뒷날 이 대가에 대해 얘기할 때면 찬양의 표시로 먼저 가슴 위에 성호를 긋곤 했다.

진정한 예술가들은 반드시 서로의 장점을 너그럽게 인정해준다. 베토벤은 대가답게 케루비니를 찬양했다. 또 "정말로 슈베르트에게는 신의 정열이 깃들어 있다"며 슈베르트의 천재성을 격찬했다.

화가 노스코트는 어렸을 때 레이놀즈를 어찌나 좋아했던지, 그 위대한 화가 레이놀즈가 데번셔에서 열린 어느 모임에 참석했을 때 군중을 헤치고 앞으로 다가가 그의 옷자락을 만져 봤을 정도였다.

"그때 나는 참으로 큰 만족을 느꼈다."

이 노스코트의 행동이야말로 천재를 찬양하는 소년다운 열광의 진정한 표현이 아니겠는가?

용감한 사람의 본보기

용감한 사람의 본보기는 웅크린 사람들에게 힘을 주고, 용감한 사람의 정신은 모든 사람들에게 스며든다. 그리하여 영웅의 지휘 아래에서는 평범한 사람도 이따금 기적 같은 용기를 발휘한다. 용감한 사람의 행동을 이야기로만 들어도 나팔소리를 들을 때처럼 피가 끓어오른다.

지스카는 자기가 죽은 뒤 자기의 가죽으로 북을 만들어 보헤미아 사람들의 용기를 북돋워 주는 데 쓰라고 유언했다. 에피루스*¹의 왕자 스캔더베그가 세상을 떠나자, 터키 사람들은 왕자의 심장에서 가장 가까운 곳에 있는 뼈를 차지하고 싶어 했다. 왕자가 살아 있을 때 보여준 용기 그리고 그들이 가끔 싸움터에서 얻었던 왕자의 용기를 조금이라도 얻고 싶었던 것이다.

브루스 왕가의 정신을 지닌 용감한 더글러스는 성지를 향해 전진하다가, 자신의 기사 한 명이 사라센 사람들에게 포위당해 몹시 곤경에 빠진 것을 보았다. 그는 자기 목에 걸고 있던, 전쟁영웅 브루스 왕의 심장이 담겨 있는 은 케이스를 잡아채어 적군의 한복판에 던지면서 부하들에게 이렇게 소리쳤다.

"폐하께서 생전에 늘 그러셨던 것처럼 앞장서서 돌격하십시오! 저도 죽음을 무릅쓰고 폐하의 뒤를 따르겠습니다!"

그리고 브루스 왕의 심장을 따라 적진으로 돌진한 그는 마침내 장렬하게 전사했다.

전기를 읽고 분발한 사람의 예

전기가 좋은 점은 주로 고귀한 인격의 모범이 풍부하게 담겨져 있다는 데

---

*1 고대그리스의 한 나라.

있다. 우리의 조상들은 그들의 생애와 모범적인 행동을 기록한 책 속에서 우리와 함께 여전히 살아 있으며, 우리의 책상 위에 앉아 우리의 손을 잡아 주며 유익한 모범을 보여준다. 우리는 그것을 배우고 찬양하고 모방할 수 있다. 사실 어느 누구든 고귀한 인생의 기록을 남기고 떠난 사람들은 후세 사람들에게 영원한 선행의 원천을 남긴 것이라고 할 수 있다. 앞으로 영원히 사람들은 그것을 읽고 인격을 형성하는 데 도움을 얻을 것이고, 그것을 통해 약동하는 생기를 얻어 인생을 새롭게 출발하여 새로운 형태의 인격을 보여줄 수 있기 때문이다.

그러므로 성실한 사람의 생애가 기록되어 있는 책은 귀중한 씨앗으로 가득 차 있다. 그것은 아직도 살아 있는 목소리, 즉 지성의 목소리다. 밀턴의 말을 빌리면, "책은 생명을 마감한 어떤 생명을 위해 썩지 않게 향료를 발라 소중히 보존한, 고귀한 정신의 귀중한 활력소"이다.

이러한 책은 반드시 인간의 마음을 고상하게 높여주는 영향력이 있게 마련이다. 특히 이 세상에서 우리가 살아가야 할 모습을 제시해주는 극히 고귀한 모범이 담긴 책이 있으니, 그것은 우리의 마음이 필요로 하는 모든 것에 가장 합당한 모범이요, 아무리 먼 곳에서도 또 아무리 먼 후세에도 따르고 추구할 수 있는 모범이라 할 것이다.

　　태양을 보지 못한 식물이나 덩굴처럼
　　태양을 꿈꾸며 태양이 어디 있는지 짐작해 보라
　　그리고 태양이 있는 곳까지 도달하도록 최선을 다해 올라가라.

따라서 젊은이들은 누구나 벅스턴과 아놀드 같은 사람들의 전기를 정독하고 나면 반드시 마음이 고상해지고 하늘을 꿰뚫을 것처럼 결심이 불끈 솟아나는 것을 느낄 것이다. 이러한 사람들의 전기는 사람이 어느 정도까지 향상될 수 있는지, 또 무엇을 할 수 있는지를 보여주어, 그의 희망을 강화하고 인생의 목적을 드높여주어 의지력을 향상시켜준다.

이탈리아의 유명한 화가 코레지오가 미켈란젤로의 작품을 유심히 보고 나서 천재적 소질이 솟아나는 것을 느꼈던 것처럼, 젊은이는 때때로 위인의 전기 속에서 자기 자신을 발견한다. 코레지오는 그때 "그래, 나도 화가가 되리라!" 하고 외쳤다.

새뮤얼 로밀리는 자서전을 통해, 위대하고 기품이 고상한 프랑스의 수상 다게소의 전기를 읽고 강한 영향력을 받았노라고 고백했다.

"우연히 토머스가 쓴 책《다게소를 찬양하노라》를 읽게 되었는데, 그 책을 읽고 나는 큰 감명을 받았다. 토머스가 쓴 이 유명한 수상의 이야기는 나의 열정과 야망에 큰 자극을 주었고, 나의 앞날에 대한 꿈에 새로운 영광의 길을 열어주었다."

벤저민 프랭클린

프랭클린, 드루, 더들리

프랭클린은 자기가 명성을 얻고 유익한 사람이 된 것은 일찍이 코튼 매더의 《좋은 일을 담은 수필집》을 읽었기 때문이라고 했는데, 이 수필집은 매더의 일생을 기록한 책이었다. 좋은 모범은 이와 같이 사람들의 마음을 끌고, 온 세상 후세 사람들에게까지도 영향을 미친다.

새뮤얼 드루는 벤저민 프랭클린의 자서전을 읽고 자신의 인생, 특히 사업정신의 틀을 잡았노라고 말했다. 그러므로 좋은 모범은 그 영향력과 한계—만일 한계가 있다면—가 어디까지라고 말하는 것은 불가능하다. 인생에서와 같이 문학에서도 가장 훌륭한 사람들과 사귀고, 최고의 책을 읽고, 책 속에서 발견한 가장 좋은 것들을 찬양하고 지혜롭게 모방하는 좋은 점이 여기에 있다. 더들리 경은 다음과 같이 말했다.

"문학면에서 나는 주로 옛날에 교제한 친구를 내가 가장 좋아하는 벗으로 여기기를 좋아한다. 그들과 더 깊게 사귀고 싶기 때문이다. 새로운 책을 읽는 것보다는 전에 읽었던 책을 반복해서 읽는 것은 비록 재미는 없을지 모르나 십중팔구는 더 유익하다고 생각한다."

알피에리, 로욜라, 루터, 울프, 케어리

그저 심심풀이로 아무거나 집어서 읽다가 우연히 고상한 인생 기록이 담긴 책을 읽은 것이, 때로는 그때까지 생각지도 못한 정열을 불러일으키는 수가 있다.

알피에리는《플루타르크 영웅전》을 읽고 문학에 열정을 쏟게 되었다. 로욜라는 사병으로 팜펠루나 전투에 참전했을 때 다리에 중상을 입고 누워서, 생각을 다른 데로 돌리고자 읽었던 책이《성인들의 삶》이었다. 그는 이 책을 정독하고 나서 열정에 불타올라 종교단을 창설하는 데 헌신할 것을 결심했다.

마찬가지로 루터는《존 후스의 생애와 문집》을 읽고 필생의 대사업을 시작하기 위한 영감을 얻었다.

볼프 박사는《프랜시스 자비에르의 생애》를 읽고 큰 자극을 받아 종교사업을 시작했는데, 이 책은 그의 젊은 가슴에 한평생 신을 위해 헌신하겠다는 성실하고 열렬한 열정을 불붙였다. 윌리엄 케어리도 쿡 선장의 항해에 관한 책을 정독하고 숭고한 선교 사업에 뜻을 품게 되었다.

호너를 감명시킨 책

프랜시스 호너는 자신의 일기와 편지 속에 자기가 가장 감명을 받고 가장 좋은 영향을 받은 책을 기록해두는 습관이 있었는데, 콩도르세가 쓴《훌러를 추모하는 글》, 조슈아 레이놀즈가 쓴《인생 강화》, 베이컨의 문집 그리고《버넷의 매튜 헤일 경의 이야기》등을 들었다. 이 가운데서 맨 끝의《버넷의 매튜 헤일 경의 이야기》—비범한 노력가의 인생을 그린 책—는 자신의 가슴을 열정으로 가득 채워주었다고 말했다. 콩도르세의《훌러를 추모하는 글》에 대해서는 이렇게 말했다.

"그런 분들의 이야기를 읽으면 반드시 가슴이 설레는 감동을 느끼며 자리에서 일어나게 되는데, 이런 감동을 찬양이라고 해야 할지 부푼 야망이라고 해야 할지, 아니면 절망이라고 해야 할지—과연 뭐라고 해야 할지 잘 모르겠다."

그리고 레이놀즈 경의《인생 강화》에 대해서는 다음과 같이 말했다.

"베이컨의 문집 다음으로 자기수양 면에서 나에게 가장 큰 영향을 준 것이 이 책이었다. 그는 위대한 사람이 되는 길을 겸손한 태도로 세상 사람들에게 알려준 최초의 천재들 중의 한 사람이었다. 인간의 노력이 모든 걸 이룰 수 있게 해준다는 그의 확신은, 천재는 타고나는 것이 아니라 노력해서 얻는 것이라는 생각을 독자에게 불어넣어 준다. 대체로 이 책보다 더 큰 감동을 주는 책은 없을 것이라는 격찬의 마음이 자연스럽고 강렬하게 일어난다."

레이놀즈 자신이 미술 공부에 대해 최초로 열정을 기울이게 된 것은 리처드슨이 쓴 어느 위대한 화가의 전기를 읽고 나서였다고 했는데, 이것도 또한 주목할 만한 사실이다. 마찬가지로 헤이든은 레이놀즈의 전기를 읽고 그림을 그리고 싶은 열정에 사로잡혔다.

한 사람의 강인하고 야심 찬 일생은 같은 능력과 욕구를 가진 사람의 가슴속에 불을 지핀다. 똑같이 왕성한 노력을 한다면 반드시 뛰어난 성공을 얻게 되는 것이다. 이리하여 모범의 사슬은 시간이 흐름에 따라서 끝없는 고리로 연결되며, 찬양하는 마음에서 모방이 생겨나 천재들이 영원히 이어지는 것이다.

즐거운 신사의 모습

젊은 사람들에게 보여줄 수 있는 가장 가치 있고 감화력이 큰 모범 중의 하나는 쾌활한 마음이다. 쾌활함은 사람의 정신에 탄력을 준다. 악마도 그 앞에서는 달아나고, 그 어떤 난관도 절망을 주지 못한다. 쾌활한 마음에는 늘 희망이 있게 마련이고, 기회를 발전시킬 수 있는 낙천적인 마음이 솟아나 반드시 성공을 이끌어내게 마련이기 때문이다. 열정을 지닌 영혼은 언제나 건전하고 행복하며, 남에게도 쾌활하게 작용하여 일할 수 있는 힘을 준다. 그리고 가장 평범한 일에도 가치를 부여한다. 또 기쁜 마음으로 전심전력을 다해 일하는 사람의 손과 머리는 최대의 효과를 거두는 법이다.

조지프 흄은 "우울한 정신으로 1년에 1만 파운드를 버는 영주로 사느니, 늘 쾌활함을 잃지 않고 세상의 밝은 면만 보면서 살고 싶다"고 자주 말하곤 했다. 그랜빌 샤프는 노예들을 위해 지칠 줄 모르는 노력을 기울이는 가운데서도 저녁이 되면 형의 집에 가서 음악회에 참여하여 노래도 부르고 플루트, 클라리

넷 또는 오보에를 연주하면서 위안을 얻었다. 그리고 일요일 밤의 오라토리오에서 헨델의 곡을 연주할 때는 팀파니를 두드렸다. 또한 비록 자주 하지는 못했지만 만화를 그리기도 했다. 파월 벅스턴도 무척 쾌활한 사람이었는데, 특히 운동을 좋아하여 아이들과 함께 교외로 말을 타고 달리거나 여러 가지 가정오락을 즐기기도 했다.

사람들을 감화시킨 아놀드 박사의 덕행

아놀드 박사는 또 다른 분야에서 활동을 한 고상하고 쾌활한 사람으로, 일평생 모든 정력을 기울여 젊은이들을 양성하고 가르치는 대사업을 했다. 그의 찬양할 만한 전기 속에는 다음과 같은 말이 있다.

"레일햄 지방에서 특히 주목할 만한 것은 그 지방을 지배하고 있는 건전한 분위기였다. 처음으로 그 고장에 발을 들인 사람은 누구나, 뭔가 위대하고 진지한 일이 진행되고 있음을 느낄 수 있는 곳이었다. 학생 모두가 해야 할 공부가 있고, 자신의 의무와 행복이 공부를 열심히 하는 데 있는 것이라고 믿고 있었다. 그리하여 인생을 대하는 젊은이의 마음에 뭐라 표현할 수 없는 열정이 전달되어, 자신에게도 유익하고 행복해질 수 있는 길이 있다는 깨달음 속에서 온몸에 이상한 기쁨이 넘쳐흘렀다. 그리고 인생과 자기 자신, 이 세상에서 자기가 해야 할 일을 올바르게 인식하도록 가르쳐준 사람에게 깊은 존경과 애정이 솟아나는 것이었다.

이 모든 것은 아놀드의 진실한 인품과 깊은 통찰력 덕분이었다. 그것은 모든 일에 대한 그의 꾸밈없는 경의 그리고 사회의 복잡한 조직 및 개인의 성장과 보호에 대해 올바르게 그 가치를 인식하고 있는 분별력에 바탕을 둔 것이었다. 모든 것에 무슨 선동이 있었던 것도 아니요, 어떤 일을 다른 일보다 더 좋아하는 편애가 있는 것도 아니었으며, 한 가지 목적에만 열정을 쏟는 것도 아니었다. 일이란 하느님이 지상에 있는 사람들에게 내려준 것이라는 겸손하고도 심오하고 가장 종교적인 깨달음이 있을 뿐이었다. 이 목적을 위해 사람에게 여러 가지 재능이 부여되는 것이니, 사람은 그 속의 모든 요소를 발전시켜야 하는 숙명을 지니고 있으며, 하느님을 향해 가는 길이 바로 거기에 있는 것을 깨달았다."

아놀드 박사에게 공직 생활과 공익을 위해 훈련받은 많은 훌륭한 사람들 중에 호드슨 경기병대의 용감한 호드슨 장군이 있는데, 여러 해가 지난 뒤 인도에서 집에 보낸 편지 속에서 그는 존경하는 스승에 대해 다음과 같이 말했다.

"선생님이 나에게 끼친 영향은 가장 지속적이고도 뚜렷한 것이었습니다. 그 교육의 효과는 인도 땅에서도 나타났으니, 더 이상 무슨 말이 필요하겠습니까?"

존 싱클레어

곧은 심성을 지닌 사람이 정력적으로 부지런히 일하여 이웃과 가족 그리고 조국을 위해 발휘할 수 있는 유익한 영향력을 가장 뚜렷하게 보여준 예는 아마도 존 싱클레어 경의 삶일 것이다. 그레구아르 수도원장은 그를 가리켜 '유럽에서 가장 끈기 있는 남자'라고 했다.

그는 본디 존 오그로츠 하우스 근처에 있는 상당한 토지를 상속받은 시골 지주였는데, 이 고장은 폭풍이 심한 북해를 향하고 있는 황무지로, 거의 문명과는 동떨어진 곳이었다. 그의 나이 16세 때 아버지가 세상을 떠났기 때문에 일찍부터 재산을 관리하는 책임을 맡게 되었고, 18세 때는 케이스네스 지방에 활발한 개척사업을 벌인 것이 점차 온 스코틀랜드 지방에 퍼지게 되었다.

이때의 농업은 극히 낙후되어 있었고, 밭의 구획정리나 배수로도 제대로 되어 있지 않았다. 케이스네스의 소농들은 너무 가난해서 조랑말 한 필도 키우기가 어려웠고, 힘든 일이나 무거운 짐을 나르는 일은 주로 여자들이 맡고 있었다. 농부가 말을 잃었을 때 가장 일반적인 대책은 결혼을 하여 여자를 들이는 것이었다.

길도 다리도 없어서 가축 장수들이 가축을 몰고 남쪽으로 갈 때는 짐승들과 함께 강을 헤엄쳐 건너야만 했다. 케이스네스로 통하는 주요한 길은 산허리에 있는 높은 바위를 지나야 했는데, 높이가 수백 피트나 되는 낭떠러지를 따라 수직으로 바다가 내려다보이는 곳이었다. 한낱 나이 어린 청년에 지나지 않던 존 싱클레어 경은 벤 체일트 고개를 넘는 새 길을 만들기로 결심했다.

무사태평한 나이 많은 지주들은 그의 계획을 의아심과 조소로 대했다. 하지만 그는 직접 도로를 설계하여 어느 여름 날 아침 일찍 약 1,200명의 일꾼들을 모아 동시에 일을 시작하게 하고는, 여기저기 뛰어다니며 시범을 보이고 일꾼들에게 힘을 북돋워 주기도 하면서 스스로 공사를 감독했다. 밤이 되기도 전에, 양들이나 가까스로 지나갈 수 있고 짐을 실은 말은 거의 통과할 수 없던 위험한 6마일의 길이, 마치 무슨 마술이라도 부린 것처럼 마차가 지날 수 있는 길로 변해 있었다. 그것은 정력과 정당한 노력의 찬양할 만한 모범이었으니, 자연히 지역 주민들에게 건전한 영향을 끼치게 되었다.

이어서 그는 더 많은 도로를 닦고, 방앗간을 짓고, 다리를 놓고, 황무지를 정리하여 농사를 지을 수 있게 했다. 개량농법을 도입하여 규칙적으로 윤작을 하게 하고, 적게나마 장려금을 주어 산업을 후원해주었다. 그리하여 이 지역 전체가 곧 그의 영향을 받게 되어, 땅을 경작하는 사람들은 완전히 새로운 정신자세를 가지게 되었다. 문명을 외면한 북쪽의 벽지였던 케이스네스가 도로와 농업 그리고 어업 면에서 하나의 모범 지역이 된 것이다.

존이 어렸을 때는 집배원이 1주일에 단 한 번 우편물을 날라다 주었을 뿐이었다. 그래서 이 젊은 준남작은 자기 생전에 반드시 우편 마차를 날마다 서소까지 들어오게 하고야 말겠다고 선언했다. 그리하여 이 지방에 유행어가 하나 생겼으니, 도저히 불가능한 일이 있을 때는 "아, 그런 일은 존 경이 우편 마차를 날마다 서소까지 드나들 수 있게 했을 때나 가능하겠지?"란 말이었다. 마침내 날마다 서소까지 우편 마차가 들어오게 되었고, 존 경은 자기 생전에 그 꿈이 실현되는 것을 볼 수 있었다.

그의 봉사 활동은 점점 더 범위를 넓혀갔다.

그는 이 나라의 중요한 일용품 중 하나인 영국산 양모의 질이 매우 나빠진 것을 보고, 자신은 비록 별로 알려지지 않은 한낱 시골 신사에 지나지 않았지만 그 질을 높이고자 헌신적인 노력을 기울이기 시작했다. 그의 개인적인 노력으로 영국 양모협회를 설립하고, 자기 돈으로 여러 나라에서 800여 마리의 양을 사들이는 등, 양모의 실질적인 품질개량을 위해 앞장섰다. 그 결과 유명한 체비오트 양이 스코틀랜드에 도입되었다. 그리고 양을 치는 농부들은 남부의 양들이 북부에서도 잘 자랄 수 있다는 것을 알게 되었다. 존 경의 노력으로 몇 년 뒤에는 북부 4개주에 최소한 30만 마리의 체비오트 양을 기를 수 있게 되었다. 그리하여 모든 목초지의 가치가 올라, 여지껏 쓸모없던 스코틀랜드의 땅에서 많은 수익을 올릴 수 있었다.

케이스네스 선거구민들이 그를 국회로 보내자, 그는 30년 동안 표결에 거의 빠지는 일 없이 의원 생활을 성실히 수행했다. 이 생활은 그에게 더욱더 유용성을 발휘할 수 있는 기회를 주었고, 그는 그 기회를 이용하여 착실하게 봉사했다.

모든 유익한 공적인 일에 끈기 있게 정력을 쏟는 그를 보고, 피트 수상은 그를 다우닝 가로 초청하여 그가 구상하고 있다면 어떤 계획이든 도와주고 싶다고 제안했다. 다른 사람이라면 이럴 때 자기 자신의 이익을 생각했겠지만, 존 경은 다음과 같은 색다른 요구를 했다.

"저 자신을 위해 호의를 베풀어 달라는 말은 하지 않겠습니다. 다만 전국 농업위원회를 설립하는 데 도움을 주신다면 고맙겠습니다."

아서 경은 이 준남작이 구상하고 있는 전국 농업위원회는 절대로 실현되지 않을 것이라고 말하며 이렇게 덧붙였다.

"자네가 생각하고 있는 전국 농업위원회는 달나라에 가서나 실현될 걸세!"

그러나 그는 활발하게 일을 추진하여 이 문제에 대한 국민 대중의 관심을 끌고, 대다수 국회 위원들의 찬성을 얻어 마침내 위원회를 설립하고 초대 회장이 되었다. 이 위원회의 활동 결과는 새삼 설명할 필요도 없지만, 그것으로 인해 온 영국의 농업과 축산업이 힘을 얻어 수만 에이커의 메마른 땅이 기름진 땅으로 바뀌었다.

그는 또 어업의 발달에도 불굴의 정신을 기울였다. 서소*2와 윅*3에 성공적으로 이 중요한 산업분야의 기초를 세울 수 있었던 것은 그의 노력 덕택이었다. 여러 해 동안 애쓴 끝에 윅에 항구를 건설하는 데 성공했으며, 전 세계에서 가장 크고 번창한 어업도시가 될 수 있었다.

---

*2 thurso. 스코틀랜드 하일랜드에 있는 도시.
*3 wick. 스코틀랜드는 하일랜드 북동부에 있는 도시.

존 경은 자신이 손댄 모든 일에 정력을 쏟으며, 활기 없는 사람들을 각성시키고, 게으른 사람들에게 힘을 주고, 희망에 넘친 사람들을 격려하면서 모든 사람들과 함께 일했다. 프랑스의 침공이 예상되자, 그는 피트 수상에게 자기 고향에서 1개 연대를 모집해 보겠다고 제안하여 그 일을 실행에 옮겼다. 우선 북쪽으로 가서 600명으로 구성된 1개 연대를 편성했는데, 병사의 수가 점점 늘어 1,000명에 이르렀다. 그의 영향을 받아 고귀한 애국심으로 똘똘 뭉친 이 연대는 전군에서 가장 훌륭한 연대 가운데 하나로 인정받았다.

그는 애버딘에 군영을 둔 연대 사령관으로 있으면서, 스코틀랜드 은행장, 영국 양모협회 회장, 윅 시장, 영국 어업협회 이사장, 재무성 증권발행 감독관, 케이스네스 지구를 대표하는 국회의원, 그리고 농업위원회 위원장도 겸했다. 모두 자진해서 맡았는데 그 수많은 일을 하는 가운데서도 그는 책을 쓸 여유가 있었고, 책만 가지고도 명성을 얻기에 충분했다

주영 미국대사를 지낸 러시는 그때를 다음과 같이 회고했다. 그가 영국에 도착하여 코크에게 영국에서 나온 농업에 관한 책 가운데 가장 훌륭한 책을 묻자, 코크는 존 싱클레어 경의 책을 추천했다. 또 재무장관 반시타트에게 영국 재정에 관한 최고의 책이 무엇이냐고 물으니, 마찬가지로 존 싱클레어 경이 쓴 《국고 세입사》라고 답했다고 한다.

그리고 무엇보다 그의 불굴의 노력을 상징하는 위대한 기념비이자 보통 사람은 감히 엄두도 못 낼 놀라운 사업은 그의 정력을 불러일으키고 지속시킨 21권으로 된 전집 《스코틀랜드의 통계록》을 발간한 일이었다. 이 전집은 일찍이 어느 시대, 어느 나라에서 출판된 그 어떤 전집보다 더 가치 있고 실용적인 것이었다. 그렇지 않아도 많은 일로 바쁜 가운데서도 그는 무려 8년 동안 심혈을 기울인 끝에 이 저작을 완성했다. 그 동안 주제에 대해 접수하여 처리한 편지가 무려 2만 통이 넘었다. 그것은 전적으로 애국적인 사업이었다. 그것을 완성하고 그가 얻은 것은 오직 큰일을 해냈다는 명예뿐이었고 개인적인 이득은 전혀 없었다. 그는 이 전집에서 나오는 이익금을 모두 스코틀랜드 성직자 자녀 협회에 기부했다.

이 전집의 출판으로 대중 생활이 커다랗게 향상되었는데, 특히 전집 내용에서 지적한 봉건시대의 유물인 몇 가지 억압적인 권리가 즉시 철폐되었고, 교사와 여러 교구의 목사들은 더 많은 보수를 받게 되었으며, 스코틀랜드 전역에

걸쳐 농업 분야에 더 많은 힘을 기울이게 되었다.

이어서 존 경은 훨씬 더 어려운 일이지만 비슷한 영국의 통계기록을 모아 출판해 보겠다고 공언했으나, 불행하게도 당시의 캔터베리 대주교가 교회의 십일조 헌금*⁴까지 공개되지 않을까 우려한 나머지 허가해주지 않았기 때문에 포기해야 했다. 공업 분야가 큰 위기를 맞았을 때, 공업지구를 구원해 준 그의 공로는 정력과 민첩함이 뛰어나다는 증거였다.

1793년, 전쟁으로 인한 경기침체 때문에 수많은 공장이 도산하기에 이르렀다. 그리고 맨체스터와 글래스고의 유서 깊은 공장들도 위기에 직면했는데, 자본이 없어서가 아니라 통상과 신용대출이 일시적으로 봉쇄되었기 때문이었다. 당장이라도 폭발할 것처럼 노동자들의 불안감이 고조되자, 존 경은 국회에서 즉시 500만 파운드에 달하는 재무성 증권을 발행하여 담보를 제공할 수 있는 상인들에게 대여하자고 주장했다. 이 주장은 채택되었고, 그가 지명한 집행위원들과 함께 자신이 직접 그 계획을 집행하겠다는 제안도 수락되었다. 이 안이 야간에 통과되었으므로 존 경은 관청의 굼벵이같이 느린 일처리 때문에 잠시라도 일이 지연될까 염려하여, 다음 날 아침 일찍 시내 여러 은행을 돌아다니며 자신의 개인 담보로 7만 파운드를 빌려서, 그날 안에 급히 도움을 필요로 하는 상인들에게 나누어주었다.

의사당에서 존 경을 만난 피트 수상은 맨체스터와 글래스고에서 돈이 몹시 필요할 텐데 빨리 보내줄 수 없어서 큰일이라고 걱정했다.

"돈을 모으려면 며칠이 걸릴 테니까 말이오."

그러자 존 경이 의기양양하게 말했다.

"돈은 이미 보냈습니다. 오늘 밤 우편으로 런던을 떠났지요!"

뒷날 그는 이 일화를 얘기하면서 즐거운 미소를 지으며 말했다.

---

*4 목사와 교회의 비용에 충당하기 위한 것.

"피트는 마치 내가 칼로 그를 찌르기나 한 것처럼 놀라더군."

위대하고 선량한 이 사람은 마지막 순간까지 유용하고 쾌활하게 일을 계속하여 자신의 가족과 조국을 위해 모범을 보여주었다. 이와 같이 남을 위해 노력하며 봉사하는 가운데 그는 자신의 너그러움 때문에 비록 개인의 재산에 큰 손해를 보았지만, 그 대신 행복과 자기만족 그리고 지식보다 나은 마음의 평화를 얻었다고 할 수 있다.

그는 왕성한 근로정신을 지닌 위대한 애국자로서 조국에 대한 의무를 훌륭하게 완수했지만, 그렇다고 자기 가정에 소홀한 것도 아니었다. 그의 아들딸들도 성장하여 명예를 지키며 유익한 봉사를 했고, 그는 80세까지 살아서 그 자식들이 성장하는 것을 고스란히 지켜보았다. 그 중 갚을 수 없는 많은 빚을 지거나 아버지에게 인간으로서 피할 수 있는 슬픔을 안겨준 아들은 한 명도 없었으니, 그것이야말로 존 경이 가장 자랑스럽게 여긴 일 중의 하나였다.

13 인격–진정한 재산
인격이야말로 사람이 추구해야 할 최고 가치

누가 늘 의젓할 수 있으리, 이 사람 외에. 수많은 추억이 있지만
그 중에서 한 가지 잊을 수 없는 언제나 우아한 이 사람 외에.

상냥함을 잃지 않고 그 어느 때나 사람들과 사귀던 우아한 선비
고상한 모습이 꽃과 같더라 이 사람이 타고난 우아한 마음.

그래서 욕 없이 듣던 이름 '신사' 아, 숭고하도다.

테니슨

재능은 고요함에서 형성되고, 인격은 세상의 흐름 속에서 형성된다.   괴테

한 나라를 드높이고, 강하게 하며, 위엄있게 하는 것—국력을 확장시키고, 정신력을 창조하고, 존경을 받고, 다른 나라들이 수백만 국민의 마음을 한데 묶고, 많은 나라들이 자부심을 버리고 머리를 숙이게 하는 것—복종의 증거, 주권의 원천, 진정한 왕위이자 왕관이며 왕홀(王笏)이 되는 것, 이 고귀한 전승은 혈연이나 방편 또는 재능만의 전승이 아니라 인격의 전승이다. 그것이 바로 인간의 진정한 특성이다.   더 타임스

인격은 사람이 가질 수 있는 가장 고귀한 것

인격은 인생의 왕관이자 영광이다. 인격은 인간이 소유할 수 있는 가장 고귀한 것이니 그 자체가 지위와 신분을 상징하며, 어려운 처지에 있는 사람에게는 위엄을 주고 모든 사회적 지위를 높여주는 것이다. 그것이 발휘하는 힘은 부귀보다 크며 명성에 대한 시기심 없는 명예를 확보해준다. 인격에는 언제나 다른

사람들에게 좋은 영향을 주는 힘이 있다. 왜냐하면 그것은 입증된 명예, 정직 그리고 일관성—아마 다른 어떤 것보다도 사람들의 전적인 믿음과 존경을 받을 수 있는 훌륭한 것들—의 결과이기 때문이다.

인격은 가장 좋은 형태의 인간성이다. 그것은 또한 개인 속에 구체화된 도덕적 질서이다. 세상을 다스리는 것은 주로 정신의 힘이기 때문에 인격적인 사람들은 사회의 양심일 뿐 아니라 모든 선정을 베푸는 국가의 최고 원동력이기도 하다. 나폴레옹은 전쟁에서도 승패를 가르는 데 정신과 물질이 기여하는 비율을 10 대 1이라고 했다.

한 나라의 국력과 산업 그리고 문명은 개인의 인격에 달려 있으며, 사회 안전의 기초도 마찬가지이다. 법률과 제도는 다만 인격의 자연적인 결과일 뿐이다. 본성의 균형에 따라 개인과 국민 그리고 민족은 저마다 합당한 것을 얻게 되며, 그 이상은 얻지 못할 것이다. 어떤 원인에는 반드시 결과가 따르는 것처럼, 국민들의 인격의 질에 따라 반드시 거기에 맞는 결과가 있을 것이다.

캐닝, 러셀, 호너

비록 교양과 능력이 없고 재산도 보잘것없는 사람이라도 인격이 훌륭하다면 공장, 사무실, 시장, 의회, 그 어디서든지 자신의 영향력을 발휘할 수 있다.

1801년 정치가 캐닝은 다음과 같은 현명한 내용의 글을 썼다.

"나는 인격을 통해서 권세를 얻을 것이며, 그 밖에는 어떠한 방법도 시도하지 않겠다. 이것이 비록 가장 빠른 길은 아니더라도, 가장 확실한 길이라고 나는 믿는다."

우리는 지적 능력이 있는 사람들을 찬양하지만, 능력 이상의 뭔가를 볼 수 있어야만 그들을 믿게 된다.

그러므로 존 러셀 경은 다음과 같이 그것에 합당한 말을 했다.

"영국 사회의 특징은 천재들에게 도움을 요청하지만 정작 인격자들의 지도에 따른다는 것이다."

이 말은 시드니 스미스가 얼굴에 십계명의 표시가 뚜렷이 나타나 있는 사람이라고 부른 프랜시스 호너의 생애 속에 증명되어 있다.

콕번 경은 이렇게 말했다.

"그의 생애가 모든 올바른 젊은이들의 가슴속에 불어넣어 준, 가치 있고 독특한 빛이 바로 이런 것이다. 그는 서른여덟의 나이에 세상을 떠났지만 여느 사람보다 훨씬 큰 감화력이 있었으며, 무심하고 천박한 사람들을 제외한 모든 사람들이 그를 칭찬하고, 사랑하고, 신뢰했으며 그의 사망을 애통하게 생각했다. 국회에서 고인에게 베푼 것보다 일찍이 더 큰 경의를 베푼 적이 없었다.

모든 젊은이는 알아야 한다―어째서 그는 그렇게 될 수 있었을까? 신분 때문에? 그는 에든버러의 상인의 아들이었다. 재산 때문에? 그러나 그의 가족 중의 어느 누구도 단 6페니 이상을 가져보지 못했다. 직위 때문에? 그는 단 한 번 직위를 차지한 적이 있었지만, 그나마 겨우 몇 년 동안이었고 권력이 있는 자리도 아니었으며 보수도 대단치 않았다. 재능 때문에? 그의 재능은 뛰어나지 못했고 천재적인 재능이 있는 건 더더욱 아니었다. 능란한 언변 때문에? 그의 말은 침착하고 점잖을 뿐이지, 듣는 사람의 가슴을 뒤흔드는 웅변도 아니고 사람을 홀리는 능변도 아니었다. 어떠한 기교를 부려서? 그의 태도는 오직 올바르고 친절했을 뿐이다. 그러면 무엇 때문이었을까?

그것은 오직 양식, 근면, 올바른 신념 그리고 선량한 마음, 즉 올바른 사람이면 누구라도 그리 힘들이지 않고 얻을 수 있는 자질을 지니고 있었기 때문이다. 그를 높여준 것은 인격의 힘이었고, 그 인격은 타고난 것도 아니고 남다른 능력이 있는 것도 아닌 그 자신의 힘으로 형성한 것이었다. 하원에는 그보다 더 뛰어난 능력과 설득력을 지닌 인물들이 많았다. 하지만 그런 능력들과 도덕적 가치를 결합하는 데 있어서 그를 능가하는 사람은 아무도 없었다.

호너가 이 세상에 태어나 입증한 것은 공직 생활의 경쟁과 시기 속에서도 오직 교양과 선의의 바탕 위에서, 한 인간이 발휘한 온건한 힘이 과연 어떤 것을 성취할 수 있는가 하는 것이다."

프랭클린과 몽테뉴
프랭클린은 자신이 공인으로서 성공할 수 있었던 것은 재능이나 웅변적 힘

—그런 면에서 그는 대단치 않았지만—이 아니라, 세상 사람들이 다 알고 있는 자신의 성실한 인격 때문이라고 생각했다.

"나는 말을 잘 못했고 결코 웅변가도 아니었으며, 어휘를 선택할 때도 걸핏하면 주저했다. 게다가 발음도 정확하지 않았기에 대체로 내가 말하고자 하는 요점만 전달할 수 있었다."

인격은 미천한 사람들뿐만 아니라 신분이 높은 사람들에게도 자신감을 갖게 해준다. 러시아의 알렉산드르 1세에 대해 사람들은, 그의 인격이 곧 국가의 법률이라고 말하곤 했다. 프롱드 당이 반란을 일으켰을 때 프랑스 귀족 중에서 몽테뉴는 자신의 성문에 빗장을 걸지 않은 유일한 사람이었는데, 그의 인격이 1개 기병연대보다 더 훌륭하게 그를 보호해주었다고 사람들은 말했다.

인격은 힘이다

인격이 힘이라는 말은 아는 것이 힘이라는 말보다 더 진실에 가깝다. 감정 없는 마음, 행동 없는 지성, 선 없는 재능 등은 나름대로 힘이 되기는 하지만 오직 악을 위한 힘이 될 뿐이다. 이런 것들은 가르침이나 흥미를 줄지 모르나 때로는 찬양할 수 없는 것이니, 그것은 소매치기의 손재주나 노상강도의 교활함을 찬양할 수 없는 것과 같다.

단순한 언어의 기교로는 표현할 수 없는 자질인 진실과 정직과 선은 인격의 핵심을 이루며, 어느 작가가 표현한 것처럼 '제복을 입지 않고도 섬길 수 있는 미덕의 여신에게 바치는 타고난 충성'을 상징하는 것이다. 이런 것이 힘이나 의지와 결합된 성질을 가지고 있는 사람은 아무도 당할 수 없는 강한 힘을 갖게 된다. 이 강한 힘으로 선을 행할 수 있고 악을 물리칠 수 있으며, 곤경과 불행 속에서도 꿋꿋하게 참고 견딜 수 있다. 콜로나의 스티븐이 적들에게 포로로 붙잡혀 조롱조의 질문을 받았다.

"자, 이젠 너의 요새가 어디 있느냐?"

그러자 그는 자기 가슴 위에 손을 얹으며 당당하게 말했다.

"여기 있다."

올곧은 사람의 인격이 가장 찬란한 빛을 발하는 때는 불행에 처해 있을 때이며, 모든 사람이 의기소침해 있을 때 그는 정직과 용기를 딛고 일어선다.

어스킨 경의 행동원칙

자립정신이 강하고 충실하게 진리를 지킨 어스킨 경의 행동원칙은 모든 젊은이들이 가슴속에 새겨둘 만하다. 그는 이렇게 말했다.

"어린 시절, 내가 처음으로 받은 가르침은 언제나 나의 양심이 의무라고 지적해주는 것을 실천하고, 그 결과는 하느님께 맡기라는 것이었다. 나는 이 세상을 떠나는 날까지 부모님이 주신 이 교훈을 잊지 않을 것이고, 이 교훈의 실천이 최상의 길이라고 믿고 있다. 오늘날까지 나는 이 교훈을 지켜 왔으며, 이 교훈에 복종하는 것이 현세의 희생이라고 불평할 아무런 이유도 없다. 오히려 이것이 번영과 부귀를 얻는 길임을 알았으므로 내 자식들에게도 똑같은 길을 걷도록 가르칠 것이다."

사람의 목표는 인격의 도야

사람은 모름지기 훌륭한 인격의 소유를 인생 최고의 목표로 삼아야 한다. 가치 있는 수단으로 훌륭한 인격을 얻으려는 노력이 분발심과 동기를 부여해주고, 인간성에 대한 개념이 높아짐에 따라 그 동기를 더욱 견고하게 해주고 생기있게 할 것이다. 비록 그것을 전부 실현할 수는 없더라도 인생의 수준을 높게 정하는 것은 좋은 일이다. 디즈레일리는 이렇게 말했다.

"위를 쳐다보지 않는 젊은이는 아래를 보게 마련이요, 하늘 높이 날지 않는 정신은 땅을 기게 될 것이다."

조지 허버트의 다음과 같은 시구는 지혜로운 내용을 담고 있다.

그대의 처신은 검소하게 생각은 드높게

그대는 겸손하고 너그러운 사람이 되리니
용기를 잃지 말고 하늘을 겨냥하여
나무를 쏘려는 사람보다 더 높이 쏘라.

수준 높은 생활과 사고를 목표로 삼는 사람은 확실히 아무런 목표도 없는 사람보다는 나은 일을 할 수 있다. 스코틀랜드의 격언에 이런 말이 있다.

"황금 옷을 잡아당겨라. 그러면 그 소매라도 얻을 수 있다."

최고의 결과를 얻기 위해 노력하는 사람은 누구나 출발점에서 훨씬 앞선 지점에 있게 될 것이며, 설사 목표한 지점까지 미치지 못한다 하더라도 노력 자체는 언제나 유익하게 마련이다.

이름의 가치
인격에도 가짜가 많지만 진짜는 반드시 진짜로서의 가치를 나타내게 마련이다. 인격의 가치가 돈으로 이어지는 것을 알고, 부주의한 사람들을 속이려 인격을 가장하는 자도 있다. 차터리스 대령은 남달리 정직한 어떤 사람에게 이렇게 말했다.

"당신의 이름을 나에게 파신다면 1,000파운드를 드리겠습니다."

"무엇 때문에 그러시죠?"

"당신의 이름만으로도 1만 파운드를 벌 수 있으니까요."

그 못된 인간의 대답이었다.

진실은 인격의 핵심
언행일치는 훌륭한 인격의 뼈대를 이룬다. 언제나 성실함을 지키는 것이 인격자의 뛰어난 특질이다. 위대한 정치가 로버트 필 경이 세상을 떠난 며칠 뒤,

웰링턴 공작은 상원에서 고인의 인격을 추모하며 훌륭한 증언을 했다.

"의원 여러분께서는 고 로버트 필 경의 높고 명예로운 인격을 가슴 깊이 새겨 두셔야 합니다. 본인은 공직생활을 하면서 그분과 오랫동안 인연을 맺어 왔습니다. 우리는 함께 상원에서 일했으며, 본인은 영광스럽게도 그분과 가까이 사귈 수 있는 기회를 가졌습니다. 그분과 사귀는 동안 본인은 그분만큼 믿을 만한 진실성과 정의감을 지닌 사람을 보지 못했으며, 그분처럼 한결같이 공직에 충실하려 한 사람을 만나지 못했습니다. 그분과 오랫동안 사귀는 중, 본인은 단 한 번도 그분이 진리에 강한 애착을 보이지 않는 순간을 발견하지 못했습니다. 그리고 그분이 사실이라고 확신하지 않는 것에 대해 얘기한 적이 단 한 번이라도 있었는지—그런 일은 어렴풋하게라도 전혀 생각나지 않습니다."

언행일치

정치가로서의 고상한 진실성은 틀림없이 그가 큰 감화력을 가지게 된 비결이었을 것이다. 말뿐만 아니라 행동에도 진실성이 있어야 하며, 그것은 올바른 인격에 없어서는 안 되는 것이다. 사람은 겉과 속이 일치해야 한다. 미국의 한 신사가 그랜빌 샤프에게, 그의 위대한 덕을 존경한 나머지 아들 중 한 아이의 이름을 그의 이름을 따서 지었다는 내용의 편지를 보낸 일이 있었는데, 샤프는 그 편지를 받고 다음과 같이 회답했다.

"아드님에게 그 이름이 유래한 가문에서 대대로 내려오는 금언 하나를 가르쳐주시기 바랍니다. 그 금언은 다음과 같습니다. '늘 보여주고 싶은 모습이 되도록 노력하라.' 저의 아버님이 말씀하신 바에 따르면, 제 조부께서는 주의 깊고 겸손한 마음으로 이 금언을 실천하셨다 하며, 솔직하고 정직한 분으로서 그러한 성실성은 공직 생활에서나 사생활에서나 그분이 지닌 인격의 중요한 특징으로 나타났다고 합니다."

자신을 존중하고 남을 존경할 줄 아는 사람은 이런 금언을 반드시 실천하여 자기 일에 최고의 인격을 부어넣고 무슨 일이든 허술히 하는 법이 없으며, 오직 자신의 정직과 양심을 자랑할 뿐이다. 크롬웰은 버나드—영리하나 다소

무절제한 변호사—에게 다음과 같이 말한 적이 있다.

"최근 자네는 몹시 신중한 행동을 보여준 것으로 알고 있으나, 이것에 대해 너무 자신감을 갖지 말게. 교묘함 때문에 속을지는 몰라도, 결코 정직 때문에 속지 않기 때문일세."

말과 행동이 다른 사람들은 남의 존경을 받지 못하고, 그들의 말을 믿는 사람도 거의 없다. 진리도 이런 사람이 말할 때는 진리가 아닌 것처럼 들린다.

진실한 인격

진실한 인격을 가진 사람은 남이 보든 보지 않든 올바르게 행동한다. 어느 소년에게 아무도 보는 사람이 없는데 왜 배를 따서 주머니에 감추지 않았느냐고 물었을 때, 소년은 이렇게 대답했다.

"아무도 없다니 무슨 말씀이십니까? 제가 그 자리에 있었습니다. 제가 그 자리에서 저 자신을 보고 있었습니다. 저는 제가 부정직한 짓을 하는 것을 보고 싶지 않습니다."

이런 소년은 올바른 교육을 받은 소년이다. 우리는 이 예를 통해 인격을 지배하고 인격을 고상하게 보살펴주며, 소극적인 영향뿐만 아니라 생활을 다스리는 적극적인 힘을 발휘하는 원칙과 양심을 볼 수 있다.

이런 원칙은 날마다 인격을 형성해주며, 순간마다 작용하는 힘과 더불어 성장한다. 이러한 지배적인 영향력이 없으면 인격은 보호를 받지 못하여 유혹 앞에 무너지기 쉽고, 한번 유혹에 굴복하게 되면 아무리 사소한 일이라도 모든 천박하고 부정직한 행동은 타락의 원인이 된다. 그 행동이 성공하느냐 실패하느냐 또는 발각되느냐 숨겨지느냐는 큰 문제가 아니다. 한 번 죄를 저지른 사람은 이미 전과 같은 사람일 수 없으며, 남모르는 불안과 자책 또는 이른바 양심의 가책 속에서 괴로움을 겪어야 하니, 이것은 죄인이 받아야 하는 당연한 형벌이다.

습관은 제2의 천성

좋은 습관은 인격을 강화하고 뒷받침해준다. 인간은 습관의 덩어리요, 습관은 제2의 천성이라고 한다. 행동과 사상의 반복적 힘을 매우 중요시한 메타스타시오는 이렇게 말했다.

"습관이 인간의 전부이며, 심지어 미덕조차 습관이다."

버틀러

버틀러는 그의 저서 《유추론》을 통해 주의 깊은 자기 훈련과 유혹에 대한 단호한 저항의 중요성을 강력히 주장하면서, 미덕이 습관화되면 죄악 앞에 굴복하지 않고 좋은 일을 하기가 더 쉽다고 말했다.

"신체의 습관이 외부적인 행동에 의해 생기는 것처럼, 마음의 습관은 내부의 실제적인 목적 의지, 즉 복종과 정직 그리고 정의와 자선 원칙의 실천—목적 의지와 행동의 상호작용—에 의해 생기는 것이다."

브루엄 경도 청년 시절의 훈련과 모범의 중요성을 강조했다.

"하느님이 내려다보시는 가운데 이루어지는 모든 것을 나는 습관에 맡기는데, 학교의 교사뿐만 아니라 입법자들도 모든 시대에 주로 이 습관에 의존해서 임무를 수행했다. 습관은 모든 것을 쉽게 해준다. 반면에 늘 따라야 할 길에서 벗어나면 일을 어렵게 만든다."

이렇게 절제를 습관화하면 무절제를 싫어하게 될 것이고, 신중을 습관화하면 무모한 방탕을 역겨워할 것이다. 무절제와 방탕이 개인 생활을 조절해주는 모든 행동 원칙을 깨뜨리기 때문이다.

그러므로 어떤 악습관이 침입하지 못하도록 특별히 감시하고 주의할 필요가 있다. 인격은 한 번 허물어진 부분에서 가장 약하기 때문이다. 한 번 무너진 원칙을 되찾는다 해도 전혀 흔들리지 않던 원칙만큼 견고해지려면 오랜 시간이 걸린다. 러시아의 어느 작가가 다음과 같은 명언을 남겼다.

"습관은 진주목걸이와 같아서, 매듭이 하나 풀리면 다 흩어져버린다."

습관은 처음을 조심해야 한다

어디서 붙인 습관이든 습관은 자기도 모르게 그리고 아무런 힘도 들이지 않고 행동으로 변하며, 그 습관에 저항을 시도할 때 비로소 그 힘이 얼마나 강력한지 알 수 있다. 반복한 일은 곧 버릇이 되어 쉬워지는 법이다.

처음에 습관은 거미줄처럼 미약하지만, 일단 몸에 밴 후에는 쇠사슬처럼 강해진다. 사소한 인생사들을 하나씩 떼어 놓고 보면 소리 없이 내리는 눈처럼 별 것 아닌 듯이 보이지만, 눈이 합쳐지면 눈사태가 일어나는 것처럼 대단한 힘을 발휘한다.

자기존중, 자조, 몰입, 근면 그리고 정직―이 모든 것은 믿음이 아니라 습관의 성질을 띠고 있다. 원칙은 우리가 습관에 붙여주는 이름일 뿐이다. 원칙은 겉으로 표현되는 말이지만 습관은 실체이다. 습관은 좋고 나쁨에 따라 은인이 될 수도 있고 폭군이 될 수도 있다. 그리하여 우리가 나이를 먹음에 따라 우리의 자유 활동과 개성은 습관에 좌우되며, 우리의 행동은 어쩔 수 없는 운명의 성질을 띠게 된다. 따라서 우리는 주위에 얽혀 있는 사슬에 묶이게 된다.

좋은 습관은 어릴 때부터 길러라

미덕의 습관이 몸에 배도록 젊은이들을 훈련시키는 것의 중요성은 아무리 강조해도 지나치지 않다. 미덕의 습관은 어릴 때부터 길러주는 것이 가장 좋다. 일단 습관이 되면 살아 있는 동안 내내 지속된다. 습관은 나무껍질에 새겨 놓은 글자처럼 세월이 갈수록 커지고 깊어져 간다.

"올바른 길을 걷도록 어린이를 훈련시키면 나이를 먹어서도 그 길에서 벗어나지 않는다."

시작 속에 이미 끝이 담겨 있고, 인생의 첫출발이 그 방향과 목적지를 결정해준다. 프랑스 사람들은 이렇게 말한다.

"오직 첫 번째 단계가 중요하다."

콜링우드 경은 그가 아끼는 어느 젊은이에게 다음과 같이 말했다.

"다섯 살이 되기 전이나 최소한 스무 살이 되기 전에 한평생 자네와 함께 해야 할 인격을 갖춰야 하네."

나이를 먹을수록 습관은 강해지고 인격은 굳어지기 때문에, 방향을 새로 잡기가 점점 더 어려워진다. 그러므로 새로 배우는 것보다 한 번 배운 것을 잊는 것이 더 힘들 때가 많다.

그런 이유로 그리스의 플루트 선생이 무능한 교사에게 배운 학생들로부터 두 배의 수업료를 받았다는 것은 수긍이 가는 얘기다. 오래된 습관을 버리는 것은 때로는 이를 뽑는 것보다 더 고통스럽고 힘들다. 게으르고 낭비벽이 심하며 술에 절어 사는 사람을 새 사람으로 만든다는 것은 대개의 경우 불가능한 일이다. 이 악습은 몸에 배어 그 사람의 생활에 없어서는 안될 중요한 부분이 되어버렸기 때문에 뿌리째 뽑을 수가 없다. 그러므로 린치는 이렇게 말했다.

"습관 중에서도 가장 현명한 습관은 좋은 습관을 기르도록 노력하는 습관이다."

행복도 습관을 통해 얻을 수 있다

습관이 인격을 만들어내는 것은 말할 것도 없는 얘기이다. 행복 자체도 습관이 될 수 있다. 모든 사물에는 밝은 면과 어두운 면이 있고, 사람도 두 종류가 있다. 늘 밝은 면만 보는 습관이 있는 사람, 또 어두운 면만 보는 습관이 있는 사람이다.

어떤 사람은 언제나 선하고 운이 좋고 아름다운 면을 보는 데 익숙하고, 기쁘고 즐겁고 사랑하는 감정을 일으키는 데 익숙하다. 반면에 어떤 사람은 언제나 나쁘고 흉하고 추한 면을 보는 데 익숙하고, 분노와 슬픔, 증오의 감정을 일으키는 데 익숙하다. 같은 처지에서 같은 운명을 겪는다 해도 습관에 따라 행복과 불행의 차이가 생긴다. 존슨 박사는 사물의 좋은 면만 보는 사람이 1년에 1,000파운드를 버는 사람보다 더 낫다고 말했다.

우리는 불행과 퇴보보다는 행복과 진보를 위한 생각을 할 수 있는 큰 의지의 힘을 가지고 있다. 이와 같이 우리는 다른 습관처럼 행복한 생각을 하는 습관을 기를 수가 있다. 그러한 온화한 성품을 갖춘 남녀를 길러내려면, 많은 지식과 예능으로 그들을 완성시키는 것보다 좋은 성품과 행복한 마음가짐을 가르치는 것이 더 중요하다.

남을 대할 때는 온화하고 예의 바르게

자그마한 구멍으로 햇빛이 스며들듯이, 사소한 일들이 사람의 인격을 그대로 보여준다. 사실 인격은 선량함과 명예 속의 작은 행동에 있다. 일상생활은 마치 채석장과 같아서, 우리는 그 채석장에서 인격을 만들어내고 인격을 형성하는 습관을 가다듬는다.

인격의 가장 두드러진 특징 가운데 하나는 남을 대하는 행동에 있다. 윗사람, 아랫사람 그리고 동료와 친구들에게 보여주는 점잖은 처신은 끊임없는 기쁨의 원천이다. 그것은 다른 사람의 인격에 대한 존경이기 때문에 남을 즐겁게 해주기도 하지만, 우리 자신에게는 열 배의 즐거움을 준다. 사람은 다른 모든 일에서처럼 올바른 품행에서도 스스로 훈련을 쌓을 수 있다. 비록 주머니에는 동전 한 푼 없다 하더라도 의지만 있으면 정중하고 친절한 사람이 될 수 있다.

우아한 사교는 온 자연에 빛깔을 비춰주는 조용한 햇빛과 같은 것이니, 야단스러운 소란이나 힘보다 훨씬 더 강력하고 훨씬 더 효과가 있다. 봄철의 가냘픈 수선화가 그저 자라야 한다는 끈기만으로 흙덩이를 밀어젖히고 솟아나듯이, 우아한 사교도 소리 없이 그리고 꾸준히 장애를 헤치고 서서히 앞으로 나아가는 것이다.

로버트슨의 편지

친절한 표정은 즐거움을 자아내고 행복을 준다. 브라이턴의 성공회 목사 로버트슨은 어느 편지에서 한 숙녀가 자기에게 이런 말을 했다고 썼다.

"주일날 교회로 가는 길에 우연히 스치게 된 가난한 소녀에게 친절한 눈길을 주었을 때 그 소녀가 보여주었던 그 기쁜 표정과 감사의 눈물! 참으로 감동적인 가르침이 아닌가요? 행복이란 참으로 값없이 전해줄 수 있는 것 아니겠어요? 그런데 우리는 천사의 행동 같은 이런 좋은 일을 할 기회를 늘 놓치고 있어요.

그때를 회상하면, 그 소녀를 보았을 때 슬픔과 동정으로 가슴이 미어지는 것 같아서, 지금도 내내 그 일 외에는 아무것도 생각할 수가 없답니다. 진심에서 우러나온 한 번의 눈길이 그 소녀의 마음에 통하여, 한 인생에 잠시나마 따스한 햇살을 느끼게 해주었고, 또 잠시 동안 가슴속의 무거운 짐을 덜어주며 슬픔을 어루만져 주었지요."

삶을 변화시키는 친절

품행과 예의범절은 삶을 윤택하게 해주는 것으로 법률보다 훨씬 더 중요하다. 법률은 다만 품행과 예의범절을 문자로 표현한 것뿐이다. 법률은 여러 가지로 우리에게 관여하고 있고, 예의범절은 우리가 호흡하는 공기처럼 사회 어느 곳에나 널리 퍼져 있다. 예의범절이란 곧 훌륭한 행동을 말한다. 훌륭한 행동은 공손과 친절로 이루어지며 사람들이 서로 이익을 주면서 유쾌하게 교제하는 데 가장 중요한 요소는 덕행이다.

"우리는 돈 한 푼 안 들이고 정중한 태도를 지킬 수 있고, 정중한 태도로 무엇이든 얻을 수 있다"고 몬태규 여사는 말했다. 세상에서 가장 값싸게 갖출 수 있는 것이 친절인데, 그 친절을 발휘하는 데 무슨 수고가 드는 것도 아니요, 자기희생이 필요한 것도 아니다. 벌리는 엘리자베스 여왕에게 이렇게 말했다.

"국민의 마음에 들도록 하십시오. 그러면 폐하께서는 민심을 얻고 재산도 얻을 수 있을 것입니다."

겉치레 없이 자연스러운 친절을 베풀 때, 그것이 사회의 명랑한 분위기와 행복에 미치는 효과는 말할 수 없이 크다. 삶에 작은 변화를 일으키는 작은 친절들은 따로 보면 별로 가치가 없는 것처럼 보이지만, 그것이 반복하여 쌓이면 매우 중요한 힘을 발휘한다. 친절은 마치 조금씩 남아 떨어지는 시간의 여분이나, 하루에 조금씩 저축하는 그로트*¹와 같은 것이어서, 그것이 1년 또는 일생 동안 쌓일 때 누구나 다 아는 것처럼 놀라운 결과를 이루는 것이다.

세련된 예의범절

예의범절은 행동의 장식이며, 친절한 말과 행동으로 가치를 크게 높이는 방법이다. 원한을 품고 있는 것처럼 보이는 행동 또는 생색을 내는 행동은 좋게 받아들일 수 없다. 무뚝뚝한 것을 자랑하는 사람들이 있는데, 그들에게 아무리 미덕과 능력이 있다 해도 그런 행동은 옆에서 보기에 좋지 않다. 직접 모욕하지는 않지만 습관적으로 사람을 깎아내리고, 비위에 거슬리는 말을 하며, 으스대는 사람을 좋아하기는 힘들다. 심하게 생색을 내면서 은혜라도 베풀 듯이 굴고, 작은 기회도 놓치지 않고 자신의 위대함을 나타내려는 사람들도 있다.

애버네시가 세인트 바돌로뮤 병원의 원장직에 입후보했을 때 그런 사람—선거관리자의 한 사람이자 부유한 식료품 상인—을 찾아간 적이 있었다. 상점 계산대 뒤에 서 있던 이 상인은 제 딴에는 스스로를 위대한 인물로 생각하고는 위대한 의사 애버네시가 들어오는 것을 보더니 표를 얻고자 간청하러 온 것이라 생각하고 즉각 거드름을 피우기 시작했다.

"내 표와 후원을 얻으러 오셨군요. 그럴 테지요, 당신에겐 인생의 중대사이니까."

허풍선이를 싫어하는 애버네시는 상인의 이 말투에 화가 나서 이렇게 쏘아붙였다.

"아니오. 1페니짜리 무화과나 얼른 하나 골라주시오. 여기서 빨리 나가고 싶으니까!"

---

*1 영국의 예전 4펜스짜리 은화.

예절이 지나치면 멋이나 부리는 어리석은 사람으로 비칠 수도 있지만, 사업상 남과 협상을 해야 하는 사람에게는 매우 필요하다. 친절과 교양은 어느 자리에서든 높은 직위와 그 밖의 여러 분야에서 활동하는 사람의 성공에 꼭 필요한 것인데, 그것이 없으면 많은 근면과 성실함 그리고 정직한 인격의 성과가 대부분 퇴색하기 때문이다.

결점이 있는 모난 태도를 참고 더 좋은 면만 봐주는 소수의 너그러운 사람들이 있는 것은 사실이나, 세상 사람들은 대체로 그렇게 관대하지만은 않으며 주로 겉으로 나타나는 행동에 따라 사람을 판단하고 좋고 나쁜 것을 결정하게 마련이다.

타인의 의견을 경청해야 한다—괴물 이야기

진정한 예의를 나타내는 또 하나의 방법은 남의 의견에 귀를 기울이는 것이다. 독단이란 자랄 대로 자란 자만이라고 하는데, 이 성질의 최악은 바로 고집과 오만이다. 남과 사귈 때 의견차이가 있으면 그 차이를 인정하고 논쟁하지 말아야 하며, 그래도 상대방이 굳이 다른 의견을 고집하면 너그럽게 참아야 한다.

싸우거나 심한 말을 하지 않고도 극히 부드러운 가운데서 원칙과 의견을 지킬 수 있는데, 때로는 말다툼이 벌어져 오히려 더 회복하기 어려울 정도로 마음의 상처를 입는 경우가 있다. 이와 관련하여 웨일스 국경에서 복음전도회의 어느 순회 목사가 이야기한 교훈적인 비유를 인용한다.

"안개가 짙게 낀 어느 날, 아침 일찍 산에 오르다가 산비탈에서 뭔가 이상한 물체가 움직이는 것을 보았다. 너무나 기이한 모습이라 나는 그것이 무슨 괴물일 거라고 생각했다. 그러나 가까이 가보니 사람이었고, 더 가까이 가보니 바로 나의 형이었다!"

진실한 마음

올바르고 친절한 마음에서 우러나는 자연스러운 공손함은 계급이나 지위가 높은 사람의 전유물이 아니다. 작업대에서 일하는 노동자도 성직자나 귀족처럼 그런 자질을 지닐 수 있다. 노동자라고 해서 반드시 거칠거나 우악스러울 필요는 없다. 다른 나라의 각계각층에서 볼 수 있는 공손하고 세련된 태도는, 문화가 발달하고 일반적인 사회 접촉이 많아짐에 따라 그 자질이 우리의 것이 될 수도 있다는 것을 보여준다. 공손함과 세련됨은 인간의 틀림없이 가장 순수한 면을 지켜주는 자질이 될 수 있다.

가장 높은 사람에서 가장 낮은 사람 그리고 가장 부유한 사람에서 가장 가난한 사람에 이르기까지 어떤 계급, 어떤 처지에 있든지 자연의 섭리는 누구에게나 최대의 선물, 즉 너그러운 마음을 준다. 지금까지 그 너그러운 마음을 지니지 않았던 신사는 없었다. 무늬 없는 거친 옷을 입은 농부도 레이스 천으로 화려하게 차려 입은 귀족처럼 너그러운 마음을 가질 수 있다.

어느 날 로버트 번스가 길을 걷다가 어느 정직한 농부에게 말을 걸었다. 그런데 함께 가던 에든버러의 한 청년이 천한 농부에게 쓸데없이 아는 체했다고 핀잔을 주는 것이었다. 이때 번스는 목소리를 높여 이렇게 말했다.

"예끼, 이 어리석은 사람아! 내가 말을 건 것은 그 엉성하게 큰 윗도리와 둥근 보닛 모자 그리고 나막신과 무릎까지 오는 반바지가 아니라, 그런 것을 입고 쓰고 신고 있는 진정한 인간이었다네. 진정한 인간의 가치 면에서 자네나 나는 그런 사람에 비하면 아무것도 아닐세. 그리고 언젠가는 우리 같은 사람이 10명이 모여도 그런 사람 한 명을 당하지 못할 걸세. 진정한 인간의 가치를 모르는 자들은 겉모습이 촌스럽다고 우습게 볼지 모르지만, 올바른 마음을 가진 사람들은 언제나 인격을 갖춘 그 뚜렷한 표시를 알아볼 것이네!"

집안을 일으킨 그랜트 형제

윌리엄과 찰스 그랜트 형제는 인버네스셔에 살던 농부의 아들이었는데, 어느 해 갑자기 홍수가 나서 모든 것을 잃고, 심지어 경작하던 땅마저 유실되었다. 농부와 그의 두 아들은 어디로 가야 할지를 몰라 망설이다가 일자리를 얻으러 남쪽으로 발길을 돌려 마침내 랭카셔의 베리 근처에 닿게 되었다.

그들은 웜슬리 근처의 산꼭대기에서 눈앞에 펼쳐진 드넓은 시골 풍경을 내려다보았다. 계곡 사이로 어웰 강이 구불구불 흐르고 있는데 완전히 낯선 고장이라 어느 쪽으로 가야 할지 알 수 없었다. 발길을 돌릴 방향을 정하기 위해, 이들은 땅에 막대기를 꽂고 그것이 넘어지는 방향으로 가기로 했다. 그리하여 결정된 방향을 따라 가니 얼마 안가서 램즈보섬에 닿았다. 그곳의 한 날염 공장에서 일하게 되었고, 윌리엄은 아예 수습계약을 맺고 일했다.

모두 근면하고 건실한 데다 무척 정직했기 때문에 주인의 마음에 들게 되었다. 열심히 일하며 착실하게 단계를 밟아가서 마침내 그들이 사람을 쓸 수 있는 위치에 이르렀다. 여러 해 동안 열심히 일하며 후덕한 정신으로 사업을 했으므로 그들은 부자가 되었고, 모든 사람들의 존경을 받게 되었다. 그리고 그들이 경영하는 방직 공장과 날염 공장 덕분에 많은 사람들이 일자리를 얻게 되었다. 올바른 정신으로 근면하게 노력한 덕택에 주변의 골짜기에 활기와 기쁨, 건강과 부가 넘쳐났다. 그러자 그 형제는 많은 재산을 아낌없이 모든 가치 있는 일에 바쳐 교회를 짓고 학교를 세우는 등, 자신들처럼 열심히 일하는 사람들의 복지를 증진시키는 데 돈을 투자했다.

뒷날 그들은 그 옛날 자신들의 갈 길을 정해주었던 그 막대기를 기념하여 웜슬리 근처 산꼭대기에 높은 탑을 하나 세웠다.

묵은 원한을 버리고 은혜를 베푼 그랜트 형제

그랜트 형제는 너그러운 마음과 선행으로 유명해졌고, 디킨스는 이 형제를 마음속에 그리면서 치어리블 형제의 캐릭터를 구상했다고 한다. 이들이 너그럽고 선량했음을 보여주는 일화가 많은데, 그 중 하나를 들어 이들에 대한 이야기가 결코 과장된 것이 아님을 증명하고자 한다.

맨체스터의 한 창고업자가 심한 독설로 그랜트 형제의 회사를 헐뜯는 책자를 발행하는가하면, 심지어 형 윌리엄을 '촌뜨기 바보 녀석'이라고 불렀다. 누군가가 이 사실을 윌리엄에게 알려주자, 그는 그저 언젠가는 그자가 이 일을 후회하게 될 거라고 말할 뿐이었다. 창고업자는 이 말을 전해 듣고, "아, 그래? 그 녀석은 내가 언젠가 저한테 빚이라도 지게 될 거라고 생각하는 모양이지? 어디 두고 보자, 내가 그놈한테 빚을 지나 안 지나. 절대로 그런 일은 일어나지 않게 할 테니까."

그러나 사업하는 사람은 언제 누구한테 돈을 빌리게 될지 모르는 일이다. 그랜트 형제를 욕하던 그 사람은 결국 파산했고, 돈을 다 갚고 영업 증명서에 서명을 받기 전에는 다시 사업을 할 수 없게 되었다. 그랜트 형제를 찾아가서 영업 증명서에 서명을 해달라고 부탁하는 건 죽기보다 힘든 일이었으나, 가족의 성화에 못 이겨 하는 수 없이 회사를 찾아가기로 했다. 그리하여 그는 자기가 전에 '촌뜨기 바보 녀석'이라며 비웃던 사람 앞에 서게 되었다. 그가 자신의 사정을 모두 이야기한 뒤 영업 증명서를 꺼내자, 그랜트가 말했다.

"당신은 전에 우리 회사를 비방하는 책자를 낸 적이 있었지요?"

그는 이때 그랜트가 자기 서류를 난로 속에 집어던질 줄 알았다. 그런데 그랜트는 영업 증명서에 자기 회사의 이름을 적어 넣고 필요한 서명까지 해주었다. 그리고 영업 증명서를 다시 돌려주면서 이렇게 말했다.

"우리는 정직한 거래인의 영업 증명서에 서명해주는 것은 거부하지 않고 있소. 그리고 우리는 당신이 정직하지 않다는 말을 들어본 적이 없어요."

그는 눈물을 흘리기 시작했다. 그러자 그랜트는 말을 이었다.

"아, 당신은 내가 전에 당신이 그런 글을 쓴 것을 후회할 날이 있을 거라고 한 말을 기억하고 있군요. 나는 그 말을 무슨 위협이나 공갈로 한 것은 아니오. 다만 언젠가 당신이 우리를 더 잘 이해하게 되어, 우리를 해치려 한 것을 후회할 거라는 의미였을 뿐이오."

"그래요, 맞습니다. 저는 진심으로 그 일을 후회하고 있습니다."

"그럼 이제 당신은 우리를 이해하셨군요. 그런데 앞으로 어떻게 살 생각이오? 무엇을 할 작정인가요?"

이 가엾은 사람은 자기가 영업 증명서에 서명을 받으면 도와주겠다는 친구들이 몇 명 있다고 대답했다.

"하지만 그 동안은 어떻게 살아갈 거죠?"

그는 솔직하게 대답했다.

"빚쟁이들에게 있는 돈을 다 주었기 때문에, 영업 증명서의 대금을 치르려면 집안 식구들의 끼니조차 대지 못할 형편입니다."

그러자 그랜트가 말했다.

"그래서야 안 되지요. 부인과 아이들이 그렇게 고생을 하게 해서야 되겠소? 여기 10파운드를 드릴 테니 부인께 갖다드리시오. 자, 자, 그렇게 울지 마시오, 다 잘될 테니 기운을 내 남자답게 새 출발을 하시오. 아직도 재기의 기회가 있으니까."

너무나 감격한 이 사람은 목이 메어 감사의 말조차 하지 못하고, 얼굴을 손으로 가리고 어린아이처럼 흐느껴 울면서 밖으로 나왔다.

신사의 참뜻
진정한 신사는 최고의 모범이 될 만한 인격을 갖춘 사람이다. 신사라는 이름은 남자에게 주는 최고의 명예이며, 사회의 어느 계층에서나 지위이자 권력으로 인정되었다. 루시용에 주둔하던 스코틀랜드의 상류 계급 사람들로 조직된 연대 장병들에게 프랑스의 노장군이 이렇게 말했다.

"신사는 늘 신사로서의 품위를 지켜야 하며, 특히 위급한 상황에서는 한결같이 신사의 본질을 발휘해야 한다."

이러한 인격을 갖추고 있다는 것은 바로 위엄을 지니고 있다는 것을 의미하며, 모든 너그러운 사람들로부터 절로 우러나오는 존경을 받게 되는데, 작위가 있는 사람에게는 머리를 굽히지 않는 사람도 신사에게는 경의를 표한다. 신사의 본질은 외모나 태도에 있는 것이 아니고 정신적 가치에 있다. 즉 가지고 있는 소유물에 있는 것이 아니라 사람의 됨됨이에 있다는 얘기이다. 찬송가를 쓴 사람은 신사를 다음과 같은 간결한 말로 묘사하고 있다.

"신사란 올바르게 살고 정의롭게 행동하며 가슴속의 진리를 말하는 사람이다."

신사는 스스로 존경하고 남도 존경한다

신사는 특히 자기 존중의 정신이 뛰어나다. 신사는 남이 어떻게 보느냐보다는 자기가 스스로를 어떻게 보느냐에 따라 자신의 인격을 평가하며, 마음속의 경고자가 동의해 주어야만 행동한다. 그리고 스스로를 존중하는 것처럼 남도 존중한다. 인도주의 정신을 신성한 것

에드워드 피츠제럴드

으로 보는 가운데 정중함, 관용, 친절, 그리고 자선의 정신이 우러나는 것이다.

에드워드 피츠제럴드 경에 대해 다음과 같은 이야기가 전해지고 있다. 그가 인디언들을 데리고 캐나다를 여행하고 있을 때였다. 한 가여운 원주민 여자가 자기 남편의 무거운 장식물을 지고 터벅터벅 걸어가는데, 추장인 그녀의 남편은 아무 짐도 지지 않고 거드름을 피우며 걸어가는 것이 보였다. 에드워드 경은 당장 원주민 여자의 짐을 달라 하여 자기 어깨 위에 둘러메었다고 한다. 이것이 바로 프랑스 사람들이 말하는 이른바 '가슴에서 우러나는 예절'의 아름다운 예로, 진정한 신사의 타고난 공손함이다.

10만 파운드의 뇌물을 거절한 웰링턴

진정한 신사는 명예심이 강하기 때문에 늘 조심하며 비열한 행동을 삼간다. 신사의 언행은 청렴하고 정직하다. 신사는 속임수를 쓰거나 말을 얼버무리지 않고, 책임을 회피하거나 비겁한 짓을 하지도 않으며, 언제나 정직하고 곧고 솔직하다. 신사의 법도는 청렴과 정직에 있고, 행동은 늘 올바른 길을 따른다. 그가 '좋다'고 말하면 그것이 곧 법이 되고, 때에 따라서는 단호하게 '안 된다'고 말하기도 한다.

신사는 결코 돈으로 매수할 수 없으니, 원칙 없이 천박하게 사는 사람들만이 자기를 매수하려는 자들에게 인격을 파는 것이다. 정직한 조나스 한웨이가 군대에서 식량보급 부서를 맡았을 때 계약업자로부터 어떤 선물도 받지 않았는데, 그것은 공직을 수행하는 데 공정을 잃지 않으려는 결심이 있었기 때문이다.

웰링턴 공작의 삶 속에서도 이와 같은 훌륭한 예를 하나 볼 수 있다. 아사예 전투가 끝난 지 얼마 안 되는 어느 날 아침, 하이데라바드[2]의 수상이 그를 찾아와서, 마라타 왕자들과 니잠[3] 사이의 평화조약에서 자기 왕이 차지할 영토와 얻을 이익이 얼마가 될 것인지 은밀히 알아보려는 수작을 부렸다. 정보를 얻을 심산으로 수상은 매우 많은 돈—1만 파운드가 넘는 상당한 돈—을 장군 앞에 내놓았다.

그러자 웰링턴 공작은 잠깐 동안 말없이 수상을 바라보다가 이렇게 말했다.

"이러고도 당신이 비밀을 지킬 수 있을까요?"

수상이 대답했다.

"예, 틀림없습니다."

"그럼 나도 비밀을 지킬 수 있소."

이 장군은 얼굴에 미소를 지으면서 공손한 태도로 수상을 내보냈다. 웰링턴 장군에게는 큰 명예가 되는 이야기지만, 그가 인도에서 전공을 세운 까닭에 이런 식으로 얼마든지 돈을 모을 수 있는 처지에 있으면서도 옳지 않은 돈은 동전 한 푼도 받지 않았기 때문에, 영국으로 돌아올 때 금전적으로는 전보다 나아진 것이 전혀 없었다.

10만 파운드의 뇌물을 거절한 웰슬리 후작

웰링턴의 친척인 웰슬리 후작도 이와 비슷한 예민성과 고결한 마음씨를 가진 사람이었다. 그는 인도에서 3군의 장이 되어 일찍이 명성을 날렸다. 마이솔을 정복했을 때 동인도 회사의 이사진이 그에게 10만 파운드의 거액을 제공하려고 했지만 후작은 다음과 같은 말로 단호하게 거절했다.

---

*2 오늘날은 인도의 프라데시 주 수도.
*3 하이데라바드 왕의 칭호.

"굳이 내 인격의 독립성과 내 직위에 수반되는 올바른 존엄성을 위해서가 아니라, 이들 중요한 고려 사항 말고도 다른 이유에서 그처럼 부당한 뇌물은 거절해야 할 것 같군요. 나에겐 오로지 밤낮으로 3군의 장병들을 생각하는 것 말고는 아무것도 없습니다. 내가 만약 많이 받을 때 우리 용감한 병사들이 받아야 할 몫이 줄어버리는 일이 발생한다면 난 무척 고통스러울 것입니다."

뇌물을 거부하는 후작의 결심은 이후에도 변함이 없었다.

인도에서 토후들의 뇌물을 거절한 찰스 네이피어 경
찰스 네이피어 경도 인도에서 근무할 때 같은 정신을 보여주었다. 그는 인도의 토후들이 싸들고 온 값비싼 선물들을 모조리 돌려보냈다. 다음과 같은 그의 말에는 추호도 거짓이 없다.

"내가 신드에 온 뒤, 그럴 마음만 있었으면 확실히 3만 파운드는 모을 수 있었을 것이다. 그러나 나는 아직까지 내 손을 더럽힌 적이 없다. 그러므로 내가 두 전투(미애니와 하이데라바드의 전투)에서 허리에 차고 싸운 우리 집안 대대로 내려온 이 칼도 더럽히지 않을 수 있었다."

외면의 부귀는 진정한 신사의 미덕과 상관없다
부와 계급은 진정한 신사의 자질과는 아무런 관계도 없다. 가난한 사람도 정신과 일상생활에서 진정한 신사가 될 수 있다. 정직하고, 진실하고, 곧고, 정중하고, 온건하고, 용감하고, 자중하고 또 스스로를 도울 수 있으면 한마디로 진정한 신사라고 할 수 있다.
너그러운 정신을 지닌 가난한 사람이 모든 면에서 비천한 정신을 가진 부자보다 낫다. 사도 바울은 이렇게 말했다.

"너그러운 정신을 지닌 가난뱅이는 가진 것이 아무것도 없는 것 같지만 세상의 모든 것을 가지고 있는 반면, 비천한 정신을 가진 부자는 모든 것을 가지고 있는 것 같지만 사실은 아무것도 가진 것이 없는 자이다."

이 가난뱅이는 모든 희망을 가질 수 있고 두려워할 것이 아무것도 없으나, 비천한 정신을 가진 부자는 희망도 없이 모든 것을 두려워하기만 한다. 모든 것을 잃어도 용기와 쾌활한 마음 그리고 희망과 미덕을 잃지 않는 사람은 여전히 윤택한 사람이다. 그런 사람은 말하자면 세상을 믿고 살기 때문에 쾌활한 마음으로 잡다한 걱정을 물리치고 진정한 신사로서 곧고 올바르게 살아갈 수 있다.

정말 남루한 옷을 입고 사는 가난한 사람이 때로는 용감한 신사일 수 있다. 여기 좀 오래 되기는 했지만 교훈적인 이야기가 하나 있다. 아디제 강이 넘쳐 베로나 다리가 중앙의 둥그런 아치 부분만 남기고 유실된 적이 있었다. 공교롭게도 다리의 남아 있는 부분에 집이 한 채 있었는데, 다리의 구조물이 시시각각 무너져 가고 있는 가운데 그 집안 사람들이 창 밖으로 얼굴을 내밀고 살려달라고 비명을 지르고 있었다. 그것을 지켜보던 스폴베리니 백작이 다급하게 소리쳤다.

"저 딱한 사람들을 구해주는 용감한 사람에게 100루이더*4를 주겠소!"

그러자 한 젊은 농부가 나서서 배를 저어 강으로 들어갔다. 그리고 교각까지 가서 그 집의 가족을 모두 배에 태워 무사히 육지로 돌아왔다.

"자, 이 돈을 받으시오. 용감한 젊은 친구!"

백작이 돈을 꺼내주었다. 그러나 그 젊은이는 돈을 받지 않고 이렇게 말했다.

"돈은 받지 않겠습니다. 저는 목숨을 팔지 않습니다. 돈이 필요한 사람은 이 가족들이니 그들에게 주십시오."

비록 남루한 옷을 입고 사는 가난한 농부의 입에서 나온 말이지만, 진정한

---

*4 프랑스 대혁명 전의 금화.

신사 정신이 깃든 말이었다.

목숨을 아끼지 않고 남을 구한 선원

1866년 1월 11일, 월머 비치의 다운스*5에서 석탄선의 선원들을 구출한 선원들의 영웅적인 행위도 이에 못지않게 감동적이다. 갑작스레 북동쪽에서 불어 닥친 폭풍으로 정박하고 있던 배 몇 척이 표류하게 되었는데, 물이 얕아서 그 중 한 척이 육지에서 상당히 떨어진 곳에서 바닥에 부딪혀 눈 깜짝할 사이에 집채만한 파도가 갑판 위를 덮쳤다. 풍랑이 너무 거세어 이 배를 구출하는 것은 거의 불가능해 보였다. 육지에 있는 선원들은 감히 목숨을 내걸고 그 배와 배 안에 있는 선원들을 구출하는 것은 생각조차 못할 형편이었다. 구조의 가능성이 전혀 없었기 때문이다.

그러나 이 위기를 보고 대담하고 용감한 선원들은 가만히 있을 수 없었다. 석탄선이 바닥에 부딪히자, 육지에 모여 있던 많은 사람들 속에서 사이먼 프리처드가 옷을 벗어 던지며 이렇게 소리쳤다.

"나하고 같이 가서 저 선원들을 구출할 사람 누구 없습니까?"

"내가 가겠소."

너도 나도 나선 사람이 금세 20명에 이르렀지만 그 중에서 7명만 뽑았다. 밑바닥이 평평한 갤리선을 바다에 던져 넣고, 7명이 그 위에 뛰어올라 육지에 남아 있는 사람들의 격려를 받으며 파도를 헤치고 조난선을 향해 다가갔다.

무시무시한 파도를 헤치고 이 배가 용케 전진할 수 있었던 것은 기적과 같은 일이었다. 아무튼 이 용감한 사람들은 억센 팔 힘으로 몇 분 뒤에 조난선을 끌어올렸고, 갤리선이 육지를 떠난 지 15분이 지나서 석탄선에 타고 있던 6명의 선원들은 월머 해안으로 무사히 돌아올 수 있었다. 이것이야말로 선원들의 불굴의 용기와 사심 없는 영웅적인 행위의 고귀한 예증이니, 그들이 이처럼 용감한 줄 늘 알고 있으면서도 이렇다 할 기록이 없었는데, 여기에 그 영웅적인 행위를 기록할 수 있게 되어 기쁘기 그지없다.

---

*5 도버 해협 앞 바다의 정박지.

콜레라로 죽은 빈민을 장사지내 준 오스트리아 황제

턴불은 그의 저서 《오스트리아》에서 프란시스 황제의 일화 하나를 소개했는데, 그것은 이 나라 정부가 국민의 지지를 얻는 데 황제의 훌륭한 인격이 얼마나 큰 역할을 했는지를 보여주는 좋은 예이다.

"비엔나에 콜레라가 걷잡을 수 없이 퍼지고 있었을 때였다. 황제가 시종 무관 한 사람을 데리고 시내와 교외를 순시하고 있자니, 시체 하나가 들것에 실려 가는데 그 들것 뒤를 따라가는 사람이 한 사람도 없었다. 이상하게 여긴 황제가 그 이유를 물어 보니, 고인은 가난한 데다 콜레라로 세상을 떠났기 때문에, 가족들이 병이 전염될까봐 무서워서 감히 무덤까지 따라갈 생각을 못하고 있다는 것이었다.

'그렇다면 우리가 가족 대신 장지까지 함께 가주겠네. 이 나라의 가여운 백성이 지상에서 마지막 경의도 받지 못한 채 땅에 묻히게 할 수는 없는 일이지.' 황제는 고인의 시신을 따라 멀리 떨어진 무덤까지 가서, 모자를 벗고 모든 의식을 갖추어 정중하게 고인이 땅에 묻히는 것을 지켜보았다."

파리에서 빈민의 장의차를 따라가 준 영국 노동자

우연히 파리에 있던 영국의 어느 두 인부에 관한 이야기도 진정한 신사의 일면을 보여주는 실례가 될 것이다. 이것은 그때 아침신문에도 나온 이야기다.

"어느 날 관을 실은 마차가 몽마르트르를 향해 가파른 길을 오르고 있었다. 마차에는 차디찬 시체가 안치된 포플라 나무관이 하나 실려 있었다. 그런데 아무도 이 마차의 뒤를 따라가는 사람이 없었다. 고인은 개도 기르지 않았는지 개 한 마리도 뒤따르지 않았다. 비가 내리는 음침한 날이었다. 지나가는 사람들이 관습에 따라 모자를 벗고 애도를 표할 뿐이었다.

마침 에스파냐에서 돌아오는 길에 우연히 파리에 머무르게 된 두 영국인 앞을 마차가 지나갔다. 서지 옷을 입은 인부들은 정의감이 솟아올랐다.

'불쌍한 사람! 아무도 배웅하는 사람이 없구나. 우리가 따라가 주세.'

그 중 한 사람이 이렇게 말하자, 두 사람은 모자를 벗고 전혀 알지도 못하는 고인의 뒤를 따라 몽마르트르의 공동 묘지까지 걸어갔다."

신사의 기본은 진실성

무엇보다 신사는 진실하다. 신사는 진실을 최고의 신념으로 삼고 모든 인간사에서 진실을 정직의 기본이라고 본다. 체스터필드 경은 신사를 성공의 길로 이끌어주는 것은 진실성이라고 단언했다. 웰링턴 공작은 가석방 중인 포로 문제에 대해 자기의 의견에 반대하고 있는 켈러만에게 편지를 보냈다. 그는 영국군 장교가 용기 외에 다른 어느 것보다 자부심을 가지는 한 가지가 있다면, 그것은 오직 진실성일 거라며 이렇게 말했다.

"영국군 장교들이 탈출하지 않겠다고 선서한 이상 결코 그것을 어기지 않을 것입니다. 본인의 말을 믿고 그들의 약속을 믿어보십시오. 영국군 장교의 약속은 보초병의 경계심보다 더 확실한 보증입니다."

용맹한 사람의 유연한 마음과 너그러운 행위

진정한 용기와 신사 정신은 함께하게 마련이다. 용감한 사람은 너그럽고 참을성이 많으며, 어느 때나 앙심을 품거나 잔인하지 않다. 항해가 패리는 자기 친구 존 프랭클린 경에 대해 다음과 같이 말했는데, 그것은 참으로 맞는 말이었다.

"그는 위험을 보고 외면하는 사람이 아니었지만, 한편으로는 모기 한 마리도 죽이지 못할 정도로 마음씨가 고운 사람이기도 했다."

훌륭한 인격, 신사적이고 진정한 베야르*6 정신이라고 할 만한 의협심을, 에스파냐의 엘 보돈 기병전에서 한 프랑스 장교가 보여준 적이 있었다. 그는 펠튼 하비 경을 내리치려고 칼을 쳐들었으나, 상대방이 팔이 하나밖에 없다는 것을 알자, 즉시 칼을 내려 하비 경에게 정중한 경의를 표한 다음 그대로 말을 몰고 지나갔다.

같은 반도 전쟁에서 프랑스 장군 네이가 보여준 고귀하고 신사적인 행위를 여기에 덧붙일 수 있을 것이다. 영국군 장교 찰스 네이피어가 코루나에서 심한

---

*6 중세 기사의 귀감으로 일컬어진 프랑스 사람.

부상을 입고 포로가 된 적이 있었다. 이때 고향의 친지들은 그의 생사조차 모르고 있었다. 그래서 그의 생존 여부를 알기 위해 영국에서 작은 구축함 한 척에 특사를 태워 보냈다. 클루에 남작이 특사로 가서 네이에게 자신의 도착을 알렸다.

"포로에게 그의 친구들을 만나게 해주어라. 그리고 그 친구들에게 그가 무사히 잘 있으며 대우도 잘 받고 있다는 것을 알려주도록 해라."

네이가 부하들에게 이렇게 명령하자, 특사가 말했다.

"하지만 그에게는 미망인이신 데다 앞을 못 보는 노모가 계시오."

"그렇소? 그렇다면 그자를 석방하여 어머니를 뵐 수 있도록 하겠소."

이때만 해도 국가간의 포로 교환은 허용되지 않고 있었다. 그러므로 네이는 그 젊은 장교를 석방시키면 나중에 황제의 질책을 받게 될 것을 잘 알고 있었다. 그러나 나폴레옹은 그의 너그러운 행위를 오히려 좋게 보고 아무런 질책도 하지 않았다고 한다.

오늘에도 많이 볼 수 있는 영웅적인 행위

지난날의 기사도를 찾을 길이 없게 되었다고 사람들이 개탄하는 소리를 간혹 듣지만, 오늘날에도 용기와 신사도가 깃든 전에 없는 훌륭한 행위를 종종 볼 수 있다. 지난 몇 년 동안의 일을 돌이켜보면, 우리 국민은 아직도 타락하지 않은 국민이라는 것을 알 수 있다. 세바스토폴의 그 황량한 고원, 물이 뚝뚝 떨어지는 위험한 참호 속에서 12개월이나 계속된 포위전에 참여한 군인들은, 계급과 출신 여하를 막론하고 조상들에게서 이어받은 고상한 인격을 발휘하였다.

그러나 우리 국민이 가장 찬란히 빛을 발한 것은 인도에서 큰 시련을 겪었을 때였다. 콘포르를 향한 네일의 진격 그리고 럭나우를 향한 해블록의 진격에서 장교와 사병들은 다같이 부녀자와 어린이들을 구하고자 하는 열의로 있

헨리 로렌스

는 힘을 다해 싸웠다. 그것은 바로 역사상 유례를 찾아볼 수 없는 기사도 정신의 발로였다. 부하 장교인 해블락에게 명예로운 럭나우 공격의 지휘권을 맡긴 오트람의 행위는 그야말로 시드니라는 이름에 어울리는 행위였고, 그것만으로도 그가 '인도의 신사'라고 불릴 만한 사람이라는 것을 알 수 있다.

용감한 신사 헨리 로렌스는 다음과 같은 마지막 말을 남기고 세상을 떠났다.

"나 때문에 법석을 떨지 말라. 사병과 함께 나를 묻어 다오."

콜린 캠벌 경은 럭나우의 포위된 사람들을 구출하려는 일념으로 전력을 기울였으며, 한밤중에 부녀자와 어린이들의 긴 행렬을 이끌고 콘포르까지 가야 했다. 압도적으로 우세한 적의 공격을 받으며 마침내 그들은 콘포르에 도착했다. 이때 그의 심정은 이루 말할 수 없는 것이었으니, 위험한 다리를 건널 때는 계속 적에게 공격을 가하면서 행렬을 무사히 알라하바드 노상에 이르게 한 다음, 괄리오르*7 부대를 향해 우레 같은 습격을 가한 것이다. 이러한 것을 보면 우리 영국 국민이 자랑스럽게 생각되며, 최고이자 가장 순수한 기사도의 영광이 아직도 사라지지 않고 우리의 가슴속에 건강하게 살아 있음을 확신할 수 있다.

온유한 병사들

일개 병사들도 그 시련 속에서 신사의 정신을 발휘했다. 아그라에서 수많은 병사들이 적과 싸우다가 화상 또는 부상을 입고 요새로 운반되어 부녀자들의 자비로운 간호를 받았다. 이때 그 거칠고 용감한 사나이들이 어린아이처럼 유순해져서, 부녀자들이 그들을 돌보아준 몇 주일 동안 신사답지 않은 말을 한 병사는 단 한 명도 없었다고 한다.

---

*7 인도 마디아프라데시 주에 있는 도시.

모든 전투가 끝나, 치명상을 입은 사람은 세상을 떠나고 치료한 덕에 살아남은 병사들은 감사의 표시를 할 수 있게 되었을 때, 이들은 간호사들과 아그라의 중요한 인물들을 초청하여 타지마할의 아름다운 정원에서 감사의 향연을 베풀었다. 꽃이 만발하고 음악이 흐르는 가운데, 이 거친 상이군인들은 온갖 상처투성이에 불구가 된 몸으로 자리에서 일어나 그동안 자신들을 먹여주고 입혀주며 보살펴준 친절한 여인들에게 감사를 표했다.

스쿠타리 병원에서도 수많은 부상병들이 자신들을 보살펴준 친절한 영국 여인들에게 감사의 축복을 보냈다. 고통 때문에 잠을 이루지 못하는 무력한 환자들이, 밤에 당번으로 그들의 침대 사이를 오가는 플로렌스 나이팅게일, 즉 간호사들의 뒷모습에 보내는 축복의 기원보다 더 아름다운 것은 없다.

영국배가 아프리카 해안에서 침몰했을 때 보여준 영국군인의 정신

1852년 2월 27일, 아프리카 해안에서 일어난 버큰헤드 호가 침몰한 사건은 일반 시민들이 보여준 또 하나의 잊을 수 없는 기사정신의 실례로, 19세기에 일어난 일이었지만 시대를 불문하고 자랑할 만한 일이다. 이 배는 472명의 군인들과 166명의 부녀자와 아이들을 태우고 아프리카 해안선을 따라 항해하고 있었다. 군인들은 희망봉에 주둔하고 있는 몇 개 연대에 배속 명령을 받은 신병들이었다. 모두가 잠들어 있는 새벽 2시, 배가 암초에 부딪쳐 바닥에 구멍이 났다. 배는 곧 가라앉게 되었다. 북을 쳐서 군인들을 갑판 위로 올라오게 하니, 마치 연병장에 모이듯이 한번에 집합했다.

"부녀자와 아이들을 구하라!"는 말이 모두에게 전달되자, 대부분 옷도 제대로 입지 못한 채 배 아래에 모여 있던 무력한 부녀자와 아이들을 끌어올려 말 없이 보트에 옮겨 태웠다. 부녀자와 아이들이 모두 배에서 떠난 뒤, 선장이 병사들을 향해 소리쳤다.

"수영할 줄 아는 자들은 모두 바다로 뛰어내려 저 보트로 가라!"

그러나 이때 제 91스코틀랜드 연대의 라이트 대위가 말렸다.

"안 됩니다! 그러면 부녀자들이 탄 보트가 가라앉고 말 것입니다!"

그러면서 그 용감한 사나이는 꼼짝하지 않고 그대로 서 있었다,

남아 있는 보트도 없고 한 가닥 안전의 희망도 없었으나 동요하는 사람은 아무도 없었다. 이 시련의 순간에 자신의 의무 앞에서 주춤거리는 자가 한 사

람도 없었던 것이다.

"배가 가라앉는 순간까지 불평을 하거나 우는 소리를 하는 사람이 단 한 사람도 없었다"고 생존자 라이트 대위는 그때의 상황을 말했다. 배가 파도 아래로 가라앉을 때, 영웅적인 군인들은 축포를 쏘면서 배와 함께 바다 속으로 사라졌다. 신사적이고 용감한 군인들에게 영광과 명예가 있을지어다! 그들의 본보기는 영원히 사라지지 않을 것이며, 그들에 대한 추억도 영원히 남게 될 것이다.

신사는 자기보다 약한 자를 괴롭히지 않는다

신사를 알아보는 데는 많은 기준이 있지만 그 중에서도 틀림없는 방법이 한가지 있으니, 그것은 그가 아랫사람을 어떻게 대하느냐 하는 것이다. 그리고 부녀자 앞에서 얼마나 예의를 지키고, 어린이들을 얼마나 사랑하며, 장교가 부하를, 고용주가 고용인을, 교사가 학생을 그리고 어떤 처지에 있든 자기보다 약한 사람들을 어떻게 다루느냐 하는 것이다. 이런 경우에 보여주는 신중함과 관용 그리고 친절이야말로 신사로서의 인격을 판단할 수 있는 중요한 기준이 된다.

프랑스의 유명한 시인 라 모테가 거리의 군중 사이를 거닐다가 실수로 한 젊은이의 발등을 밟자, 젊은이는 무턱대고 라 모테의 뺨을 때렸다. 이때 라 모테는 이렇게 말했다.

"아, 당신은 내가 소경이라는 것을 알면 반드시 이런 행위를 후회하게 될 거요."

반항 능력이 없는 약한 사람을 괴롭히는 자는 속물에 지나지 않고 결코 신사가 될 수 없다. 약하고 의지할 데 없는 사람들 앞에서 횡포를 부리는 자는 비겁자이지 결코 진정한 남자가 될 수 없다. 폭군은 알고 보면 노예에 지나지 않는다고 했다. 올바른 심성을 지닌 사람의 힘 있는 의식은 그의 인격에 고상한 정신을 부여한다. 그러나 그는 그 힘을 아주 조심스럽게 사용한다. 다음과 같은 시 속에 그 이유가 있다.

훌륭하도다
거인 같은 힘이 있다면
그러나 포악하도다
그 힘을 거인같이 쓴다면.

신사는 남에게 은혜를 베풀어도 생색을 내지 않는다

온화함은 사실상 신사 정신의 최고 기준이다. 남의 감정을 알아주고, 동료뿐만 아니라 아랫사람 그리고 부양을 받고 사는 사람들의 처지까지 이해해주며, 그들의 자존심을 존중해주는 정신은 모든 진정한 신사의 행동에 스며들어 있게 마련이다. 그는 남의 행위를 이해하는 마음 없이 큰 잘못을 저지르기보다는, 오히려 조그마한 손해를 보는 쪽을 택할 것이다. 신사는 약한 사람들, 실패한 사람들, 실수를 저지른 사람들 그리고 자기만큼 좋은 환경을 타고나지 못한 사람들에게 너그럽기 그지없다. 신사는 짐승에게도 자비롭다.

신사는 자신의 부와 힘과 재주를 자랑하지 않는다. 성공했다고 우쭐대지 않고, 실패했다고 의기소침하지도 않는다. 자신의 생각을 남에게 강요하지 않지만, 필요할 때는 자신이 생각하는 것을 솔직히 발표한다. 그리고 남에게 은혜를 베풀 때 생색을 내지 않는다. 월터 스콧 경이 로디언 경에 대해 다음과 같은 애기를 했다.

"그는 누구한테든 은혜를 베풀 수 있는 사람이다. 요즘 같은 때에 이것은 정말 쉬운 일이 아니다."

신사는 자기를 돌보기에 앞서 남을 먼저 생각한다

채텀 경은 신사의 특징은 사소한 일상사에서 자기를 버리고 자신보다 남을 더 생각하는 것이라고 말했다. 고상한 인격에서 볼 수 있는 남을 생각하는 정신이 잘 나타나 있는 예를 들어 본다. 용감한 랠프 애버크롬비 경의 일화로, 애보키어 전투에서 심한 부상을 입고 들것에 실려 군함으로 운반되었을 때의 일이다. 병사들이 고통을 덜어주기 위해 그의 머리에 담요를 씌워주었다. 이때 다소 편안한 기분을 느낀 그는, 머리 위에 씌운 것이 뭐냐고 물었다.

"병사의 담요입니다만……."

옆에 있던 장교가 대답하자 그는 몸을 일으키며 물었다.

"누구의 담요인가?"

"어느 사병의 것입니다."

"담요 주인의 이름을 알고 있나?"

"예, 제42연대의 병사 던컨 로이의 담요입니다."

"반드시 오늘밤 그 병사에게 담요를 돌려주도록 하게."

죽음에 직면한 자신의 고통을 덜어주는 것도 좋지만, 그것보다 장군은 단 하룻밤이라도 사병의 담요를 빼앗고 싶지 않았던 것이다.

시드니도 비슷한 실례를 보여준다. 네덜란드를 도와 에스파냐와 싸웠을 때, 중상을 입고 피를 많이 흘려 목이 타는 듯이 말랐다. 그가 물을 찾자 병사가 사방을 찾아헤매어 간신히 한 잔의 물을 얻어왔다. 이때 한 노병이 부상을 당해 그 옆에 쓰러져 있었는데, 그는 절실한 눈빛으로 그 물을 바라보고 있었다. 시드니는 그것을 보더니 물을 마시지 않고 이렇게 말했다.

"이 물을 저 노병에게 주어라. 나보다 그에게 더 필요한 것 같으니."

그리고 그는 곧 숨을 거두었다.

드레이크의 인격

노학자 풀러는 위대한 제독 프랜시스 드레이크 경에 대해 얘기하면서, 진정한 신사이자 활동가인 그의 인격을 다음과 같이 요약했다.

"사생활은 깨끗하고, 남과의 거래는 공정했으며, 약속은 반드시 지켰다. 아랫사람에게는 너그럽고, 게으름을 가장 증오했다. 아주 중요한 일을 처리할 때는 신뢰할 수 있고 유능한 사람이라도 절대로 남에게 맡기지 않았다. 위험을 두려워하지 않고, 어려운 수고를 마다하지 않았으며, 숙련과 근면이 필요한 힘든 일은 늘 자신이 앞장서서 했다."

새뮤얼 스마일스의 생애와 작품
신상웅(중앙대학교 전예술대학원장)

　새뮤얼 스마일스(Samuel Smiles)는 1812년 12월 23일, 스코틀랜드 이스트로디언 주 해딩턴에서 태어났다. 아버지 새뮤얼과 어머니 자넷은 11명의 자녀를 낳았으며, 새뮤얼은 그 가운데 첫 번째 아이였다. 그의 부모는 해딩턴에서 작은 잡화점을 경영하며 생계를 유지했다.

　그는 어릴 때부터 카메론 신앙의 교육을 받으며 자랐다. 카메론은 투쟁적인 장로교회파 지도자인 리차드 카메론이 1680년 설립한 장로파의 한 엄격한 분파였다. 부모의 신앙은 다소 엄숙한 면이 있었다. 그래서 그는 편협한 형식적 캘빈주의의 이론 때문에 가장 피곤하고 즐겁지 못한 날을 지내야 했을 뿐만 아니라 주일마다 큰 전쟁을 치러야 했기 때문에 일요일이 괴로웠다. 제지업자이자 잡화 상인인 그의 아버지는 아들을 건실하게 키우려고 애를 썼다.

　그러나 카메론 신앙에 대해 회의를 느껴 거리를 두게 되었으며, 14살이 되던 해에는 해딩턴 문법학교를 그만두고서 의사인 로버트 르윈 밑에서 수습생으로 의학공부를 시작했다. 1829년 제대로 된 의학 공부를 하기 위해서 에든버러 대학에 입학했다. 잘 꾸며진 대학 도서관을 부지런히 드나들며, 열정적으로 지식에 탐닉했다.

　에든버러에 있는 동안 스마일스는 의회개혁운동에 참여하기도 하고, 〈에든버러 주간신문〉에 진보성향 기사를 기고하기도 했다. 에든버러에서 의학교육을 마친 뒤, 그는 고향으로 돌아가 정착했다. 시골의 아름다운 풍광 속에서 안정된 생활을 하며 가난하고 순박한 시골 사람들을 치료하여 쌓은 경험을 토대로, 그는 어린이 양육에 대한 첫 저서를 펴냈다. 1836년 출간된 《신체교육Physical Education》이 그것이다.

　그러나 야심찬 새뮤얼 스마일스에게는 이런 소시민적이고 개인적인 개선문제에 대한 헌신적 제고는 그리 대단한 것이 못되었다. 그의 야심은 후기 영국

새뮤얼 스마일스(1812~1904)

하노버 왕가의 분위기를 사실감 있게 묘사하는 데 있었다. 스마일스는 유용한 지식 확산을 위해 사회가 필요로 하는 작품이 무엇인가를 꿰뚫고 있었다. 그는 조지 크레이크의 《어려운 시절의 지식 추구》(1830)가 자신의 지적 발전에 큰 역할을 했다고 말한 바 있다. 그는 또 크게 호응을 얻은 티모시 클랙슨의 《역학의 힌트》(1839)와 마틴 터퍼의 《속담 철학》(1838), 찰스 나이트의 〈1페니짜리 잡지〉(1832~45)를 탐독해 나갔다. 이 책들은 노동계층 독자들이 '열심히 일하고, 경제 습관을 길들이고, 인생에서 자신들의 정착지를 긍정하는 데' 용기와 도움을 주었다.

또한 스마일스는 칼라일이 내놓은 전형적인 삶의 지침서들도 숙독해 나갔다. 칼라일의 신조 가운데 두 가지는 《자조론 Self Help》(1859) 집필에 충격적인 영향을 끼쳤다. 그 한 가지는 '세계 역사란 위대한 인물의 전기일 뿐'이라는 것이고, 또 한 가지는 '인간이 물려받은 위임 권한은 생산하고 또 생산하는 것이며, 오늘이라는 말이 철 늦기 전에 일해야 한다'는 것이었다.

1838년 리즈로 가서 시인인 로버트 니콜로부터 〈리즈 타임스〉를 넘겨받아 편집을 담당했다. 이때 의사로서의 경력을 완전히 포기하게 되었다. 그리고 시대적인 편집 기사들을 자기개선적 담론으로 전환해 갔다. 그러나 이 신문은 경쟁이 치열한 시장에서 유통 실적이 형편없어서 그 뒤 6년 동안 〈리즈 타임스〉로 벌어들인 돈은 겨우 100파운드 월급뿐이었다. 그는 귀족사회에 대한 강한 혐오감을 표시하며 중산층 개혁가들에게 협력했다. 신문지상에서 공장법에 찬성하는 운동을 벌이기도 했다. 이 기간 동안 《아일랜드의 역사》와 주간지

에든버러 대학교

〈운동(Movement)〉을 창간했다(그러나 주간지는 겨우 4호에 그치는 불운을 겪고 만다).

1840년 5월 리즈의회개혁협회 서기관이 되었다. 이 협회는 가정의 참정권, 비밀투표, 균등대표제, 단기의회 및 국회의원 후보 재산자격제 폐지를 촉구하는 시민단체였다.

1840년대에 스마일스는 인민헌장운동에 환멸을 느끼고 주요 정치세력으로 영향력이 커지는 것을 우려했다. 그는 '단순한 정치개혁은 여러 사회악을 치료할 수 없다'고 주장하며, '개인을 개선시키는 일'에 관심을 보이며 그 중요성을 강조하게 되었다.

1843년 12월 사라 앤과 결혼했다. 그리고 리즈에서의 자신의 명성이 경제적으로는 도움이 되지 못한다는 현실과 마주한 그는 1845년 '리즈 앤드 서스크 철도국'에 일자리를 얻었다. 그 직위는 특별히 매력적인 것은 아니었지만, 그의 새로운 시작은 비로소 그에게 전례 없는 경제적 안정을 보장해 주었으며, 문학적 열망을 추구할 수 있는 기반이 되었다.

이를 계기로 〈하윗지〉와 〈피플지〉, 〈리즈 머큐리〉, 〈엘리자 쿡 저널〉 등에 기고문을 싣고, 1847년에는 〈기이한 친구들의 잡지〉에 참여하였으며, 1849년에

《자조론》(1859) 속표지

는 '철도 재산'에 대한 책
을, 1859년에는 철도발명자
'조지 스티븐슨의 전기'를
펴냈다.

1854년에는 9년 동안 일
하던 '리즈 앤드 서스크 철
도국'을 그만두고서 '사우
스 이스트 철도국'에 일자
리를 얻었다. 이제 그는 더
이상 사회적 프로그램 따
위를 설교하지 않는 대신
'단호한 도덕적 품성'에 인
생 초점을 맞추었다. 그는
급진주의의 잔해로부터 멀
어져 갔다.

1850년대에 이르러 스마
일스는 교훈적 《자조론》이
성공으로 가는 최상의 길이라고 주장했다. 루트리지는 1855년 《자조론》의 최초
원고를 거절했으나, 1859년 존 머리의 도움을 얻어 출간했다.

마침내 스마일스의 《자조론》은 밀의 《자유에 대하여 On Liberty》, 찰스 다
윈의 《종의 기원 Origin of Species》, 찰스 디킨스의 《두 도시 이야기 A Tale of Two
Cities》, 조지 엘리엇의 《아담 비드 Adam Bede》와 함께 문학사에 빛나는 기념비
적 고전작품 반열에 올랐다.

《자조론》은 정직하지만 평이한 산문체 작품이라는 꼬리표가 꾸준히 붙어
다녔다. 하지만 문명사회의 교양 또는 자기계발 지침서로서 중요한 고전이면서
도, 부르주아의 가장 까다롭고 엄격한 특성을 나타내는 빅토리아 시대에 충실
한 도덕론이라고도 할 수 있다.

《자조론》, 《인격론 Character》, 《검약론 Thrift》, 《의무론 Duty》 4권은 '스마일스
의 4대 복음서'로 불리는 대표작들이다. 이 책들에서 인생론의 고갱이만을 모
은 고전적 교훈서 《자조론》과 영국 신사의 이상적 인격인 젠틀맨십을 구체화

한 《인격론》의 한국어판이 오랜동안 새뮤얼 스마일스의 사상을 연구해 온 '한국인간개발원' 장만기 선생의 명역으로 옮겨지니 참으로 반갑다. 특히 자아발전이라는 주제로 리즈의 젊은이에게 행한 강의내용을 책으로 엮은, '하늘은 스스로 돕는 자를 돕는다(Heaven helps those who help themselves)'로 시작되는 《자조론》은 출간 첫해 2만 부, 1864년까지 5만 5천 부, 1889년까지 15만 부를 발행하여 그즈음으로서는 밀리언셀러 기록을 남겼다. 이는 세계 출판 역사상 매우 놀라운 사건이었다.

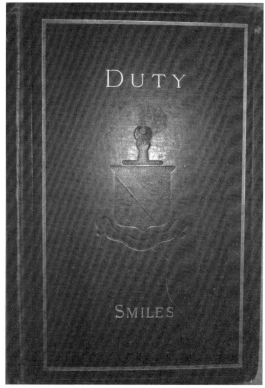

《의무론》(1880) 표지

'스마일스의 4대 복음서'는 바로 저자의 영혼 전기이자 치열한 인간 정신의 전기라고 할 수 있다. 우리가 끊임없이 역동적으로 얽혀 움직이는 실핏줄같은 정신세계의 미로에 갇혀 당황할 때, 스마일스는 스스로 감동을 느껴 고동치는 심장을 느끼며 신의 아이가 될 수 있도록 우리에게 바른 길을 알려주었다.

1904년 4월 16일 새뮤얼 스마일스는 켄징턴에서 아흔 하나의 나이로 세상을 떠났다.

빅토리아 시대의 영국은 세계 패권을 쥐고 있었다. 자부심으로 충만해진 영국인들의 가슴속에 새뮤얼 스마일스는 자신의 인생철학을 책으로 펴내어 도덕적 자양분을 공급해 주었으며, 이는 또한 정신적으로 갈급한 현대 한국인들에게 시대적 단련의 흔들리지 않는 양식을 공급해 줄 것이다.

오늘의 한국은 인간기본 도덕률이 무너져 내리고 있다. 이해득실에 따라 수단방법을 가리지 않는 세태를 탄식하지 않을 수 없다. 도리는 영원하고 전술은 일시적일 뿐이다. 정신차려야 한다. 자유민주주의 근간이 바로 서려면 인간기본 도덕률을 지켜낼 수 있어야 한다. 스마일스가 《자조론》《인격론》에서 바로 그것을 주장하고 있다.

새뮤얼 스마일스의 연보

1812년   12월 23일 스코틀랜드 이스트로디언 주 해딩턴에서 새뮤얼 스마
            일스와 자넷 윌슨 사이에서 맏이로 태어남. 어릴 적부터 엄격한
            카메론 신앙 교육을 받으며 자라났으나 카메론 신앙에 대한 회의
            로 거리를 두게 되었고, 14살이 되던 해에는 해딩턴 문법학교를 그
            만두고서 의사인 로버트 르윈의 수습생으로 들어가 의학공부를
            시작함

1829년(16세) 제대로 된 의학공부를 하기 위해서 에든버러 대학에 입학함(에든
            버러 재학 중에 의회개혁 운동에 참여하였으며, 〈에든버러 주간신
            문〉에 진보성향 기사를 기고함)

1832년(20세) 에든버러 대학을 졸업한 뒤에 고향 해딩턴에서 의사로 일을 시작
            함(이해에 크게 유행한 콜레라로 아버지 새뮤얼 스마일스가 사망하
            였으며, 의사로 일을 하면서도 정치에 깊은 관심을 두면서 몬트로즈
            출신 급진 정치가인 조셉 흄의 강력한 지지자가 됨)

1837년(25세) 〈리즈 타임즈〉에 의회 개혁에 관한 기사를 투고하고 시작함

1838년(26세) 〈리즈 타임즈〉 편집장으로 초대되어 동(同) 신문 편집 일을 맡아
            하면서 의사로서의 경력은 완전히 포기하고서 정치개혁 운동에
            몸을 담게 됨

1840년(27세) 5월 리즈의회개혁협회 서기관이 됨(1840년대에 영국 사회개혁가 로
            버트 오언의 사상에 깊은 관심을 가지게 되면서 오언이 펴내는 〈유
            니언〉 지에 기사를 투고. 또한 리즈에서의 협동조합 운동에도 도
            움을 주었으며, 이는 나중에 리즈 공제조합과 리즈 구원조합 결성의
            주춧돌이 됨)

1843년(31세) 12월 사라 앤 홈즈와 결혼함(이후 세 딸과 두 아들을 둠)

1845년(33세) 〈리즈 타임즈〉 편집장 일을 그만두고서 '리즈 앤드 서스크 철도

국'의 일자리를 얻음(~1854년)

1850년대(38세 이후) 의회개혁에 대한 관심을 완전히 접고서 '자조(Self help)가 성공으로 가는 최상의 길'이라고 주장함. 1854년에는 1845년 이후 9년 동안 일해온 '리즈 앤드 서스크 철도국'을 그만 두고서 '사우스 이스턴 철도국'의 일자리를 얻음. 근면과 검약, 자기향상을 설파한 저서 《자조론》은 1855년 루트리지 출판사에 출판을 의뢰하였으나 거절당함

1859년(47세) 《자조론》을 자비로 출판함(판권은 스마일스가 가지되 존 머리에게 10% 수수료를 지급하는 조건으로 존 머리의 도움을 받아 펴냄으로써 세상의 빛을 보게 됨).

1866년(54세) 철도국 일자리를 그만 두고서 국민연금협회 회장에 취임함

1871년(59세) 발작(뇌졸중)을 일으키면서 국민연금협회 회장 자리를 그만 두었으며, 투병 생활을 시작함(뇌졸중에서 회복되고 나서 다시 읽기와 쓰기를 배워 책을 저술함)

1875년(63세) 《검약론》 출판함

1877년(65세) 두 아들 가운데 막내인 새뮤얼 스마일스가 오스트레일리아(1869년)와 미국(1871년)을 여행하면서 써보낸 편지와 여행일지를 편집해서 《한 소년의 세계여행》이라는 제목으로 출판함

1904년(91세) 4월 16일 켄징턴에서 영원히 눈을 감았으며 브롬프턴 묘지에 묻힘

1905년(사후) 80대 때 스마일스 자신이 쓴 자서전이 출판됨

인물 찾아보기

* 갈릴레이(Galileo Calilei, 1564~1642) 이탈리아의 천문학자, 수학자.
* 갈바니(Luigi Galvani, 1737~97) 볼로냐 대학에서 산과 교수로 지내던 중 동물전기를 발견.
* 게스너(Conradus Gesner,1516~65) 스위스 박물학자, 내과의사. 취리히 대학의 교수로 철학과 자연사를 강의함.
* 게인즈버러(Thomas Gainsborough, 1727~88) 영국풍경미술학교의 설립자. 왕립미술학교 설립 멤버.
* 골드스미스(Oliver Goldsmith) 아일랜드 극작가, 소설가, 시인. 《웨이크필드의 목사(1766)》로 유명함.
* 구필(Jacques Goupil, ?~1564) 프랑스 외과의사, 의학저자.
* 굿(John Mason Good, 1764~1827) 내과의사, 여러 분야의 저자. 루크레티우스를 번역하여 1805년에 출판.
* 그랜트(Ulysses Simpson Grant, 1822~85) 미국 남북전쟁 당시 군인. 1864년 연합군의 사령관이었으며 1868년 미국의 18대 대통령이 됨.
* 그랜트형제(William Grant and Charles Grant, ?~?) 판화제작자, 면직공장 소유주.
* 그레구아르(Henry Gregoire, 1750~1831) 프랑스 고위 성직자. 앙베르메닐의 교구 목사로 《유대민족의 재건에 대한 소론(1778)》으로 유명.
* 그레이(Thomas Gray, 1716~71) 시인. 〈멀리서 바라본 이튼 대학에 대한 송시(1742)〉와 〈어느 시골 묘지에서 쓴 애가(1751)〉로 유명.
* 그레이엄(James Graham, 1754~1817) 화가로 스코틀랜드 트러스티 미술학교를 최초로 감독함.
* 그룸(James Foster Groom, 1786~1858) 유능한 재정가. 영국의 철도체계를 발전시키는 데 도움을 줌.
* 글래드스턴(William Ewart Galdstone, 1809~98) 자유주의적인 정치가, 교육 개혁가.

1868년에서 1874년까지 수상을 지냄.

* 글레이그(George Robert Gleig, 1796~1888) 스코틀랜드 소설가, 역사학자. 1813년 반도전쟁에 참전했으며 1814년 북아메리카로 가서 1816년 《웰링턴의 삶》을 발표.

* 기번(Edward Gibbon, 1737~94) 역사학자. 《로마제국의 흥망성쇠(1776~8)》로 유명.

* 기퍼드(Robert Gifford, 1820~87) 스코틀랜드 판사. 에든버러, 글래스고우, 세인트 앤드류스 대학에 많은 기부금을 남김.

* 기퍼드(William Gifford, 1756~1826) 토리당과 연계된 《반자코뱅》을 1797년에서 1798년까지 편집했으며, 월터 스콧의 〈계간지(1809~24)〉를 편집.

* 길핀(William Gilpin, 1724~1804) 작가, 화가, 성직자. 별난 예배의식을 이끈 인물로 유명.

* 깁슨(John Gibson, 1790~1866) 로마에서 공부하다 영구히 거주. 고전화풍의 영감을 받은 그림들로 유명.

* 다건(William Dargan, 1799~1867) 아일랜드 철도 설계가, 농장지주, 제조업자. 아일랜드 자본주의자.

* 다게르(Louis-Jacques-mande Daguerre, 1789~1851) 다게르타입을 발명한 프랑스 발명가, 사진기술의 선구자.

* 다게소(Henri-Francois Daguesseau, 1668~1751) 1717년 이후 프랑스의 대법관.

* 다뤼(Comte de Daru, 1767~1829) 프랑스 역사가이자 군행정관, 1811년 이후의 전쟁장관.

* 다윈(Erasmus Darwin, 1731~1802) 시인, 정치가. 1796년 《동물학(Zoonomia)》 또는 《유기생물의 법칙(the Laws of Organic Life)》, 1799년 《식물학》 출판.

* 단테(Dante Alighieri, 1265~1321) 이탈리아 시인. 가장 유명한 작품으로 《신곡》이 있음.

* 달랑베르(Jean Le Rond D'Alembert, 1717~83) 프랑스 철학가, 수학자. 《백과사전(encyclopédie)》을 디데롯과 공동 저술.

* 달하우시(Marquis of Dalhousie, 1812~60) 인도의 총독(1847~56). 그의 통치로 많은 영토가 영국에 흡수됨.

* 더 사일런트(William 'The Silent', 1533~84) 나소의 백작, 오렌지왕가의 왕자. 종교재판소의 이단법에 대해 투쟁.

* 더글러스(James Douglas, 1286~1330) 스코틀랜드 독립전쟁 때 로버트 브루스 사

령관 밑에서 영국에 대항했으며(1297), 70차례에 걸친 전투에서 용감히 싸운 영웅으로 알려짐.

* 더닝(John Dunning, 1731~83) 애시버튼 남작 1세(1731~83), 정치가. 미국의 독립전쟁 전에 미국 식민지에 대한 여당의 정책에 반대.

* 더들리와 워드(Dudley and Ward) 워드(William Ward) 참고.

* 데모크리토스(Democritus, 460~370 BC) 그리스 철학가. 세계는 무한히 많은 세밀한 분자로 구성되어 있다는 원자론으로 유명.

* 데이비(Humphry Davy, 1778~1822) 화학자, 전도사. 수많은 금속(칼륨, 나트륨, 바륨, 마그네슘) 발견.

* 데일젤(Andrew Dalzel, 1742~1806) 고전학 교수, 에든버러 대학의 그리스어 교수, 에든버러 왕립학회 공동 창립자.

* 덴먼(Thomas Denman, 1779~1854) 1820년 섭정왕자에 대항하여 캐롤라인 여왕을 변호한 법관으로 유명하며, 1831년 수석 재판관이 됨.

* 델론(Jean-Baptiste D'erlon, 1765~1844) 프랑스 혁명군이면서 장군.

* 도즐리(Robert Dodsley, 1704~64) 극작가, 서적상인. 그의 작품 《장난감 가게(Toy Shop)》는 코번트 가든(Covent Garden) 극장에서 대성공을 거둠.

* 돌턴(John Dalton, 1766~1844) 화학자로 혼합가스를 연구했으며 색맹을 최초로 설명함.

* 둔디아(Dhoondiah) 워(Dhoondiah Waugh) 참고.

* 뒤랑(Jean-Nicholas-Louis Durand, 1760~1834) 에콜 공예학교의 건축학과 교수로 이 분야에서 많은 책을 펴낸 작가이기도 함.

* 뒤보아(Dubois de Crance, 1747~1814) 프랑스 의용군.

* 뒤시(Ducie) 허버트(Francis Herbert) 참고.

* 뒤크누아(Francois Duquesnoy, 1594~1646) 벨기에 조각가. 거의 로마에서 일함.

* 뒤팽(Dupin, ?~?)

* 뒤플레시(Armand Jean Duplessis, 1585~1642) 리슐리외 공작, 프랑스 국회의원, 성직자. 루이 13세 때 추기경(1622), 총리(1624)로 임명됨.

* 드라이든(John Dryden, 1631~1700) 시인, 극작가.

* 드레이크(Francis Drake, 1540~96) 항해자, 해적. 영국인으로는 태평양을 최초로 발견하였으며 엘리자베스 시대의 인기 있는 영웅.

* 드류(Samuel Drew, 1765~1833) 여행가, 제화업자. 웨슬레 교파의 신도가 된 뒤 감리교를 옹호하는 논문을 썼으며 그중 〈영국의 형이상학(Cornish Metaphysician)〉이 유명.

* 들랑브르(Jean-Joseph Delambre, 1749~1822) 프랑스 천문학자. 천왕성의 움직임을 계산하기 위해 산술표 작성.

* 디드로(Denis Diderot, 1713~84) 저술가. 프랑스인으로 백과사전 편집장.

* 디어링(Deering, ?~?) 노팅엄 역사학자.

* 디즈레일리(Benjamin Disraeli, 1804~81) 정치가, 소설가, '영국청년당' 운동의 창시자. 두 차례에 걸쳐 토리당 당수가 됨.

* 디즈레일리(Isaac Disraeli, 1776~1848) 문필가로 벤저민 디즈레일리의 아버지.

* 디킨스(Charles Dickens, 1812~70) 소설가.

* 디포(Daniel Defoe, 1660~1731) 작가 겸 모험가. 소설 《로빈슨 크루소》와 《몰플랜더스》로 유명.

* 딕(Robert Dick, 1811~66) 독학으로 스코틀랜드의 지질학자 겸 식물학자가 됨.

* 라베일락(Francois Ravaillac, 1578~1610) 열렬한 가톨릭 신자. 페이앙파의 교리를 따라 헨리 4세를 중상모략함.

* 라이트(Captain Wright, ?~?)

* 라이트(Joseph Wright, 1734~97) 풍속화가, 초상화가. 달빛과 촛불 등 묘한 빛의 효과로 유명.

* 라이트(Thomas Wright, 1785~1875) 교도소 개혁가. 샐퍼드 교도소를 방문한 뒤 (1838) 사회에 나온 전과자들을 교화시킴.

* 라파엘로 델 모로(Raffaello Del Moro, ?~?) 이탈리아의 금세공인

* 랑동(Jaques Louis Cesar Alexandre Randon, 1795~1871) 알제리아 전투에 참여하여 카빌리아를 항복시키는데 기여(1857).

* 러셀(Jonh Russell, 1792~1878) 최초 선거법 개정안의 고안자, 휘그당의 당수(1846~52, 65).

* 러쉬(Rush, ?~?) 미국의 영국 대사.

* 러스킨(John Ruskin, 1819~1900) 작가, 예술평론가. 《근대의 화가들(1843)》을 통해 터너의 작품을 옹호함.

* 레널드(Joshua Reynolds, 1723~92) 초상화가, 문학 클럽 창립자(1764), 영국왕립학

교 최초의 교장(1768).

* 렌(Christopher Wren, 1632~1723) 건축가. 성 바오르 성당, 수많은 런던의 교회, 옥스퍼드와 캠브리지의 대학 건물 등의 건축으로 유명함.

* 로렌(Claude Lorraine, 1600~1852) 프랑스 풍경화가. 부드럽고 조화로운 색채로 유명.

* 로린슨(Henry Creswicke Rawlinson, 1810~95) 외교관, 아시리아학 연구가.

* 로밀리(Samuel Romilly, 1757~1818) 변호사, 법률개혁자, 법무장관(1806).

* 로버츠(David Roberts, 1796~1864) 스코틀랜드인 화가. 영국 드루어리 래인 극장에서 무대 화가로 시작함.

* 로버트(Louis Leopold Robert, 1794~1835) 프랑스 화가. 혁신적인 채색기법으로 유명함.

* 로버트슨(Frederick William Robertson, 1816~53) 급진적 신학자. 영국 브라이턴의 트리니티 성당에서 재직(1847).

* 로빈슨(Christoper Robinson, 1766~1833) 해사법원의 판사.

* 로사(Salvator Rosa, 1615~73) 이탈리아 시인, 화가. 거친 풍경화로 유명.

* 로스(George Ross, 1815~75) 런던의 내과의사. 저서 《자아개발(1854)》.

* 로시니(Gioacchino Antonio Rossini, 1792~1868) 이탈리아 오페라 작곡가. 《세비야의 이발사》와 《빌헬름텔》로 유명함.

* 루빌리아크(Louis Frangois Roubillac, 1705~62) 프랑스 조각가, 1730년대에 영국 런던으로 이주. 헨델, 뉴턴, 셰익스피어의 조각 작품으로 유명.

* 로저스(Samuel Rogers, 1763~1855) 은행가, 시인. 시집 《기억의 즐거움(1792)》으로 명성을 얻음.

* 로제(Rosse, 1800~67) 파슨즈(William Parsons) 참고.

* 롬니(Geroge Romney, 1734~1802) 런던으로 가서 세련되고 귀족적인 초상화를 그림(1762).

* 로비아(Luca Della Robbia, 1400~82) 이탈리아 조각가. 테라코타 작품으로 유명함.

* 리베라(Lo Spagnoletto, Jusepe de Ribera, 1588~1656) 공포 장면에 매혹된 스페인의 화가.

* 리처드슨(Jonathan Richardson, 1665~1745) 초상화가, 작가. 《미술이론(1715)》은 표준 미술학 참고서적이 됨.

＊ 리처드슨(Samuel Richardson, ?~?)

＊ 리처즈(Richard Richards, 1752~1823) 판사, 헬스턴의 하원의원(1796, 1807).

＊ 리카도(David Ricardo, 1772~1823) 아담 스미스의 《국부론》에 영향을 받은 정치경제 학자, 《정치경제와 조세에 관한 원리(1817)》.

＊ 리튼하우스(David Rittenhouse, 1732~1803) 뉴턴의 영향을 받은 미국 천문학자.

＊ 리히터(Johann Paul Friedrich Richter, 1763~1825) 독일의 소설가, 다작의 소설가, 풍자가.

＊ 바로(Marcus Terentius Varro, 116~27 BC) 로마의 학자. 그의 저서는 역사, 웅변, 법, 철학, 문법을 망라함.

＊ 바사리(Giorgio Vasari, 1511~74) 이탈리아 예술가, 예술역사가. 저서 《미술가 열전》으로 유명함.

＊ 바이런(Lord Byron, 1788~1824) 시인.

＊ 바클리(David Barclay, 1755~1839) 모리셔스 섬의 총독.

＊ 바클리(Robert Barclay, 1758~90) 퀘이커파의 스코틀랜드인 옹호자. 《진정한 기독교 신에 대한 속죄》 발표.

＊ 바클리앨러디스(Robert Barclay-Allardice, 1779~1854) 스코틀랜드 군인, 스포츠맨. 1,000시간 연속으로 1,000마일을 걸어 널리 유명해짐.

＊ 바흐(Johann Sebastian Bach, 1685~1750) 작곡가.

＊ 밥티스트(Jean Baptiste, 1695~1763) 이탈리아 시인

＊ 배로(Issac Barrow, 16305~77) 수학자, 신학자. 그래셤 대학과 캠브리지 대학의 교수였으며, 유클리드와 아르키메데스의 저서를 번역.

＊ 배리(James Barry, 1741~1806) 아일랜드의 역사적인 화가.

＊ 배비지(Charles Babbage, 1791~1871) 수학자. 2가지 원리의 계산기를 만드는 데 일생을 바쳤고, 캠프리지 대학에서 루카시안 수학 석좌 교수로 있었음.

＊ 배일(Bayle, ?~?) 메이어비어의 전기 작가.

＊ 배핀(John Baffin, 1584~1622) 북서 항로를 개척했으며, 몇 개의 항로에 정통함.

＊ 백스터(Richard Baxter, 1615~91) 비국교도 성직자. 독학하여 엄청난 신학 지식을 습득. 《신약성서 의역(Paraphrase on the New Testament)》을 펴냈고, 이 때문에 치안 방해죄로 교도소에 수감됨.

＊ 밴시터트(Nicholas Vansittart, 1766~1851) 벡슬리 남작 1세, 정치인, 토리당 재무 담

당관.

* 뱅크스(Thomas Banks, 1735~1805) 조각가로 신고전주의 양식의 작품을 조각.

* 버고인(John Burgoyne, 1722~92) 이베리안 반도에서 일어난 '7년전쟁(1756~63)'으로 이름을 날림. 토리당에서 1782년 휘그당으로 옮김.

* 버그(Duc de Berg, ?~?) 나폴레옹 통치 때 시칠리아의 총독.

* 버나드(Nicholas Bernard, ?~1661) 군목사, 올리버 크롬웰에 물품을 전달해주는 구호품 분배 관리자.

* 버니(Charles Burney, 1726~1814) 작곡가. 《일반 음악사》의 저자.

* 버니언(John Bunyan, 1628~88) 작가, 설교자. 《천로역정》의 저자.

* 버닛(Gilbert Burnet, 1643~1715) 스코틀랜드 성직자, 역사학자. 《1679년에서 1714년까지의 종교개혁사》 3권을 발표.

* 버닛(John Burnet, 1784~1868) 스코틀랜드 조각가. 윌키의 많은 그림을 조각함.

* 버드(Edward Bird, 1722~1819) 독학으로 주제화가가 됨. 특히 종교적이고 역사적인 사건을 그림.

* 버를리(Birley, ?~?)

* 버릿(Elihu Burritt, 1810~79) 미국의 대장장이. 여가시간을 수학과 언어 연구에 할애.

* 버질(Virgil, 70~19 BC) 로마의 시인.

* 버크(Edmund Burke, 1729~97) 아일랜드 정치가, 철학가. 그의 저서 《프랑스혁명에 대한 소견》은 유럽 전역에서 인기를 누림.

* 버크(John Burke, 1787~1848) 아일랜드 계보학자. 《버크족보 명감》을 집필.

* 버클루 공작 5세(Walter Francis Scott, 1806~84) 그랜튼에서 부두와 방파제를 건설.

* 버클리(Elizabeth Berkeley, 1734~1800) 작가. 1766년에 둘째아들을 출산한 뒤 우두 접종을 받음.

* 버틀러(Joseph Butler, 1692~1752) 브리스틀(1738)과 더램(1750)의 주교 역임. 1736년 《종교유추》 발표.

* 벅스턴(Thomas Fowell Buxton, 1786~1845) 벅스턴 준남작 1세. 양조자, 노예제도 폐지론자, 형법 개혁자.

* 번스(Robert Burns, 1759~96) 스코틀랜드 시인.

＊ 벌레이(Burleigh) 세실(William Cecil) 참고.

＊ 베도스(Thomas Beddoes, 1760~1808) 철학가, 작가. 1798년에서 1801년까지 브리스틀에서 '기낭(Pneumatic Institute)'에서 활동. 여기에서 데이비가 보조원으로 일함.

＊ 베레(Horace Vere, 1565~1635) 스페인 카디스에서의 업적을 인정받아 기사 작위를 받음.

＊ 베시에르(Jean Baptiste Bessieres, Duc d'Istrie, 1786~1813) 프랑스 혁명군인, 생 장 다크레, 아부키르, 아우스터리츠에서 세운 공로로 유명함.

＊ 베이즐리(Bazley, ?~?) 하원의원.

＊ 베이컨(Francis Bacon, 1561~1626) 영국 정치가, 철학가. 1681년 이후 대법관.

＊ 베이컨(John Bacon, 1740~99) 영국의 조각가. 왕립미술대학 최초의 학생으로 웨스트민스터 성당과 성 바오르 성당의 중요한 기념물을 제작.

＊ 베일리(Francis Baily, 1774~1844) 주식 중개인으로 일하다 은퇴하고, 천문학 연구에 헌신하여 지구의 평균 밀도 계산.

＊ 베카리아(Cesare Beccaria, 1738~94) 이탈리아 법학자, 형법 개혁자.

＊ 베토벤(Ludwig Van Beethoven, 1770~1827) 작곡가.

＊ 벤틀리(Richard Bentley, 1662~1742) 고전학자, 캠브리지의 트리티니 대학 학장.

＊ 벨(Charles Bell, 1744~1842) 스코틀랜드 해부학자, 외과의사. 척수신경계 전문.

＊ 벨(Henry Bell, 1767~1830) 스코틀랜드 엔지니어, 증기항해 선박업자. 유럽 최초의 증기여객선 '코멧' 제작.

＊ 보나파르트(Jerome Bonaparte, 1784~1860) 나폴레옹의 형, 웨스트팔리아의 왕.

＊ 보나파르트(Napoleon Bonaparte, 1769~1821) 프랑스 황제.

＊ 보몬트(Gustave de Beaumont, 1802~66) 토크빌과 미국을 함께 여행한 친구.《마리에》또는《미국의 노예제도(Slavery in the United Stated)》의 저자.

＊ 보바딜라(Bobadilla, ?~?) 포르투갈 선교사.

＊ 보일(Robert Boyle, 1627~91) 아일랜드의 물리학자, 화학자. '보일의 법칙'으로 유명. 이 법칙은 압력과 가스의 양이 반비례함을 보여줌.

＊ 보카치오(Giovanni Boccaccio, 1313~75) 이탈리아의 산문소설, 전원시, 운문시의 작가. 가장 유명한 작품으로《데카메론》이 있음.

＊ 보캉송(Jacques de Vaucanson, 1709~82) 프랑스 기술자, 최초로 자동 기계를 발명.

＊ 보클랭(Louis~Nicolas Vauquelin, 1763~1829) 프랑스의 분석화학자.

들 법학자. 노예무역을 중죄로 인정하는 법안을 1810년 의회에 통과시킴.

＊ 브리스틀(Bristol) 하비(Frederick Augustus Harvey) 참고.

＊ 브리턴(John Britton, 1771~1857) 지형학자, 골동품연구가.

＊ 브린들리(James Brindley, 1716~72) 18세기의 가장 중요한 운하 건설자. 모두 합해 365마일의 운하 건설.

＊ 블랙(Joseph Black, 1728~99) 스코틀랜드 화학자. 1766년 이후 에든버러의 약학, 화학 석좌교수.

＊ 블랙스턴(William Blackstone, 1723~80) 옥스퍼드 대학 교수. 《영국 법률에 대한 논평(Commentaries on the Laws of England)》을 출판해 부를 얻음.

＊ 블랙크너(John Blackner, 1770~1816) 양말제조업자, 작가. 〈노팅엄 평론지(Nottingham Review)〉를 편집, 《노팅엄의 역사(History of Nottingham)》 발표.

＊ 블레이크(William Blake, 1757~1827) 시인, 화가, 판화가.

＊ 블룸필드(Robert Bloomfield, 1766~1823) 다락방에서 〈농부의 아들〉을 쓴 신발제조업 수습공. 이 시로 엄청난 명성을 얻음.

＊ 블뤼허(Gebhard Leberecht von Blucher, 1742~1819) 발슈타트 공작. 프로이센 장군으로 군대를 이끌고 워털루에서 웰링턴 장군과 협공.

＊ 비알로(Vialot, ?~?) 프랑스 외과의사.

＊ 비커스테스(Henry Bickersteth, 1783~1851) 랭데일 남작. 1836년 이후 기록 보관관으로 일했으며, 공정하고 건전한 판단을 하는 판사로 이름을 날림.

＊ 빅토르(Claude Perrin Victor, 1764~1841) 1808년부터 1812년까지 스페인을 통치한 프랑스 혁명군.

＊ 사보이(Savoy) 필버트(Emmanuel Philibert) 참고.

＊ 사우디(Robert Southey, 1774~1843) 시인, 작가. 계관시인(1813).

＊ 살루스티우스(Gaius Sallustius Crispus, 86~34 BC) 로마의 정치가, 역사가.

＊ 새들레어(John Sadleir, 1814~56) 아일랜드의 정치가, 사기꾼. 20만 파운드를 은행에서 초과 인출한 뒤 자살.

＊ 샤프(Granville Sharp, 1735~1813) 노예폐지론자.

＊ 샤프(William Sharp, ?~?) 내과의사. 그랜빌 샤프의 형제.

＊ 샤플스(James Sharples, 1825~93) 대장장이, 미술가.

＊ 샹가르니에(Nicolas Anne Theodule Changarnier, 1792~1877) 알제리 총독, 바위군 사

령관.

* 샹텔루(Fréart de Chantelou, 1609~94) 판화가, 푸생의 유언 집행인.

* 서그던(Edward Burtenshaw Sugden, 1781~1875) 법작가, 판사.

* 서머싯(Edward Somerset, 1601~67) 우스터의 제2대 후작, 증기 양수기 발명.《발명의 세기(1663)》

* 서머싯(James Somerset, ?~?) 아프리카 노예, 이민자. 그의 재판은 영국의 모든 노예들을 해방시키는 계기가 됨.

* 서버러(Aleksandr Vasilievich Suboror, 1730~99) 러시아 육군 원수.

* 서번(Robert Thorburn, 1818~85) 미니어처 화가. 빅토리아 여왕에게서 많은 작품 의뢰를 받음.

* 성 레너즈(St Leonards) 서그던(Edward Burtenshaw Sugden) 참고.

* 성 빈센트(St Vincent) 저비스(John Jervis) 참고.

* 세네카(Lucius Annaeus Seneca, 4 BC~AD 65) 로마 스토아학파의 철학자, 네로 황제에 의해 자살을 명령받음.

* 세실(Richard Cecil, 1748~1810) 신교전도파의 신학자이자 설교자. 1780년에서 1808년까지 런던에서 인기를 누림.

* 세실(William Cecil, 1520~98) 버레이 경. 엘리자베스 여왕의 통치하에서 국무대신을 지낸 정치가.

* 세이버리(Thomas Savary, 1650~1715) 광산에서 물을 퍼내는 최초의 증기 기구로 특허를 받음.

* 세지윅(Adam Sedgwick, 1785~1873) 남서 잉글랜드에서 데본계를 발견한 지질학자.

* 셔블(Cloudesley Shovel, 1650~1717) 네덜란드와의 수많은 해전에 참가. 영국 해군 소장(1705).

* 셰리던(Richard Brinsley Sheridan, 1751~1816) 아일랜드 극작가. 런던에서 첫 작품《경쟁자들(1775)》로 대성공. 국회의원으로 선출(1780).

* 셰익스피어(William Shakespeare, 1564~1616) 극작가, 시인.

* 셰퍼(Ary Scheffer, 1795~1858) 프랑스 화가. 장르 회화와 낭만적 초상화로 유명.

* 셸러(Carl Wilhelm Scheele, 1742~86) 스위스 화학자. 많은 산성물을 발견. 대기는 두 개의 가스층으로 이루어짐을 증명.

* 소른(Zorn, ?~?) 독일인 약사.

* 소머즈(John Somers, 1651~1716) 휘그당의 국회의원, 대법관과 남작 작위를 받음
(1697). 윌리엄 3세가 가장 신뢰한 고문.

* 소크라테스(Socrates, 469~399 BC) 그리스 철학자.

* 솔라리(Antoine Solari, 1382~1455) 이탈리아 나폴리에서 폭넓게 활동한 미술가.

* 솔로몬(Solomon, 1015~977 BC) 이스라엘의 지혜로운 왕.

* 솔론(Solon, 638~559 BC) 그리스 입법가, 시인. 아테네를 위해 많은 개혁을 주도
하고 민주주의의 기본을 닦음.

* 술트(Nicola Jean de Dieu Soult, 1769~1851) 영국군이 스페인에서 퇴각하도록 만든
프랑스 혁명군. 뒤에 스페인의 프랑스 군 최고 사령관이 됨.

* 쉬셰(Louis Gabriel Suchet, 1770~1826) 아라곤을 항복시킨 프랑스 혁명군.

* 쉴러(Johann Christoph Friedrich von Schiller, 1759~1805) 독일 극작가, 역사가, 시인.

* 쉴리(Maximilian de Bethune, Duc de Sully, 1560~1641) 프랑스 재정전문가. 헨리 4세
가 가장 믿던 각료이자 고문.

* 슈바르츠(Christian Friedrich Schwartz, 1726~1798) 프로이센 태생의 선교사. 1750년
부터 사망 전까지 전도사와 군목으로 사역.

* 슈베르트(Franz Peter Schubert, 1797~1828) 오스트리아 작곡가, 독일 가곡의 가장
위대한 대표자.

* 스미스(Adam Smith, 1723~90) 철학자, 경제학자, 근대 정치경제학의 창시자.

* 스미스(John Pye Smith, 1774~1851) 신학자, 비전문 지질학자.

* 스미스(Sydney Smith, 1771~1845) 영국의 목사, 수필가, 〈에든버러 리뷰〉의 공동
창립자.

* 스미스(William Smith, 1769~1839) 토목기사, 지질학자.

* 스미슨(Hugh Smithson, 1715~86) 노섬벌랜드 공작 1세.

* 스미턴(John Smeaton, 1724~94) 기술자. 1753년 왕립학회 회원이 됨. 물레바퀴와
풍차를 기계학적으로 연구하여 수훈을 세움.

* 스위프트(Jonathan Swift, 1667~1745) 시인, 풍자작가, 성직자. 더블린 성패트릭 성
당의 사제장(1714).

* 스카를라티(Giuseppe Domenico Scarlatti, 1685~1757) 이탈리아의 작곡가, 근대 키
보드 테크닉의 창안자, 하프시코드 소나타로 유명함.

✳ 스캔더벡(Scanderbeg, 1403~68) 알바니아의 군사 영웅. 이슬람교를 버리고 터키군을 알바니아에서 몰아내기 전까지 술탄 뮈라 2세의 총애를 받음.

✳ 스콧(John Scott, 1751~1838) 엘덴 백작 1세, 변호사, 영국 보수당 하원의원(1801).

✳ 스콧(Thomas Scott, 1747~1821) 신학자, 종교에 관한 글을 5권의 책으로 출판(1805~1808).

✳ 스콧(William Scott, 1745~1836) 스토웰 남작 1세, 판사, 국가법에 대한 영국의 최고 권위자.

✳ 스콧박사(Dr Scott)

✳ 스탈부인(Anne-Louise-Germaine Necker, Madame de Staël, 1766~1817) 프랑스 정치 작가, 소설가. 유창한 말솜씨와 화려한 살롱으로 유명.

✳ 스탠리(Edward Stanley, 1799~1869) 더비 백작 14세. 1815년, 1859년에서 1859년, 1867년에서 1868년 토리당 당수가 됨.

✳ 스탠필드(Clarkson Stanfield, 1793~1867) 해양, 풍경화가. 19세기에 판화로 널리 복제됨.

✳ 스터럿(Edward Strutt, 1801~80) 벨퍼 남작 1세. 더비(1830~47), 애룬덜(1851~2), 노팅엄(1852~6)의 하원의원. 런던대학 총장(1871).

✳ 스터전(William Sturgeon, 1783~1850) 최초의 전기자석 제작(1825). 〈전기 연보 (1836)〉를 영국 최초로 발간.

✳ 스털링(John Sterling, 1806~44) 스코틀랜드 문필가. 문예평론지 〈아테나신전〉의 소유주, 편집장. 《아서 코닝스비(1833)》 출판.

✳ 스토(Harriet Beecher Stowe, 1811~96) 미국 소설가. 《톰 아저씨의 오두막》으로 유명.

✳ 스토(John Stow, 1525~1605) 《영국 연보》《런던과 웨스트민스터 답사》로 유명.

✳ 스토타드(Thomas Stothard, 1755~1834) 화가, 판화가. 그의 작품은 《천로역정》과 《도시와 지방의 잡지》와 같은 출판물을 더욱 빛내줌.

✳ 스토펠즈(Stofells, ?~?) 토크빌의 친구.

✳ 스톤(Edmund Stone, 1768~?) 18세까지 문맹이었으나 존경받는 수학자가 되어 1825년에 왕립학회 회원이 됨.

✳ 스튜어트(James Stuart, 1713~88) 건축가. 《아테네의 고대유물》이란 작업을 1762년에 시작하여 니콜라스의 도움으로 1814년 완성.

* 스튜어트(John Stuart, 1713~92) 뷰트 백작 3세. 1762년 피트를 대신하여 수상을 맡아 1년 뒤에 사임.

* 스트럿(Jedediah Strutt, 1756~97) 방적업자, 양말 편집기 개량.

* 스트럿(Joseph Strutt, 1765~1844) 예술품 수집가, 더비의 최초 시장.

* 스트럿(William Strutt, 1756~1830) 벨퍼 스토브와 뮬 자동 방적기 발명가.

* 스트롱(Jonathon Strong, ?~?) 아프리카 노예

* 스티븐슨(George Stephenson, 1781~1848) 철도 기술자. 1시간에 30마일을 날아가는 로켓을 제작(1830).

* 스펜서(Edmund Spenser, 1552~90) 시인

* 스펠먼(Henry Spelman, 1562~1641) 고고학자. 방대한《고고학 사전》의 집필로 유명함. 이 책은 그의 아들인 윌리엄 더그대일에 의해 완성됨.

* 스피노자(Baruch Spinoza, 1632~77) 네덜란드 철학자. 광학, 천문학, 신학 전공.

* 스피놀라(Ambrogio Spinola, 1539~1630) 로스 발바세스 후작, 이탈리아 군인. 30년 동안 스페인령 네덜란드와 독일에 참전.

* 시드넘(Thomas Sydenham, 1624~1689) 의사, 히스테리와 성병의 증상을 밝혀냄.

* 시드니(Philip Sidney, 1554~86) 시인, 예술 후원자.

* 시드니(Sydney) 시드니(Philip Sidney) 참고.

* 시르(Nugues Saint Cyr, 1774~1842) 프랑스 혁명군.

* 심슨(Robert Simson, 1687~1768) 글래스고 대학의 수학 교수, 유클리드의《기하학 원론》을 포함한《고대 그리스 기하학(1758)》편집.

* 싱클레어 경(Sir John Sinclair, 1754~1835) 스코틀랜드 정치가, 농업학자.

* 설로(Edward Thurlow, 1731~1806) 설로 백작 1세, 법무차관(1770), 법무장관(1771).

* 아낙사고라스(Anaxagoras, 500~428 BC) 그리스 철학가로 모든 물질은 계속해서 분자로 분해한다고 주장.

* 아널드(Thomas Arnold, 1795~1842) 교육자. 1828년 럭비 학교 교장을 지냄. 서식 체계 도입, 1841년 옥스퍼드 대학의 현대 역사학 칙임 교수로 임명됨.

* 아르곤(Noel Argonne, 1634~1778) 프랑스 변호사, 작가.

* 아르너(Antoine Arnauld, 1612~94) 프랑스 철학가, 법률가, 성직자, 수학자.《논리학 사고 기술(포트 로얄의 논리학, 1662)》의 공동저자.

* 아르네(Thomas Augustine Arne, 1710~78) 드루리 레인 극장을 위해 쓴 셰익스피어

송시로 유명해진 작가. 오늘날 《영국이여 통치하라(Rule, Britannia)》로 유명.

* 아브라함 램바크(Abraham Raimbach, 1776~1843) 선(Line)조각 동판조각가. 데이비드 윌키와 일로 친밀한 관계에 있었음. 윌키의 가장 대중적 인기를 누린 그림들의 대형 금속판 시리즈를 제작.

* 아우구스투스(Frederick Augustus, 1773~1827) 요크와 알바니의 공작. 벨기에에서 끔찍한 겨울 퇴각을 이끌어 불명예를 가짐.

* 아이스킬로스(Aeschylus, 525~456 BC) 그리스 비극 작가.

* 아크라이트(Richard Arkwright, 1732~92) 발명가, 생산업자.

* 아폴로니오스(Apollonius, 250~220 BC) 페르게에서 출생. 그리스의 수학자, 원뿔곡선의 권위자.

* 알렉산더 1세(Alexander, 1777~1825) 러시아 황제.

* 알프레드 대왕(Alfred the Great, 849~99) 웨식스의 앵글로 색슨 왕.

* 알프레드(Alfred, Lord Tennyson, 1804~92) 테니슨 경, 시인. 계관시인.

* 알피에리 백작(Vittorio Alfieri, 1749~1803) 이탈리아 시인, 극작가. 그의 첫 작품 《클레오파트라》로 대단히 성공.

* 암스트롱(William George Armstrong, 1810~1900) 암스트롱 남작. 발명가 겸 생산업자. 1840년 효율적인 수력방적기 제작, 1847년 엘스윅 엔진 공장을 창설.

* 애디슨(Joseph Addison, 1622~1719) 수필가, 정치가. 비극적인 무운시 〈카토〉로 유명.

* 애버네시(John Abernethy, 1764~1831) 외과의사. 성바르톨로메오 병원에서의 유쾌한 강의로 명성을 얻음.

* 애버크롬비(Ralph Abercromby, 1734~1801) 스코틀랜드 군인. 이집트에서 프랑스 군대에 대항한 상륙작전으로 치명상을 입음.

* 애벗(Charles Abbott, 1762~1832) 텐터든 남작 1세. 1816년 민사법원 판사.

* 애블러드(Peter Abelard, 1079~1142) 프랑스 철학가. 그의 제자 헬라이저와의 불운한 관계로 유명.

* 애시버튼(Ashburton) 더닝(John Dunning) 참고.

* 애시워스(Henry Ashworth, 1794~1880) 콥덴의 친구, 반곡물법의 열렬한 지지자.

* 애시튼(Ashton, ?~?) 소로튼 시의 제분업자.

* 애시튼(Thomas Ashton, ?~?) 이튼 스쿨에서 교육받은 신학자. 랭카셔 지방의 앨

딩엄에서 삶.

＊ 앨런(William Allen, 1776~1843) 퀘이커 교도 출신. 화학자, 자선가. 1790년 조제프 거니 베반의 화학실 설립을 인계받고 노예제도 폐지 운동에 참여.

＊ 앨베말(Albemarle) 몽크(Christopher Monk) 참조.

＊ 어스킨(Thomas Erskine, 1750~1823) 어스킨 남작 1세. 훌륭한 변호사로 명성이 자자한 스코틀랜드 법학자.

＊ 에드워드(Edward Law, 1790~1871) 엘렌버러 백작, 정치가. 1813년 토리당원이 되었으며, 1841년 인도의 총독이 됨.

＊ 에드워즈(Herbert Benjamin Edwardes, 1819~68) 시크전쟁 동안(1845~46) 동인도회사에서 여러 사무직으로 일함.

＊ 에드워즈(John Edwardes, 1719~1789) 타프강 위로 단일 스팬다리를 놓았으며 사우스웨일스에도 많은 다리를 건설함.

＊ 에드워즈(Thomas Edwards, ?~?) 제화업자, 박물학자.

＊ 에이킨사이드(Mark Akenside, 1721~70) 시인, 정치가. 무운시를 〈젠틀맨 매거진〉에 기고, 장시 〈상상의 기쁨(1744)〉 발행.

＊ 에인스워스(William Harrison Ainsworth, 1805~82) 다작을 남긴 역사소설가로 《룩우드(1834)》에서 나오는 딕 터핀의 이야기로 유명.

＊ 에지워스(Richard Lovell Edgeworth, 1744~1817) 영국계 아일랜드인 발명가, 아일랜드 국회의원.

＊ 에티(William Etty, 1787~1849) 1806년 런던으로 옮겨 로렌스 밑에서 화가 수업을 받았으며, 누드화가로 명성을 얻음.

＊ 엘던(Eldon) 스콧(John Scott) 참조.

＊ 엘러스 형제(John Philip Elers and David Elers, ?~?) 존 필립 엘러스의 아들들. 1688년 런던에 와서 질그릇을 생산하는 데 적합한 좋은 점토를 발견.

＊ 엘리엇(Elliott, ?~?) 노팅엄에서 존 히스코트의 직원으로 일함.

＊ 엘모어(Alfred Elmore, 1815~81) 아일랜드 화가. 19세 때 왕립미술학교에서 첫 그림을 전시함. 1847년 '양말직기발명'으로 엄청난 인기를 누림.

＊ 영(Arthur Young, 1741~1820) 농업학자, 작가. 《농부의 달력》과 같은 과학적인 저서를 통해 농업 수준을 향상시킴.

＊ 영(George Young, 1777~1848) 신학자, 지질학자, 철학자.

＊ 예이츠(William Yates, ?~?) 로버트 필의 이웃, 동업자.

＊ 오더본(John James Audubon, 1785~1851) 박물학자. 그림이 많은《미국의 새》를 발행한 뒤 유명해짐.

＊ 오제로(Pierre Francois Charles Augereau, 1757~1816) 카스틸리오네 공작. 이탈리아 전쟁에서 공을 세워 빠르게 진급한 프랑스 혁명군인.

＊ 와트(James Watt, 1736~1819) 스코틀랜드 발명가, 기술자. 증기기관 개량을 위한 실험(1763)을 하고 첫 특허를 받음(1769).

＊ 요크(Philip Yorke, 1690~1764) 하드윅 백작 1세, 왕좌법원의 수석재판관(1733), 대법관(1737).

＊ 우스터(Worcester) 서머싯(Edward Somerset) 참고.

＊ 울러스턴(William Hyde Wollaston, 1766~1828) 팔라듐과 로듐을 발견(1804,1805). 보라색 다음의 불가시광선을 발견.

＊ 울지(Thomas Wolsey, 1475~1530) 고위성직자, 정치가. 헨리 8세에 의해 추기경으로 임명.

＊ 워(Dhoondiah Waugh, ?~1800) 마이소르의 인도군 지도자. 웰링턴 부대에게 쫓기다가 사망.

＊ 워드(William Ward, 1760~1823) 1799년에 인도에 도착. 복음서 출판에 관한 입지를 굳힘.

＊ 워싱턴(George Washington, 1732~99) 미국의 초대 대통령.

＊ 워즈워스(William Wordsworth, 1770~1850) 시인.

＊ 워커(Adam Walker, 1731~1821) 작가, 발명가. 양수, 풍력마차, 등대, 가정통풍장치 등을 발명.

＊ 워커(Thomas Walker, 1784~1836) 작가, 변호사. 1835년 5월~12월 동안 미식에 관한 주간지 〈오리지널〉 발행.

＊ 월모던(Louis Georges Theodore Wallmoden, 1769~1850) 오스트리아 장군.

＊ 윌슨(Alexander Wilson, 1766~1813) 스코틀랜드 출생. 미국으로 이주(1794). 미국 조류학의 아버지로 불림.

＊ 월프(Josef Wolff, 1795~1882) 독일 선교사.《유대인과 마호메트 및 다른 종교 분파에 관한 조사와 선교 활동(1835)》출판.

＊ 웨스트(Benjamin West, 1738~1820) 미국 태생의 화가. 런던 정착(1763) 조지 3세의

후원을 받음.

* 웨지드(Josiah Wedgwood, 1730~95) 도공.

* 웰링턴(Wellington) 웰즐리(Arthur Wellesley) 참고.

* 웰즐리(Arthur Wellesley, 1769~1852) 웰링턴 공작 1세, 토리당 수상. 워털루에서 나
  폴레옹을 물리친 영웅(1815).

* 웰즐리(Richard Colley Wellesley, 1760~1842) 웰즐리 후작 1세. 웰링턴의 형. 인도의
  식민지 총독

* 위트(Jan de Witt, 1625~72) 네덜란드의 정치가. 공화당의 당수로서 오렌지당과
  대립.

* 윌리엄스(John Williams, 1796~1839) 선교사. 런던 선교회에서 소사이어티 군도로
  파견되었다가(1817) 데로망고 원주민에 의해 사망.

* 윌버포스(William Wilberforce, 1759~1833) 박애주의자, 노예제 폐지론자, 노예제에
  반대한 퀘이커 교도들이 사는 지역의 하원의원(1788~1808).

* 윌슨(Richard Wilson, 1714~82) 웨일스의 풍경화가. 게인즈버그와 컨스터블에서의
  작품은 자유로운 형식을 보여줌.

* 윌키(David Wilkie, 1785~1841) 스코틀랜드의 화가.

* 잠피에리(Domenico Zamperi, 1581~1641) 이탈리아 화가. 바티칸에 그린 〈성 제롬
  의 마지막 성찬식(1614)〉으로 유명.

* 잭비어(Francis Xavier, 1506~52) 스페인 성자, 예수회 공동설립자. 동인도와 일본
  에서 선교사로 일함.

* 쟝리(Comtesse de Genlis, 1746~1830) 수많은 단편희곡과 거의 백 권의 역사연애소
  설을 집필.

* 제임스 레드패스(James Redpath, 1833~91) 스코틀랜드 출생의 저널리스트. 아일
  랜드를 옹호하는 적극적인 모임의 '특별자치위원회' 활동으로 '범죄의 변호인'이
  라는 별칭이 붙음

* 조토(William Giotto, 1266~1337) 이탈리아의 화가, 건축가. 당시에 가장 혁신적인
  예술인으로 인식됨.

* 주스티(Giouseppe Giusti, 1809~50) 이탈리아의 시인이자 풍자가. 1848년 토스카
  나 하원의원으로 선출됨.

* 쥬카렐리(Francois Zucarelli, 1702~88) 이탈리아 화가, 판화가. 초기에 영국에서 활

동함.

＊ 지스카(John Ziska, 1370~1424) 보헤미아 군의 지휘관. 벤체슬라스 왕의 고관. 신
성로마제국 황제 지기스문트의 4만 명 군대를 격퇴한 뒤 포로가 됨.

＊ 지오다니(Felice de Giardini, 1716~96) 바이올리니스트, 작곡가.

＊ 지프(Joseph Germanine Geefs, 1808~85) 벨기에의 조각가.

＊ 차머스(Thomas Chalmers, 1780~1847) 스코틀랜드의 신학자, 정치경제학자, 스코
틀랜드 자유 교회 최초의 총회의장.

＊ 찬트리(Frances Legate Chantrey, 1781~1841) 화가수업을 받았지만, 조상이나 상반
신 조상으로 명성을 날림.

＊ 채닝(William Ellery Channing, 1780~1842) 미국의 성직자, 공리주의자의 지도자.
《자기교양》을 6권으로 수록하여 1846년 발표.

＊ 채스터필드(Lord Chesterfield, 1694~1773) 정치가. 설득력 있는 저서《아들에게 보
내는 편지》로 명성을 얻음.

＊ 채터튼(Thomas Chatterton, 1752~70) 시인. 고어체 시를 발표했고 독약을 먹고 자
살한 뒤 낭만적인 영웅으로 급부상함.

＊ 채텀(Chatham) 먼저 태어난 피터(William Peter) 참고.

＊ 챔버스(William Chambers, 1800~83) 스코틀랜드의 작가이자 출판자. 〈챔버스 에
든버러 저널〉을 편집했으며 W&R 챔버스의 공동 창업주.

＊ 첼리니(Benvenuto Cellini, 1520~98) 이탈리아의 금세공업자, 조각가, 판화가.

＊ 첼리니(Giovanni Cellini, ?~?) 벤베누토의 아들.

＊ 초서(Geoffrey Chaucer, 1345~1400) 시인.

＊ 취른하우스(Walter Von Tschirnhaus, ?~?) 독일의 안경사, 연금술사.

＊ 치섬(Caroline Chisholm, 1808~77) 박애주의자, 사회사업가. 시드니에 이주민에게
거처를 제공하기 위해 사무실을 차리고, '가족이주대출협회'를 창립.

＊ 카노바(Antonio Canova, 1757~1822) 베니스의 신고전주의 조각가. 고전학을 탈퇴
하여 세련미를 표현한 예술인으로 유명.

＊ 카듀(Cardew, ?~?) 데이비(Humphry Davy)의 스승.

＊ 카라바조(Michelangelo Merisi Da Caravaggio, 1573~1610) 17세기 이탈리아의 가장
위대한 화가.

＊ 카라바조(Polidoro Caldara Da Caravaggio, 1492~1543) 바티칸에서 라파엘로를 도운

이탈리아 화가.

＊ 카르노(Lazare Nicolas Marguerite Caront, 1753~1823) 프랑스 혁명가, 정치가. 나폴레 옹 전쟁 당시 '승리의 주인공'으로 인식됨.

＊ 카리시미(Giacomo Carissimi, 1605~74) 이탈리아 작곡가. 성악곡 칸타타를 작곡하 여 발전시킴.

＊ 카베든(Jacques Cavedon, 1577~1660) 화가.

＊ 칼라일(Thomas Carlyle, 1795~1881) 스코틀랜드 역사학자, 수필가.

＊ 칼로(Jacques Callot, 1592~1635) 프랑스 조각가. 17세기 양식의 수많은 사실적 작 품으로 유명.

＊ 캐닝(George Canning, 1770~1827) 정치가. 해군재무장관(1801)과 외무성장관(1807). 가톨릭교도해방을 주장한 설득력 있는 대변인이었음.

＊ 캐미지(John Camidge, 1735~1803) 작곡가이자 오르가니스트. 헨델의 오라토리오 를 교회예배에 최초로 도입(요그민스터에서 활동).

＊ 캐번디시(Henry Cavendish, 1731~1810) 화학자이자 자연 철학가. 자신의 재산을 과학연구에 기부.

＊ 캘코트(Augustus Wall Callcott, 1779~1844) 풍경화가. 1834년 이후 왕실그림의 감독 자

＊ 캠든(Camden) 프랫(Charles Pratt) 참조.

＊ 캠바케레스(Jean Jacques Regis Cambacérès, 1753~1824) 1804년 이후 프랑스 황제의 최고 대법관. 그의 《시민법전의 초안(Projet de Code Civil)》은 《나폴레옹 법전》의 기초가 됨.

＊ 캠벨(Collin Campbell, 1678~1743) 클라이드 남작. 스코틀랜드 군인으로 반도전쟁 에 참전했으며 1857년 폭동 이후 인도에 주둔.

＊ 캠벨(John Campbell, 1779~1861) 캠벨 남작 1세. 스코틀랜드 판사, 1830년에서 1849년까지 휘그당 의원 역임, 1859년 대법관.

＊ 캠벨(John Campbell, 1766~1840) 평신도 설교자 겸 박애주의자. 런던선교단체에 서 파견되어 두 번에 걸쳐 남아프리카의 선교단체 시찰.

＊ 커닝엄(Allan Cunningham, 1784~1842) 스코틀랜드 시인. 처음에는 석공의 수습생 이었지만, 〈런던 매거진〉의 기고자로 고대시풍의 시를 지음.

＊ 커런(John Philpot Curran, 1750~1817) 아일랜드 연설가, 1806년에서 1814년까지의

기록 보관관.

* 컴벌랜드(Richard Cumberland, 1631~1718) 피터버러의 주교(1691).

* 케루비니(Maria Cherubini, 1760~1842) 이탈리아 작곡가. 오페라 〈물을 운반하는 사람〉으로 유명.

* 케리(William Carey, ?~?) 헨리 카레이의 아들로 허드슨 남작 1세(1524~96). 베릭의 총독, 엘리자베스 여왕 때 왕실 의전관.

* 케리(William Carey, 1761~1834) 인도로 파견된 최초의 침례교 선교사 가운데 한 명. 인도에서 1799년 선교단을 설립, 1801년에서 1830년까지 캘커타에서 동양학자로 강의함.

* 케언스(John Cairns, 1818~92) 스코틀랜드 신학자. 연합장로교 신학교의 변증론 교수.

* 켈수스(Celsus, 2세기) 로마의 플라톤 학파 철학가.

* 코람(Thomas Coram, 1668~1751) 조선공이자 자선가. 아프리카 여행 뒤 1720년 런던에 돌아가 1741년 고아원(기아양육원)을 설립.

* 코레조(Antonio Allegri Da Correggio, 1494~1534) 이탈리아 화가. 상파울루의 수녀원에 그린 신화적인 프레스코 화법으로 명성을 얻음.

* 코르토나(Pietro Berrettini Da Cortona, 1596~1669) 이탈리아 화가, 건축가. 로마의 하이 바로크 양식의 창시자.

* 코빗(William Cobbett, 1763~1835) 1802년 《코빗의 정치인명부》로 집필 활동을 시작, 미국으로 망명해 《영어문법(1819)》을 집필.

* 코크(Edward Coke, 1552~1634) 법학자. 1628년 토머스 리틀턴의 《보유권》에 대한 네 권의 '법전' 가운데 제1권을 발행.

* 코크(Thomas Coke, 1752~1842) 래스터 백작(1752~1842). 영국 최초의 농업 전문가로 노퍽의 호밀재배 지역을 밀 재배 지역으로 전환.

* 코튼(Willoughby Cotton, 1783~1860) 인도 주둔군 사령관.

* 코페르니쿠스(Nicholas Copernicus, 1473~1543) 폴란드 천문학자.

* 코플리(John Singleton Copley, 1772~1863) 린드허스트 남작. 동명의 초상화가(1737~1815)의 아들로 토리당에 입당한 변호사로 유명하며, 정신분석학자로도 이름을 날림.

* 콕번(Henry Thomas Cockburn, 1779~1854) 스코틀랜드 판사. 1830년 스코틀랜드의

법무차관. 《자기시대의 회고》를 1856년에 발표.

* 콕스(David Cox, 1783~1859) 풍경화가. 많은 그의 걸작들은 노스웨일스 지방의 풍경에 영감을 받아 그린 작품들임.

* 콘스탕(Henry Benjamin Constant, 1767~1830) 프랑스 작가, 정치가. 소설 《아돌프(1816)》는 심리소설의 초기작품임.

* 콘스터블(Archibald Constable, 1774~1827) 스코틀랜드 출판자. 1801년 〈스콧지〉 인수, 〈에든버러 리뷰〉 발행, 브리태니커 백과사전의 저작권 매입.

* 콘스터블(John Constable, 1776~1837) 풍경화가. 〈건초수레〉가 첫 성공작임.

* 콘월리스(Thomas Cornwallis, 1519~1604) 1548년 기사 작위를 받았으며, 1557년 왕실 감사관이 됨.

* 콜럼버스(Christopher Columbus, 1451~1506) 탐험가.

* 콜론나의 스티븐(Stephen of Colonna, ?~?) 군인

* 콜루멜라(Lucius Columella, 1세기) 로마 농업 분야의 작가.

* 콜리(John Cawley, ?~?) 1705년 뉴커먼의 대기압기관을 개량하는 데 공헌.

* 콜리지(Samuel Taylor Coleridge, 1772~1834) 시인.

* 콜링우드(Cuthbert Collingwood, 1750~1819) 콜링우드 남작 1세. 넬슨과 거의 같은 시기에 활동한 해군, 트라팔가 해전의 부사령관.

* 콥덴(Richard Cobden, 1804~65) 경제학자, 정치가. 자유무역옹호자로 유명.

* 콩도르세(Antoine~Nicolas de Condorcet, 1743~94) 프랑스 수학자. 백과사전 편찬에 적극적으로 참여.

* 쿠퍼(Anthony Ashley Cooper, 1671~1713) 샤프츠버리 백작 3세, 도덕철학자, 《인간, 예절, 주장, 시대의 특징들(1711)》.

* 쿠퍼(William Cowper, 1731~1800) 시인. 〈테스크(The Task)〉 발표 이후 더 짧은 시들을 짓고, 호머와 밀턴의 라틴 시들을 번역.

* 쿡(George Cook, 1772~1845) 스코틀랜드 교회 지도자. 1829년에서 1845년까지 세인트 안드레아 대학에서 도덕철학의 교수로 있었음.

* 쿡(James Cook, 1728~79) 항해가. 남극항해와 뉴칼레도니아 제도 발견으로 명성을 얻음.

* 퀴비에(Georges Cuvier, 1769~1832) 프랑스 과학자. 비교해부학과 고생물학의 아버지로 유명.

＊ 터너(Joseph Mallord William Turner, 1775~1851) 풍경화와 수채화의 대가. 14세에 영국 왕립미술학교에 입학.

＊ 턴불(Peter Evan Turnbull, 1786~1852) 2권의 《오스트리아(1838)》.

＊ 테닌트(Charles Tennant, 1768~1838) 스코틀랜드 화학기업가. 표백분 특허로 부자가 됨.

＊ 테라이(Pierre Du Terrail, 1476~1524) 프랑스 군인. 두려움과 불명예가 없는 기사로 유명.

＊ 테렌티우스(Terence, 190~159 BC) 로마의 희극 작가. 대표 희곡 《안드리아》《환관》《아델피》.

＊ 테셔(Guillaume~Ferdinand Teissier, 1779~1834) 프랑스 역사가.

＊ 테일러(Brook Taylor, 1685~1731) 영국의 수학자. 대표저서 《증분의 직접 방법과 간접방법(1715)》

＊ 테일러(Henry Taylor, 1800~86) 시인.

＊ 테일러(Jeremy Taylor, 1613~67) 신학자. 대표저서 《예언의 자유》《성스러운 삶의 규칙과 훈련》

＊ 텐터든(Tenterden) 애봇(Charles Abbott) 참고.

＊ 텔퍼드(Thomas Telford, 1757~1834) 스코틀랜드 토목기사. 세번교 건설로 유명.

＊ 토리첼리(Evangelista Torricelli, 1608~1647) 이탈리아 수학자, 물리학자. 대기압 때문에 물이 10미터 이상 올라가지 않는다는 사실을 발견.

＊ 토마스(Antoine Leonard Thomas, 1732~1802) 프랑스 문필가

＊ 토마신(Philippe Thomassin, ?~?) 이탈리아 미술가. 17세기에 종교적이고 우의적인 작품이 유명함.

＊ 토크빌(Alexis−Charles−Henri Clerel de Tocqueville, 1805~1859) 프랑스 역사가.

＊ 톰슨(James Thomson, 1700~48) 무운 장시 〈계절〉로 유명한 스코틀랜드 시인.

＊ 투케(John Horne Tooke, 1736~1812) 정치인. 공유지의 사유지화 법령에 반대.

＊ 트레멘히어(Hugh Seymour Tremenheere, 1804~93) 시사평론가, 장학사(1840). 교육에 관한 9개의 논문을 의회에 제출.

＊ 트레비식(Richard Trevithick, 1771~1833) 증기차와 건물 내 장치기관을 제작(1800~1815).

＊ 트렌치(Richard Chenevix Trench, 1807~86) 더블린의 대주교. 역사, 문학, 시, 철학

에 관한 수많은 저서의 작가.

* 티무르(Timour, 1336~1404) 투르크의 정복자. 페르시아(1392~6)와 동인도(1398) 정복.

* 티에리(Augustin Thierry, 1795~1856) 프랑스 역사가. 대작 《노르만족의 영국 침공》.

* 티치아노(Tiziano Vecellio, 1488~1576) 베니스 화가.

* 틴토레토(Tintoretto, 1518~1576) 베니스 화가.

* 파울러(John Fowler, 1826~64) 배수로와 증기 경작기의 발명가. 증기 경작기 발명으로 1858년 체스터에서 열린 왕립농업협회 전시회에서 상금 500파운드를 받음.

* 패러데이(Michael Faraday, 1791~1867) 화학자, 물리학자, 고전학 이론의 창시자.

* 퍼거슨(James Ferguson, 1710~76) 스코틀랜드 천문학자, 발명가. 《뉴턴의 법칙에 대한 천문학적 설명(1756)》의 저자.

* 페르몬(Laure Saint Martin Permon, 1784~1838) 드아브랑테 공작부인. 프랑스 역사 소설가, 연애소설가. 발자크와 가까운 친구 사이임.

* 포셰(Leon Faucher, 1803~54) 프랑스 정치가, 저널리스트, 〈르 탕〉의 편집장. 1848년 노동부장관과 내무장관을 역임.

* 포스터(John Foster, 1770~1843) 수필가, 침례교회 설교자. 〈절충학파 평론지(Eclectic Review)〉를 거의 200편을 펴냄.

* 폭스(Charles James Fox, 1749~1806) 휘그당원이었으며 1782년 국무장관이 되어 피트 수상의 정책에 계속해서 반대 입장을 보임.

* 폴리(Richard Foley, ?~1657) 제철제조업자.

* 폴리(Thomas Foley, 1617~77) 아버지의 제철공장을 인수한 뒤 엄청난 부를 쌓았고, 1660년 뷰들리의 국회의원이 됨.

* 푸르크루아(Antoine Fourcroy, 1775~1809) 1784년 파리 식물원 자댕 드 플랑트에서 교수로 있었음.

* 푸리에(Baron de Fourier, 1768~1830) 푸리에 남작, 프랑스 수학자. 《열분석 이론》으로 명성을 얻음.

* 푸케(Friedrich Fouque, 1777~1843) 독일의 군인, 작가. 1794년에서 1813년까지 프로이센 기사로 복무했으며 많은 연애소설을 집필함.

* 푼샬(Funchal, ?~?) 재정전문가.

* 풀러(Andrew Fuller, 1754~1815) 침례교 설교자. 그가 쓴 저서 《수용할 가치가 있는 복음(1784)》으로 칼뱅주의자들과 논쟁을 벌임.
* 풀러(Thomas Fuller, 1608~61) 성직자, 골동품 연구가. 백과사전적인 문집 《영국의 가치 있는 역사》는 그가 죽은 해에 발행됨.
* 프랭클린(Benjamin Franklin, 1706~90) 미국의 정치가, 과학자.
* 프랭클린(John Franklin, 1786~1847) 탐험가. 캐나다 메켄지 강을 따라 여행했으며 (1819~22, 1825~9) 노스웨스트 항로를 탐험하려다 세상을 떠남.
* 프로스트(Frost, ?~?) 양말제조기를 개량한 인물.
* 플랙스먼(John Flaxman, 1755~1826) 조각가로 로마에서 웨지우드 작업장의 감독직으로 있었음.
* 플레셰(Valentin Fléchier, 1632~1710) 님(Nime)의 주교.
* 플뢰리(Andre Hercule de Fleury, 1653~1743) 프랑스 고위성직자. 자신의 후계자 루이 15세의 가정교사로 일함.
* 플릿우드(Charles Fleetwood, 1618~92) 의회군. 아일랜드의 사령관.
* 피에르 라뮈(Pierre Ramus, 1515~72) 프랑스의 인문주의자. 1545년 프레슬 대학의 학장으로 임명됨.
* 피츠제럴드(Edward Fitzgerald, 1763~98) 아일랜드 민족주의 정치가. 1775년에서 1783년까지 미국의 독립전쟁에 참전했으며 1793년 연합 아일랜드연맹에 가입함.
* 피히테(Johann Gottlieb Fichte, 1762~1814) 독일의 철학자. 《지식학》의 저자로 칸트의 사상을 수정함.
* 필든(John Fielden, 1784~1849) 의회개혁가, '10시간 근무'의 강력한 지지자. 코빗의 절친한 친구이면서 1833년에서 47년까지 올덤의 국회의원임.
* 화이트(Henry Kirke White, 1785~1806) 《클리프턴 그로브》를 발간하여 계관시인 사우디와 친분을 쌓음(1803). 케임브리지 대학의 특대 장학생이지만 요절함.

장만기(張萬基)

서울대학교대학원 졸업(경영학석사). UCLA경영대학원 국제경영자과정 수료. 미국 지구환경대학원 명예환경학 박사. 명지대 교수(경영학). (주)코리아마케팅 대표이사. (주)한국기독실업인회 총무. 제1차 세계성서공회대회 (에티오피아 아디스아바바)한국대표. (사)한국인간개발연구원 창립원장(현). 연세대교육대학원(산업교육), 한남대(경영학), 중앙대 사회개발대학원(리더십), 건국대, 국민대(경영학), 고려대 국제대학원(리더십) 경기대(관광경영) 강의. 한국 엘엠아이(주) Leadership Management Int'l(korea) Inc. 대표이사 회장(현). 중국 연변과학기술대학 명예교수(현), 중국 동북사범대 객원교수, 길림대학 객원교수(현). 지은책으로《인간경영학》, 엮은책《기업과 인간》《한국적 노사관계》《간부의 자기혁명》, 옮긴책《간부와 자기관리》《경영지침》《활력경영》《폴마이어와 베풂의 기술》《폴 J. 마이어의 리더십 실천계획 5단계》 등이 있다.

세계사상전집073
Samuel Smiles
SELF HELP
자조론
새뮤얼 스마일스 지음/장만기 옮김
동서문화창업60주년특별출판
1판 1쇄 발행/2017. 2. 20
발행인 고정일
발행처 동서문화사
창업 1956. 12. 12. 등록 16-3799
서울 중구 다산로 12길 6(신당동 4층)
☎ 546-0331~6 Fax. 545-0331
www.dongsuhbook.com

*

사업자등록번호 211-87-75330
ISBN 978-89-497-1588-9 04080
ISBN 978-89-497-1514-8 (세트)